DICCIONARIO DE TERMINOS
ANTICUADOS Y EN DESUSO

ANITA NAVARRETE LUFT

Thomas More College, Ky, USA.

DICCIONARIO

DE

TERMINOS ANTICUADOS

Y EN

DESUSO

COLECCION PLAZA MAYOR SCHOLAR

PLAYOR, S. A. **MADRID**

P
M

© 1973, Anita Navarrete
Depósito Legal: M-9119-1973
I S B N : 84-359-0071-1
PLAYOR, S. A.
Colección PLAZA MAYOR SCHOLAR
Apartado 50869 - MADRID
PRINTED IN SPAIN
Impreso en España

PLAYOR, S. A. - Mar Menor, 16 - MADRID-33

INTRODUCCION

Este trabajo no es, ni pretende ser, exhaustivo. Se ha hecho con la idea de poner en las manos de los estudiantes un diccionario práctico de palabras anticuadas y en desuso, que les ayude en la lectura de los textos medievales y renacentistas.

En la confección de esta obra se han incluido palabras, significados y formas anticuadas y desusadas, además de algunas palabras y significados que, a pesar de ser considerados por la Real Academia como palabras en uso, en parte del mundo hispánico son de poco o ningún uso.

Las fuentes bibliográficas empleadas fueron el **Diccionario de la lengua española** de la Real Academia, y el **Vocabulario medieval castellano** de Julio Cejador y Frauca.

Como algunas veces la significación de una palabra, según la Real Academia, no coincide con la significación dada por Cejador, en el texto se consigna la fuente. Para ello se le asignó el número (1) a la Real Academia, y el número (2) a Cejador. Por ejemplo:

Aconchar: tr. ant. Componer, aderezar (1).

que significa que la definición es la de la Real Academia.

Otras veces, la palabra aparece en ambas fuentes con la misma definición. Entonces se representa de la siguiente manera:

7

INTRODUCCION

Acomendar: tr. ant. Encomendar//2. r. ant. Encomendarse (1-2).

También puede presentarse el caso de la Real Academia dando una significación y Cejador otra. Este problema ha sido resuelto de la manera siguiente:

Cuadra://11. f. ant. Astron. Cuadratura (1)//Sala (2).

Algunas veces la palabra en uso, dada como significación de la anticuada o desusada, es, a su vez, de poco uso en el lenguaje cotidiano. Cuando este caso aparece, la significación de la palabra en uso se consigna, en paréntesis, a continuación de la palabra. Por ejemplo:

Atalear: tr. ant. Atalayar (Mirar, propiamente desde lo alto o atalaya) (1).

Para ayudar al estudiante en la interpretación de esta obra, se ha incluido una lista de abreviaturas. Esta lista es, fundamentalmente, la de la Real Academia, según aparece en el **Diccionario de la lengua,** pero ha sido abreviada, ya que sólo se consignan las abreviaturas que aparecen en el texto.

ABREVIATURAS

a.: activo, va.
abl.: ablativo.
acus.: acusativo.
adj.: adjetivo.
adv.: adverbio o adverbial.
adv. afirm.: adverbio de afirmación.
adv. c.: adverbio de cantidad.
adv. l.: adverbio de lugar.
adv. m.: adverbio de modo.
adv. neg.: adverbio de negación.
adv. ord.: adverbio de orden.
adv. t.: adverbio de tiempo.
Agr.: Agricultura.
Álg.: Álgebra.
amb.: ambiguo.
Amér.: América.
And.: Andalucía.
ant.: anticuado, da; o usadas hasta el siglo XVI.
Apl., apl.: aplicado.
Apl. a pers., usáb. t. c. s.: aplicado a persona, usábase también como sustantivo.
apóc.: apócope.

Ar.: Aragón.
Argent.: Argentina.
Arq.: Arquitectura.
art.: artículo.
Ast.: Asturias.
Astron.: Astronomía.
aum.: aumentativo.
aux.: verbo auxiliar.
Blas.: Blasón.
Bot.: Botánica.
Burg.: Burgos.
c.: como.
Carp.: Carpintería.
Cetr.: Cetrería.
Cir.: Cirugía.
colect.: colectivo.
com.: común.
comp.: comparativo.
conj.: conjunción.
conj. advers.: conjunción adversativa.
conj. caus.: conjunción causal.
conj. comp.: conjunción comparativa.
conj. cond.: conjunción condicional.
conj. copulat.: conjunción copulativa.

ABREVIATURAS

conj. distrib.: conjunción distributiva.
conj. ilat.: conjunción ilativa.
contracc.: contracción.
d.: diminutivo.
dat.: dativo.
defect.: verbo defectivo.
dem.: demostrativo.
despect.: despectivo, va.
desus.: desusado, da; o usada hasta el siglo XVIII.
deter.: determinado.
Esgr.: Esgrima.
expr.: expresión.
f.: sustantivo femenino.
fam.: familiar.
Farm.: Farmacia.
fest.: festivo, va.
fig.: figurado, da.
Fil.: Filosofía.
For.: Forense.
Fort.: Fortificación.
fr., frs.: frase, frases.
frec. o frecuent.: verbo frecuentativo.
fut.: futuro.
Gal.: Galicia.
gén.: género.
genit.: genitivo.
Geogr.: Geografía.
Geom.: Geometría.
ger.: gerundio.
Germ.: Germanía.
Gram.: Gramática.
Gran.: Granada.
Guat.: Guatemala.
imper. o imperat.: imperativo.
impers.: verbo impersonal.
indet. o indeter.: indeterminado.
indic.: indicativo.

infinit.: infinitivo.
interj.: interjección.
intr.: verbo intransitivo.
irreg.: irregular.
l.: lugar.
Lat.: Latín.
Lit.: Literatura.
loc.: locución.
m.: sustantivo masculino.
m. y f.: sustantivo masculino y femenino.
m. adv.: modo adverbial.
Mar.: Marina.
Med.: Medicina.
Méj.: Méjico o México.
metáf.: metáfora.
Metapl.: metaplasmo.
Mil.: Milicia.
Mont.: Montería.
Mús.: Música.
n.: neutro.
Nav.: Navarra.
neg.: negación.
negat.: negativo, va.
núm.: número.
onomat.: onomatopeya.
p.: participio.
p. a.: participio activo.
Pal.: Palencia.
Pat.: Patología.
pers.: persona.
Pint.: Pintura.
pl.: plural.
poét.: poético, ca.
p. p.: participio pasivo.
prep.: preposición.
pret.: pretérito.
pron.: pronombre.

ABREVIATURAS

pron. dem.: pronombre demostrativo
pron. indeter.: pronombre indeterminado.
pron. pers.: pronombre personal.
pron. poses.: pronombre posesivo.
pron. relat.: pronombre relativo.
Quím.: Química.
r.: verbo reflexivo.
Ret.: Retórica.
Rioj.: Rioja.
s.: sustantivo.
S.: siglo.
Sant.: Santander.
sing.: singular.
sup.: superlativo.
t.: tiempo.
Teol.: Teología.
tr.: verbo transitivo.
Usáb. c. s. m.: Usáb. como sustantivo masculino.

usáb.: usábase.
Usáb. m. c. intr.: Usáb. más como intransitivo.
Usáb. m. c. r.: Usábase más como reflexivo.
Usáb. m. en pl.: Usábase más en plural.
Usáb. t. c. adj.: Usáb. también como adjetivo.
Usáb. t. c. intr.: Usábase también como intransitivo.
Usáb. t. c. r.: Usábase también como reflexivo.
Usáb. t. c. s.: Usábase también como sustantivo.
Usáb. t. c. tr.: Usábase también como transitivo.
v.: verbo.
Veter.: Veterinaria.
vulg.: vulgar.
Zool.: Zoología.

BIBLIOGRAFIA

CEJADOR Y FRAUCA, JULIO: *Vocabulario medieval castellano*, New York, Las Americas Publishing Co., 1968.

REAL ACADEMIA ESPAÑOLA: *Diccionario de la lengua española*, 18.ª ed., Madrid, Editorial Espasa-Calpe, S. A., 1956.

A

Aba: interj. ant. usada en los peligros (2).

Abad: m. ant. Cura (2).

Abajar: tr. e intr. ant. Bajar (2).

Abajor: m. ant. Bajura (1-2).

Abaldonar: tr. ant. Despreciar, denostar.//2. ant. Entregar o abandonar (1).

Aballar: tr. ant. Echar abajo (1-2).

Abandería: f. ant. Bandería (1).

Abanero, ra: adj. ant. Amaestrado, decíase del ave (1).

Abarraz: m. ant. Albarraz (Hierba piojera) (1).

Abarredero, ra: adj. ant. Destructor, asolador (2).

Abarrenar: tr. ant. Barrenar (1).

Abarridero: adj. ant. Destructor, asolador (2).

Abarrir: tr. ant. Destruir, asolar, dispersar (2).

Abasar: tr. e intr. ant. Bajar (2).

Abassar: tr. e intr. ant. Abasar (2).

Abastadamente: adv. m. ant. Abundante o copiosamente (1).

Abastadamientre: adv. m. ant. Abastadamente (2).

Abastante: adj. ant. Bastante o suficiente (1).

Abastanza: adv. c. ant. Bastantemente (1).

Abastar: tr. ant. Abastecer, proveer (2)//2. intr. ant. Bastar (1).

Abastimento: m. ant. Abastecimiento (1).

Abasto: adv. m. ant. Copiosa o abundantemente (1).

Abat: m. ant. Abad (2).

Abatida: f. ant. Batida de caza (2).

Abatidura: f. ant. Acción de abatirse o caer el ave de rapiña (1).

Abaxar: tr. e intr. ant. Abajar (2).

Abaz: m. ant. Aparador (1).

Abbad: m. ant. Abad (2).

Abbadessa: f. ant. Abadesa (2).
Abbadía: f. ant. Abadía (2).
Abbat: m. ant. Abad (2).
Abbatissa: f. ant. Abadesa (2).
Abbuelbola: f. ant. Alegre vocería, algazara (2).
Abçe: f. ant. Auce (2).
Abdencia: f. ant. Audiencia (2).
Abdicar://3. desus. Privar a uno de un estado favorable, de un derecho, facultad o poder. Usáb. t. c. intr. (1).
Abebrar: tr. ant. Abrevar//2. ant. Mojar, remojar//3. ant. Saciar (1-2).
Abeiero: m. ant. Colmenar (2).
Abeitar: tr. ant. Abajar, someter, engañar (2).
Abeite: m. ant. Engaño (2).
Abejero: m. ant. Colmenar (2).
Abellar: m. ant. Abejar (1).
Abellero: m. ant. Abejero (1).
Abellota: f. ant. Bellota (1).
Abenencia: f. ant. Convenio (2).
Abenir: intr. ant. Suceder//2. ant. Haber//3. ant. Convenir//4. ant. Lograr (2).
Abental: m. ant. Delantal (1).
Abéñola: f. ant. Abéñula (1).
Abéñula: f. ant. Pestaña (1).
Abés: adv. m. ant. Difícilmente, con trabajo (1-2)//Apenas (2).
Abestionar: tr. ant. Fort. Abastionar (1)
Abetar: tr. ant. Someter, engañar (2).
Abete: m. ant. Engaño (2).
Abevrar: tr. ant. Abrevar (2).
Abierta: f. ant. Abertura (1).
Abiespa: f. ant. Avispa (2).
Abigero: m. ant. Abigeo (For. El que hurta ganado o bestia) (1).

Abiltar: intr. ant. Afrentar (2).
Abiso: m. ant. Abismo (1).
Abita: f. desus. Bita (Cada uno de los postes que, fuertemente asegurados a la cubierta, sirven para dar vuelta a los cables del ancla) (1).
Abivar: tr. ant. Avivar (2).
Ablandadura: f. ant. Ablandamiento (1).
Ablandecer: tr. ant. Ablandar (2).
Ablandir: tr. ant. Blandir (1).
Ablentador: m. ant. Aventador (1).
Ablentar: tr. ant. Aventar (2).
Abnuda: f. ant. Obligación de hacer o reparar cercas, castillos, fosos, etc., y la contribución pecuniaria por ello (2).
Abocado: m. ant. Abogado (2).
Abogador, ra: adj. ant. Que aboga (1).
Abogamiento: m. ant. Acción y efecto de Abogar (1).
Abolongo: m. ant. Abolengo (1).
Abollero: m. ant. Albañal (2.
Abonanza: f. ant. Bonanza (1-2).
Abonar: intr. ant. Abonanzar (2).
Abondadamente: adv. m. ant. Abundantemente (1).
Abondado da: p. p. del ant. Abondar// 2. adj. ant. Abundado (1).
Abondadura: f. ant. Abundancia (1).
Abondamiento: m. ant. Abundancia (1).
Abondar: intr. ant. Abundar//2. ant. Bastar, ser suficiente o conveniente//3. ant. Satisfacer, contentar (1) //4. tr. ant. Abastecer, proveer con abundancia o suficientemente (1-2) //5. ant. Regalar generosamente (2).
Abondo: m. ant. Abundo (1)//2. m. ant. Abundancia (2).

Abondosamente: adv. m. ant. Abundantemente (1).

Abondoso, sa: adj. ant. Abundante (1).

Abordonar: intr. ant. Andar o ir apoyado en un bordón (1).

Aborrecedero, ra: adj. ant. Aborrecible (1).

Aborrencia: f. ant. Aborrescencia (1).

Aborrescencia: f. ant. Aborrecimiento (1).

Aborrible: adj. ant. Aborrecible (1).

Aborrío: m. ant. Aburrimiento (1).

Aborrir: tr. ant. Aborrecer//2. r. ant. Entregarse con despecho a alguna acción o afecto (1).

Aborso: m. ant. Aborto (1).

Abortadura: f. ant. Aborto (1).

Abostezar: intr. ant. Bostezar (2).

Aboyar: tr. desus. Arrendar una heredad con bueyes para su labranza (1).

Abravar: tr. ant. Excitar (1).

Abraveces: tr. ant. Embravecer (1).

Abrazador://5. adj. ant. El que solicitaba a otros para llevarlos a las casas públicas de juego (1).

Abrenunciar: tr. ant. Renunciar (1).

Abreviación: ant. Compendio (1).

Abridor, ra://2. adj. desus. Méd. Aperitivo (1).

Abrigamiento: m. ant. Abrigo (1).

Abrollo: m. ant. Abrojo (1).

Abromado, da: p. p. de Abromar (1).

Abromar: tr. ant. Abrumar (1).

Absconder: tr. ant. Esconder. Usáb. t. c. r. (1-2).

Abscondidamente: adv. m. ant. Escondidamente (1).

Abscuro, ra: adj. ant. Oscuro (1).

Absencia: f. ant. Ausencia (1).

Absentarse: r. ant. Ausentarse (1).

Absente: adj. ant. Ausente (1).

Absinçio: m. ant. Ajenjo (2).

Absintio: m. ant. Absincio (2).

Absolver://4. ant. Cumplir alguna cosa, ejecutarla del todo (1).

Absolviente: p. a. ant. de Absolver. Absolvente (1).

Absolvimiento: m. ant. Absolución (1).

Abstener: tr. desus. Contener o refrenar, apartar (1).

Abuchar: tr. ant. Gustar como llenando buche y boca (2).

Abuhado: adj. ant. Soplado, hinchado (2).

Abuhamiento: m. ant. Hinchazón o abotagamiento (1).

Abuhar: tr. ant. Soplar, hinchar (2).

Abundadamente: adv. m. ant. Abundantemente (1).

Abundado, da://2. adj. ant. Abundante //3. ant. Rico, opulento (1).

Abundar: tr. ant. Abondar (2).

Abundo: m. ant. Abundamiento//2. adv. m. ant. Abundantemente (1).

Aburrir: tr. ant. Aborrecer (1-2).

Abusión: f. ant. Superstición (2).

Abuzado: adv. m. ant. De bruces o boca abajo (2).

Acá (En): m. adv. ant. Hasta aquí (2).

Acabar: tr. ant. Alcanzar, recabar (2).

Acabdar: tr. ant. Conseguir (1-2).

Acabdellar: tr. ant. Acabdillar (1)//2. tr. ant. Juntar, guir (2).

Acabdilladamente: adv. m. ant. Con orden y disciplina militar (1).

Acabdillador, ra: adj. ant. Acaudillador. Usáb. t. c. s. (1).

Acabdillamiento: m. ant. Acaudillamiento (1).

Acabdillar: tr. ant. Acaudillar (1).

Acabecer: tr. ant. Acabar o recabar (2).

Acachorrar: tr. ant. Acogotar (1).

Academio: adj. ant. Académico (1).

Acaecer://2. intr. ant. Hallarse presente, concurrir a algún paraje (1-2).

Acaecerse: r. ant. Estar presente, acudir (1-2).

Acaer: intr. ant. Acaecer (2).

Acaimiento: m. ant. Acaecimiento (2).

Acalmar: tr. ant. Calmar (1).

Acalonnar: tr. ant. Acaloñar (2).

Acaloñar: tr. ant. Caloñar (1)// tr. ant. Achacar como delito, imputar (2).

Acalumniador, ra: adj. ant. Calumniador. Usáb. t. c. s. (1).

Acalumniar: tr. ant. Calumniar//2. ant. Afear, denigrar//3. ant. Excomulgar (1).

Acalzar: tr. ant. Perseguir (2).

Acallonar: tr. ant. Acaloñar (2).

Acamuzado, da: adj. ant. Agamuzado (1).

Acaptar: tr. ant. Pedir limosna (1).

Acarreadura: f. ant. Acarreo (1).

Acastillado, da: adj. ant. De figura de castillo (1).

Acatadura: f. ant. Semblante, catadura (1-2).

Acatar://2. tr. ant. Mirar con atención //3. ant. Considerar bien una cosa //4. ant. Tener una cosa relación o correspondencia con otra//5. ant. Respetar//6. r. ant. Recelarse//**Aca-**

tar abajo: fr. ant. fig. Despreciar (1-2).

Ácates: f. ant. Ágata (1).

Acaudellar: tr. ant. Juntar, guiar (2).

Acayad: m. ant. Acayaz (2).

Acayaz: m. ant. Alcaide (1-2).

Acayo, ya: adj. Aqueo. Usáb. t. c. s. (1).

Acazurrado: adj. ant. Perverso, malo (2).

Accender: tr. ant. Encender (1).

Accenso, sa: p. p. irreg. ant. de Accender (1).

Accidentariamente: adv. m. ant. Accidentalmente (1).

Accidente://De accidente: m. adv. ant. Por accidente (1).

Acción://7. f. ant. Acta (1).

Acebibe: m. ant. Uva pasa (1).

Acecalar: tr. ant. Acicalar (2).

Acecinador: m. desus. Asesino (1).

Acecinamiento: m. desus. Asesinato (1).

Aceche: m. ant. Vitriolo (2).

Acedar: tr. ant. Poner acedo (2).

Acedia: f. ant. Acidia (1).

Acedoso, sa: adj. ant. Acedo, infeliz (2).

Acedrex: m. ant. Ajedrez (2).

Acedura: f. ant. Acedía (1).

Aceituní: m. ant. Estofa de terciopelo (2).

Aceitunil: m. ant. Aceituní (2).

Acemite://3. m. ant. Flor de la harina. //4. desus. Granzas limpias y descortezadas del salvado, que quedan del grano remojado y molido gruesamente (1).

DICCIONARIO DE TERMINOS
ANTICUADOS Y EN DESUSO

ANITA NAVARRETE LUFT

Thomas More College, Ky, USA.

DICCIONARIO

DE

TERMINOS ANTICUADOS

Y EN

DESUSO

COLECCION PLAZA MAYOR SCHOLAR

PLAYOR, S. A.   P̶M̶   **MADRID**

P
M

© 1973, Anita Navarrete
Depósito Legal: M-9119 - 1973
I S B N : 84 - 359 - 0071 - 1
PLAYOR, S. A.
Colección PLAZA MAYOR SCHOLAR
Apartado 50869 - MADRID
PRINTED IN SPAIN
Impreso en España

PLAYOR, S. A. - Mar Menor, 16 - MADRID - 33

Acender: tr. ant. Encender. Usáb. t. c. r. (1).

Acenefa: f. ant. Cenefa (1).

Acena: f. ant. Acenia (2).

Acenia: f. ant. Aceña (Molino harinero de agua situado dentro del cauce de un río) (1-2).

Acennia: t. ant. Acenia (2).

Acenna: f. ant. Acenia (2).

Aceñar: intr. ant. Hacer señas, ceños o guiños (2).

Aceñero: m. ant. El que tiene aceña (2).

Acepción://2. f. ant. Aceptación o aprobación (1).

Acerca: adv. 1. y t. ant. Cerca (1-2).

Acercanza: f. ant. Cercanía (1).

Aceroso, sa: adj. ant. Áspero, picante (1).

Acertajón, na: adj. ant. Adivinador. Usáb. t. c. s. (1).

Acertar://9. r. ant. Hallarse presente a alguna cosa (1-2).

Acertero: m. desus. Blanco (1).

Aceruelo: m. ant. Almohadilla en la mula para sentarse el guía (2).

Acervar: tr. ant. Amontonar (1).

Acetar: tr. ant. Aceptar (1).

Aceto: m. ant. Vinagre (1).

Aceto, ta: adj. ant. Acepto (1).

Acetrería: f ant. Cetrería (1).

Acetrero: m. ant. Cetrero (1).

Acevilar: tr. ant. Acivilar (1).

Aciago://2. m. ant. Azar, desgracia (1).

Aciar: m. ant. Acial (Instrumento con que oprimiendo un labio, la parte superior del hocico, o una oreja de la bestia, se les aquieta mientras las hierran, curan o esquilan) (1).

Aciche: m. ant. Aceche (2).

Acije: m. ant. Aceche (2).

Acimentarse: r. ant. Establecerse o o arraigarse en algún pueblo (1).

Ación: f. ant. Correa con que pende de la silla el estribo (2).

Acitára: f. ant. Cobertura o manta del caballo//2. ant. Haces costaneras de la batalla (2).

Acivilar: tr. ant. Envilecer, abatir. Usáb. t. c. r. (1).

Aclamar://4. tr. ant. Llamar, requerir o reconvenir//5. r. ant. Quejarse o darse por agraviado (1).

Acobdadura: f. ant. Acodadura (1).

Acobdar: tr. ant. Acodar (1).

Acobdiciar: tr. ant. Acodiciar. Usáb. t. c. r. (1-2).

Acodiciar: tr. ant. Codiciar (2).

Acoger://7. tr. ant. Coger//10. ant. fig. Conformarse con la voluntar o dictamen de otro (1).

Acogía: p. p. irreg. de Acoger. Acogida (2).

Acoita: f. ant. Cuita (1).

Acoitar: tr. ant. Acuitar (1-2).

Acólcetra: f. ant. Cólcedra (1).

Acolgar: intr. ant. Colgar o inclinarse una cosa hacia una parte (1).

Acollido: m. ant. Acogido (1).

Acollir: tr. ant. Acoger (2).

Acomendador, ra: adj. ant. Que acomienda. Usáb. t. c. s. (1).

Acomendadero: m. ant. Aquel a quien se encomendaba el cuidado de algo (2).

Acomendamiento: m. ant. Acción y efecto de acomendar (1)//Mandato, mandamiento (2).

Acomendante: p. a. ant. de Acomendar. Que acomienda (1).

Acomendar: tr. ant. Encomendar //2. r. ant. Encomendarse (1-2).

Acometer: tr. ant. Proponer (1-2). //4. desus. Cometer (1).

Acomunalar: intr. ant. Tener trato y comunicación. Usáb. t. c. r. (1).

Aconchar: tr. ant. Componer, aderezar (1).

Aconduchar: tr. ant. Proveer de conducho (1).

Aconhortar: tr. ant. Conhortar. Usáb. t. c. r. (1).

Acontar: tr. ant. Apuntalar (1).

Acontecido, da://2. adj. ant. Dicho de rostro o cara, afligido o triste (1).

Acontiado, da: adj. ant. Hacendado (1).

Acontir: intr. ant. Acontecer (2).

Acontra: adv. ant. En contra (2).

Acontrastar: tr. ant. Contrastar (2).

Aconvido: m. ant. Convidado (1).

Acoplar: tr. ant. Hacer coplas (2).

Acordablemente: adv. m. ant. Acordadamente (1).

Acordación: f. ant. Noticia, memoria o recordación (1).

Acordado: adj. ant. Cuerdo (2).

Acordamiento: m. ant. Conformidad, concordia, consonancia (1).

Acordante: p. a. ant. de Acordar. Que acuerda//2. adj. ant. Acorde (1).

Acordantemente: adv. m. ant. Acordadamente (1).

Acordanza [-ça]: f. ant. Acuerdo (2).

Acordar://7. tr. ant. Hacer a alguno volver en su juicio //12. ant. Volver a alguno en su acuerdo o juicio. Usáb. t. c. tr.//13. ant. Despertar (1)//tr. ant. Poner en buen acuerdo//2. r. ant. Concertarse//3. r. ant. Atenerse (2).

Acorrer://4. tr. ant. Correr o avergonzar a uno//5. intr. ant. Acudir, recurrir//6. r. Refugiarse, acogerse (1)// ant. Socorrer (2).

Acorrimiento: m. ant. Socorro, recurso, amparo, asilo (1).

Acorro: m. ant. Socorro (2).

Acortadizo: m. ant. Ar. Recorte de tela, piel, etc. (1).

Acorvar: tr. ant. Mont. Encorvar (2).

Acostado, da://2. adj. ant. Allegado, cercano en parentesco o amistad (1).

Acostado, da: adj. ant. Con acostamiento o estipendio (1).

Acostamiento: m. ant. Tropa a sueldo del rey (2).

Acostar: tr. ant. Inclinar//2. ant. Dar soldada//3. r. ant. Inclinarse, arrimarse (2).

Acostumpnar: tr. ant. Acostumbrar (2).

Acostupnar: tr. ant. Acostumpnar (2).

Acotar: tr. ant. Limitar//2. ant. Preceptuar, prohibir, atestiguar, emplazar (2).

Acrebite: m. ant. Alcrebite (Azufre) (1).

Acrecer: tr. ant. Acrecentar (2).

Acreer: intr. ant. Dar prestado sobre prenda o sin ella (1-2)//2. ant. Dar crédito, fiar (2).

Acristianado, da: adj. ant. Decíase del

que se empleaba en obras o ejercicios propios de cristianos (1).

Acrovo: pret. ant. de Acrecer (2).

Acto://8. m. ant. For. Autos (1).

Actor: m. ant. Autor (1).

Actuoso, sa: adj. ant. Diligente, solícito, cuidadoso (1).

Acualquier: pron. indeter. Cualquier (2).

Acudiciarse: r. ant. Aficionarse con vehemencia a alguna cosa (1).

Acuesto: m. ant. Declive (1).

Acuiar: tr. ant. Cuidar con diligencia (2).

Acuitamiento: m. ant. Cuita (1).

Acuitar: tr. ant. Cuitar, afligir (2).

Acumbrar: tr. ant. Encumbrar (1).

Acumen: m. ant. Agudeza, perspicacia, ingenio (1).

Acuminoso, sa: adj. desus. Agudo, ácido (1).

Acuntir: intr. ant. Acontir (2)//Acontecer (1).

Acuradamente: adv. m. ant. Con cuidado y esmero (1).

Acurado, da: adj. ant. Cuidadoso y esmerado (1).

Acusamiento: m. ant. Acusación (1).

Acusanza: f. ant. Acusación (1).

Acusioso: adj. ant. Activo (2).

Acuso: m. ant. Acusación (1).

Acuto, ta: adj. ant. Agudo (1).

Açaria: ant. Botín hecho por la caballería que así se llamaba (2).

Açor: m. ant. Azor (2).

Açotar: tr. ant. Azotar (2).

Achacadizo, za: adj. ant. Simulado, fingido, malicioso (1-2).

Achacado: adj. ant. Cosa de achaque o casualidad//2. adv. m. ant. Con mala voluntad (2).

Achacar: intr. ant. Causarse un mal (2).

Achaque: m. ant. Desaprobación (2).

Achaquear, [-iar]: tr. ant. Acusar (2).

Ad: prep. ant. A (1).

Adafina: f. ant. Cierto guiso delicado de los judíos españoles (2).

Adagara: f. ant. Adarga (2).

Adahala: f. desus. Adehala (Lo que se da de gracia o se fija como obligatorio sobre el precio) (1).

Adalil: m. ant. Guía (2).

Adama: ant. Arbitrio conveniente, remedio apto (2).

Adamante: m. ant. Diamante (1).

Adamar: m. ant. Fineza o prenda de amor o cariño (1).

Adamar://2. tr. ant. Amar con vehemencia (1)//Hacer el amor (2).

Adamasco: m. ant. Damasco (1).

Adamidos: adv. m. ant. Ambidos (1)// A disgusto (2).

Adaponer: tr. ant. For. Presentar en juicio (1).

Adapuesto, ta: p. p. irreg. de Adaponer (1).

Adáraga: f. ant. Adarga (1-2).

Adárame: m. ant. Adarme (1).

Adarga: f. ant. Escudo antiguo (2).

Adárgama: f. ant. Harina de flor (1).

Adarve://2. m. ant. Muro de una fortaleza (1-2)//m. ant. Espacio en lo alto del muro sobre que se levantan las almenas (2).

Adebdar: intr. ant. Adeudar (2).

Adecuja: f. ant. Especie de vasija o jarro usado por los moriscos de Andalucía (1).

Adedar: tr. ant. Señalar con el dedo (2).

Adefina: f. ant. Adafina//2. ant. Secreto (1-2).

Adefuera: adv. 1. ant. Por de fuera //2. amb. pl. ant. Afueras (1).

Adegaño, ña: adj. ant. Aledaño. Usáb. t. c. s. y más generalmente en plural (1).

Adeland: adv. l. ant. Adelant (2).

Adelant: adv. l. ant. Adelante (2).

Adelantadía: f. ant. Cargo del adelantado (2).

Adelantar://10. tr. ant. Poner delante //11. ant. Llevar adelante, mantener

Adelinar: tr. ant. Adeliñar (2).

Adeliñar: tr. ant. Aliñar, componer, enmendar. Usáb. t. c. r.//2. intr. ant. Dirigirse, encaminarse (1-2).

Adeliñecho: p. p. irreg. de Adeliñar (2).

Adeliño: m. ant. Aliño (1).

Además: adv. c. ant. Por demás //2. ant. Mucho (2).

Adenoso, sa: adj. desus. Glanduloso (1).

Aderar: tr. ant. Tasar a dinero (1-2).

Aderezar: tr. ant. Dirigir//2. r. ant. Dirigirse a (2).

Aderredor: adv. l. ant. Alrededor (1-2).

Adestranza: f. ant. Adiestramiento (1).

Adestrar: tr. ant. Dar la diestra //2. ant. Servir de lazarillo (2).

Adestría: f. ant. Destreza (1-2).

Adesuso: adv. l. ant. Por encima (2).

Adeudar://3. tr. ant. Obligar, exigir (1).

Adevinar: tr. ant. Adivinar (2).

Adeza: f. ant. Conveniencia//2. ant. Abstracto (2).

Adherecer: intr. ant. Adherir (1).

Adhortar: tr. ant. Exhortar (1).

Adiablado, da: adj. ant. Endiablado (2).

Adiamiento: m. ant. Acción y efecto de Adiar (Señalar o fijar día) (1).

Adiano, na: adj. ant. De edad, desarrollado, crecido, provecto, antiguo (1) //Conveniente, cabal, extremado (2).

Adieso: adv. t. ant. Al punto luego, al instante (1-2).

Adiva: f. ant. Enfermedad como esquinencia (2).

Adive: m. ant. Zorro, raposo (2).

Adjurable: adj. ant. Aplicábase a la persona o cosa por quien se podía jurar (1).

Adjuración: f. ant. Conjuro// 2. ant. Imprecación (1).

Adjurador: m. ant. Conjurador o exorcista (1).

Adjurar: tr. ant. Conjurar (1).

Adjutorio: m. ant. Ayuda, auxilio (1).

Administro: m. ant. El que ayudaba o servía a otro en algún cargo u oficio (1).

Adnado, da: m. y f. ant. Alnado, da (1).

Adnuba: f. ant. Abnuda (2).

Adó: adv. l. ant. Donde, adonde (1-2).

Adobado://3. m. ant. Cualquier manjar compuesto o guisado (1).

Adobar://6. tr. ant. Pactar, ajustar (1) //tr. ant. Mejorar, adornar, reparar, preparar (2).

Adobe: m. ant. Hierros a los pies del criminal (2).

Adobera://3. f. ant. Obra hecha de adobes (1).

Adobío://2. m. ant. Adobo (1-2).

Adobo://6. m. ant. Adorno//7. ant. Pacto, ajuste (1)//Mejora, arreglo, reparo (2).

Adocir: tr. ant. Aducir (1).

Adolecer://3. tr. ant. Causar dolencia o enfermedad (1)//r. ant. Condolerse (2).

Adolo: contracc. de a + donde + ello (2).

Adonado, da: adj. ant. Colmado de dones, gracioso, donoso (1-2).

Adonar: tr. ant. Engalanar (2).

Adonarse: r. ant. Acomodarse, adornarse (1).

Adone: adv. t. ant. Entonces (2).

Adoptación: f. ant. Adopción (1).

Adoquier: adv. l. ant. Adoquiera (1).

Adoquiera: adv. l. ant. Adondequiera (1).

Adormecer://4. intr. ant. Dormir (1).

Adormentar: tr. ant. Adormecer (1).

Adormimiento: m. ant. Adormecimiento (1).

Adormir://2. r. ant. Dormirse (1-2).

Adormitar: tr. ant. Dormitar (2).

Adornación: f. ant. Adornamiento (1).

Adoro: m. ant. Adoración (1).

Adotrinar: tr. ant. Adoctrinar (1).

Adovo: m. ant. Adobo (2).

Adozir: tr. ant. Traer//2. ant. Producir (2).

Adquisito, ta: p. p. irreg. ant. de Adquirir (1).

Adrado, da: adj. ant. Apartado, retirado, remoto o ralo (1-2).

Adredañas: adv. m. ant. Adrede (1).

Adrezar: tr. ant. Aderezar//2. r. ant. Enderezarse, empinarse, levantarse (1).

Adrezo: m. ant. Aderezo (1).

Adrielo, [-llo]: m. ant. Ladrillo (2).

Adrubado, da: adj. ant. Gibado o contrahecho (1).

Adtor: m. ant. Azor (1-2).

Adu: adv. t. y m. ant. Aun (2).

Aduarte: m. ant. Aduar (2).

Aduay: m. ant. Paño de Douay (2).

Aducir://2. tr. ant. Traer, llevar, enviar (1-2).

Aducho, cha: p. p. irreg. ant. de Aducir (1-2).

Aducho, cha: adj. ant. Ducho (1).

Adulcear: tr. ant. Halagar (2).

Adulçar: tr. ant. Adulzar (2).

Adulzar: tr. ant. Endulzar (2).

Adulzarse: r. ant. Endulzarse (2).

Adunación: f. ant. Acción y efecto de Adunar o adunarse (1).

Adunar: tr. ant. Aunar (2).

Adur: adv. m. ant. Aduro (1)//Difícilmente, apenas (2).

Adurar: intr. ant. Ser de mucho aguante, continuar, durar (1-2).

Aduras: adv. m. ant. Apenas (1).

Adurir: tr. ant. Abrasar o quemar //2. ant. Causar excesivo calor (1).

Aduro: adv. m. ant. Aduras (1).

Adustible: adj. ant. Que se puede adurir (1).

Adustión: f. ant. Acción y efecto de adurir (1).

Adustivo, va: adj. ant. Que tiene virtud de adurir (1).

Adusto, ta: p. p. irreg. ant. de Aduzir //2. adj. ant. Quemado, tostado, ardiente (1).

Adutoque: f. ant. Adárgama (1).

Aduxo: pret. ant. de Aducir (2).

Aduzir, [-zier]: tr. ant. Aducir (2).

Advenedizo, za://5. adj. ant. Gentil o mahometano convertido al cristianismo. Usáb. t. c. s. (1).

Advenimiento://3. m. ant. Suceso (1).

Advento: m. ant. Venida o llegada (1).

Adveración://2. f. ant. Certificación (1).

Adversador: m. ant. Adversario (1).

Adversar: tr. ant. Contrariar o resistir a otro (1).

Adversario, ria: adj. ant. Adverso (1).

Adversión: f. ant. Aversión//2. ant. Advertencia (1).

Advocación://2. f. ant. Abogacía //3. ant. For. Avocación (1).

Advocado: m. ant. Abogado (1).

Advocar: tr. ant. Abogar//2. For. ant. Avocar (1).

Advocatorio, ria: adj. ant. Convocatorio (1).

Adyuntativo, va: adj. ant. Conjuntivo (1).

Adyutorio: m. ant. Ayuda, auxilio, socorro (1).

Afable://2. adj. ant. Que se puede decir o expresar con palabras (1).

Afabulador: m. ant. Fabulador (1).

Afaccionado, da: adj. ant. Con los advs. bien o mal, bien o mal agestado (1).

Afacer: intr. ant. Tener comunicación o trato (1).

Afacimiento: m. ant. Acción y efecto de Afacer o afacerse (1).

Afaicionado, da: adj. ant. Afaccionado (1).

Afalagar: tr. ant. Halagar (1).

Afalago: m. ant. Halago (1).

Afamado, da: adj. ant. Hambriento (1).

Afañarse: r. ant. Afanarse (1).

Afaño: m. ant. Ar. Afán, trabajo, fatiga (1-2).

Afarto: ant. Harto (2).

Afé: adv. ant. Ahé. Usáb. frecuentemente con pronombres sufijos (1)// He, ved (2).

Afeccionar: tr. ant. Impresionar (1).

Afecho, cha: p. p. irreg. ant. de Afacer //2. adj. ant. Hecho o acostumbrado (1).

Afectado: adj. ant. Afeitado (2).

Afeitadera: f. ant. Peine (1).

Afeitado: adj. ant. Adornado, acicalado (2).

Afeitador: m. ant. Barbero (1).

Afeitadora: f. ant. Vellera (1).

Afeitamiento: m. ant. Afeite (1).

Afeitar://7. tr. ant. Arreglar, componer, dirigir, instruir (1)//tr. ant. Pulir, acicalar (2).

Afer: m. ant. Quehacer, negocio. Usáb. m. en pl. (1-2).

Aferidor, ra: adj. ant. Que afiere. Usáb. t. c. s. (1).

Aferir: tr. ant. Contrastar los pesos y medidas (1).

Afermosear: tr. ant. Hermosear (1).

Aferravelas: m. ant. Tomador (1).

Aferrojar: tr. ant. Aherrojar (1).

Aferventar: tr. ant. Herventar (1).

Afeyuzar: tr. ant. Asegurar (2).

Affer: m. ant. Afer (2).

Affiar: tr. ant. Afiar (2).

Affidiar: tr. ant. Afiar (2).

Affollar: tr. ant. Afollar (2).

Affonta: f. ant. Afonta (2).

Affremosar: tr. ant. Hermosear (2).

Affrontar: tr. ant. Afrontar (2).

Affruenta: f. ant. Afruenta (2).

Afiar: tr. ant. Dar a uno fe o seguridad de no hacerle daño, según lo practicaban antiguamente los hijosdalgo (1-2).

Afiblar: tr. ant. Ceñir, ajustar, abrochar (1).

Afiblarse: r. ant. Abrocharse (2).

Aficanza, [-ça]: f. ant. Afincanza (2).

Aficar: tr. ant. Ahincar (1).

Afice: m. ant. Hafiz (1).

Afijación: f. ant. Fijación (1).

Afijado, da: m. y f. ant. Ahijado, da (1).

Afijadura: f. ant. Fijación (1).

Afijamiento: m. ant. Afijación (1).

Afijar: tr. ant. Fijar (1).

Afiladura://2. f. ant. Filo (1).

Afinar: tr. ant. Finalizar, acabar, terminar (1)//ant. Decidir (2).

Afincable: adj. ant. Que se desea o procura con ahínco (1).

Afincadamente: adv. m. ant. Ahincadamente (1).

Afincado, da://2. adj. ant. Ahincado (1)//adv. m. ant. Con ahínco (2).

Afincamiento: m. ant. Ahincamiento//2. ant. Apremio, vejación, violencia //3. ant. Congoja o aflicción (1)// ant. Apuro, ahínco (2).

Afincanza: f. ant. Ahínco (2).

Afincar: tr. ant. Ahincar (1)//Apremiar con ahínco (2).

Afinco: m. ant. Ahínco (1).

Afinojar: tr. ant. Ahinojar. Usáb. m. c. intr. (1).

Afinojarse: r. ant. Arrodillarse, humillarse (2).

Afirmamiento: m. ant. Afirmación//2. ant. Ar. Ajuste con que entraba a servir un criado (1).

Afirmanza: f. ant. Firmeza (1).

Afirmar://4. intr. ant. Ar. Habitar o residir (1).

Afirmes: adv. m. ant. De veras (2).

Afistolar: tr. ant. Afistular (1).

Afita: adv. m. ant. Enteramente (2).

Afiuciar, [-siar]: tr. ant. Avalar (1)// Asegurar (2).

Aflacar: tr. ant. Debilitar, enflaquecer //2. intr. ant. fig. Flaquear (1-2).

Aflamar: tr. ant. Inflamar (1).

Aflaquecerse: r. ant. Enflaquecerse (1).

Aflechate: m. ant. Mar. Flechaste (1).

Afleitar: tr. ant. Fletar (1).

Afletamiento: m. ant. Flete (1).

Afletar: tr. ant. Fletar (1).

Afligente: p. a. ant. de Afligir. Que aflige (1).

Afligible: adj. ant. Aflictivo (1).

Aflojadura: f. ant. Aflojamiento (1).

Afogamiento: m. ant. Ahogamiento (1).

Afogar: tr. ant. Ahogar. Usáb. t. c. r. (1-2).

Afogonadura: f. ant. Mar. Fogonadura (1).

Afollado: p. p. ant. de Afollar//2. adj. ant. Ahuecado, engañado (2).

Afollar://4. tr. ant. Estropear, herir. Usáb. t. c. r.//5. ant. Ofender, lastimar, viciar (1).

Afondable: adj. ant. Fondable (1).

Afondado, da://2. adj. ant. Hondo, bajo, hundido, ahondado (1-2).

Afondar://2. tr. ant. Ahondar (1).

Afonta: f. ant. Deshonra (2).

Afontar: tr. ant. Deshonrar (2).

Aforacar: tr. ant. Agujerear (2).

Aforadar: tr. ant. Horadar (1).

Aforado, da: adj. ant. Privilegiado (2).

Aforcar: tr. ant. Ahorcar (1).

Aforciar, [-zar]: intr. ant. Esforzarse (2).

Aforar: tr. ant. Dar fuero (2).

Aformado: adj. ant. Formado (2).

Afornecer: tr. ant. Fornecer (1).

Aforra: f. ant. Aforramiento (1).

Aforrado, da://2. adj. ant. Manumiso o liberto (1).

Aforrador: m. ant. Manumisor (1).

Aforradura: f. ant. Aforro (1).

Aforraje: m. ant. Aforro, amparo (2).

Aforramiento: m. ant. Acción y efecto de Aforrar (1).

Aforrar: tr. ant. Ahorrar (1)//Libertar (2).

Afortalar: tr. ant. Fortificar (1)//Fortalecer (2).

Aforzarse: r. ant. Esforzarse (1).

Afoyar: tr. ant. Ahoyar (1).

Afrancar: tr. ant. Hacer franco o libre al esclavo (1).

Afregir: tr. ant. Afligir (2).

Afrenta://4. f. ant. Peligro, apuro o lance capaz de ocasionar vergüenza o deshonra//5. ant. Requerimiento, intimación (1).

Afrentación: f. ant. Afrontación (1).

Afrentadamente: adv. m. ant. Afrentosamente (1).

Afrentador, ra://2. adj. ant. Decíase del que requería o amonestaba. Usáb. t. c. s. (1).

Afrentar://3. tr. ant. Poner en aprieto, peligro o lance capaz de ocasionar vergüenza o deshonra//4. ant. Requerir, intimar (1).

Afreza: f. ant. Cebo preparado para atolondrar a los peces y cogerlos (1).

Afrito: adj. ant. Apresurado (2).

Afro, fra: adj. ant. Africano. Apl. a pers., usáb. t. c. s. (1).

Afrontación: f. ant. Parte de una cosa que hace frente a otra o linda con ella (1).

Afrontadamente: adv. m. ant. Cara a cara, a las claras (1).

Afrontado, da://2. adj. ant. Decíase del que estaba en peligro o trabajo (1).

Afrontador, ra: adj. ant. Afrentador. Usáb. t. c. s. (1).

Afrontar://5. tr. ant. Afrentar//6. ant. Requerir, amonestar//7. ant. Echar en cara (1)//Hacer frente, verse cara a cara (2).

Afruenta: f. ant. Afrenta (1-2).

Afruento: m. ant. Afruenta (2).

Afuciado, da://2. adj. ant. Obligado por pacto o ajuste al cumplimiento de alguna cosa (1).

Afuciar: tr. ant. Afiuciar. Usáb. t. c. r. (1-2).

Afuera, o afueras (De): m. adv. ant. Además de//**En afuera:** m. adv. ant. A excepción o con exclusión de algo (1).

Afuero: m. ant. Aforo (1).

Afufarse: r. ant. Irse (2).

Afugarse: r. ant. Fugarse (2).

Afumado, da: p. p. ant. de Afumar//2. adj. ant. Decíase de la casa o el lugar habitado (1-2).

Afumar: tr. ant. Ahumar (1-2).

Afusado, da: adj. ant. Ahusado (1).

Afuyentar: tr. ant. Ahuyentar (1).

Afuziar: tr. ant. Afiuciar (2).

Agalla: f. ant. Gaznate (2).

Aganar: tr. desus. Inducir o meter en ganas (1).

Agarrochear: tr. ant. Agarrochar (1).

Ageno, na: adj. ant. Ajeno (2).

Agenuz: m. ant. Neguilla (Clase de hierba) (2).

Ageste: m. ant. Viento gallego (1).

Agir: tr. ant. For. Demandar en juicio (1).

Aglayarse: r. ant. Pasmarse, quedarse absorto (1).

Aglayo: m. ant. Pasmo, asombro (1).

Agnombre: m. ant. Agnomento (1).

Agonista://2. com. ant. Persona que se halla en la agonía de la muerte (1).

Agora://2. conj. distrib. ant. y poét. Ahora (1-2).

Agorar: tr. ant. Pronosticar (2).

Agorería: f. ant. Agüero (1).

Agoso, sa: adj. ant. Acuoso (1).

Agramente: adv. m. ant. Agriamente (1).

Agravamento: m. ant. Agravio, perjuicio (1).

Agravecer: tr. ant. Ser gravoso o molesto (1).

Agraviadamente://2. adv. m. ant. Eficazmente, con ahínco (1).

Agraviado, da://2. adj. ant. Agravioso (1).

Agravio://8. m. ant. For. Apelación (1).

Agraz: m. ant. Uva agria todavía sin madurar (2).

Agre: adj. ant. Agrio (1).

Agrearse: r. ant. Agriarse (1).

Agregativo, va: adj. ant. Que agrega o tiene virtud de agregar (1).

Agremente: adv. m. ant. Agriamente (1).

Agreza: f. ant. Agrura (1).

Agrija: f. ant. Grieta, llaga, fístula (1-2).

Agro, gra: adj. ant. Agre (2).

Agror: m. ant. Agrura (1).

Agruador: m. ant. Agorero (1).

Agua://9. f. desus. Río o arroyo//Alzarse el agua: fr. ant. Dejar de llover, serenarse el tiempo (1).

Aguacil: m. ant. Alguacil (1).

Aguadero://6. m. desus. Aguador (1).

Aguaduchar: tr. ant. Enaguazar (1).

Aguaducho: m. ant. Avenida, inundación (2).

Aguait: ant. Asechanza, emboscada (2).

Aguaitador, ra: adj. desus. Que aguaita. Usáb. t. c. s. (1).

Aguaitamiento: m. desus. Acción de Aguaitar (1).

Aguaitar: tr. ant. Acechar, emboscar (1-2).

Aguaitas: ant. Sorpresa preparada con celada (2).

Aguaite: m. ant. Celada, emboscada (2).

Aguajinoso, sa: adj. ant. Aguanoso (1).

Aguardador://2. adj. ant. Guardador, defensor. Usáb. t. c. s. (1-2).

Aguardamiento: m. ant. Acción de Aguardar (1).

Aguardar://6. tr. ant. Guardar//7. ant. Atender, respetar, tener en aprecio o estima (1)//Mirar, observar, aguardar//2. Agradar, servir, honrar (2).

Aguatocho: m. ant. Balsa o lavajo//2. ant. Aguamanil (1).

Aguce, /-ze/: m. ant. Filo, punto (2).

Agucia: f. ant. Acucia (1)//Gran deseo (2).

Aguciar: tr. ant. Acuciar, desear mucho, avivar o poner gran deseo de (2).

Aguciosamente: adv. m. ant. Acuciosamente (1).

Agucioso, sa: adj. ant. Acucioso (1)// Ansioso (2).

Agudencia: f. ant. Agudeza, arte ingenioso (2).

Agudez: f. ant. Agudeza (1).

Agudeza://7. f. ant. Acrimonia de las plantas//8. ant. Estímulo (1).

Agudo: adj. ant. En punta//2. adv. ant. Presto, con viveza (2).

Agüela: f. ant. Renta de los derechos sobre préstamos consignados en documentos públicos (1).

Agüerar: tr. ant. Agorar (1).

Agüerero: m. ant. Agurero (2).

Aguija: f. ant. Aguijón (2)//f. desus. Guija (1).

Aguijada: f. ant. Embestida (2).

Aguijamiento: m. ant. Aguijadura (1).

Aguijar: tr. e intr. ant. Apretar, o hacer apretar el paso como pinchado por aguijón (2).

Aguijeño, ña: adj. ant. Decíase del terreno o paraje lleno de guijas (1).

Aguijonar: tr. ant. Aguijonear (1).

Aguilando: m. ant. Aguinaldo (2).

Aguileño, ña://4. ant. Aguilucho (1).

Aguinando: m. ant. Aguilando (2).

Aguisado, da://2. adj. ant. Justo o razonable//3. adv. m. ant. Justa o razonablemente (1-2).

Aguisamiento: m. ant. Disposición, preparación//2. ant. Compostura o adorno (1)//Arreos, utensilios apropiados (2).

Aguisar: tr. ant. Aderezar y disponer alguna cosa; proveer de lo necesario (1)//Disponer y arreglar convenientemente (2).

Aguisón: m. ant. Aguijón (2).

Aguisonada: f. ant. Golpe de aguijón (2).

Agujar: tr. ant. Herir o punzar con aguja//2. ant. Hacer con aguja tejidos o prendas de punto//3. ant. fig. Aguijar (1).

Aguñal: m. ant. Alfiletero (2).

Agurero: m. ant. Agorero (2).

Agusadera: f. ant. Aguzadera (2).

Agusar: tr. ant. Aguzar (2).

Aguzadera: f. ant. Piedra de amolar (2).

Aguzamiento://2. m. ant. fig. Estímulo (1).

Aguzar://6. ant. Hacer aguda una sílaba (1)//Hacer agudo algo (2).

Aharto: adj. ant. Harto (2).

¡Ahé!: adv. dem. ant. He aquí. Usáb., frecuentemente con pron. sufijos (1-2).

Ahedo: fr. ant. He aquí que (2).

Aherir: tr. ant. Contrastar las medidas y pesos (1).

Ahermanar: tr. ant. Hermanar (1).

Ahermosar: tr. ant. Hermosear (2).

Aherventar: tr. ant. Herventar (1).

Ahervoradamente: adv. m. ant. Fervorosamente (1).

Ahetrar: tr. ant. Enhetrar (1).

Ahí://4. adv. l. desus. Allí (1-2).

Ahijamiento: m. ant. Prohijamiento (1).

Ahilados: adv. m. ant. A la hila o fila (2).

Ahilar: intr. ant. Seguir tras otros formando hilo o fila (2).

Ahína: adv. m. ant. Aína (1).

Ahicado: adj. ant. Con ahínco (2).

Ahincamiento: m. ant. Ahínco, apuro (1-2).

Ahincanza: f. ant. Ahínco (1-2).

Ahincar: tr. ant. Apremiar con ahínco (2).

Ahinojar: tr. ant. Arrodillar. Usáb. t. c. intr. y c. r. (1).

Ahinojarse: r. ant. Arrodillarse, humillarse (2).

Ahirmar: tr. ant. Afirmar. Usáb. t. c. r. (1).

Ahíto, ta://3. adj. ant. Quieto, permanente en su lugar (1).

¡Aho!: interj. ant. que se usaba entre los rústicos para llamarse de lejos (1).

Ahogar: tr. ant. Estofar o rehogar (1-2).

Ahonta: f. ant. Afonta (2).

Ahontar: tr. ant. Afontar (2).

Ahorcadizo, za: adj. ant. Digno de ser ahorcado//2. Se aplicaba a la caza muerta en lazo (1).

Ahorrar://5. tr. ant. Quitarse del cuerpo una prenda de vestir//6. r. ant. Aligerarse de ropa (1)//Libertar (2).

Ahotado: adj. ant. Confiado, asegurado (1).

Ahotas: adv. m. ant. A la verdad, a buen seguro, ciertamente (1).

Ahuciar: tr. ant. Esperanzar o dar confianza (1-2).

Ahuera: adv. l. ant. Afuera (2).

Ahumado: adj. ant. Afumado (2).

Ahumar: tr. ant. Tener vivienda, habitar la casa (2).

Aína: adv. t. ant. Aprisa, presto (2).

Aínde: adv. l. ant. Adelante (1).

Airar://3. tr. ant. Aborrecer, alejar de la gracia o amistad; desterrar (1-2).

Aiunta: f. ant. Entrevista, junta (2).

Aiuntar: tr. ant. Juntar (2).

Ajabeba: f. ant. Especie de flauta (2).

Ajado, da: adj. ant. Que tiene ajos (1).

Ajaquefa: f. ant. Tejado (1).

Ajaraca: f. ant. Lazo (1).

Ajarafe: m. ant. Terreno elevado (2).

Ajaveba: f. ant. Ajabeba (2).

Ajenable: adj. ant. Enajenable (1).

Ajenación: f. ant. Enajenación (1).

Ajenador, ra: adj. ant. Enajenador. Usáb. t. c. s. (1).

Ajenar: tr. ant. Enajenar (1-2).

Ajeño, ña: adj. ant. Ajeno (2).

Ajenuz: m. ant. Agenuz (2).

Ajimez://2. m. ant. Salidizo o balcón saliente hecho de madera y con celosías (1).

Ajobar://2. r. ant. Amancebarse (1)// tr. ant. Soportar, apechugar con (2).

Ajobo: m. ant. Peso, trabajo (2).

Ajuaga: f. ant. Aje del ganado caballar, esparaván (2).

Ajubar: tr. ant. Ajobar (2).

Ajuntadamente: adv. m. ant. Juntamente (1).

Ajuntamiento: m. ant. Acción y efecto de ajuntar o ajuntarse (1).

Ajuntanza: f. ant. Ajuntamiento (1).

Ajuntar: tr. ant. Juntar//2. r. ant. Juntarse//3. ant. Unirse en matrimonio o tener ayuntamiento carnal (1).

Ajustado, da://3. adj. desus. Mezquino, miserable (1).

Al://2. adj. ant. Demás. Usáb. siempre precedido del artículo lo (1)//pron. indeter. ant. Otro (2).

¡Ala!: interj. llamativa (2).

Alababie: adj. ant. Laudable (1).

Alabancia: f. ant. Alabanza (2).

Alabanza://3. f. desus. Excelencia (1).

Alabe://3. m. ant. Alero o ala de un tejado (1).

Alacayo: m. ant. Lacayo (1).

Alafa: f. ant. Salario, sueldo (1).

Alagotería: f. ant. Lagotería (1).

Alahílca: f. ant. Colgadura o tapicería para adornar las paredes (1).

Alajor: m. ant. Diezmo (2).

Alama: f. ant. Ar. Lama (1).

Alámbar: m. ant. Ambar (1).

Alamedo: m. ant. Alameda (2).

Alaminadgo: m. ant. Alaminazgo (1).

Alamir: m. ant. Amir (1).

Alancel: m. ant. Arancel (1).

Alançar: tr. ant. Alanzar (2).

Alanzar: tr. ant. Lanzar (2).

Álara (En): m. adv. ant. En fárfara (1).

Alárabe: adj. ant. Árabe (2).

Alarde: adj. ant. Árabe (2).

Alardo: m. ant. Alarde (1-2).

Alargadamente: adv. m. ant. Extendidamente (1).

Alaridar: intr. desus. Dar alaridos (1).

Alarido: m. ant. Grito del combatiente &! acometer (2)//3. desus. Grito de alegría (1).

Alarifadgo: m. ant. Alarifazgo (1).

Alarifalgo: m. ant. Alarifazgo (1).

Alaroza (-ça, -sa): f. ant. Esposa o recién casada musulmana (1-2).

Alarquez: ant. La planta espalato (2).

Alastrar: tr. ant. Mar. Lastrar (1).

Alatar: m. ant. Vendedor de perfumes, o de drogas y especias (1).

Alatón: m. ant. Latón (1).

Alauda: f. ant. Alondra (1-2).

Alaude: f. ant. Alauda (1).

Alarve: adj. ant. Alarbe (2).

Alaxor: m. ant. Alajor (2).

Alayor: m. ant. Alajor (2).

Albacara: f. ant. Rodaja o rueda pequeña (1)//Obra exterior de fortificación (2).

Albaden: m. ant. Especie de cuero (2).

Albadena: f. ant. Especie de túnica o vestido de seda (1).

Albalá: amb. ant. Escritura, cédula (2).

Albanar: intr. ant. Estribar (1).

Albaní: m. ant. Albañil (1).

Albannar: m. ant. Albañal (Conducto de aguas sucias y llovedizas) (2).

Albañar: m. ant. Albannar (2).

Albañear: int. ant. Trabajar en albañilería (1).

Albañería: f. ant. Albañilería (1).

Albañí: m. ant. Albañil (1-2).

Albañir: m. ant. Albañil (1).

Albaquía: f. ant. Resto de cuenta (2).

Albará: amb. ant. Albalá (2).

Albarán: amb. ant. Albará (2).

Albaraz: m. ant. Albarazo (2).

Albarazo: m. ant. Lepra (2)//m. desus. Especie de lepra//Herpe caracterizado por manchas ásperas y escamosas en el cutis (1).

Albardado: adj. ant. Con albarda (2).

Albardán: m. ant. Bufón, holgazán (2).

Albardanear: intr. ant. Usar de albardanerías (1)//Burlar, bufonear (2).

Albardanía: f. ant. Albardanería (1)// Acción habitual o ejercicio de bufón (2).

Albardón://4. m. ant. Caballo albardón (Caballo de carga) (1).

Albaroche: m. ant. Alboroque (2).

Albarrán: adj. ant. Aplicábase al mozo soltero dedicado al servicio agrícola. Usáb. t. c. s.//2. ant. Decíase del que no tenía casa, domicilio o vecindad en ningún pueblo//3. ant. Mayoral (1).

Albarrana: adj. ant. Torre exterior//2. Cebolla silvestre (2).

Albarráneo. a: adj. ant. Forastero o extranjero (1).

Albarranía: f. ant. Estado de albarrán (1).

Albarraniego, ga: adj. ant. Albarráneo (1).

Albarraz: m. ant. Albarazo (2).

Albaxad: ant. Goma ammoníaca (2).

Albazo: m. ant. Alborada (1).

Albedriador, ra: adj. ant. Arbitrador (1).

Albedriar: intr. ant. Juzgar por albedrío (1)//Juzgar como árbitro (2).

Albedrío://4. m. ant. Sentencia del juez árbitro//5. ant. Arbitrio (1-2).

Albegar: tr. ant. Enjalbegar (1).

Albergada: f. ant. Lugar donde se plantaban las tiendas para acampar campamento de una hueste//2. ant. Reparo o defensa de tierra, madera u otra materia//3. ant. Casa albergue (1-2).

Albergador, ra://2. m. y f. ant. Alberguero, ra (1).

Albergadura: f. ant. Albergue (1).

Albergar: intr. ant. Acampar (2).

Albergo: m. ant. Albergue (1).

Albergue://4. m. ant. Casa destinada para la crianza y refugio de niños huérfanos o desamparados (1).

Alberguería: f. ant. Posada, mesón o venta//2. ant. Casa destinada para recoger a los pobres (1).

Alberguero, ra: m. y f. ant. Persona que alberga; posadero, mesonero o ventero//2. m. ant. Albergue (1).

Albogue: m. ant. Instrumento músico (2).

Albohera: f. ant. Albuhera (1).

Alboheza: f. ant. Malva (1).

Albolga: f. ant. Alholva (1).

Albórbola: f. ant. Alegre vocería, algazara (2).

Albórbora: f. ant. Albórbola (2).

Alborecer: intr. ant. Alborear (1).

Alboroço: m. ant. Alborozo (2).

Alboroque: m. ant. Pequeño banquete tras un contrato dado a los contratantes por el comprador, y es robra que confirma la compra (2).

Alborotar: tr. ant. Inquietar (2).

Alborote: m. ant. Alboroto (1)//Ruido, bulla, inquietud (2).

Alborozamiento: m. ant. Alborozo (1).

Alborozar, (-çar)://2. ant. Alborotar, regocijar mucho. Usáb. t. c. r. (1-2).

Alborozo://2. ant. Alboroto (1)//Inquietud y bulla; gran regocijo (2).

Albricia: f. ant. Albricias (1).

Albuérbola: f. ant. Albórbola (1-2).

Albuérvola: f. ant. Albuérbola (2).

Alcabala: f. ant. Jábega (1).

Alcabtea: f. ant. Tela fina de lino (1-2).

Alcabuz: m. ant. Arcabuz (1).

Alcacel: m. ant. Cebada para forraje (2).

Alcacer: m. ant. Alcacel (2).

Alcacería: f. ant. Alcaicería (1).

Alcáçar: m. ant. Alcázar (La torre más alta de la fortaleza) (2).

Alcáçer: m. ant. Alcáçar (2).

Alcaduz: m. ant. Arcaduz (1).

Alcaecería: f. desus. Alcaicería (1).

Alcaed: m. ant. Alcaid (2).

Alcafar: m. ant. Cubierta, jaez o adorno del caballo (1)//Grupa (2).

Alcahotar: tr. ant. Alcahuetear (1-2).

Alcahotería: f. ant. Alcahuetería (1).

Alcahuetazgo: m. ant. Alcahuetería (1).

Alcaid: m. ant. Alcaide (2).

Alcaidiado: m. ant. Alcaidía (1).

Alcairía: f. ant. Alquería (1-2).

Alcala: f. ant. Cortinaje, pabellón de cama, mosquitera (1).

Alcaladino, na: adj. desus. Alcalaíno (1).

Alcalde: m. ant. Juez (2).

Alcaldío: m. ant. Alcaldía (1).

Alcalifa: m. ant. Califa (1).

Alcalifaje: m. ant. Califato (1).

Alcall: m. ant. Alcalle (2).

Alcalle: m. ant. Alcalde (2).

Alcallía: f. ant. Alcaldía (1).

Alcamiz: m. ant. Alarde (1).

Alcándara: f. ant. Percha para ropa o para aves de caza (2).

Alcandiga: f. ant. Alcandía (1).

Alcandóra: f. ant. Cierta vestidura a modo de camisa, o la misma camisa (1-2).

Alcandra: f. ant. Alcándara (2).

Alcanería: f. ant. Especia de alcachofa (1).

Alcanza, (-ça): f. ant. Alcance (2).

Alcanzamiento: m. ant. Acción de alcanzar o alcanzarse (1).

Alcanzante: p. a. ant. de Alcanzar. Que alcanza (1).

Alcanzar://12. ant. Seguir el alcance, perseguir (1).

Alcanzo (-ço): m. ant. Alcance (2).

Alcaparrón://2. ant. Cierto género de guarnición de espada (1).

Alcarchofado, da: p. p. del ant. Alcarchofar//2. adj. ant. Bordados con labores de la alcarchofa. Usáb. t. c. s. m. (1).

Alcarchofar: tr. ant. Alcachofar (1).

Alcaría: f. ant. Alcairía (1-2).

Alcatifar: tr. ant. Alfombrar (1).

Alcarrán: m. ant. Cornudo (2).

Alcatrán: m. ant. Alquitrán (2).

Alcauera: f. ant. Linaje, tribu (2).

Alcauuete, ta: m. y f. ant. Alcahuete (2).

Alcavala: f. ant. Alcabala (2).

Alcavela: f. ant. Alcavera//2. ant. Turba, manada, gavilla (1).

Alcavera: f. ant. Casta familia, tribu (1).

Alcayad: m. ant. Alcayat (2).

Alcayat: m. ant. Alcaide (2).

Alcayaz: m. ant. Alcaide (2).

Alcayt: m. ant. Alcaid (2).

Alcayuete, ta: m. y f. ant. Alcahuete (2).

Alcaz: m. ant. Alcanzo (2).

Alcea: f. ant. Malvavisco silvestre (1).

Alcoba://5. f. ant. Tertulia que los virreyes de México tenían en su palacio (1).

Alcofol: m. ant. Alcohol (1).

Alcofolar: tr. ant. Alcoholar (1).

Alcohela: f. ant. Escarola (1).

Alcoholar://5. ant. Farm. Reducir a polvo menudísimo alguna cosa (1)//Darse de alcohol o stibio en los ojos como los árabes (2).

Alcoholera: f. ant. Alcoholato (2).

Alcoholizar://3. tr. ant. Farm. Alcoholar (1).

Alcomenías: f. pl. ant. Alcamonías (1).

Alcora: f. ant. Astron. Esfera o globo (1-2).

Alcornoque://4. m. ant. Corcho//5. desus. Colmena (1).

Alcotón: m. ant. Algodón (1).

Alcotonía: f. ant. Cotonía (1).

Alcroco: m. ant. Croco (1).

Alcuna: f. ant. Alcuña (2).

Alcuña: f. ant. Alcurnia//2. ant. Alcuño (1-2).

Alcuño: m. ant. Sobrenombre, apodo (1)//Alcurnia (2).

Alcuzcuz: m. ant. Hormiguillo de masa (2).

Alcuzcuzu: m. ant. Alcuzcuz (1-2).

Aldeya: f. ant. Aldea (2).

Aldrán://2. m. ant. Mayoral (1).

Alear: intr. ant. Menear las alas (2).

Alechigado, da: adj. ant. Enfermo en el lecho (2).

Alechigar: tr. ant. Dulcificar, suavizar//2. r. ant. Acostarse, meterse en cama (1-2).

Alegrador://2. m. desus. Tira de papel retorcida, que sirve para encender cigarros, luces, etc. (1).

Alegranza: f. ant. Alegría (1).

Alegrar://9. tr. ant. For. Ar. Gozar, disfrutar (1).

Alegre://8. adj. fig. ant. Dicho de los olores, vivo, penetrante//5. ant. fig. Gallardo, brioso, esforzado (1).

Alegreya: f. ant. Alegría (2).

Alegreza: f. ant. Alegría (1).

Alejor: m. ant. Alajor (1).

Alejos: adv. l. ant. Lejos (2).

Alembrarse: r. ant. Acordarse (1).

Alén: adv. l. ant. Allende (1).

Alera: f. ant. Ar. Sitio o llanura en que

están las eras para trillar las mieses (1).

Aleta://4. f. ant. Alero (1).

Alesor: m. ant. Alajor (2).

Aleusero, ra: adj. ant. Lisonjero (1)// Halagador, embustero, engañoso (2).

Alevantadizo, za: adj. an. Acostumbrado a levantarse o rebelarse (1).

Alevantamiento: m. ant. Levantamiento (1).

Alevantar: tr. ant. Levantar. Usáb. t. c. r. (1).

Aleve://2. m. ant. Alevosía. Llamábase así la que hacía un particular contra otro//**A aleve:** m. adv. ant. Alevosamente (1-2).

Aleviar: tr. ant. Aliviar (1).

Alevo: m. ant. Ahijado (1).

Alexar: tr. ant. Alejar (2).

Alfadía: f. ant. Regalo, cohecho, soborno (1-2).

Alfaia: f. ant. Alfaja (2).

Alfaja: f. ant. Alhaja (1-2).

Alfajeme: m. ant. Barbero, cirujano, sangrador (1-2).

Alfajor: m. ant. Especie de dulce y bebida (2).

Alfama: f. ant. Aljama (1)//Judería (2).

Alfamar: m. ant. Alhamar (1)//Repostero, tapete (2).

Alfamarada: f. ant. Llamarada (1).

Alfaneque: m. ant. Tienda o pabellón de campaña (1-2)//Especie de halcón africano (2).

Alfanigue: m. ant. Mantellina (1).

Alfaquec: m. ant. Alfaqueque (2).

Alfaqueque: m. ant. Redentor de cautivos (2).

Alfaquín: m. ant. Médico (1).

Alfarda: f. ant. Adorno que usaban las mujeres (1)//Colorete (2).

Alfarnate: adj. ant. Bribón, tuno (1).

Alfaxeme: m. ant. Alfajeme (2).

Alfaxor: m. ant. Alfajor (2).

Alfaxu: m. ant. Alfaxur (2).

Alfaxur: m. ant. Alfaxor (2).

Alfaya: f. ant. Estimación, precio//2. ant. Alfaja (1-2).

Alfayat: m. ant. Alfayate (1-2).

Alfayata: m. ant. Sastra (1).

Alfayate: m. ant. Sastre (1-2).

Alfayatería: f. ant. Oficio de alfayate (1).

Alfayo: m. ant. Ingenio, destreza (1)// Remolino del pelo (2).

Alfenique: m. ant. Alfeñique (2).

Alfeña: f. ant. Alheña (1-2).

Alfeñar: tr. ant. Alheñar (1).

Alferce: m. ant. Alférez (1).

Alférez://3. m. ant. Caudillo, lugarteniente, representante (1)//Portaestandarte, mensajero (2).

Alferezado: m. ant. Alferazgo (1).

Alferse: m. ant. Alférez (2).

Alfiérez: m. ant. Alférez (1-2).

Alfil: m. ant. Agüero (1).

Alfilel: m. ant. Alfiler (1).

Alfileresco, ca: adj. desus. Semejante al alfiler (1).

Alfinde: m. ant. Acero (1-2)//Acíbar, mirra (2).

Alfinge: m. ant. Buñuelo (1).

Alfócigo: m. ant. Alfóncigo (Árbol de la familia de las anacardiáceas) (1).

Alfolí: m. ant. Granero (2).

Alfóndega: f. ant. Alfóndiga (1).

Alfóndiga: f. ant. Alhóndiga (1).

Alfonsario: m. ant. Osario (1).

Alfonsearse: r. fam. desus. Burlarse de otro en tono de chanza (1).

Alforiz: m. ant. Alfolí (1).

Alforre: m. ant. Especie de halcón (1).

Alfóstiga: f. ant. Alfóncigo (1).

Alfóstigo: m. ant. Alfóncigo (1).

Alfoz: am. ant. Granja, pago (2).

Algadar: f. ant. Cierta defensa (2).

Algafacán: m. ant. Dolor de corazón (1).

Algar: m. ant. Cueva o caverna (1).

Algara://3. f. ant. Vanguardia (1)// Acometida, incursión, correría de caballería en tierra enemiga para robarla (2).

Algarabiado, da: adj. ant. Que sabe algarabía (2).

Algarabío, a: adj. ant. Natural de la Arabia. Usáb. t. c. s. (1).

Algaravide: m. ant. Botín de la algarada (2).

Algareador, ra: adj. ant. Algarero (1).

Algarear: intr. ant. Vocear o gritar (1)// Correr en algara (2).

Algarete: f. ant. Hora de salir en algara antes de amanecer (2).

Algarivo, va: adj. ant. Extraño (1-2)// 2. ant. Injusto, inicuo, rebelde (1)// Forastero (2).

Algarrada: f. ant. Algadara (2).

Algazafán: m. ant. Raíz amarga para píldoras (2) .

Algazara://4. f. ant. Algara (1).

Algazariar: intr. ant. Hacer algazara (2).

Algazo: ant. De algo (2).

Algo://3. m. ant. Hacienda, caudal, haber//5. ant. Bastante, mucho (1-2).

Algolhín: m. ant. Golfín (2).

Algorismo: m. ant. Pergamino (2).

Alguacila: f. ant. Alguacilesa (1).

Alguaciladgo: m. ant. Alguacilazgo (1).

Alguandre: adv. c. ant. Algo//2. adv. t. ant. Jamás (1).

Alguanto, ta: pron. indet. ant. Alguno (1).

Alguantos: pron. indet. pl. ant. Algunos (2).

Alguarismo: m. ant. Guarismo//2. ant. Algoritmo (1)//Ciencia de los números (2).

Algunamente: adv. m. ant. De algún modo (1).

Algund: adj. ant. Alguno (1-2).

Alguno://3. pron. ant. For. Válido, por contraposición a ninguno o nulo (1).

Algunt: adj. ant. Alguno (1).

Agurismo: m. ant. Alguarismo (2).

Alhadía: f. ant. Alfadía (2).

Alhadida: f. ant. Quim. Sulfato de cobre (1).

Alhaite: m. ant. Joyel o joya (1).

Alhaja://5. f. ant. Caudal (1)//Mueble, utensilio doméstico, prenda de vestir, adorno (2).

Alhajeme: m. ant. Alfajeme (1-2).

Alhalme: ant. Alhame (2).

Alhama: f. ant. Aljama (1-2).

Alhamar: m. ant. Manta o cobertor encarnado (1)//Repostero, tapete (2).

Alhame: m. ant. Velo, camisa (2).

Alhanía: f. ant. Alcoba//2. ant. Alacena//3. ant. Especie de colchoncillo (1).

Alhansara: ant. Alhanzara (2).

Alhanzara: ant. Fiesta de San Juan (2).

Alhaonar: r. ant. Turbarse (2).

Alhaqueque: m. ant. Alfaqueque (1-2).

Alhaquín: m. ant. Tejedor (1).

Alhaquín: m. ant. Alfaquín (1).

Alhareme: m. ant. Alfareme (1).

Alhavara: f. ant. Harina de flor (1).

Alhelel: m. ant. Alfiler (2).

Alhelme: m. ant. Alhame (2).

Alheña: f. ant. Planta con cuyo jugo se tiñen las uñas (2).

Alheñar: tr. ant. Teñir las uñas con alheña (2).

Alhiara: f. ant. Aliara (1-2).

Alhidada: f. ant. Alidada (1).

Alhifaf: m. ant. Prenda de vestir//2. Edredón de piel (2).

Alhilel: m. ant. Alfilel (2).

Alhinde: m. ant. Alfinde (1-2).

Alholí: m. ant. Alfolí (2).

Alholía: f. ant. Alholí (1).

Alhombra: f. ant. Alfombra (1).

Alhombrar: tr. ant. Alfombrar (1).

Alhombrero: m. ant. Alfombrero (1).

Alhorí: m. ant. Alholí (1).

Alhorín: m. ant. Alhorí (1).

Alhorma: f. ant. Campamento de moros (2).

Alhorre: m. ant. Alforre (2).

Alhorría: f. ant. Ahorría (1).

Alhorza: f. ant. Alforza (1).

Alhoz: amb. ant. Alfoz (2).

Alhynde: m. ant. Alhinde (2).

Aliaba: f. ant. Tributo de carnes frescas (2).

Aliaca: f. ant. Aliacán (Ictericia) (1).

Alianzarse: r. ant. Aliarse (1).

Aliara: f. ant. Vaso de cuerno o cuerna en Castilla (2).

Aliende: adv. l. y c. ant. Allende (1).

Alier: m. ant. Soldado de marina que tenía su puesto en los costados del navío para defenderlo por aquella parte//2. ant. Remero de galera (1).

Alifafe: m. ant. Cobertor, cubierta (1)// Prenda de vestir (2).

Áliger: m. ant. Parte de la guarnición de la espada, que resguarda la mano (1).

Alimania: f. ant. Alimaña (1).

Alimanisco, ca: adj. ant. Alemanisco (1).

Alimar: tr. ant. Animar (2).

Alimara: f. ant. Ahumada (1).

Alimosna: f. ant. Limosna (1-2).

Alimpiador, ra: adj. ant. Limpiador (1).

Alimpiadura: f. ant. Limpiadura (1).

Alimpiamiento. m. ant. Limpiamiento

Alimpiar: tr. ant. Limpiar (1-2).

Alindadamente: adv. m. ant. Lindamente (1).

Alindado, da://3. adj. ant. Hermoso, lindo (1)//De raza (2).

Alindar://2. r. ant. Componerse, adornarse (1).

Alinde: m. ant. Alfinde (1-2)//2. ant. Superficie bruñida o brillante como la de un espejo (1).

Aliñador://2. m. ant. Administrador o ejecutor (1).

Aliñamiento: m. ant. Acción y efecto de aliñar (1).

Aliñar://2. ant. Gobernar, administrar (1)//Alinear, medir (2).

Aliño://5. m. ant. Apero, instrumento que sirve para la labranza o cualquier otro ejercicio. Usáb., m. en pl. (1).

Aliñoso, sa: adj. ant. Adornado, compuesto con aliño, curioso en su persona y casa//2. Mañoso (2).

Alioj: m. ant. Mármol (1).

Alitero: m. ant. Hombre impío o cruel (1).

Aliviamiento: m. ant. Alivio (1).

Alivianar: tr. ant. Aliviar (1).

Alivioso, sa: adj. desus. Que da o procura alivio (1).

Alizace: m. ant. Zanja, y en especial la que se abre para poner en ella los cimientos de un edificio (1).

Aljabibe: m. ant. Ropavejero (1).

Aljama: m. ant. Judería (2).

Aljaqueca: f. ant. Jaqueca (1).

Aljaraz: m. ant. Campanilla o esquila (1).

Aljedrez: m. ant. Ajedrez (2).

Aljemifao: m. ant. Mercero (1).

Aljibe://2. m. ant. Cárcel subterránea (1).

Aljimifrado, da: adj. ant. Nimiamente pulcro, acicalado (1).

Aljorca: f. ant. Ajorca (1).

Aljuba: f. ant. Jubón morisco (2).

Aljumada: f. ant. Cabellera (2).

Almacabra: m. ant. Cementerio de moros (1).

Almacén://3. m. ant. Conjunto de municiones y pertrechos de guerra (1).

Almacería: f. ant. Algorfa o casa pequeña (1).

Almádana: f. ant. Mazo grande de hierro con que el minero rompe piedras (2).

Almadén: m. ant. Mina o minero de algún metal (1).

Almádena: f. ant. Almádana (2).

Almadina: f. ant. Almádena (2).

Almadraba://4. f. ant. Tejar (1).

Almadrabero: m. ant. Tejero (1).

Almadraque: m. ant. Colchón, cojín o almohada (1-2).

Almadraqueja: f. d. ant. de Almadraque (1-2).

Almagacén: m. ant. Almacén (1).

Almogaña: f. ant. Máquina guerrera para arrojar piedras (2).

Almagra: f. ant. Almazarrón (2).

Almahala: f. ant. Almofalla (1).

Almaina: f. ant. Almádana (2).

Almajar: m. ant. Manto de seda (1-2)// Tela, toca (2).

Almanac: m. ant. Almanaque (1).

Almanaca: f. ant. Manilla (1).

Almástica: f. ant. Almástiga (1).

Almática: f. ant. Dalmática (1)//Albática (2).

Almátiga: f. ant. Almática (2).

Almazaque: m. ant. Ar. Almáciga (1).

Almecer: tr. ant. Amecer (1).

Almejía: f. ant. Ropa (2).

Almenara: f. ant. Luminaria, fuego que se enciende para señal (2).

Almendrilla://3. f. ant. Especie de labor de aguja que imitaba almendras pequeñas//4. pl. ant. Pendientes con diamantes de figura de almendra que usaban las señoras (1).

Almesía: f. ant. Almejía (2).

Almexí: f. ant. Almexía (2).

Almexía: f. ant. Almejía (2).

Almijar: m. ant. Lugar donde se ponen a secar los higos (1).

Almilla: f. ant. Alma (2).

Almiella: f. ant. Almilla (2).

Almiraj: m. ant. Almiraje (1).

Almiral: m. ant. Almirante (1).

Almirantadgo: m. ant. Almirantazgo (1).

Almirante://4. m. ant. Caudillo, capitán (1).

Almirantesa: f. ant. Almiranta (1).

Almirantía: f. ant. Almirantazgo (1).

Almizque: m. ant. Almizcle (1).

Almizqueño, ña: adj. ant. Almizcleño (1).

Almizquera: f. ant. Almizclera (1).

Almizteca: f. ant. Almástec (Almástiga) (1).

Almoacén: m. ant. Almocadén (En la milicia antigua, caudillo o capitán de tropa de a pie) (1).

Almocala: m. ant. Almoçalla (2).

Almocatí: m. ant. Médula de los huesos, y especialmente el cerebro (1).

Almocela: m. ant. Almocala (2).

Almocrebe: m. ant. Arriero de mulos (1).

Almoçalla: m. ant. Almozala (2).

Almofada: ant. Almohada (2).

Almofalla: f. ant. Alfombra (1).

Almofalla: f. ant. Campamento o hueste acampada//2. ant. Hueste o gente de guerra (1-2).

Almófar: m. ant. Capucha que tenía la loriga para cubrir la cabeza y el cuello del guerrero (2).

Almofariz: m. ant. Almirez (1).

Almofre: m. ant. Almófar (2).

Almogavar: m. ant. Algarero, corredor, soldado de frontera (2).

Almohaça: f. ant. Peine para el cabello//fig. ant. Entremetido, de poco valor (2).

Almohalla: f. ant. Almofalla (2).

Almoharrefa: f. ant. Almorrefa (1).

Almohaza: f. ant. Almohaça (2).

Almohazar://3. tr. fig. ant. Regalar, halagar los sentidos (1).

Almojama: f. ant. Mojama (1).

Almojarifadgo: m. ant. Almojarifazgo (1).

Almojarifalgo: m. ant. Almojarifazgo (Derecho que se pagaba por los géneros o mercaderías que salían del reino. Derechos de aduana//Oficio y jurisdicción del almojarife) (1).

Almojatre: m. ant. Almohatre (Sal amoníaco) (1).

Almona://2. f. ant. Casa, fábrica o almacén público (1-2).

Almorçar: intr. ant. Almorzar (2).

Almorrefa: f. ant. Cinta (1).

Almosar: intr. ant. Almorçar (2).

Almosna: f. ant. Limosna (1-2).

Almosnar: tr. ant. Dar limosnas (1).

Almosnero, ra: adj. ant. Limosnero (1).

Almotacenadgo: m. ant. Almotacenazgo (1).

Almotacenalgo: m. ant. Almotacenazgo (Oficio de almotacén) (1).

Almotalafe: m. ant. Fiel de la seda (1).

Almozada: f. ant. Almorzada (1).

Almozala: m. ant. Cobertor de cama (1-2).

Almudelio: m. ant. Medida y tasa de

comida y bebida; ración de comida (1).

Almuerza: f. ant. Lo que cabe en las dos manos juntas ahuecadas (2).

Almuerzo: m. ant. Bocado (2).

Almueza: f. ant. Almuerza (2).

Almuezada: f. ant. Almorzada (1).

Almuna: f. ant. Almona (1).

Almunna: f. ant. Almuña (2).

Almuña: f. ant. Almunia (Huerto, granja) (1)//Almona (2).

Almutacén: m. ant. Almotacén (1).

Almutazaf: m. ant. Almotazaf (1).

Almutelio: m. ant. Almudelio (1).

Alnafe: m. ant. Anafe (1).

Alnedo: m. ant. Lugar poblado de alnos (1).

Alno: m. ant. Álamo negro//2. ant. Aliso (1).

Aloa: f. ant. Alondra (1-2).

Aloaría: f. ant. Arq. Pechina (1).

Alobadar: tr. ant. Encandilar, dejar como a oscuras (2).

Alobreguecer: intr. ant. Lobreguecer (1).

Aloes: m. ant. Áloe (1).

Aloeta: f. ant. Alauda (1).

Alogador: m. y f. ant. Alquilador o arrendador (1-2).

Alogamiento: m. ant. Aloguer (1-2).

Alogar: tr. ant. Alquilar o arrendar. Usáb. t. c. r. (1-2).

Aloguer: m. ant. Alquiler o arrendamiento (1).

Aloguero: m. ant. Aloguer (1)//Alquilador (2).

Alojamiento://6. m. ant. Mil. Jornada, etapa, marcha (1).

Alombra: f. ant. Alfombra (1).

Alón: interj. desus. con que se excitaba a mudar de lugar, de ejercicio o asunto (1).

Alongadera: f. ant. Dilatoria. Usáb. m. en pl. (1).

Alongadero, ra: adj. ant. For. Dilatorio (1).

Alonganza: f. ant. Alongamiento (1)// Alargamiento (2).

Alongar: tr. ant. Alargar (2).

Alopicia: f. ant. Alopecia (Caída o pérdida del pelo) (1).

Alora: adv. t. ant. Al punto (2).

Alosar: tr. ant. Enlosar (1).

Alosna: f. ant. Ajenjo (2).

Alparzar: tr. ant. Repartir como partes o unirse (2).

Alpes: m. ant. Montes muy altos; alturas de los montes (1).

Alpez: m. ant. Alopecia (1).

Alquermes://2. m. ant. Quermes (1).

Alquerque: m. ant. Tres en raya (1).

Alquetifa: f. ant. Alcatifa (Tapete o alfombra fina) (1).

Alquífa: m. ant. Califa (2).

Alquilé: m. ant. Alquiler (1-2).

Alquimia://2. f. ant. Latón (1).

Alquinal://morisco ant. Pañuelo de lienzo (1).

Alquitán: m. ant Alquitrán (2).

Alquitifa: f. ant. Alquetifa (1).

Alquitrabe: m. ant. Arquitrabe (1).

Alquitranar://2. tr. fig. ant. Incendiar, quemar (1).

Altaba: ant. Aldaba (2).

Altabaque: m. ant. Cesto (2).

Altamía: f. ant. Especie de taza (1).

Altanez: f. ant. Altanería (1).

Alteroso, sa: adj. ant. Alto, altivo (1).

Alteza://4. f. Astron. ant. Altura (1)// Altura, linaje (2).

Altibajo://2. m. ant. Brinco o salto (1).

Altitud://2. f. ant. Alteza (1).

Altivedad: f. ant. Altivez (1).

Altividad: f. ant. Altivez (1).

Aluciar: tr. ant. Afilar (2).

Aluciedad: f. ant. fig. Luces, conocimientos, ilustración (1).

Alucir: intr. ant. Amanecer (2).

Aluda: f. ant. Calandria (2).

Aludel://2. m. ant. Quim. Olla o vaso usado para sublimar (1).

Aludo, da: adj. ant. Con alas (2).

Aluén: adv. l. ant. Alueñe (1-2).

Aluenne: adv. l. ant. Alueñe (2).

Alueñar: tr. ant. Alejar. Usáb. m. c. r. (1-2).

Alueñe: adv. l. ant. Lueñe (1-2).

Alugar: tr. ant. Alogar (1).

Aluminado, da: p. p. de Aluminar.//2. adj. ant. Alumbrado. Usáb. m. c. s. y en pl. (1).

Aluminar: tr. ant. Alumbrar (1).

Alumnar: tr. ant. Alumbrar (2).

Aluón: adv. l. ant. Aluén (2).

Aluneb: m. ant. Azufaifo (1).

Alungir: tr. ant. Alongar (1).

Aluquete: m. ant. Luquete (1).

Alvacara: f. ant. Obra exterior de fortificación (2).

Alvalá: amb. ant. Albalá (2).

Alvañar: m. ant. Albañal: (2).

Alvará: amb. ant. Albará (2).

Alvarda: f. ant. Albarda (2).

Alvardán: m. ant. Albardán (2).

Alvedrío: m. ant. Albedrío (2).

Alvergada: f. ant. Albergada (2).

Alvidriar: intr. ant. Albedriar (2).

Alvistra: f. ant. Albricia (2).

Álvol: m. ant. Árbol (2).

Alvorada: f. ant. El alba (2).

Alvores: m. ant. Luz del alba (2).

Alvoroz: m. ant. Alborozo (2).

Alvricia: f. ant. Albricias (2).

Alxarafe: m. ant. Terreno elevado (2).

Alzado, da: p. p. ant. de Alzar//2. s. m. ant. Bolsa, arca (2).

Alzaprima://4. f. ant. fig. Artificio o engaño para derribar o perder a alguno//Dar alzaprima a uno: fr. ant. fig. Usar de artificio o engaño para derribarlo o perderlo (1).

Alzar://14. intr. ant. Retirarse, apartarse de algún sitio//15. ant. Refugiarse o acogerse (1)//Esconder (2).

Allanadura: f. ant. Allanamiento (1).

Allanar: intr. ant. Ir por lo llano (2).

Allegamiento://2. m. ant. Reunión o concurso de personas o cosas allegadas//3. ant. Aproximación, unión, estrechez//4. ant. Parentesco//5. ant. Ayuntamiento (1).

Alleganza: f. ant. Allegamiento//2. ant. Llegada (1).

Allegar://5. tr. ant. Conocer carnalmente una persona a otra. Usáb. t. c. r.// 6. ant. Solicitar, procurar (1).

Allén: adv. l. ant. Allende (1-2).

Allengar: tr. ant. Alargar (2).

Allent: adv. l. ant. Allende (1-2).

Alliende: adv. l. ant. Allende (2).

Allinar: tr. ant. Alinear, medir//2. intr. ant. Dirigirse a (2).

Alliñar: tr. ant. Allinar (2).

Allora: adv. t. ant. Entonces (1)//Alora (2).

Allumnar: tr. ant. Alumnar (2).

Ama://7. f. ant. Aya, maestra (1).

Amagote: m. ant. Engañifa (2).

Amagrecer: tr. e intr. ant. Enmagrecer (1).

Amalar: tr. ant. Malear//2. r. ant. Ponerse malo o enfermo. Usáb. t. c. intr. (1).

Amalear: tr. ant. Malear (1).

Amanar: tr. ant. Prevenir, preparar o poner a la mano alguna cosa (1).

Amancillado, da: adj. ant. Avergonzado, apabullado, vencido (2).

Amancillar://3. tr. ant. Lastimar//4. ant. Causar lástima o compasión (1).

Amanssar: tr. ant. Amansar (2).

Amapolarse: r. ant. Pintarse la cara las mujeres (1).

Amarañar: tr. ant. Enmarañar (1).

Amargazón: f. ant. Amargor (1).

Amarilleza: f. ant. Amarillez (1).

Amarillor: m. ant. Amarillez (1).

Amarillura: f. ant. Amarillez (1).

Amargo: adj. fig. ant. Amargado (2).

Amargueza, [-ça]: f. ant. Amargura (2).

Amaro, ra: adj. ant. Amargo (1).

Amarrazón: f. ant. Mar. Conjunto de amarras (1).

Amasadijo: m. ant. Amasijo (1).

Amasco: pret. ant. de Amanecer. Amaneció (2).

Amassar: tr. ant. Amasar (2).

Amatador, ra: adj. ant. Matador. Usáb. t. c. s. (1).

Amatar: tr. ant. Matar. Usáb. t. c. r. (1-2).

Amatiste: m. ant. Amatista (1).

Amazolado, da: adj. ant. Hecho mazos o dividido en ellos (1).

Ambages: m. pl. ant. Rodeos o caminos intrincados, como los de un laberinto (1).

Ambarar: tr. ant. Dar o comunicar a alguna cosa olor de ámbar (1).

Ambicia: f. ant. Ambición (2).

Ambicionear: tr. desus. Ambicionar (1).

Ambidos: adv. m. ant. De mala gana, contra la propia voluntad y propósito, con repugnancia (1-2).

Amblar://2. intr. ant. Mover lúbricamente el cuerpo (1).

Ambrolla: f. ant. Embrollo (1).

Ambrollador, ra: adj. ant. Embrollador (1).

Ambrollar: tr. ant. Embrollar (1).

Amecer: tr. ant. Mezclar. Usáb. t. c. r. (1).

Amenasar: tr. ant. Amenazar (2).

Amenazar://3. tr. ant. fig. Conducir, guiar el ganado (1).

Amencia: f. ant. Demencia (1).

Amenguadamente: adv. m. ant. Menguadamente (1).

Amenguadero, ra: adj. ant. Que amengua (1).

Amenorar: tr. ant. Aminorar (1).

Amenoso, sa: adj. ant. Ameno (1).

Amente: adj. ant. Demente (1).

Amercearse: r. ant. Amercendearse (1).

Amercendeador, ra: adj. ant. Que se amercendea. Usáb. t. c. s. (1).

Amercendeamiento: m. ant. Acción y efecto de amercendearse (1).

Amercendeante: p. a. ant. de Amercendearse. Que se amercendea (1).

Amercendearse: r. ant. Compadecerse, apiadarse. Usáb. t. c. intr. (1)//Hacer merced (2).

Américo, ca: adj. desus. Americano (1).

Amesnador: m. ant. El que amesna o guarda//2. ant. El que en palacio tenía por oficio guardar la persona del rey (1).

Amesnar: tr. ant. Guardar, defender, poner a salvo o seguro//2. ant. intr. Acogerse, guarecerse (1).

Amesturar (La barba): tr. ant. Pelarla o mesarla (2).

Amesurar: tr. ant. Medir, arreglar, ajustar (1).

Ametisto: m. ant. Ametista (Amatista) (1).

Amianta: f. ant. Amianto (1).

Amicicia: f. ant. Amistad (1).

Amidos: adv. m. ant. Ambidos (1-2).

Amiedo: adv. m. ant. De mala gana (2).

Amiedos: adv. m. ant. Amiedo (2).

Amiésgado: m. ant. Fresa (1).

Amigajado, da: adj. ant. Hecho migajas (1).

Amiganza, (-ça): f. ant. Amistad (1-2).

Amir: m. desus. Emir (1).

Amisión: f. ant. Perdimiento (1)//Admisión (2).

Amistad://4. f. ant. Pacto amistoso entre dos o más personas//5. ant. Deseo o gana de alguna cosa (1).

Amistanza, (-ça): f. ant. Amistad (1-2).

Amizad: f. ant. Amistad (2).

Amizat: f. ant. Amizad (2).

Amiztad: f. ant. Amistad (2).

Amnestía: f. ant. Amnistía (1).

Amunda: f. ant. Abnuda (2).

Amo://6. m. ant. Ayo (1-2).

Amochiguar: tr. ant. Amuchiguar (1).

Amodorrido da: adj. ant. Amodorrado (2).

Amojar: tr. ant. Aflojar (2).

Amoldar://4. tr. ant. Señalar o marcar el ganado lanar (1).

Amollecer: tr. ant. Ablandar. Usáb. t. c. intr. (1).

Amollentadura: f. ant. Acción y efecto de amollentar (Ablandar o hacer muelle una cosa) (1).

Amollentar://2. tr. ant. fig. Afeminar (1).

Amollentativo, va: adj. ant. Que amollenta (1).

Amontadgar: tr. ant. Amontazgar (Montazgar) (1).

Amor://7. ant. Convenio o ajuste (1).

Amorbar: tr. ant. Enfermar (1).

Amordazador, ra://2. adj. ant. Que amordaza. Usáb. t. c. s. (1).

Amordazamiento://2. m. ant. Acción y efecto de amordazar (1).

Amordazar://2. tr. ant. Morder, maldecir (1).

Amortamiento: m. ant. Amortiguamiento (1).

Amortar: tr. ant. Amortiguar (1).

Amortecer: intr. ant. Ponerse como a morir (2).

Amortido, da: adj. ant. Amortecido (2).

Amortirse: r. ant. Desmayarse (2).

AND**Amos, mas:** adj. pl. ant. Ambos (1-2).

Amoscador: m. ant. Mosqueador (1).

Amoscar: tr. ant. Mosquear (1).

Amostramiento: m. ant. Acción y efecto de amostrar (1).

Amostrar: tr. ant. Mostrar//2. ant. Instruir o enseñar//3. r. ant. Acostumbrarse (1).

Amover://3. tr. ant. Anular, derogar, revocar (1).

Amparamiento: m. ant. Amparo (1).

Amparanza: f. ant. Amparo (1).

Amparar://2. ant. Pedir prestado (1).

Amparo://4. ant. Parapeto (1).

Amplamente: adv. m. ant. Ampliamente (1).

Amplexo: m. ant. Abrazo (1).

Amplo, pla: adj. ant. Amplio (1).

Amuchiguar: tr. ant. Multiplicar, aumentar. Usáb. t. c. intr. y c. r. (1).

Amuerço: m. ant. Almuerzo (2).

Amurca: f. ant. Alpechín (1).

Anabatista: adj. ant. Anabaptista. Usáb. m. c. s. (1).

Anacalo la: m. f. ant. Criado o criada de la hornera que iba a las casas particulares por el pan que se había de cocer (1).

Anacea: f. ant. Añacea (2).

Anacorita: com. ant. Anacoreta (1).

Anafaga: f: ant. Costa (Gasto) (1).

Anafagar: tr. ant. Mantener (2).

Anafega: f. ant. Anafaga (2).

Anafil: m. ant. Añafil (2).

Anal: adj. ant. Anual//2. m. ant. Añal//3. ant. Anales (1).

Anascote://2. m. ant. Tela de seda parecida a la sarga (1).

Anatado, da: adj. desus. Abundante en nata (1).

Anatema://3. m. ant. Persona anatematizada o excomulgada (1).

Anatomía://2. f. desus. Análisis, examen minucioso de alguna cosa//4. desus. Esqueleto, y por extensión, persona flaca (1).

Anatomiano: m. ant. Anatomista (1).

Anavajado, da: adj. ant. Maltratado con cortaduras de navaja u otro instrumento semejante (1).

Anazea: f. ant. Anacea (2).

Ancianamente: adv. t. ant. Antiguamente (1).

Anciania: f. ant. Ancianidad (1).

Ancianidad://2. f. ant. Antigüedad (1).

Ancianismo: m. ant. Ancianidad (1).

Anciano, na://2. adj. ant. Antiguo (1).

Ancioso, sa: adj. ant. Cauto, prevenido (2).

Ancoraje: m. Mar. ant. Anclaje (1).

Ancharia: f. ant. Anchura (1).

Ancheza: f. ant. Anchura (1).

Andaboba: f. ant. Parar (1).

Andada: f. ant. Andanza//2. ant. Viaje, camino, paso (1-2).

Andadero, ra://3. adj. desus. Hacedero //4. m. y f. ant. Demandadero, ra (1).

Andador: m. ant. Ministro o alguacil del concejo (2).

Andache: m. ant. Juego (2).

Andalia: f. ant. Sandalia (1).

¡Andallo!: interj. ant. ¡Anda! (1).

Andamiento://2. m. ant. fig. Modo de proceder o portarse (1).

Andamio://4. m. ant. Adarve//5. ant. Movimiento o acción de andar//6.

41

ant. Modo o aire de andar (1)//Por donde se anda en el muro (2).

Andança: f. ant. Andanza (2).

Andancia: f. ant. Andanza (1).

Andanza://2. f. ant. Correría o viaje//3. ant. Modo de andar//4. ant. Suceso, aventura (1).

Andas: f. ant. Litera (2).

Andido. da: pret. de Andar. Anduvo (2).

Andolencia: f. ant. Andulencia (1).

Andorra: adj. ant. Que andorrea (2).

Andrado, da: m. y f. ant. Adnado, da (1).

Andudo: pret. de Andar. Anduvo (2).

Andulencia: f. ant. Andanza (1).

Angarillas://5. f. pl. ant. Jamugas (1).

Angoja: f. ant. Congoja (1).

Angojoso, sa: adj. ant. Congojoso (1).

Angostar://2. tr. ant. fig. Angustiar (1).

Angosto, ta://2. ant. fig. Escaso (1-2) //3. ant. fig. Triste, angustioso, o trabajoso (1)//Estéril (2).

Angostura://3. f. ant. fig. Tristeza, angustia o fatiga (1).

Anguera: f. ant. Alquiler (2).

Anguerar: tr. ant. Dar en alquiler (2).

Anguilla: f. ant. Anguila (1).

Angurria: f. ant. Sandía (1).

Angustura: f. ant. Angostura (2).

Aniejar: tr. ant. Añejar. Usáb. t. c. intr. (1).

Aniejo, ja: adj. ant. Añejo (1).

Animadvertencia: f. ant. Aviso o advertencia (1).

Animalia: f. ant. Animal (1-2).

Animalias: f. pl. ant. Sufragios o exequias (1).

Animante://2. m. ant. Viviente (1).

Annado, da: m. y f. ant. Adnado, da (1-2).

Annado: m. ant. Añado (2).

Annafaga: f. ant. Añafaga (2).

Annafagar: tr. ant. Añafagar (2).

Annafyl: m. ant. Añafil (2).

Annazaha: f. ant. Recreo, deleite (2).

Annuba: f. ant. Abnuda (2).

Annubda: f. ant. Abnuda (2).

Annubeta: f. ant. Abnuda (2).

Annubta: f. ant. Abnuda (2).

Annuda: f. ant. Abnuda (2).

Annudeba: f. ant. Abnuda (2).

Annuduba: f. ant. Abnuda (2).

Annuduva: f. ant. Abnuda (2).

Annutuba: f. ant. Abnuda (2).

Anomalidad: f. ant. Anomalía (1).

Anotomía: f. desus. Anatomía (1).

Anotómico, ca: adj. desus. Anatómico (1).

Anquear: intr. ant. Amblar (1).

Ansí: adv. m. ant. Así (1).

Ansimesmo: adv. m. ant. Ansimismo (1).

Ansimismo: adv. m. ant. Así mismo (1).

Ansina: adv. m. ant. Así (1).

Ansiosidad: f. ant. Ansia (1).

Ansuelo: m. ant. Anzuelo (2).

Anssy: adv. m. ant. Así (2).

Ante://3. adv. t. ant. Antes//**En ante:** m. adv. ant. Antes (1-2).

Antecuarto: m. ant. Recibimiento o antesala (1).

Anteferir: tr. ant. Preferir (1).

Antelucano, na: adj. ant. Aplicábase al tiempo de la madrugada (1).

Antemostrar: tr. ant. Pronosticar (1).

Antemuralla: f. ant. Antemural (1).

Antemuro: m. ant. Antemural//2. ant. Fort. Falsabraga (1).

Antenado, da: m. y f. ant. Hijastro, tra (2).

Antenoche://3. ant. La noche antes (1).

Antenotar: tr. ant. Intitular (1).

Anteocupar: tr. ant. Preocupar (1).

Anteposar: tr. ant. Anteponer (1).

Anteseña: f. ant. Divisa (1).

Antevedimiento: m. ant. Previsión (1).

Anteviso, sa: adj. ant. Advertido o avisado (1).

Anticipativamente: adv. t. ant. Anticipadamente (1).

Antigo, ga: adj. ant. Antiguo (1-2).

Antipara: f. ant. Tapadera o disimulo, cárcel o biombo (2).

Antiparra: f. ant. Zalagarda (2).

Antipodia: f. ant. Antipodio (1).

Antipodio: m. ant. Extraordinario (1).

Antíteto: m. ant. Ret. Antítesis (1).

Antojamiento: m. ant. Antojo (1).

Antojanza, (-ça): f. ant. Antojo (1)//Visión vana (2).

Antojar: r. ant. Tener ante los ojos físicos o del alma (2).

Antojo://4. m. ant. Anteojo (1)//Modo de entender una cosa (2).

Antorchado: m. ant. En vihuelas, etc., la cuerda con hilos de plata u otro metal (2).

Antoviar: tr. ant. Antuviar (1).

Antre: adv. t. ant. Antes (2).

Antuviado, da://2. adj. ant. Que se anticipa, precoz (1).

Antuviador, ra: adj. ant. Que antuvia (1).

Antuviar: tr. ant. Adelantar, anticipar (1-2).

Antuvio: m. ant. Acción anticipada o precipitada (1).

Anubda: f. ant. Abnuda (2).

Anuda: f. ant. Abnuda (2).

Ánulo, la: adj. ant. Anual (1).

Anumeración: f. ant. Numeración (1).

Anumerar: tr. ant. Numerar (1).

Anuncia: f. ant. Anuncio (1).

Anunciamiento: m. ant. Anunciación (1).

Anupda: f. ant. Abnuda (2).

Anviso, sa: adj. ant. Avisado, prudente (2).

Anyal: adj. ant. De un año. Usáb. t. c. s. (2).

Anyo: m. ant. Año (2).

Añacea: f. ant. Fiesta, regocijo, diversión (1-2).

Añacear: r. ant. Regocijarse, divertirse (1).

Añada: f. ant. Discurso o tiempo de un año (1).

Añadimiento: m. ant. Añadidura (1).

Añado: m. ant. Cautivo (2).

Añafaga: f. ant. Anafaga (2).

Añafagar: tr. ant. Anafagar (2).

Añafil: m. ant. Trompeta larga de metal (2).

Añal://4. m. ant. Aniversario//5. ant. pl. Anales (1)//De un año (2).

Añaza: f. ant. Recreo, deleite (2).

Añazme: m. ant. Ajorca (1).

Añedir: tr. ant. Añadir (1-2).

Añel: m. ant. Cordero (2).

Añidir: tr. ant. Añedir (1).

Añino: ant. Lana corta del cordero (2).

Añir: m. ant. Añil (1).

Añirar: tr. ant. Añilar (1).

Añojo: m. ant. Cordero (2).

Aocar: tr. ant. Ahuecar (1).

Aojar://3. tr. ant. Mirar (1)//Hacer mal de ojo o aojo (2).

Aoptarse: r. ant. Darse por satisfecho o contento (1).

Aonta: f. ant. Deshonra, afrenta (2).

Aontar: tr. ant. Afrentar, deshonrar (2).

Aora: adv. t. ant. Ahora, a tiempo (2).

Aorar: tr. ant. Adorar (1-2).

Aosadas: adv. m. ant. Osadamente, sin miedo (2).

Apabilar://3. r. ant. Atenuarse y oscurecerse poco a poco la luz de una vela (1).

Apacar: tr. ant. Apaciguar (1).

Apacer: tr. ant. Apacentar. Usáb. t. c. intr. (1-2)//2. intr. ant. Alimentarse (1).

Apagar: tr. ant. Agradar//2. Reconciliar (2).

Apalambrar: tr. ant. Incendiar, abrasar (1).

Apaliar: tr. desus. Paliar (1).

Apaniaguado, da: m. y f. ant. Paniaguado (1-2).

Apaniguar: tr. ant. Alimentar (1).

Apannar: tr. ant. Apañar//2. Procurar, cuidar, obrar con reserva//3. Darse maña (2).

Apañar: tr. ant. Juntar, allegar, recoger lo disperso. // 2. Procurar, cuidar, obrar con reserva//3. Darse maña (2).

Aparado: adv. ant. A propósito (2).

Aparador://6. m. ant. Guardarropa o armario para guardar vestidos (1).

Aparamento: m. ant. Paramento (1).

Aparar: tr. ant. Recoger (2).

Aparcear: intr. ant. Ir a la parte con alguno (2).

Aparcera: f. ant. Manceba (1).

Aparcería: f. ant. El ser aparcero (2).

Aparcero, ra://3. m. y f. ant. Partícipe, copartícipe//4. ant. fig. Compañero, ra (1-2).

Aparciar: intr. ant. Tener parte (2).

Aparcionero, ra: m. y f. ant. Partícipe (1).

Aparencia: f. ant. Apariencia (2).

Aparecer: intr. ant. Aparecerse//2. ant. Nacer (2).

Aparejamiento: m. ant. Acción y efecto de aparejar o aparejarse (1).

Aparejar: ant. Aparear (2).

Aparejo://10. m. ant. Conjunto de cabos o adornos menos principales de un vestido (1).

Aparellar: tr. ant. Aparejar (2).

Aparencia: f. ant. Apariencia (1).

Aparir: intr. ant. Aparecer (1).

Apartación: f. ant. Repartición (1).

Apasto: m. ant. Pasto (1).

Apasturar: tr. ant. Pasturar//2. ant. Forrajear (1).

Apatrocinar: tr. desus. Patrocinar (1).

Apaularse: r. desus. Apaulillarse (1).

Apaulillarse: r. desus. Agorgojarse (1).

Apazguado, da: adj. ant. Aplicábase a la persona con quien se tenían hechas paces (1).

Apeado: adv. m. ant. A pie (2).

Apear://11. intr. ant. Andar o caminar a pie (1).

Apedazado, da: adj. ant. Despedazado //2. Remendado con pedazos (2).

Apedgar: tr. ant. Apear (1).

Apedrar: tr. ant. Apedrear (1).

Apegadizo, za: adj. ant. Pegadizo (1).

Apegadura: f. ant. Pegadura (1).

Apegamiento: m. ant. Pegamiento//2. ant. fig. Apego (1).

Apegar: tr. ant. Pegar. Usáb. t. c. r. (1).

Apegostrar: tr. ant. despect. de Apegar. (1).

Apeldar: tr. ant. Apellidar, clamar (2).

Apeligrar: tr. ant. Poner en peligro (1).

Apellar: intr. ant. Apelar (2).

Apellidante: m. ant. El que presta pedimento para incoar el juicio de aprehensión o inventario (2).

Apellidar: tr. ant. Convocar o alzar llamando a guerra; pedir socorro (2).

Apellidero: m. ant. Apellidador, el que apellidaba (2).

Apellido://8. m. ant. Invocación (1)// Voz pidiendo ayuda, llamando a guerra y la señal que se daba a los soldados para tomar las armas (2).

Apendencia: f. ant. Pertenencia. Usáb. m. en pl. (1).

Apercebimiento: m. ant. Apercibimiento (1).

Apercebir: tr. ant. Apercibir (1-2).

Apercibir: tr. ant. Aconsejar, disponer //2. r. Disponerse a (2).

Apercibo: m. ant. Apercibimiento (1).

Apero://5. m. ant. Rebaño o hato de ganado (1).

Apersonado, da://2. adj. ant. Bien apersonado//p. p. de Apersonarse (1).

Apersonarse://2. r. ant. Ostentar la persona, mostrar gentileza (1-2).

Apesgar: tr. ant. Estar cansado, pesado (2).

Apetible: adj. ant. Apetecible (1).

Apiastro: m. ant. Toronjil (1).

Aplacación: f. ant. Aplacamiento (1).

Aplacentar: tr. ant. Dar placer o contento (1).

Aplacentería: f. ant. Placentería (1).

Aplacible: adj. ant. Apacible (2).

Aplagar: tr. ant. Llagar (1).

Aplegar: tr. ant. Allegar, recoger (1-2).

Aplomar://2. tr. ant. Oprimir con el mucho peso (1).

Apodamiento: m. ant. Apodo//2. ant. Valuación o tasa (1).

Apodar://2. tr. ant. Comparar una cosa con otra//3. ant. Valuar o tasar alguna cosa (1-2).

Apoderadamente: adv. m. ant. Concierto, dominio o autoridad (1).

Apoderado, da://3. adj. ant. Poderoso o de mucho poder (1-2).

Apoderar://2. tr. ant. Poner en poder de alguno una cosa o darle la posesión de ella//4. ant. Hacerse poderoso o fuerte, prevenirse de poder o de fuerza (1).

Apodo://2. m. desus. Chiste o dicho gracioso con que se califica a una persona o cosa, sirviéndose ordinariamente de una ingeniosa comparación (1)//Atribución, estimación, calificación (2).

Apologético://2. m. ant. Apología (1).

Aponer: tr. ant. Imputar, achacar, echar

la culpa//2. ant. Imponer, aplicar//3. r. ant. Proponerse (1-2).

Aponzoñar: tr. ant. Emponzoñar (1).

Apoquecer: tr. ant. Apocar, acortar, abreviar (1).

Aportellado://2. m. ant. Dependiente, servidor, criado (1).

Aportunar: tr. ant. Apremiar (2).

Apos: adv. l. y t. ant. Detrás, después (2).

Aposesionado://2. adj. ant. Hacendado (1).

Apost: adv. l. y t. ant. Apos (2).

Apostadamente://2. adv. m. ant. Apuestamente (1).

Apostado: adj. ant. Apuesto (2).

Apostamiento: m. ant. Apostura (1).

Apostar://4. tr. ant. Adornar, componer, ataviar (1-2).

Apostelar: tr. ant. Apostillar (1).

Apostemación: f. ant. Apostema (1).

Apostiello: d. ant. de Apuesto (2).

Apostila: f. ant. Acotación (2).

Apostizo, za: adj. ant. Postizo (1).

Apostolazgo: m. ant. Apostolado//2. ant. Dignidad de Papa (1).

Apostolical: adj. ant. Apostólico (1).

Apostólico, (-go)://8. m. ant. El Papa (1-2).

Apostoligal: adj. ant. Apostolical (1).

Apostóligo, ga: adj. ant. Apostólico//2. m. ant. Apostólico (1).

Apóstolo: m. ant. Apóstol (1).

Apostre: adv. l. y t. A postre (1).

Apostura://3. f. ant. Buen orden y compostura de las cosas//4. ant. Adorno, afeite, atavío//5. ant. Añadidura o complemento//6. ant. Pacto o concierto (1-2).

Apoteca: f. ant. Botica//2. ant. Hipoteca (1).

Apotecario: m. ant. Boticario (1).

Apoticario: m. ant. Apotecario (1).

Apoyadero: m. ant. Apoyo (1).

Aprecibir: tr. ant. Apercibir (2).

Apreciadura: f. ant. Apreciación (1-2).

Apreciamiento: m. ant. Apreciación (1).

Apreciar://4. r. ant. Preciarse (1).

Aprehender://2. tr. ant. Aprender (1).

Aprehensión://2. f. ant. Comprehensión (1).

Aprehenso, sa: p. p. irreg. ant. de Aprehender (1).

Aprehensorio, ria: adj. ant. Que sirve para aprehender o asir (1).

Apremer: tr. ant. Oprimir, sujetar, mortificar//2. Bajar (2).

Apremiadura: f. ant. Apremio (1).

Apremiamiento: m. ant. Apremio (1).

Apremiar: tr. ant. Bajar, apurar (2).

Apremir: tr. ant. Exprimir, apretar//2. ant. fig. Apremiar (1-2).

Aprender://4. tr. ant. Prender (1).

Aprendiente: p. a. ant. de Aprender. Que aprende (1).

Aprés: adv. l. y t. ant. Cerca//2. adv. l. y t. Después (1-2).

Apresar: tr. ant. Coger con las presas (2).

Apresivamente: adv. m. ant. Con fuerza y violencia (1).

Apreso, sa: p. p. ant. de Aprender//3. ant. Enseñado//4. ant. Con los advs. bien o mal, feliz o desgraciado (1-2).

Apresso, ssa: ant. Apreso, sa (2).

Apréstamo: m. ant. Prestamero (1).

Apresto: adv. m. ant. Presto (2).

Apresura: f. ant. Apresuramiento, estímulo (1-2).

Apresuroso, sa: adj. ant. Presuroso (1).

Apriesa: adv. m. ant. Repetidamente (2).

Apriessa: adv. m. ant. Apriesa (2).

Apretado, da://5. adj. ant. fig. Apocado, pusilánime (1).

Apretamiento://2. m. ant. Avaricia, mezquindad, miseria (1).

Apretante://2. m. ant. fig. Jugador que con envites oportunos aprieta al contrario para lograr la suya (1).

Apretativo, va: adj. ant. Que tiene virtud de apretar (1).

Aprir: tr. ant. Abrir (1).

Apriscadero: m. ant. Aprisco (1-2).

Apriscar: tr. ant. Juntar en el aprisco, concertar (2).

Aprisionadamente: adv. m. ant. Estrechamente (1).

Apriso, sa: p. p. ant. de Aprender//2. pret. indefinido de Aprender (2).

Aprisquero: m. ant. Aprisco (1).

Aprivar: tr. ant. Hacer privado a uno (2).

Aproar: intr. ant. Aprodar (1).

Aprobar://4. tr. ant. Justificar la certeza de un hecho//5. intr. ant. Portarse o dar tal resultado (1).

Aprodar: intr. ant. Aprovechar (1-2).

Aprofundar: tr. ant. Ahondar (2).

Aprometer: tr. desus. Prometer (1).

Apropiar://4. tr. ant. Asemejar (1).

Aprovecer: intr. ant. Aprovechar, hacer progresos, adelantar//2. ant. Cundir, propagarse, difundirse (1-2).

Aprovecimiento: m. ant. Acción y efecto de Aprovecer (1).

Aprovechar://5. tr. ant. Hacer bien, proteger, favorecer//6. ant. Hacer provechosa o útil alguna cosa, mejorarla (1).

Aprovezer: intr. ant. Aprovecer (2).

Apteza: f. ant. Aptitud (1).

Apuesto, ta: p. p. irreg. ant. de Aponer //3. ant. Oportuno, conveniente y a propósito//4. m. ant. Apostura//5. ant. Epíteto, renombre, título//6. adv. m. ant. Apuestamente (1-2).

Apuntadamente: adv. m. ant. Puntualmente (1).

Apuntadura: f. ant. Calce puesto a la punta de una reja, barrena u otro instrumento semejante (1).

Apuntar://18. tr. ant. Puntuar//19. ant. Apuntalar (1).

Apuosto: adj. ant. Apuesto (2).

Apuradamente://2. adv. m. ant. Radical o fundamentalmente//3. ant. Con esmero o exactitud (1).

Apuradero: m. ant. Examen, prueba con que se califica la realidad de una cosa (1).

Apuradura: f. ant. Apuramiento (1).

Apurar://9. tr. ant. Examinar atentamente (1).

Apurativo, va: adj. ant. Que purifica o limpia de materia impura y crasa (1).

Aqualquier: pron. indet. ant. Cualquier (1).

Aquedador, ra: m. y f. ant. Persona que aqueda (1).

Aquedar: tr. ant. Detener o hacer parar //2. ant. Aquietar, sosegar. Usáb. t. c. intr.//3. r. ant. Dormirse (3)//Descansar (2).

Aquejadamente: adv. m. ant. Pronta, apresurada o velozmente (1).

Aquejamiento: m. ant. Acción y efecto de aquejar o aquejarse (1).

Aquejar: tr. ant. Estimular, impeler//3. ant. fig. Poner en estrecho o aprieto//4. r. ant. Apresurarse o darse prisa (1)//Quejar (2).

Aquejo: m. ant. Aquejamiento (1).

Aquejosamente: adv. m. ant. Con ansia o vehemencia (1).

Aquejoso, sa://2. adj. ant. Quejicoso (1).

Aquele, la, lo: pron. dem. ant. Aquel (1).

Aquelli: pron. dem. ant. Aquel (2).

Aquellotrar: tr. ant. Aquillotrar. Usáb. t. c. r. (1).

Aquellotro: contracc. ant. de Aquello otro (2).

Aquén: adv. l. ant. Aquende (1-2).

Aquerenciado, da://2. adj. ant. Enamorado (1).

Aquestar: tr. ant. Aquistar (1).

Aqüeste: m. ant. Cuestión, riña o pendencia (1).

Aquexar: intr. ant. Quejar (2).

Aquileño, ña: adj. ant. Aguileño (1).

Aquilonario, ria: adj. ant. Aquilonar (Perteneciente o relativo al aquilón) (1).

Aquillotrar: tr. ant. Quillotrar (1).

Aquillotro: m. ant. Quillotro (1).

Aquistador, ra://2. m. ant. Conquistador (1).

Arabalde: m. ant. Arrabalde (2).

Arabía: f. ant. Árabe (1).

Arada: f. ant. Tierra labrantía (2).

Arambre: m. ant. Alambre (1).

Aramne: m. ant. Alambre de bronce (2).

Arañento, ta: adj. ant. Perteneciente a la araña (1).

Arapenne: m. ant. Arpende (Medida superficial usada por los antiguos españoles) (1).

Aratorio, ria: adj. ant. Perteneciente o relativo al oficio de arar (1).

Araval: m. ant. Arabalde (2).

Arbitradero, ra: adj. ant. Arbitrable (1).

Arbitrar://3. intr. ant. Discurrir, formar juicio (1).

Árbor: m. ant. Árbol (1-2).

Arborado, da: adj. ant. Arbolado (1).

Arbórbola: f. ant. Albórbola (2).

Arbórbolla: f. ant. Arbórbola (2).

Arca://6. f. ant. Especie de nave o embarcación//7. ant. Sepulcro o ataúd //10. ant. Parte anterior del pecho o tórax (1).

Arca: f. ant. Acción de arquear (1).

Arcabuezo: m. ant. Carcavuezo (1).

Arcabuzal: m. ant. Arcabuco (Monte muy espeso y cerrado) (1).

Arcaduzar: tr. ant. Conducir el agua por arcaduces (Caño por donde se conduce el agua) (1).

Arcanidad: f. ant. Arcano (1).

Arcaz: m. ant. aum. de Arca (1).

Arce: m. ant. Arcén (Margen u orilla // Brocal) (1).

Arcebispe: m. ant. Arzobispo (2).

Arcedianadgo: m. ant. Arcedianazgo (1).

Arcedianazgo: m. ant. Arcedianato (1).

Arcidriche: m. ant. Tablero de ajedrez (1-2).

Árctico, ca: adj. ant. Astron. y Geogr. Ártico (1).

Arcuado, da: adj. ant. De figura de arco (1).

Arcual: adj. ant. Arcuado (1).

Archa: f. ant. Arca (2).

Architriclino: m. Entre griegos y romanos, persona encargada de ordenar los banquetes y de dirigir el servicio de la mesa. El oficio con el mismo nombre se mantuvo en la Edad Media (1).

Ardicia: f. ant. Deseo ardiente o eficaz de alguna cosa (1).

Ardid: adj. ant. Ardido (1).

Ardidamente: adv. m. ant. Con ardimiento o valor (1).

Ardidez: f. ant. Ardideza (1).

Ardideza: f. ant. Maña, astucia, sagacidad (1).

Ardido, da: adj. ant. Valiente, intrépido, denodado (1-2).

Ardidosamente: adv. m. ant. Ardidamente (1).

Ardidoso, sa: adj. ant. Ardid (1).

Ardiment: m. ant. Ardimiento (2).

Ardimiento: m. ant. Denuedo (2).

Ardit: adj. ant. Ardid (2).

Ardura: f. ant. Estrechez, angustia, apuro (1-2).

Arecer: tr .ant. Secar (1).

Arenilla://4. f. ant. Dados que sólo tienen puntos por una cara (1).

Arenzata: f. ant. Almudelio (1).

Aresta: f. ant. Espina//2. ant. Tormento (1).

Arfil: m. ant. Alfil (1).

Argadillo://4. m. ant. fig. Armazón o fábrica del cuerpo humano (1).

Argamasa://2. f. ant. Lugar público, como alhóndiga (1).

Árgana: ant. Máquina a modo de grúa para atrapar y subir piedras//pl. Cestones o angarillas sobre las bestias para llevar la comida al campo (2).

Argaya: f. ant. Arista de trigo (1).

Argayo: m. ant. Manto (2).

Argén: m. ant. Argento//2. ant. Dinero (1).

Argenfre: ant. Argentería (2).

Argent: m. ant. Argento (1).

Argente: m. ant. Argento (1).

Argentpel: m. ant. Lámina de latón muy batida y con baño de plata (1).

Arginas: f. pl. ant. Aguaderas (1).

Argolla://6. f. ant. Aro, manilla o brazalete que se llevaba como adorno (1).

Argorismo: m. ant. Alguarismo (2).

Arguarismo: m. ant. Alguarismo (2).

Argudarse: r. ant. Darse prisa (2).

Argudo: adj. ant. Ingenioso (2).

Argullo: m. ant. Orgullo (1).

Argulloso, sa: adj. ant. Orgulloso (1).

Argumentoso, sa: adj. desus. Solícito, ingenioso. Decíase de la abeja (1).

Arienzo: m. ant. Moneda antigua de Castilla, en Aragón el adarme (2).

Arigote: m. ant. Gente vil (2).

Aríol: m. ant. Aríolo (1).
Aríolo: m. ant. Agorero (1).
Arisco, ca: adj. ant. Áspero (2).
Arismética: f. ant. Aritmética (1).
Arismético, ca: adj. ant. Aritmético//2. fig. ant. Sodomita, pederasta (1).
Arista://5. f. ant. Espina (1).
Arlequín://4. m. desus. Tejido de hilo o lana y de colores variados (1).
Arlote: adj. ant. Pícaro, bribón, holgazán (1-2).
Arlotería: f. ant. Holgazanería, bribonería//2. ant. Malicia, picardía (1).
Arlotía: f. ant. Arlotería (1-2).
Armadija: f. ant. Armadijo (1).
Armadura://6. f. ant. Armadijo (1).
Armamiento: m. ant. Armamento//2. ant. Armadura (1).
Armandijo: m. ant. Armadijo (1).
Armanza: f. ant. Armadijo (1).
Armar://13. tr. ant. Poner armadijo o trampa para cazar o coger una res (1).
Armella://2. f. ant. Brazalete (1).
Armento: m. ant. Ganado (1).
Armerol: m. desus. Maestro armero (1)
Armilla: f. ant. Armella (1).
Arminio: m. ant. Armiño (1).
Armoniaco, [-níaco]: adj. desus. Amoniaco (1).
Armonista: comp. ant. Músico (1).
Arnequin: m. ant. Maniquí (1).
Arnesar: tr. ant. Adornar (2).
Arpador: m. ant. Arpista (1).
Arpón://2. m. ant. Veleta (1).
Arqua: f. ant. Arca (2).
Arquibanco: m. ant. Banco largo con cajones debajo, cuyas tapas sirven de asiento a modo de arcas (2).
Arquitector: m. ant. Arquitecto (1).
Arrabalde: m. ant. Arrabal (1-2).
Arrabar: adj. ant. Varonil (2).
Arrabdonar: tr. ant. Excavar, gastar el agua las orillas (2).
Arrabiadamente: adv. m. ant. Con rabia, airadamente (1).
Arradro: m. ant. Arado (2).
Arraez, [-az], [-as]: m. ant. Patrón de barco, señor o dueño de región (2).
Arraezar: intr. ant. Dañarse, malearse alguna cosa. Usáb. t. c. r. (1-2).
Arrafecer: tr. ant. Arrahecer (2).
Arrafiz: m. ant. Cardo comestible (1).
Arrahan: m. ant. Arrayán (2).
Arrahecer: tr. ant. Hacerse malo o rahez (2).
Arraigadura: f. ant. Arraigo (1).
Arraigamiento: m. ant. Arraigo (1).
Arraihan: m. ant. Arrahan (2).
Arraijan: m. ant. Arrayán (2).
Arramar :tr. ant. Derramarse (2).
Arrancada://2. f. ant. Acometimiento, embestida//3. ant. Derrota, vencimiento//6. ant. Mont. Huella de la res que sale de su querencia// **De arrancada:** expr. adv. ant. De vencida (1-2).
Arrancar://8. tr. ant. Acometer, embestir//9. ant. Derrotar, vencer (1-2).
Arrapar: tr. ant. Arrebatar (2).
Arraquive: m. ant. Arrequive (1).
Arrascar: tr. ant. Rascar. Usáb. t. c. r. (1).
Arrastradura: f. ant. Arrastramiento (1)

Arrayaz [-ás], [-án]: m. ant. Patrón de barco, señor o dueño de región (2).

Arrayjan: m. ant. Arraijan (2).

Arrear://6. intr. ant. Ejercer el oficio de arriero (1)//Proveer, equipar (2).

Arrebata: f. ant. Rebata (2).

Arrebatarse: r. ant. Acudir la gente cuando tocaban a rebato (1-2).

Arrebato: m. ant. Rebato (1).

Arreciado: adj. ant. Esforzado (2).

Arrecho, cha: adj: ant. Tieso, erguido, brioso (1).

Arrededores: adv. l. ant. Alderredores (2).

Arredondar: tr. ant. Arredonjear (1).

Arredor: adv. l. ant. Alrededor (1-2).

Arredrado, da: adj. ant. Apartado (2).

Arredrar: tr. ant. Alejar (2).

Arrefezar: r. ant. Avillanarse (2).

Arregazar: tr. ant. Formar regazo con la ropa, haldas en cinta (2).

Arreglamiento: m. ant. Reglamento (1).

Arrehecer: r. ant. Avillanarse (2).

Arrejaca, co: m. y f. ant. Vencejo (2).

Arrejaque: m. ant. Vencejo (2).

Arrela: f. ant. Arrelde (Peso de cuatro libras) (1).

Arremangarse: r. ant. Estar dispuesto al trabajo (2).

Arremedador: adj. ant. Remedador (1).

Arremembrar: tr. ant. Remembrar (1).

Arremeter: tr. desus. Hacer al caballo arrancar con ímpetu//5. r. ant. Meterse con ímpetu, acometer//6. ant. Meterse, arrogarse algún título o dignidad (1).

Arremueco: m. ant. Arremuesco (1).

Arremuesco: m. ant. Arrumaco (1).

Arrentado, da: adj. ant. Decíase de quien tenía o gozaba rentas copiosas (1).

Arrepentemiento: m. ant. Arrepentimiento (2).

Arrepentudo: p. p. ant. de Arrepentir. Arrepentido (2).

Arrepintaja: f. ant. Arrepentimiento (2).

Arrepiso: p. p. irreg. de Arrepentirse. Arrepentido (2).

Arrequejamiento: m. ant. Aquejamiento (2).

Arrequejar, [-xar]: tr. ant. Aquejar (2).

Arrevolvedor: m. ant. Gusano revoltón (1).

Arrevolver: tr. ant. Revolver (1).

Arrexaca, co: m. y f. ant. Arrejaca, co (2).

Arrexaque: m. ant. Arrejaque (2).

Arreziado: adj. ant. Arreciado (2).

Arrial: m. ant. Gavilán de la espada (2).

Arriar: tr. ant. Arrear (2).

Arriaz: m. ant. Arrial (2).

Arriba://7. adv. l. y t. ant. Adelante (1).

Arribanza, [-ça]: f. ant. Buena fortuna (2).

Arribar://8. tr. ant. Llevar o conducir (1).

Arriedo: adv. l. ant. Arredro (1)//Arriedro (2).

Arriedro: adv. l. ant. Arredro (1)//Atrás (2).

Arrima: f. ant. Bocha (Clase de juego) (1-2).

Arrimadizo://3. m. ant. Puntal o estribo para sostener un edificio (1).

Arrincada: f. ant. Arrancada (1-2).

Arrincar: tr. ant. Arrancar//2. ant. Echar ahuyentar (1).

Arrisco: m. ant. Riesgo (2).

Arritranca: f. desus. Retranca (1).

Arrivar: intr. ant. Arribar (2).

Arrobado://2. m. ant. Peso por arrobas //**Por arrobado:** m. adv. ant. Por arrobas o por mayor (1).

Arrobador: m. ant. El que arroba (1).

Arrobar: tr. ant. Pesar o medir por arrobas (1).

Arrobar://2. tr. ant. Robar (1).

Arrobda: f. ant. Centinela, sobre todo de noche, ronda (2).

Arrobdar: tr. ant. Rondar los centinelas (2).

Arrodeamiento: m. ant. Turbación, mareo de cabeza (1).

Arrodeo: m. ant. Rodeo (2).

Arrojadizo, za://3. adj ant. fig. Arrojado (1).

Arrojamiento: m. ant. fig. Arrojo (1).

Arrollamiento: m. ant. Arrullo (1).

Arromper: tr. ant. Romper, rozar tierras, roturar (2).

Arrompimiento: m. ant. Acción de Arromper (1).

Arronjar: tr. desus. Arrojar (1).

Arronquecer: intr. ant. Enronquecer (1).

Arronzar://2. tr. ant. Mar. Levar anclas (1).

Arroscar: tr. ant. Enroscar (1).

Arrotura: f. ant. Arrompido (p. p. de Arromper) (1).

Arroyato: m. ant. Arroyo (1).

Arruenco, [-zo]: m. ant. Remoloneo (2).

Arrufadía: f. ant. Engreimiento (1-2).

Arrufado, da: adj. ant. Arrufianado (1).

Arrufaldado, da: p. p. de Arrufaldarse (1).

Arrufaldarse: r. ant. Arrufarse, envalentonarse (1).

Arrufar: tr. ant. Encoger o arquear//2. ant. Instigar, azuzar//5. r. ant. Gruñir los perros hinchando el hocico y las narices y enseñando los dientes //6. ant. Envanecerse, ensoberbecerse (1).

Art: m. ant. Ardid, maña, engaño (2).

Artal: m. ant. Especie de empanada (1).

Artalejo: m. d. de Artal (1).

Artalete: m. d. de Artal (1).

Artar: tr. ant. Ar. Precisar (1).

Arte://4. amb. desus. Libro que contiene los preceptos de la gramática latina (1)//Ardid, maña, engaño (2).

Artellería: f. ant. Conjunto de máquinas, ingenios o instrumentos de que se servían antiguamente en la guerra para combatir alguna plaza o fortaleza (1).

Arteria: f. ant. Calidad del artero (2).

Artículo://7. m. ant. Dedo//8. ant. Punto, asunto, cuestión.//9. ant. Arte (1).

Artificiado, da: p. p. ant. de Artificiar //2. adj. ant. Artificial (1).

Artificial://5. adj. ant. fig. Artificioso (1).

Artificiar: tr. ant. Hacer con artificio alguna cosa (1).

Artífico, ca: adj. ant. Artificioso (1).

Artillería://6. f. ant. Conjunto de varias piezas de alguna máquina (1).

Artimaña://3. f. ant. Industria (1).

Artizado, da://2. adj. ant. Aplicábase a la persona que sabía algún arte//3. Artificioso (1).

Árvol: m. ant. Agorero (2).

Arzobispazgo: m. ant. Arzobispado (1).

Asabentar: ant. Sabiente, que sabe (2).

Asaborado, da://2. adj. ant. fig. Divertido, embebecido (1) .

Asaborar: tr. ant. Saborear (1)//Dar sabor (2).

Asaborgar: tr. ant. Asaborar (1-2).

Asaborir: tr. ant. Asaborar (1).

Asacador, ra: adj. ant. Calumniador, cizañero. Usáb. t. c. s. (1).

Asacamiento: m. ant. Acción y efecto de Asacar (1).

Asacar: tr. Sacar, inventar//2. Fingir, pretextar//3. Achacar, imputar (1-2).

Asadero://2. m. ant. Asador (1)// No frescal (2).

Asadura: f. ant. Contribución sobre ganados (2).

Asahar: m. ant. Azahar (2).

Asalir: intr. ant. Salir al encuentro (1).

Asamiento: m. ant. Asación (Acción y efecto de Asar) (1).

Asañar: tr. ant. Dar saña (2).

Asas: adv. c. ant. Asaz (2).

Asayamiento: m. ant. Empeño de hacer una cosa, intento eficaz y práctico, embestimiento (2).

Asayar: tr. ant. Experimentar (1)//Procurar//2. Embestir (2).

Asaz: adv. c. ant. Bastante (2).

Asciterio: m. ant. Monasterio (1).

Ascona: f. ant. Arma ofensiva arrojadiza (2).

Asconder: tr. ant. Esconder. Usáb. t. c. r. (1).

Ascondidamente: adv. m. ant. Escondidamente (1).

Ascondido: p. p. del ant. Asconder//**En ascondido:** m. adv. ant. En escondido (1).

Ascondimiento: m. ant. Escondrijo (1).

Ascondredijo: m. ant. Ascondrijo (1).

Ascondrijo: m. ant. Escondrijo (1).

Asconso: p. p. de Asconder. Escondido (2).

Ascoroso, sa: adj. ant. Asqueroso (1).

Ascucha: m. ant. Centinela nocturno (2).

Ascuchar: tr. ant. Escuchar (2).

Ascuso// **(A o En):** m. adv. ant. A escuso (A escondidas) (1-2).

Asecución: f. ant. Consecución (1).

Asechar://2. tr. ant. Acechar (1-2).

Asechoso, sa: adj. ant. Dispuesto con asechanzas (1).

Asedar: tr. ant. Encetar (2).

Asedecer: intr. ant. Tener sed (2).

Asedo: intr. ant. Acedo (1).

Aseguir: tr. ant. Conseguir (1).

Aseguración://2. f. ant. Aseguramiento (1).

Aseguradamente: adv. m. ant. Seguramente (1).

Aseguranza: f. ant. Seguridad, resguardo (1).

Asemblar: tr. ant. Juntar, reunir (1-2).

Asenbrar: tr. ant. Asemblar (2).

Asencio: m. ant. Asenjo (1).

Asenjo: m. ant. Ajenjo (1).

Asensio: m. ant. Asenjo (1).

Asentación: f. ant. Adulación o lisonja (1).

Asentadamente: adv. m. ant. Llana y terminantemente//2. ant. Habitualmente (1).

Asentadura: f. ant. Asentamiento (1).

Asentamiento://4. ant. Situación o asiento//5. ant. Sitio o solar//6. ant. Asiento (1).

Asentar://12. ant. Poner o colocar a uno en servicio de otro.//13. ant. Imponer o situar una renta sobre bienes raíces o fincas (1).

Asenyar: r. ant. Darse por entendido (2).

Aseñarse: r. ant. Darse por entendido (2).

Aseñorarse: r. ant. Tomar por señor, haciéndose su vasallo, como en la behetría (2).

Aseñorear: tr. ant. Dar señorío, tratar como a señor//2. Señorear (2).

Aseo: m. ant. Crianza, arreglo, compostura (2).

Asestar://5. fig. desus. Preparar, tener pensado (1).

Aseverancia: f. ant. Aseveración (1).

Asgo: m. ant. Asco (1).

Asiano, na: adj. ant. Asiático. Apl. a pers., usáb. t. c. s. (1).

Asidilla: f. ant. Asidero (1).

Asiesto: m. ant. Asiento (2).

Asilla: f. ant. Islilla (1).

Asimesmo: adv. m. ant. Así mismo (1).

Asinar: tr. ant. Asignar (2).

Asiriano, na: adj. ant. Asirio. Apl. a pers., usáb. t. c. s. (1).

Asisia: f. ant. For. Ar. Cláusula de proceso y principalmente la que contenía declaración de testigos//2. ant. For. Ar. Pedimento que se daba sobre algún incidente que sobrevenía empezado ya el proceso (1).

Asisón: ant. Sisón (2).

Aslilla: f. ant. Islilla (1).

Asituar: tr. ant. Situar (2).

Asma: f. ant. Pensamiento, juicio (2).

Asmadamente: adv. m. ant. Considerada o atentamente (1).

Asmadero, ra: adj. ant. Que discierne o hace discernir (1).

Asmadura: f. ant. Asmamiento (1)// Discreción en el juzgar (2).

Asmamento: m. ant. Asmamiento (1).

Asmamiento: m. ant. Acción de Asmar (1).

Asmanza, [-ça]: f. ant. Atisbo (2).

Asmar: tr. ant. Estimar//2. ant. Comparar (1)//Pensar, juzgar (2).

Asmo: m. ant. Barrunto (2).

Asmoso, sa: adj. ant. Discursivo, capaz de pensar (1).

Asmuadero: adj. ant. Concebible (2).

Asnejón: adj. ant. Mote injurioso (2).

Asnería: f. ant. Hacer el asno (2).

Asnerizo: m. ant. Arriero de asnos (1).

Asnero: m. ant. Asnerizo (1).

Asnuno. na: adj. ant. Asnal (1).

Aschora: adj. ant. De improviso, repentina o impensadamente (1).

Asoladura: f. ant. Asolamiento (1).

Asolazado, da: adj. ant. Solazado (2).

Asolazar: tr. ant. Solazar. Usáb. t. c. r. (1-2).

Asoldadar: tr. ant. Pagar soldada (2).

Asoldamiento: m. ant. Sueldo o salario que se daba por servicio (1).

Asoleamiento. m. ant. Insolación (1).

Asolejar: tr. ant. Asolear (1).

Asolvar: tr. ant. Azolvar (1).

Asolver: tr. ant. Absolver (1).

Asomada: f. ant. Acción de Asomar (2).

Asomante: p. a. ant. de Asomar. Que asoma (1).

Asomar://2. intr. ant. fig. Subir a un estado superior//4. desus. Indicar, apuntar (1).

Asomar: tr. ant. Mostrarse, propiamente verse lo alto de lo que se muestra: o mostrarse en lo alto (2).

Asombradizo, za://2. adj. ant. Sombrío (1).

Asombramiento: m. ant. Asombro (1).

Asombrar: tr. ant. Dejar en la sombra (2).

Asonante: p. a. ant. de asonar. Que asuena o hace asonancia (1).

Asonar://2. tr. ant. Juntar en asonada y en general juntar, reunir. Usáb. t. c. r.//3. ant. Poner en música (1-2).

Asonarse: r. ant. Juntarse para guerrear (2).

Asonbrar: tr. ant. Asombrar (2).

Asondar: tr. ant. Sondar (1).

Asonsegar: tr. ant. Asosegar (2).

Asorrendar: tr. ant. Refrenar (2).

Asosegadamente: adv. m. ant. Sosegadamente (1).

Asosegar: tr. ant. Sosegar (2).

Asoseguar: tr. ant. Asosegar (2).

Asotilar: tr. ant. Asutilar (Sutilizar). Usáb. t. c. r. (1).

Aspalto: m. ant. desus. Asfalto (1).

Asperear://2. tr. ant. Exasperar. Usáb. t. c. r. (1).

Asperedumbre: f. ant. Aspereza (1).

Asperez: f. ant. Aspereza (1).

Asperón: m. ant. Esperón (1).

Aspirado://4. m. ant. Aspiración (1).

Aspirar://3. desus. Exhalar aromas//4. ant. fig. Inspirar//6. intr. ant. Alentar, respirar (1).

Assaborar: tr. ant. Asaborar (2).

Assacar: tr. ant. Asacar (2).

Assadero: m. ant. Asadero (2).

Assannar: tr. ant. Asañar (2).

Assañar: tr. ant. Asañar (2).

Assayar: tr. ant. Asayar (2).

Asechar: tr. ant. Asechar (2).

Asseo: m. ant. Aseo (2).

Assessegar: tr. ant. Asosegar (2).

Assí: adv. m. ant. Así (2).

Assomar: tr. ant. Asomar (2).

Assonar: tr. ant. Asonar (2).

Assosegar: tr. ant. Asosegar (2).

Asta://6. f. desus. Hilada de ladrillos (1).

Astil://6. m. ant. Pie que sirve para sostener alguna cosa (1).

Astilla://3. f. ant. Peine para tejer (1).

Astillero://4. m. ant. Fondo de la nave //5. ant. Oficial que hacía peines para telares (1).

Asto: m. ant. Astucia (1).

Astor: m. ant. Azor (2).

Astrado, da: adj. ant. Desgraciado, de mal astro (2).

Astragamiento: m. ant. Estrago (2).

Astragar: tr. ant. Estragar (2).

Astrago: m. ant. Suelo (1).

Astrago: m. ant. Estrago (2).

Astrologal: adj. ant. Astrológico (1).
Astrología://2. f. ant. Astronomía (1).
Astronomiano: m. ant. Astrólogo (1).
Astronomiático: m. ant. Astrólogo (1).
Astrosía: f. ant. El ser astroso (2).
Astroso, sa: adj. ant. Desgraciado, funesto (2).
Asuelo: m. ant. Asolamiento (1).
Asuelto: p. p. irreg. ant. de Asolver (1).
Asueto, ta: adj. ant. Acostumbrado, habituado (1).
Asulcar: tr. ant. Sulcar (1).
Asumadamente: adv. m. ant. En suma o compendio (1).
Asumar: tr. ant. Sumar (1).
Asuso: adv. l. ant. Arriba (1-2).
Ata: prep. ant. Hasta (1).
Atachonado, da: adj. ant. Abrochado (1).
Atafarra: f. ant. Ataharre (Banda de cuero, cáñamo o esparto que sujeta por sus puntas o cabos a los bordes laterales y posteriores de la silla, albarda o albardón, rodea los ijares de la caballería y sirve para impedir que la montura o el aparejo se corra hacia adelante) (1-2).
Atafarrado: adj. ant. Ataharrado (2).
Atafarre: m. ant. Ataharre (2).
Ataharrado: adj. ant. Con ataharre (2).
Atajadamente: adv. m. ant. Solamente (1).
Atajador://2. m. ant. Mil. Explorador// De ganado: ant. El que hurta ganado con engaño o fuerza (1).
Atajante: p. a. ant. de Atajar. Que ataja (1).

Atajar://8. tr. ant. Reconocer o explorar la tierra (1).
Atajo://7. m. ant. fig. Ajuste, corte que se da para finalizar un negocio (1).
Atal: adj. ant. Tal (1-2).
Atalador, ra: adj. ant. Talador. Usáb. t. c. s. (1).
Ataladrar: tr. ant. Taladrar (1).
Atalaero: m. ant. Atalayador (1).
Atalar: tr. ant. Talar (1).
Atalayamiento: m. ant. Acción y efecto de atalayar (1).
Atalayar://3. r. ant. Mostrarse (1).
Atalear: tr. ant. Atalayar (Mirar, propiamente desde lo alto o atalaya) (1).
Atalud: m. ant. Ataúd (2).
Atalvina: f. ant. Puches de leche, almendras y harina (2).
Atamaño: adj. ant. Tamaño (2).
Atamar: tr. ant. Acabar (2).
Atambor: m. ant. Tambor (1).
Atamiento: m. ant. Atadura//3. ant. fig. Embarazo, impedimento//4. ant. fig. Obligación (1).
Atamor: m. ant. Atambor (1).
Atán: adv. c. ant. Tan (1-2).
Atancar: tr. ant. Atrancar//2. r. ant. Atascarse (1).
Atanquia: f. ant. Ungüento epilatorio de las moras (2).
Atanto: adv. c. ant. Tanto (2).
Atapierna: f. ant. Liga (1).
Atara: f. ant. Tara (2).
Atarazanal: m. ant. Atarazana (Arsenal) (1).
Atarea: f. ant. Tarea (1).

Atarfe: f. ant. Taray (1).
Atarraga: m. ant. Martillo (1).
Ataurique: m. ant. Labor de yeso como lazo u hoja (2).
Ataut: tr. ant. Ataúd (2).
Atear: tr. ant. Encender, avivar (1).
Ateca: f. ant. Espuerta (1).
Atemar: tr. ant. Atamar (2).
Atemorar: tr. ant. Atemorizar (1).
Atempero: m. ant. Temperamento (1).
Atemplanza: f. ant. Templanza (2).
Atemplar: tr. ant. Templar (2).
Atempranca: f. ant. Atemplanza (2).
Atemprar: tr. ant. Atemplar (2).
Atendalar: intr. ant. Mil. Atendar. Usáb. t. c. r. (1).
Atendar: intr. ant. Acampar, armando las tiendas de campaña. Usáb. t. c. r. (1).
Atender: tr. ant. Esperar (2).
Atendimiento: m. ant. Acción y efecto de atender (1).
Atenedor: m. ant. Parcial, el que se atiene a un partido (1-2).
Atenecia: f. ant. Amistad, parcialidad, concordia (1-2).
Atener: tr. ant. Mantener, guardar u observar alguna cosa//2. intr. ant. Seguido de las preps. a o con, andar igualmente o al mismo paso que otro (1).
Atenerse: r. ant. Detenerse (2).
Ateniés, sa: adj. ant. Ateniense. Usáb. t. c. s. (1).
Atentado: adj. ant. Dicreto (2).
Atentar://3. tr. ant. Tentar (1).
Aterecimiento: m. ant. Acción y efecto de Aterecerse (Aterirse) (1).

Atericia: f. ant. Ictericia (1).
Atericiarse: r. ant. Atiriciarse (Contraer la ictericia) (1).
Aternecer: tr. ant. Enternecer (1).
Aterrar: tr. ant. Echar por tierra (2).
Aterrecer: tr. ant. Aterrorizar (1).
Atesar: tr. ant. Atiesar//2. ant. Mar. Tesar (1).
Atestadamente: adv. m. ant. Con tesón (2).
Atestar: tr. ant. Apretar (2).
Atibiante: p. a. ant. de Atibiar. Que atibia (1).
Atibiar: tr. ant. Entibiar (1).
Atiesto: m. ant. Atestamiento (1).
Atigara: f. ant. Precio, merced, recompensa (2).
Atijara: f. ant. Atigara (2).
Atincar: m. ant. Goma de un árbol indiano, en las boticas borrax, sirve para soldar oro (2).
Atino: m. ant. Tino (1).
Atirelado, da: adj. ant. Aplicábase a la tela tejida en listas (1).
Atlético//2. m. ant. Atleta (1).
Atobar: tr. ant. Aturdir o sorprender y admirar. Usáb. t. c. r. (1).
Atochado, da: adj. ant. Atontado o asimplado (1).
Atomecer: tr. ant. Entumecer. Usáb. t. c. r. (1).
Atomir: intr. ant. Helarse (1).
Atondo: m. ant. Atuendo (2).
Atontecer: tr. ant. Atontar (1).
Atora: m. ant. El Pentateuco (2).
Atoradamente: adv. m. ant. Con atascamiento u obstrucción (1).

Atorar: tr. ant. Apelmazar, apretujar (2).

Atorcer: intr. ant. Separarse, desviarse. Usáb. t. c. r. (1).

Atordecer: tr. ant. Aturdir. Usáb. t. c. r. (1-2).

Atordecimiento: m. ant. Aturdimiento (1).

Atordir: tr. ant. Aturdir (2).

Atormecer: tr. ant. Adormecer. Usáb. t. c. r. (1).

Atormecimiento: m. ant. Adormecimiento (1).

Atorzonado, da: adj. ant. Que tiene torzón de vientre (2).

Atraidoramente: adv. m. ant. A traición, alevosamente (1).

Atramentoso, sa: adj. ant. Que tiene virtud de teñir de negro (1).

Atrancar: intr. ant. Pasar, como dar tranco (2).

Atravesía: f. ant. Travesía (1).

Atrazar: tr. ant. Trazar (1).

Atregar: tr. ant. Asegurar, tomar a su cargo la defensa de algo (1-2).

Atreguadamente: adv. m. ant. Con manía, alocadamente (1).

Atreguado, da: adj. ant. El loco que está a tiempos en paz//2. ant. Tregua (2).

Atreguar: tr. ant. Atregar (2).

Atrevencia: f. ant. Atrevimiento (1-2).

Atrever: tr. desus. Dar atrevimiento// 4. Confiarse (1).

Atreviencia: f. ant. Atrevimiento (2).

Atreviente: p. a. ant. de Atrever. Que se atreve (1).

Atrevudo: adj. ant. Atrevido (2).

Atriaca: f. ant. Triaca (1).

Atriaquero: m. ant. Boticario (1).

Atributar: tr. ant. Imponer tributo sobre alguna finca (1).

Atrición://2. f. ant. Veter. Encogimiento del nervio maestro de la mano de una caballería (1).

Atristar: tr. ant. Entristecer (1).

Atronante: p. a. ant. de Atronar. Que atruena (1).

Atronar: intr. ant. Tronar (1).

Atruendo: m. desus. Atuendo (1).

Atufarse: inr. ant. Enfadarse, engreirse (2).

Atumecerse: r. ant. Entumecerse (1).

Atumecimiento: m. ant. Entumecimiento (1).

Atumno: m. ant. Otoño (1).

Aturada: f. ant. Duración o detención (1).

Aturadamente: adv. m. ant. Con ahínco o vehemencia (1)//Constantemente (2).

Aturador, ra: adj. ant. Que sufre o aguanta mucho el trabajo (1).

Aturar: tr. ant. Hacer durar//2. ant. Hacer parar o detener las bestias// 3. intr. ant. Aguantar, perseverar// 4. ant. Durar (1-2).

Aturrar: tr. ant. Aturdir, ensordecer (1).

Aturriar: tr. ant. Aturrar (1).

Atutía://3. f. ant. Azogue (1).

Aublar: intr. ant. Vociferar (2).

Auce: f. ant. Buena suerte (2).

Aucción: f. ant. Acción o derecho a alguna cosa (1).

Aucténtico, ca: adj. ant. Auténtico (1).

Auctor: m. ant. Autor (1-2).

Auctoridad: f. ant. Autoridad (1).

Auctorizar: tr. ant. Autorizar (1).

Audidor m. ant. Auditor (1).

Audienciero: adj. ant. Decíase de los ministros inferiores de las audiencias o tribunales seculares o eclesiásticos, como los escribanos, notarios, alguaciles, etc. Usáb. t. c. s. (1).

Audito: m. ant. Sentido del oído//2. ant. Acción de oir (1).

Auditor: m. ant. Oyente (1).

Auditorio://2. m. ant. Audiencia (1).

Auelo m. ant. Abuelo (1).

Augmentación: f. ant. Aumentación (1).

Augmentar: tr. ant. Aumentar (1).

Auláquida: f. ant. Alguaquida (Pajuela) (1).

Auleza: f. ant. Vileza (2).

Aumentación: f. ant. Aumento (1).

Aun: interj. ant. Ojalá//2. adv. c. Además (2).

Aunamiento: m. ant. Acción y efecto de Aunar o aunarse (1).

Aungar: tr. ant. Juntar o unir (1-2).

Auorar: tr. ant. Pronosticar (2).

Auricalco: m. ant. Cobre, bronce o latón (1).

Aurifabrista: m. ant. Orífice (1).

Austral: adj. ant. Austriaco (1).

Austrino, na: adj. ant. Austral (1).

Autén: adv. m. ant. Tanto o igualmente (1).

Auténtico://3. adj. ant. Se aplicaba a los bienes o heredades sujetos u obligados a alguna carga o gravamen (1).

Author: m. ant. Autor (2).

Auto://4. m. ant. Acto, hecho (1-2) //2. m. desus. Escritura o documento (1).

Autor, ra://7. m. y f. ant. For. Actor (1).

Autoricia: f. ant. Autoridad (2).

Auuero: m. ant. Agüero (2).

Auzado, da: adj. ant. De buena suerte, afortunado (2).

Auze: f. ant. Auce (2).

Avadar://2. intr. ant. fig. Sosegarse, mitigarse una pasión. Usáb. m. c. r. (1).

Avahado, da://2. adj. ant. Se aplicaba al sitio o paraje falto de ventilación, y que por esto abundaba de vapores (1).

Avaliar: tr. ant. Valuar (1).

Avalío: m. ant. Avalúo (Valuación) (1).

Avallar: tr. ant. Aballar (2).

Avamprés: m. ant. Parte de la polaina o botín, que cubre el empeine del pie (1).

Avancuerda: f. ant. Cabo, nombre de la alcahueta (2).

Avandicho, cha: adj. ant. Sobredicho (1).

Avanguarda: f. desus. Mil. Avanguardia (1).

Avanguardia: f. desus. Mil Vanguardia (1).

Avantaja: f. ant. Ventaja (2).

Avante: adv. l. y t. ant. Adelante (1).

Avanvisto: adj. ant. Experimentado (2).

Avanzar://4. intr. ant. Entre mercaderes y tratantes, sobrar de las cuentas alguna cantidad (1).

Avanzo://3. m. ant. Sobra o alcance en las cuentas (1).

Avarar: tr. ant. Varear (2).

Avariciar: tr. ant. Desear con avaricia. Usáb. t. c. intr. (1).

Avarientez: f. ant. Avaricia (1).

Avasallamiento://2. m. ant. Vasallaje (1).

Avejar: tr. ant. Vejar (1).

Avelar: tr. ant. Poner a la vela el buque (1).

Avelenar: tr. ant. Avenenar (Envenenar) (1).

Avenado, da: adj. ant. Perteneciente a la avena o que tiene avena (1).

Avenediso: adj. ant. Advenedizo (2).

Avenedizo, za: adj. ant. Advenedizo (1).

Avenencia: f. ant. Convenio (2).

Aveneteza: f. ant. Ocasión, coyuntura, oportunidad (1).

Avenidero, ra: adj ant. Advenidero (1).

Avenidizo, za: adj. ant. Advenedizo (1).

Aveniment: m. ant. Avenimiento (2).

Avenimiento://2. m. ant. Advenimiento//3. ant. Caso o suceso//4. ant. Avenida de aguas (1).

Avenir://3. intr. ant. Concurrir, juntarse//4. ant. Hablando de los ríos o arroyos, salir de madre o tener avenidas (1)//Suceder//2. Acceder//3. Haber//4. Lograr (2).

Aventadero: m. ant. Sitio donde se avienta//2. ant. Aventador//3. ant. Mosqueador (1)//Abanico (2).

Aventaja: f. ant. Ventaja (1).

Aventaje: m. ant. Ventaja (2).

Aventar://6. intr. ant. Resollar por las narices (1).

Aventear. tr. ant. Ventear (1).

Aventurado://3. adj. ant. Venturoso, afortunado (1-2).

Avergonzadamente: adv. m. ant. Vergonzosamente (1).

Avergonzado, da://2. adj. ant. Vergonzante (1).

Avergonzamiento: m. ant. Acción y efecto de Avergonzar o avergonzarse (1).

Avergoñar: tr. ant. Avergonzar (1-2).

Aversar: tr. ant. Repugnar, contradecir, manifestar aversión a alguna cosa (1).

Aversario, ria: adj. ant. Adversario//2. m. y f. ant. Adversario, ria (1).

Averso, sa: adj. ant. Opuesto y contrario//2. ant. Malo, perverso (1).

Avés: adv. m. ant. Abés (1-2).

Aveytar: tr. ant. Abajar, someter, engañar (1).

Avezadura: f. ant. Costumbre (1).

Aviar://7. r. ant. Encaminarse o dirigirse a alguna parte. Usáb. t. c. tr. (1).

Aviciar: tr. ant. Enviciar. Usáb. t. c. r. (1).

Aviesas: adv. m. ant. Al revés, puesto al contrario (1).

Avieso://3. adj. ant. Maldad, delito//4. ant. Extravío//**En avieso:** m. adv. ant. Aviesamente//2. ant. De través (1-2).

Aviessas: f. pl. ant. Modo de traer los escudos vueltos, en señal de duelo (2).

Avilar: tr. desus. Envilecer (1).

Aviltar: tr. ant. Abiltar (2).

Avimado: adj. ant. Esbelto (2).

Avinenteza: f. ant. Avenenteza (1).

Avirado, da: adj. ant. Con o como vira (2).

Avisación: f. ant. Avisamiento (1).

Avisador, ra://3. adj. ant. Denunciador (1).

Avisamiento: m. ant. Aviso (1).

Avisar://4. r. ant. Instruirse (1).

Avisarse: r. ant. Tomar aviso y consejo (2).

Avisto: p. p. irreg. ant. de Avisar//2. adj. ant. Prudente (2).

Avizne: m. ant. Biznaga (2).

Avol: adj ant. Malo, ruín, vil (1-2).

Avoleza: f. ant. Vileza, maldad, ruindad (1-2).

Avoluntamiento: m. ant. Voluntariedad (1).

Avolvimiento: m. ant. Mezcla de una cosa con otra (1).

Avorero: m. ant. Agorero (2).

Avoroz: m. ant. Alborozo (2).

Avosteçar: intr. ant. Bostezar (1).

Avucastro: m. ant. Persona pesada y enfadosa (1).

Avuelo: m. ant. Abuelo (1).

Avuello: m. ant. Abuelo (1).

Ax://2. m. ant. Aje o achaque (1)//Eje (2).

Axabeba: f. ant. Mus. Ajabeba (2).

Axada: f. ant. Azada (2).

Axadrez: m. ant. Axedrez (2).

Axarafe: m. ant. Terreno elevado (2).

Axe: m. ant. Eje (1).

Axeo: m. ant. Explorador (2).

Axedrez: m. ant. Ajedrez (2).

Axenuz: m. ant. Neguilla (Clase de hierba) (2).

Axovar: m. ant. Axuar (2).

Axuar: m. ant. Ajuar (Bienes que los padres de la esposa le dan al casarse) (2).

Axuuar: m. ant. Axuar (2).

Ay: adv. l. ant. Allí (2).

¡Aymé!: interj. ant. ¡Ay de mí! (1).

Ayabeba: f. ant. Mús. Ajabeba (2).

Ayacuá: m. desus. Diablo pequeño e invisible que algunas generaciones de indios argentinos se imaginaban armado de arco, y a cuyas heridas atribuían sus dolencias (1).

Ayeno, ya: adj. ant. Ajeno (2).

Ayna: adv. m. ant. Aína (2).

Ay: adv. l. ant. Allí (2).

Ayrar: intr. ant. Retirar el señor su gracia al vasallo, desterrándole y confiscando sus bienes (2).

Ayudamiento: m. ant. Ayuda o auxilio (1).

Ayudorio: m. ant. Ayudamiento (1).

Ayular: intr. ant. Llorar (2).

Ayumado: adj. ant. Juntado, casado (2).

Ayunta: f. ant. Entrevistas, junta (2).

Ayuntable: adj. ant. Que se puede ayuntar (1).

Ayuntablemente: adv. m. ant. Ayuntadamente (1).

Ayuntación: f. ant. Acción y efecto de ayuntar (1).

Ayuntadamente: adv. m. ant. Juntamente//2. ant. Por junto (1).

Ayuntante: p. a. ant. de Ayuntar. Que ayunta (1).

Ayuntanza: f. ant. Ayuntamiento (1).

Ayuntar://2. tr. ant. Añadir//3. r. ant. Tener cópula carnal (1-2).

Ayunto: m. ant. Junta (1).

Ayuso: adv. l. ant. Abajo (1-2).

Ayusso: adv. l. ant. Ayuso (2).

Azacán://3. m. ant. Odre (1).

Azacaya: f. ant. Noria grande (1).

Azache: m. ant. Aceche (1).

Azagaya: f. ant. Venablo (2).

Azaguán: m. ant. Zaguán (1).

Azanefa: f. desus Cenefa (1).

Azaquefa: f. ant. Pórtico//2. ant. Patio con trojes cubiertos en los molinos de aceite (1).

Azarba: f. ant. Azarbe (Cauce adonde van a parar por las acequias los sobrantes o filtraciones de los riegos) (1).

Azaria: f. ant. Botín hecho por la caballería que así se llamaba (2).

Azarnefe: m. ant. Oropimente (1).

Azaro: m. ant. Sarcocola (1).

Azarote: m. ant. Azaro (1).

Azcón: m. ant. Ascona (Arma arrojadiza, como dardo, usada antiguamente) (1).

Azeituní: m. ant. Aceituní (2).

Azemila: f. ant. Acémila (1).

Azenna: f. ant. Aceña (2).

Azeria: f. ant. Azaria (2).

Azo: m. ant. Azares (2).

Azoche: m. ant. Azogue (1).

Azofeifa: f. ant. Azofaifa (1).

Azofeifo: m. ant. Azofaifo (1).

Azofora: f. ant. Azofra (2).

Azofra: f. ant. Tributo (2).

Azomamiento: m. ant. Acción de Azomar (1).

Azomar: tr. ant. Incitar a los animales para que embistan (1)//Poner en ajuste (2).

Azor: m. ant. Muro (1).

Azorafa: f. ant. Jirafa (1).

Azorarse: r. ant. Turbarse con miedo (2).

Azotada: f. ant. Azotazo (2).

Azutea: f. desus. Azotea (1).

B

Babanca: com. ant. Persona boba (1).

Babatel: m. ant. Cualquier cosa desaliñada que cuelga del cuello cerca de la barba (1).

Babequia: f. ant. Necedad (2).

Baboquía: f. ant. Babequía (2).

Baburrear: intr. ant. Babear feamente (2).

Bac: onomat. ant. del Balido (2).

Bacada: f. ant. Batacazo (1).

Bacía://3. f. ant. Taza (1).

Bacín://4. m. ant. Bacía (1-2).

Bacina: f. ant. Bacín (1).

Bacinador: m. ant. Bacinero, ra (Demandante de limosnas para el culto religioso o para obras pías) (1).

Baço: m. ant. Moreno (2).

Bachachos: m. ant. Blanducho (2).

Bachilleradgo: m. ant. Bachillerato (1).

Badal: m. ant. Bozal para las bestias (1).

Badanado, da: adj. ant. Aforrado o cubierto con badana (1).

Badaza: f. ant. Barjuleta (Bolsa grande de tela o cuero, cerrada con una cubierta, que llevan a la espalda los caminantes, con ropa, utensilios o menesteres//2. Bolsa con dos senos, de que se usa en algunos cabildos de la corona de Aragón para repartir las distribuciones) (1).

Badulaque://2. m. ant. Chanfaina (Guisado hecho de bofes olivianos picados) (1).

Bafa: f. ant. Baha (2).

Bafar: intr. ant. Bahar (2).

Bagasa: f. ant. Ramera (2).

Baha: f. ant. Acción de Bahar (2).

Bahar: intr. ant. Echar el aliento//2. Hablar, fanfarronear, burlar (2).

Baharero: m. ant. Fanfarrón (2).

Bahurrero: m. ant. Ar. Cazador de aves con lazos o redes (1).

Baia!: interj. ant. de Burla (2).

Baila: f. ant. Baile y su tonada (1-2).

Bailada: f. ant. Baila (2).

Bailadero, ra: adj. ant. Bailable (1).

Baile: m. ant. El que cogía a los malhechores y recogía las rentas reales (2).

Bailía: f. ant. Conjunto de gentes (2).

Bailinista: adj. desus. Decíase del poeta que escribía la letra para los bailes. Usáb. t. c. s. (1).

Baja://3. f. ant. Bajío (1).

Bajamiento: m. ant. Acción y efecto de Bajar (1).

Bajedad: f. ant. Bajeza (1).

Bajera: f. ant. Bajada o pendiente de una cuesta (1).

Bajez: f. ant. Bajeza (1).

Bajeza://3. f. ant. fig. Lugar bajo u hondo (1).

Bajilla: f. ant. Barco (2).

Bajío: adj. ant. Bajo//3. ant. fig. Bajón. Usáb. m. c. el v. dar (1).

Bajotraer: m. ant. Abatimiento, humillación, envilecimiento (1).

Bajura://2. f. ant. Bajeza (1).

Baladí: m. ant. Perteneciente al campo, a la tierra (2).

Baladrar: intr.ant. Clamar (2).

Baladrear: intr. ant. Balandronear (1).

Baladro: m. ant. Clamor (2).

Balança: f. ant. Balanza (2).

Balandrán: m. ant. Ropa larga (2).

Balanquines: m. ant. Vestidura de oro y seda (2).

Balanzar. tr. ant. Balancear (1).

Balanzo: m. an. Balance (1).

Balaustrería: f. ant. Balaustrada (1).

Balaustriado, da: adj. ant. Balaustrado (1).

Balconería: f. ant. Balconaje (1).

Balda: f. ant. Cosa de poquísimo precio y de ningún provecho (1).

Baldado, da://2. adj. ant. Dado de balde (1-2).

Baldar://3. ant. Inutilizar, impedir, embarazar (1-2)//Ar. Descabalar (2).

Baldaquí: m. ant. Balanquines (2).

Baldaquino: m. ant. Balanquines (2).

Baldero, ra: adj. ant. Ocioso, baldío (1).

Baldés: m. ant. Piel floja y mediana (2).

Baldón: adv. m. ant. En balde, de balde (2).

Baldonada://2. adj. f. ant. Aplicábase a la mujer de mala vida (1).

Baldonadamente: adv. m. ant. Con baldón o injuria (1).

Baldonamiento: m. ant. Acción y efecto de Baldonar (1).

Baldonar: tr. ant. Despreciar, prodigar, denostar (2).

Baldono, na: adj. ant. Barato (1).

Baldosa: f. ant. Instrumento músico parecido al salterio (2).

Baldrés: m. ant. Baldés (Piel de oveja curtida, suave y endeble, que sirve para guantes y otras cosas) (1-2).

Baldresar: tr. ant. Azotar (2).

Baldrero, ra: adj. ant. Baldío, inútil (2).

Balfemia: f. ant. Embuste (2).

Balsamar: tr. ant. Embalsamar (1).

Balamía: f. ant. Cuento fabuloso, hablilla (1).

Balsemia: f. ant. Denuesto falso (2).

Baluma: f. ant. Balumba (Bulto que hacen muchas cosas juntas//Conjunto desordenado y excesivo de cosas) (1).

Balume: m. ant. Balumbo (Lo que abulta mucho y es más embarazoso por su volumen que por su peso) (1).

Ballación: f. ant. Acción de Ballar (1).

Ballar: tr. ant. Bailar y cantar (1).

Balle: adv. m. ant. Balde (Inútilmente) (2).

Ballero, ra: adj. ant. Baldero (2).

Ballesteador: m. ant. Ballestero (1).

Banas: f. pl. ant. Amonestaciones matrimoniales (1).

Banco: m. ant. Cuita (2).

Banda://11. f. ant. Hablando de las personas, lado o costado (1).

Bandado, da: adj. ant. Bandeado (1).

Bandar: tr. ant. Poner bandas o listas (2).

Bandear: tr. ant. Guiar, conducir//2. intr. ant. Andar en bandos o parcialidades//3. ant. Inclinarse a un bando o parcialidad (1-2).

Bandear: tr. ant. Mover a una y otra banda alguna cosa (1).

Bandejador, ra: adj. ant. Que andaba en bandos o parcialidades. Usáb. t. c. s. (1).

Bandejar: intr. ant. Hacer o sustentar bandos (1).

Bandera://8. f. ant. Montón o tropel de gente (1)//Banda, parte o lado (2).

Banderado: m. ant. Abanderado (1).

Bandería: f. ant. Rebelión (2).

Banderizamente: adv. m. ant. Con bando o parcialidad (1).

Bandero, ra: adj. ant. Banderizo (1-2).

Bandir: tr. ant. Publicar bando contra un reo ausente, con sentencia de muerte en su rebeldía (1).

Bando: m. ant. Ayuda o auxilio//Golpe de gente (2).

Bandosa: f. ant. Baldosa (1).

Bandosidad: f. ant. Bando o parcialidad (1-2).

Banido, da: adj. ant. Pregonado por delitos y llamado en público pregón (1).

Banir: tr. ant. Desterrar (2). .

Bannir: tr. ant. Banir (2).

Baño://8. m. ant. Lavadero público (1).

Baptismal: adj. ant. Bautismal (1).

Baptismo: m. ant. Bautismo (1).

Baptizador: m. ant. El que bautiza (1).

Baptizante: p. a. ant. de Baptizar. Bautizante. Usáb. t. c. s. (1).

Baptizar: tr. ant. Bautizar (1).

Baptizo: m. ant. Bautizo (1).

Baque: m. ant. Caída (2).

Barahá: f. ant. Entre los judíos, «oración» (1).

Barahustar: tr. ant. Barajustar (1).

Baraiar: tr. ant. Barajar (2).

Baraja: f. ant. Riña, contienda, litigio (2).

Barajador, ra: adj. ant. Pendenciero, pleiteador (1-2).

Barajar://4. tr. ant. fig. Atropellar, llevarse de calle alguna cosa (1)//Reñir, contender, litigar (2).

Barajustar: tr. ant. Baraustar (Asestar//2. Desviar el golpe de un ar-arma) (1).

Barata://5. f. ant. Barato (1-2)//Rota y desbaratamiento (2).

Baratador, ra: adj. ant. Embustero, engañador. Usáb. t. c. s. (1)//Traficante, revoltoso (2).

Baratar: tr. ant. Permutar o trocar unas cosas por otras//2. ant. Dar o recibir una cosa por menos de su precio ordinario//3. ant. Proceder, obrar (1-2).

Baratear://2. tr. ant. Regatear una cosa antes de comprarla (1).

Baratería: f. ant. Delito cometido con fraude (1).

Baratero, ra: adj. ant. Engañoso (1).

Baratista: com. ant. Persona que tiene por oficio o costumbre trocar unas cosas por otras (1).

Barato://6. m. ant. Fraude o engaño//7. ant. Abundancia, sobra, baratura//**Meter a barato:** ant. Dicho de un país, tierra, etc., talarlos, destruirlos (1)//Trato, negocio//**Hacer barato:** ant. Negociar a poco precio (2).

Baratón, na: m. y f. ant. Baratista//2. ant. Chalán (1).

Baraustar://3. tr. ant. Confundir, trastornar (1).

Barauste: m. ant. Balaustre (1).

Barba: f. ant. metaf. La persona y su virilidad y honra (2).

Barbadamente: adv. m. ant. Fuertemente, varonilmente (1).

Barbado, da://3. adj. ant. Barbato (Astron. Cometa cuya atmósfera luminosa precede al núcleo) (1).

Barbarería: f. ant. Barbaridad, barbarie (1).

Barbaresco, ca: adj. ant. Barbárico (1).

Barbaria: f. ant. Barbarie (1).

Barbeza: f. ant. Autoridad propia de las barbas (2).

Barbiponiente: adj. ant. Que le apunta la barba//2. metaf. Principiante, novato (2).

Barboteadura: f. ant. Material y obra con que se barbotea (1).

Barbotear: tr. ant. Atrancar y fortificar (1-2).

Barda://3. f. ant. Borrén de la silla (1).

Barnaje: m. ant. Proeza, hazaña de barón (2).

Barnax: m. ant. Barnaje (2).

Barrachel: m. ant. Jefe de los alguaciles (1).

Barragán: adj. ant. Esforzado, valiente//2. ant. Compañero//3. ant. Mozo soltero (1).

Barragana://3. f. ant. Mujer legítima, aunque de condición desigual y sin el goce de los derechos civiles//4. ant. Compañera (1)//Manceba (2).

Barraganada: f. ant. Barrumbada, mocedad, travesura (1).

Barraganía: f. ant. Barraganería//2. ant. Barraganada (1)//Valentía, hecho esforzado del barragán (2).

Barrancal: m. ant. Lugar de barrancas (2).

Barrar: tr. ant. Barrear (Cerrar, fortificar con maderos o faginas cualquier sitio abierto//2. Barretear) (1).

Barrejar: tr. ant. Despojar, arrasar, entrar a saco (2).

Barrera: f. ant. Defensa militar (2).

Barreta: f. ant. Gorra//2. ant. Capacete (1-2).

Barrete: m. ant. Barreta (1).

Barrial: adj. ant. Aplicábase a la tierra gredosa o arcilla//2. m. ant. Barrizal (1).

Barrioso, sa: adj. ant. Barroso (1).

Barrito: m. ant. Berrido del elefante (1).

Barrunta: f. ant. fig. Penetración o trascendencia (1).

Barruntar: tr. ant. Espiar (2).

Barrunte://2. m. ant. Espía (1-2).

Barveza: f. ant. Barbeza (2).

Bascar: intr. ant. Basquear (Tener o padecer bascas)//2. ant. fig. Tener o padecer cualquier ansia o congoja de cuerpo o ánimo (1).

Basco: m. ant. Basca (Ansia, desazón e inquietud que se experimenta en el estómago cuando se quiere vomitar) (1).

Basis: amb. ant. Base o fundamento (1).

Baso, sa: adj ant. Bajo (1).

Basso, ssa: adj ant. Baso (2).

Bastado, da: adj ant. Abastado (2).

Bastadamente: adv. c. ant. Bastantemente (1).

Bastar://3. tr. ant. Dar o suministrar lo que se necesita (1).

Bastar: tr. ant. Bastear (1).

Bastardería: f. ant. Bastardía (1).

Bastecedor, ra: adj. ant. Abastecedor. Usáb. t. c. s. (1).

Bastecer: tr. ant. Abastecer//2. ant. fig. Tramar o maquinar (1).

Bastecer: tr. ant. Fortificar, reforzar (2).

Bastecimiento: m. ant. Abastecimiento (1).

Bastida: f. ant. Fortaleza, defensa (2).

Bastimentero: m. ant. Abastecedor (1).

Bastimento://3. m. ant. Edificio (1).

Bastimento://3. m. ant. Conjunto de bastas de colcha o colchón (1).

Bastir: tr. ant. Hacer, disponer alguna cosa//2. ant. Construir, fabricar//3. ant. Abastecer (1-2)//Fortificar (2).

Basto, ta://4. adj. ant. fig. Decíase de lo que estaba abastecido (1).

Bastón://6. pl. ant. Basto (1-2).

Batalla://13. f. ant. Guerra (1).

Batallante: p. a. ant. de Batallar. Que batalla (1).

Batallaroso, sa: adj. ant. Guerrero, belicoso, marcial (1).

Batalloso, sa: adj. ant. Perteneciente o relativo a las batallas//2. ant. Muy reñido o disputado//3. ant. Batallaroso (1).

Batear: tr. ant. Bautizar (1-2).

Baticor: m. ant. Pena, dolor (1-2).

Batifulla: m. ant. Ar. Batihoja (Batidor de oro o plata) (1).

Batir://14. tr. ant. Arrojar, derribar (1).

Batisterio: m. ant. Baptisterio (1).

Batricajo: m. ant. Acción y efecto de Hacerle caer, o caerse (2).

Batucar: tr. ant. Batir. Usáb. t. c. r. (1).

Batuda://2. f. ant. Pisada, huella, rastro (1-2).

Batudo, da: p. p. ant. de Batir (1).

Baurac: m. desus. Bórax (1).

Bauzador, ra: adj. ant. Embaucador (1).

Baxo, xa: adj. ant. Bajo (2).

Bazo, za: adj. ant. Moreno (2).

Bebdar: tr. ant. Embeodar. Usáb. t. c. r. (1).

Bebdez: f. ant. Beodez (1).

Bebdo, da: adj ant. Bébedo (1).

Bebdo, da: adj. ant. Beodo (2).

Bébedo, da: adj. ant. Bebido (1).

Bebería: f. ant. Exceso o continuación de Beber (1).

Beberría: f. ant. Beber mucho (2).

Bebetura: f. ant. Bebida (1).

Bebiente: p. a. ant. de Beber. Que bebe (1).

Bebrajo: m. ant. Brebaje (2).

Beço: m. ant. Labio (2).

Befa: f. ant. Bafa (2).

Befez: adj. ant. Humilde, bajo (2).

Befre: m. ant. Bíbaro (1).

Bejina: f. ant. And. Alpechín (Líquido oscuro y fétido que sale de las aceitunas cuando están apiladas antes de la molienda y cuando al extraer el aceite, se las exprime con auxilio del agua hirviendo) (1).

Bejinero: m. ant. And. El que arrendaba la bejina para sacar el aceite//2. ant. And. Cualquiera que entendía en este aprovechamiento (1).

Bel, la: adj ant. Bello (1).

Beldar: tr. ant. Ablentar con bieldo (2).

Belhez: m. ant. Belez (Vasija//2. Parte del menaje de casa, ajuar) (1).

Belmez: m. ant. Vestidura sobre la camisa para evitar el roce de la loriga//2. Amparo, compasión (2).

Beltad: f. ant. Beldad (2).

Belua: f. ant. Bestia (1).

Bellacada: f. ant. Junta de bellacos//2. ant. Bellaquería (1).

Belleguín m. ant. Corchete o alguacil (1).

Bellido, da: adj. ant. Bello (2).

Bellotero://3. m. ant. Arbol que lleva bellotas (1)).

Ben: adv. m. ant. Bien (1).

Bendecidor, ra://2. adj. ant. Que dice bien, o habla bien y con razón (1).

Bendicera: f. ant. Mujer que santiguaba con señales y oraciones superticiosas, para sanar a los enfermos (1).

Bendiciente: p. a. ant. de Bendecir. Que bendice (1).

Bendicir: tr. ant. Bendecir (1).

Bendicto, ta: adj. ant. Bendito (2).

Benedito, ta: ad.j ant. Bendito (2)

Benedicto, ta: adj. ant. Bendito (2).

Bendicho, cha: p. p. irreg. ant. de Bendecir//2. adj. ant. Bendito (1-2).

Beneito, ta: adj. ant. Bendito (2).

Benefactor, ra: adj. ant. Bienhechor (1).

Benefactoría: f. ant. Benefactría (1).

Benefactría: f. ant. Acción buena (1).

Beneficiar://9. tr. ant. Dar o conceder un beneficio eclesiástico (1).

Benemerencia: f. ant. Mérito o servicio (1).

Bengala://4. f. ant. Sant. Muselina (1).

Benino, na: adj. ant. Benigno (1).

Benito, ta: adj. ant. Bendito (2).

Benquerencia: f. ant. Bienquerencia (1)

Beodera: f. ant. Beodez (1-2).

Bercería: f. ant. Paraje donde se venden berzas o verduras (1).

Bercero, ra: m. y f. ant. Verdulero, ra (1).

Berenjenado, da: adj. ant. Aberenjenado (1).

Berezo: m. ant. Brezo (2).

Berlandina: f. desus. Bernardina (Mentira) (1).

Bermejecer: intr. ant. Bermejar//2. r. ant. Ponerse bermejo (1).

Bermejenco, ca: adj. ant. Bermejo (1).

Bermejez: f. ant. Bermejura (Color bermejo) (1).

Bermejía: f. ant. Agudeza maliciosa y perjudicial, que se atribuía a los bermejos (1).

Bermejón//2. m. ant. Bermellón, bermejo (1-2).

Bermejor: m. ant. Bermejura (1).

Bernaje: m. ant. Barnaje (2).

Bernio: m. ant. Bernia (Tejido basto de lana, semejante al de las mantas y de varios colores, del que se hacían capas de abrigo) (1).

Berta: f. desus. Tira de punto o blonda que adornaba generalmente el vestido de las mujeres, por el pecho, hombros y espaldas (1).

Berunto: m. ant. Redil (2).

Bervete: m. ant. Apuntación breve de alguna cosa (1).

Beserro: m. ant. Becerro (2).

Bestial://3. m. desus. Bestia vacuna, mular, caballar o asnal (1).

Bestiame: m. ant. Bestiaje (Conjunto de bestias de carga) (1).

Bestiedad: f. ant. Bestialidad (1).

Bestihuela: f. ant. d. de Bestia (1).

Bestión: m. ant. Bastión (1).

Bestizuela: f. ant. d. de Bestia (1).

Betume, [-men]: m. ant. Betún (1).

Betunar: tr. ant. Embetunar (1).

Beudez: f. ant. Beodez (1).

Beudo, da: adj. ant. Beodo (1-2).

Bever: tr. ant. Beber (2).

Beverría: f. ant. Beberría (2).

Bevra: f. ant. Breva (1).

Bezaártico, ca: adj. ant. Bezoárdico (Aplícase a lo que contiene bezoar y también a los medicamentos contra el veneno o contra enfermedades malignas) (1).

Bezerro: m. ant. Becerro (2).

Bezo: m. ant. Beço (2).

Bezón: m. ant. Bozón (1).

Bíbaro: m. ant. Castor (1).

Bibir: tr. ant. Beber (1).

Bicoca: f. ant. Fortificación pequeña y de poca defensa (1).

Bicha: f. ant. Bicho (1).

Bidente://4. m. ant. Carnero//5. ant. Oveja (1).

Bidma: f. ant. Bizma (Emplasto) (1).

Bien://5. m. ant. Caudal o hacienda (1).

Bienandancia: f. ant. Bienandanza (1).

Bienandante: adj. ant. Dichoso (1).

Bienaparente: adj. ant. Bien parecido (1).

Bienapreso: adj. ant. Dichoso (2).

Bienaventurado, da: p. p. del ant. Bienaventurar (1).

Biendicho: adj. ant. Bendito (2).

Bienfacer: m. ant. Beneficio (1)//Bienhacer (2).

Bienfaciente: adj. ant. Bienhaciente (2).

Bienfamado, da: adj. ant. De buena fama (1).

Bienfaser: m. ant. Bienfacer (2).

Bienfecho: m. ant. Beneficio (1).

Bienfechor, ra: adj. ant. Bienhechor. Usáb. t. c. s. (1-2).

Bienfechoría: f. ant. Beneficencia (1).

Bienfetría: f. ant. Behetría (2).

Bienhaciente: adj. ant. Bienhechor (1).

Bienmereciente: adj. ant. Benemérito (1).

Bienplaciente: adj. ant. Muy agradable (1).

Bienquerencia: f. ant. Benevolencia, amor (2).

Bienquiriente: p a. ant. de Bienquerer //2. Bienqueriente (1).

Bienvista: f. ant. Juicio prudente o buen parecer (1).

Bienviviente: p. a. ant. de Bienvivir. Que bienvive (1).

Bigardear: intr. ant. Andar sin hacer nada de una parte a otra (2).

Bigardo: m. ant. Pordiosero//Nombre injurioso que se dio a los religiosos mendicantes (2).

Bince: f. ant. Hernia (2).

Birlo: m. ant. Bolo//3. pl. ant. Bolos (1).

Birreta: f. ant. Bonete, antiguamente rojo (2).

Bisagüelo, la: m. y f. ant. Bisabuelo, la (1).

Bisarma: f. ant. Alabarda (1).

Biscocho: m. ant. Bizcocho (2).

Bisextil: adj. ant. Bisiesto (1).

Bissextil: adj. ant. Bisextil (1).

Bitume: m. ant. Bitumen (1).

Bitumen: m. ant. Betún (1).

Bituminado, da: adj. ant. Bituminoso (1).

Blaço: m. ant. Brazo (2).

Blago: m. ant. Báculo (1-2).

Blanca://2. f. ant. Moneda de plata (1).

Blanchete: m. ant. Perrillo blanco. Usáb. t. c. adj. (1-2)//2. ant. Ribete con que se guarnece el cuero que cubre la silla (1).

Blandez,[-eza]: f. ant. Blandura (2).

Blandeza: f. ant. Blandicia (Adulación, halago//2. Molicie, delicadeza) (1).

Blandicioso, sa: adj. ant. Aludador, halagüeño, lisonjero (1).

Blandimiento: m. ant. Blandicia (1).

Blandir: tr. ant. Adular, halagar, lisonjear (1).

Blanquete: m. ant. Blanchete (2).

Blanqueza, [-ça]: f. ant. Blancura//Clase de tela (2).

Blanquíbolo: m. ant. Albayalde (Carbonato básico de plomo. Es sólido, de color blanco y se emplea en la pintura) (1).

Blanquinoso, sa: adj. ant. Blanquecino (2).

Blanquizo, za: adj. ant. Blanquecino (1).

Blanquo: adj. ant. Blanco (2).

Blao: adj. ant. Azul//2. ant. Dícese de la tela de este color. Usáb. t. c. s. (1-2).

Blasfemia: f. ant. Embuste (2).

Blasmar: tr. ant. Hablar mal de una persona o cosa//2. ant. Acusar//3. ant. Reprobar, vituperar//Blasfemar (1-2).

Blasmo: m. ant. Desdoro, vituperio//Blasfemia (1-2).

Blasón: m. ant. Soberbia y entono (2).

Blavo, va: adj. ant. De color compuesto de blanco y pardo, o algo bermejo (1) //Bravo (2).

Bleda: f. ant. Acelga (1).

Bloca: f. ant. Guarnición de metal en el centro del escudo (2).

Blocado: adj. ant. Con bloca (2).

Bloquear://2. tr. desus. Reemplazar provisionarmente en una parte de la composición las letras que faltan en las cajas por otras cualesquiera, que se ponen abajo, a fin de reconocerla más fácilmente en el momento de cambiarlas (1).

Boalar://2. m. ant. Ar. Boalaje (Dehesa boyal) (1).

Boarda: f. ant. Buharda (1).

Boato://2. m. ant. Vocería o gritos en aclamación de una persona (1).

Bobedad: f. ant. Bobería (1).

Bocacín: m. ant. Bocací (Tela de hilo) (1).

Bocada: f. ant. Bocado//2. ant. Boqueada (1).

Bocal://2. m. ant. Boquilla (1).

Bocarroto: adj. ant. Malhablado, murmurador (2).

Bocedos: m. ant. Llantos, gritería (2).

Bocezar://2. intr. ant. Bostezar (1).

Bocezo: m. ant. Bostezo (1).

Bocines: pl. ant. Muecas, burlas, con los labios (2).

Bocino: m. ant. Mofa (2).

Bochín: m. ant. Boche (1).

Boclado: adj. ant. Blocado (2).

Bocudo: adj. ant. De gran boca (2).

Bodego: m. desus. Bodegón (1).

Bodegueta: f. d. ant. de Bodega (1).

Bodigo: m. ant. Ofrenda, panecillo para la ofrenda//Panecillo (2).

Bodivo: m. ant. Bodigo (2).

Bodo: m. ant. Voto, brindis (2).

Boe: m. ant. Buey (1-2).

Boes: m. pl. ant. Bueyes (2).

Bofordar: intr. ant. Bohordar (Correr cañas tirando bohordos)//Hacer dar cabrillas y balanceos al caballo (1-2).

Bofordo: m. ant. Bohordo (//2. Lanza corta arrojadiza, de que se usaba en los juegos y fiestas de caballería) (1-2).

Bogar://2. tr. ant. Conducir, remando (1).

Bohedo: m. ant. Establo de bueyes (2).

Boheña: f. ant. Bohena (Bofena: Bofe //2. Longaniza hecha de los bofes del puerco) (1).

Bohonería: f. ant. Buhonería (1).

Bohonero: m. ant. Buhonero (1).

Bohordear: intr. ant. Bohordar (2).

Bois: m. pl. ant. Bueyes (1-2).

Boja://2. f. ant. Buba (1).

Bojeta: f. ant. Ar. Sardineta (1).

Bolicio: m. ant. Bullicioso, revuelta (2).

Bolir: intr. ant. Bullir (2).

Bolondrón: m. ant. Montón (2).

Bolsero://2. m. ant. Tesorero, depositario (1).

Bolsor: m. ant. Dovela (Piedra labrada en figura de cuña, para formar arcos o bóvedas) (1).

Bollecer: intr. ant. Meter bulla o ruido, alborotarse (1).

Bolliciador, ra: adj. ant. Que mueve inquietudes y alborotos. Usáb. t. c. s. (1).

Bolliciar: tr. ant. Alborotar o causar bullicio. Usáb. t. c. r. (1).

Bollicio: m. ant. Bullicio//Revuelta (1-2).

Bollición: f. ant. Acción y efecto de Bollir (1).

Bollimiento: m. ant. Bollición (1).

Bollir: intr. ant. Bullir (1-2).

Bombardero://4. m. ant. Artillero (1).

Bonina: adj. ant. Bueno (1).

Bona: f. ant. Bienes, hacienda, herencia (1-2).

Bonas: f. pl. ant. Bienes, hacienda, herencia (2).

Bondejo: m. ant. Tripas (2).

Benificar: tr. ant. Abonar (1).

Bonificativo, va: adj. ant. Que hace buena alguna cosa (1).

Bonillo, lla: adj. ant. d. de Bueno//2. ant. Que es algo crecido y va siendo grande (1).

Bono, na: adj ant. Bueno (1).

Boqua: f. ant. Boca (2).

Boquín m. ant. Verdugo (1).

Borda: f. ant. Borde (1).

Bordadillo: m. ant. Tafetán doble labrado (1).

Borde://4. m. ant. Vástago de la vid, que no nace de la yema (1).

Bordión: despect. de Borde (2).

Bordiona: f. ant. Ramera (1).

Bordo://4. m. ant. Borde (1).

Borní: m. ant. Especie de halcón (2).

Borracha: f. ant. Bota de vino (2).

Borrachería: f. ant. Borrachera (1).

Borrazo: m. ant. Golpe, embestida (2).

Borrena: f. ant. Borrén (1).

Borrero: m. ant. Verdugo (1).

Borriba: f. ant. Ar. Lana y piel de cordero tardío (2).

Borro: m. ant. Borrego//Metaf. Necio (2).

Borruno, na: adj. ant. Pesado, chabacano (2).

Borujo://3. m. ant. Orujo (Hollejo de la uva//2. Residuo de la aceituna molida y prensada) (1).

Bosadilla: f. ant. Vómito (1).

Bosar: tr. ant. Vomitar//2. ant. fig. Proferir palabras descomedidas (1).

Boscar: tr. ant. Buscar (2).

Boslar: tr. ant. Bordar (2).

Bostar: m. ant. Boyera (1).

Botado: m. ant. Bobo (2).

Botalima: f. ant. Lima sin filo, que no lima bien (2).

Botar://3. tr. ant. Embotar, entorpecer //9. ant. Salir (1-2).

Botasela: f. ant. Botasilla (1).

Boteal: m. desus. Paraje en que abundan charcas de aguas manantiales (1).

Botedad: f. ant. Embotamiento (1).

Boteller: m. ant. Botillero (1).

Botequín: m. desus. Mar. Bote pequeño (1).

Boteza: f. ant. Botedad (1).

Botica://4. f. ant. Vivienda o aposento surtido del ajuar preciso para habitarlo (1).

Boticaje: m. ant. Derecho o alquiler de la tienda en que se vende alguna cosa (1).

Botillería://3. f. ant. Despensa para guardar licores y comestibles (1).

Botiquería: f. ant. Botica o tienda donde se vendían botes de olor (1).

Botor: m. ant. Buba o tumor (1).

Botoral: adj. ant. Perteneciente al botor o semjante a él (1).

Botoso, a: adj. ant. Boto (Romo) (1).

Bou: m. ant. Buey (1-2).

Bovedar: tr. ant. Abovedar (1).

Boy: m. ant. Buey (1-2).

Boya: m. ant. Carnicero que mata los bueyes//2. ant. Verdugo (1).

Boyeral: adj. ant. Boyal (Perteneciente o relativo al ganado vacuno) (1-2).

Bozón: m. ant. Ariete (1).

Bracero: m. ant. El que tira mucho// Ser buen bracero: fr. ant. Tirar bien la barra (2).

Braço: m. ant. Brazo (2).

Brafonera://2. f. ant. Brahonera **(-Brahón:** Rosca o doblez que ceñía la parte superior del brazo en algunos vestidos antiguos) (1-2).

Brafuneras: f. pl. ant. Brafoneras (2).

Brama: f. ant. Bramido (2).

Branca: f. ant. Branquia (1).

Branca://2. f. ant. Punta de una cuerna (1).

Brancha: f. ant. Branquia (1).

Brandecer: tr. ant. Ablandar o suavizar (1).

Brasar: tr. ant. Abrasar (1).

Brasil: adj. ant. Color de brasa//m. ant. Palo colorante oriental (2).

Bravato, ta: adj. ant. Que ostenta balandronería y descaro (1).

Bravería: f. ant. Bravata (1).

Bravosamente: adv. m. ant. Bravamente (1).

Brazada://3. f. ant. Braza (1).

Brazal://6. m. ant. Brazalete//7. ant. Asa (1).

Brazar: tr. ant. Abrazar (1).

Braznar: tr. ant. Estrujar (1).

Brear: tr. ant. Embrear (1).

Bregadura: f. desus. Brega (1).

Bregadura: f. desus. Costurón (1).

Breguero, ra: adj. ant. Amigo de bregas (1).

Bren: m. ant. Salvado (2).

Brenca://2. f. ant. Culantrillo (1).

Bresca: f. ant. Panal (2).

Bretador: m. ant. Reclamo o silbo para cazar aves (1)//Cazador con reclamo (2).

Bretar: tr. ant. Atraer con reclamo (2).

Bretánico, ca: adj ant. Británico (1).

Brete: m. ant. Reclamo de cazador (2).

Brevador: m. ant. Abrevadero (1).

Breve://5. m. ant. Membrete (1).

Breveza: f. ant. Brevedad (1).

Breviario://3. m. ant. Libro de memoria o de apuntamiento (1).

Brezo: m. ant. Cuna (2).

Brezol: m. ant. Cuna (2).

Brezuelo: m. d. de Brezo (2).

Briadado, da: adj. ant. Decíase del caballo o yegua que tenía puesta la brida (1).

Brial: m. ant. Túnica de tela rica (2).

Bribar: intr. ant. Andar a la briba (holgazanería picaresca) (1).

Bribia: f. ant. Briba (1).

Bribiar: intr. ant. Bribar (1).

Bribiático, ca: adj. ant. Propio de la briba o perteneciente a ella (1).

Bridar: tr. ant. Embridar (1).

Brigoso, sa: adj ant. Brioso (1-2).

Brilladura: f. ant. Brillo (1).

Brizar: tr. ant. Cunar (2).

Brizo: m. ant. Cuna (2). (1).

Broznamente://2. adv. m. ant. Neciamente, rústicamente (1).

Broznedad: f. ant. Necedad, rusticidad (1).

Brudo: adj. ant. Bruto (2).

Brucio, cia: adj. ant. Abruzo. Apl. a pers., usáb. t. c. s. (1).

Brufoneras: f. pl. ant. Brafoneras (2).

Brugo: m. ant. Pulgón (2).

Bruma://2. f. ant. Invierno (1)//Broma (2).

Brumal://2. adj. ant. fig. Perteneciente o relativo al invierno (1).

Bruneta://2. adj. f. ant. Paño muy pardo o negro (1-2).

Brutado: adj. ant. Cernido, puro (2).

Brunete: m. ant. Cierto paño de color negro (1).

Brutedad: f. ant. Brutalidad (1).

Broca://4. f. ant. Botón//5. ant. Tenedor (1-2)//Guarnición de metal en el centro del escudo (2).

Brocado, da: adj. ant. Decíase de la tela entretejida con oro o plata (1).

Brocadura: f. ant. Mordedura de oso (1).

Brocalado, da: adj. ant. Bordado (1).

Brocar: tr. ant. Herir con broca o cosa parecida, hincado (2).

Brocárdico: m. desus. Entre los profesores de derecho, sentencia, axioma legal o refrán (1).

Brocha://2. f. ant. Broca//3. ant. Joya (1)//Arma como cuchillo o daga (2).

Brochar: m. ant. Cierre de la gorguera y de la coraza (2).

Brochón//3. m. aum. ant. Brocha del sayo (1).

Brodista: com. desus. Sopista (1).

Brofoneras: f. pl. ant. Brafoneras (2).

Broncha//2. f. ant. Brocha (1-2).

Bronzo: m. desus. Bronce (1).

Broñir: tr. ant. Bruñir (2).

Brosla: f. ant. Brosladura (1).

Broslador: m. ant. Bordador (1).

Brosladura: f. ant. Bordadura (1).

Broslar: tr. ant. Bordar (1-2).

Brotante: m. ant. Arq. Arbotante (1).

Broto: m. ant. Brote (1).

Brotón: m. ant. Brochón//2. ant. Vástago o renuevo que sale del árbol

Brutez: f. ant. Brutalidad (1).

Bruzas (De): m. adv. ant. De bruces (1).

Bruzos (De): m. adv. ant. De bruces (1).

Buboso, sa://2. adj. ant. Llagado o herido (1).

Buco: m. ant. Buque (1).

Bucha: f. ant. Hucha (1).

Bucheta: f. desus. Bujeta (1).

Buchete: m. ant. Moflete, carrillo (2).

Buchín: m. ant. Bochín (1).

Budel: m. ant. Intestinos (2).

Bué: m. ant. Buey (1-2).

Búe: m. ant. Bué (1).

Buéis: m. pl. ant. de Buey (1).

Bueitre: m. ant. Buitre (1).

Buelfa: f. ant. Serpiente (2).

Buena: f. ant. Bienes, hacienda, herencia (1-2).

Buenameresciente: adj ant Bienmerecientemente (1).

Buenamiente: adv. m. ante. Buenamente (2).

Bueno: adj. ant. Valiente (2).

Buenora: adv. t. ant. Buenhora (2).

Bués: m. pl. ant. de Bué (1-2).

Buétago: m. ant. Bofe (1).

Buetre: m. ant. Buitre (1).

Buexes: m. pl. ant. Bueyes (2).

Bueys: m. pl. ant. Bueyes (2).

Bueytre: m. ant. Buetre (2).

Búfano, na: m. y f. ant. Búfalo, la (1).

Bufar://2. intr. ant. Soplar (1).

Bufete: m. ant. Fuelle (1).

Bufí: m. ant. Ar. Especie de tela como camelote de aguas (1).

Bufón: m. ant. Buhonero//Resoplido (2).

Bufos: m. pl. ant. Papos (1).

Bugada: f. ant. Bogada (1).

Buharro: adj. despect. Soplador (2).

Buhedal: m. ant. Lugar cenagoso (1).

Buhón: m. ant. Buhonero (2).

Buitar: tr. ant. Echar, botar (2).

Buitrino: m. desus. Buitrón (1).

Bujarrón: adj. ant. Sodomita (2).

Bujarronería: f. ant. Sodomía (2).

Bujarronear: intr. ant. Pecar de sodomía (2).

Bujedo: m. ant. Boj (2).

Bujelada: f. ant. Especie de afeite para el rostro (1).

Bujeta: f. ant. Cajita (2).

Bujo: m. ant. Boj (1).

Bula://4. f. ant. Burbuja (1).

Bular: tr. ant. Sellar o marcar con hierro encendido al esclavo o al reo (1).

Bulda: f. ant. Bula (1).

Buldar: tr. ant. Bular (1).

Buldería: f. ant. Palabra de injuria o denuesto (1).

Buldero: m. ant. Bulero (1).

Bulra: f. ant. Burla (2).

Bulto://8. m. ant. Túmulo (1)//Rostro (2).

Bullecer: intr. ant. Bullir (1-2).

Bullicio: m. ant. Revuelta (2).

Bullición: f. ant. Bullicio (1).

Bullidura: f. ant. Bullicio (1).

Bullir://8. tr. ant. fig. Menear, revolver alguna cosa (1).

Burdallo, lla: adj. ant. Burdo (1).

Burdelero, ra: m. y f. ant. Alcahuete, mozo de burdel (1).

Burdinalla: f. ant. Mar Cabo o conjunto de cabos delgados que sujetaban el mastelero de la sobrecebadera y se hacían firmes en el estay mayor (1).

Burdón: m. ant. Bordón (Bastón o palo de peregrino) (2).

Burgés, sa: adj. ant. Burgués. Apl. a pers., usáb. t. c. s. (1-2)

Burgo, os: m. ant. Aldea o población muy pequeña, dependiente de otra principal (1-2).

Burgueño, ña: adj. ant. Burgalés. Apl. a pers., usáb. t. c. s. (1).

Burgués, a: adj. ant. Natural o habitante de un burgo. Usáb. t. c. s. (1).

Burel: m. ant. Paño basto de lutos (2).

Buriel: m. ant. Burel (2).

Burielado, da: adj. ant. Semejante o perteneciente al color o paño buriel (1).

Buriello: m. ant. Burel (2).

Burladero, ra: adj. ant. Burlón (1).

Burzarse: intr. ant. Revolcarse boca abajo (2).

Burzés: adj. ant. Burgués (2).

Burranco: m. ant. Burro joven (2).

Burrarse: tr. ant. Empujarse (2).

Burriel: adj. desus. Buriel (1).

Buscamiento: m. ant. Busca (1).

Busco: m. ant. Rastro que dejan los animales (1-2).

Buso: m. ant. Agujero (1).

Busto: m. ant. Rebaño de ganado mayor//Sitio para pastos (2).

Buxes: m. ant. Bueyes (2).

Buxedo: m. ant. Bujedo (2).

Buxeta: f. ant. Bujeta (2).

Buxyes: m. pl. ant. Bueyes (2).

Buy: m. ant. Buey (2).

Buyes: m. pl. ant. Bueyes (2).

Buys: m. pl. ant. Bueyes (2).

Buzón: m. ant. Especie de ariete (2).

Buzos (De): m. adv. ant. De bruces (1).

C

Ca: conj. causal ant. Porque (1-2).

Ca: apóc. ant. de Cada (2).

Cab: prep. ant. Junto a (2).

Cabadelant: adv. m. ant. Cabadelante (2).

Cabadelante: adv. m. ant. Hacia adelante, en adelante (1-2).

Cabal://4. m. ant. Caudal (1).

Cabalfuste: m. ant. Cabalhuste (Caballete) (1).

Cabalgada://4. f. ant. Correría a caballo (1-2).

Cabalgador://2. m. ant. Montador (1).

Cabalgar: m. ant. Conjunto de los arreos y arneses para andar a caballo (1).

Caballía: f. ant. Caballería (2).

Caballería://18. f. ant. Generosidad y nobleza de ánimo propias del caballero//19. ant. Expedición militar (1-2).

Caballeril: adj. ant. Perteneciente al caballero (1).

Caballerilmente: adv. m. ant. Caballerosamente (1).

Caballero://13. m. ant. Dueño de una caballería//14. ant. Soldado de a caballo (1).

Caballillo: m. ant. Caballete//2. ant. Caballón (1).

Caballo://9. m. ant. Tonel (1).

Cabanna: f. ant. Cabaña (2).

Cabaña: f. ant. Conjunto de ganados de un amo (2).

Cabayna: f. ant. Cabaña (2).

Cabaza: f. ant. Manto largo o gabán (1).

Cabazón: m. ant. Cabo, fin (2).

Cabce: m. ant. Cauce (2).

Cabción: f. ant. Caución (Prevención, precaución o cautela) (1).

Cabdal://2. adj. ant. Principal. Decíase de las insignias o banderas que llevaban los caudillos//3. ant. Caudaloso//4. m. ant. Caudal (1-2).

Cabdalero, ra: adj. ant. Caudalero (2).

Cabdellador: m. ant. Caudillo (1).

Cabdellar: tr. ant. Cabdillar (1-2).

Cabdiello: m. ant. Cabdillo (1-2).

Cabdillamiento: m. ant. Acaudillamiento (1).

Cabdillar: tr. ant. Acaudillar (1-2).

Cabdillazgo: m. ant. Empleo de caudillo (1).

Cabdillo: m. ant. Caudillo (1-2).

Cabe: prep. ant. Junto a, cerca de (1-2).

Cabear: tr. ant. Poner cabos, extremos, puntas o vivos (1)//Acabar perfeccionar (2).

Cabeceador: m. ant. Cabecera (1).

Cabecear: tr. ant. Acaudillar, dirigir (2).

Cabecera://13. f. ant. Cabeza o principio de un escrito//14. ant. Cabezalero//15. ant. Oficio de albacea//16. m. ant. Capitán o cabeza de un ejército, provincia o pueblo (1).

Cabeça: f. ant. Cabeza (2).

Cabedero, ra: adj. ant. Que tiene cabida (1).

Cabellado, da://2. adj. ant. Cabelludo (1).

Cabelladura: f. ant. Cabellera (2).

Cabelloso, sa: adj. ant. Cabelludo (1).

Caber://5. intr. ant. Tener parte en alguna cosa o concurrir a ella//8. tr. ant. Comprender, entender (1).

Cabero, ra: adj. ant. Ultimo (1-2).

Cabastraje://3. m. ant. Acción de Encabestrar (1).

Cabeza://13. f. ant. Capítulo//14. ant. Encabezamiento (1).

Cabezador: m. ant. Cabezalero (Testamentario, ria) (1).

Cabezaje: m. ant. Capitación//**A cabezaje:** m. adv. ant. Por cabezas (1).

Cabezalería: f. ant. Albaceazgo (1).

Cabezcaído, da: adj. desus. Cabizcaído (Cabizbajo) (1).

Cabezón://8. m. ant. Encabezamiento (1)//Abertura de la ropa para sacar la cabeza, cuello de la camisa (2).

Cabiada: f. ant. Medida de longitud antigua (2).

Cabido, da://2. adj. ant. Bien admitido, estimado (1).

Cabillo: m. ant. Cabildo (1-2).

Cablieva: f. ant. Fianza de saneamiento (1-2).

Cabo://13. m. ant. Parte, requisito, circunstancia//14. ant. fig. Suma perfección//18. prep. ant. Cabe//**De cabo:** m. adv. ant. Nuevamente//2. ant. Al cabo (1-2).

Caboral: adj. ant. Capital//2. m. ant. Capitán o cabo que mandaba alguna gente (1).

Caboso, sa: adj. ant. Cabal, perfecto (1-2).

Cabrafigar: tr. ant. Cabrahigar (Colgar sartas de higos silvestres o cabrahigos en las ramas de las higueras) (1).

Cabrafigo: m. ant. Cabrahigo (1).

Cabreia: f. ant. Cabra (1).

Cabrería://3. f. ant. Ganado cabrío (1).

Cabriada: f. ant. Cabiada (2).

Cabrial: m. ant. Cabrio (Madero colocado paralelamente a los pares de una armadura de tejado para recibir la tablazón) (1).

Cabrina: f. ant. Piel de cabra (1).

Cabrío://4. m. ant. Cabrón (1).

Cabriol: m. ant. Cabrío (1).

Cabríolo: m. ant. Cabrito (1).

Cabrita://2. f. ant. Piel de cabrito adobada (1).

Cabritero://3. m. ant. El que aderezaba y adobaba cabritillas (1).

Cabro: m. ant. Cabrón (1).

Cabruna: f. ant. Piel de cabra (1).

Cabtenencia: f. ant. Conservación// Modo de obrar (2).

Cabtenenza: f. ant. Cabtenencia (2).

Cabtener: tr. ant. Mantener (2).

Cabtivo: m. ant. Cautivo (2).

Cacumen: m. ant. Altura (1).

Cachado, da: adj. ant. Decíase de la coraza cubierta de cachas o escamas (2).

Cachondiez: f. ant. Cachondez (Apetito venéreo) (1).

Cachucho://5. m. ant. Cartucho (1).

Caçar: tr. ant. Coger en la guerra (2).

Caçurro, rra: adj. ant. Cazurro (2).

Cada://2. adj. ant. A cada uno (1).

Cadafalso: m. ant. Cadalso (1).

Cadahalso://2. m. ant. Cadalso (1).

Cadaldía: adv. t. ant. Cada día (1).

Cadalso://3. m. ant. Fortificación o baluarte de madera (1)//Tablado (2).

Cadamaña: f. ant. Muecas, señas (2).

Cadañal: adj. ant. Que se hace o sucede cada año (1).

Cadañego, ga: adj. ant. Cadañal (1).

Cadascuno, ca: adj. ant. Cada uno (1).

Cadavera: f. ant. Calavera (1).

Cadávera: f. ant. Cadáver (1).

Cadaveroso, sa: ad. desus. Cadavérico (1).

Cadenado: m. ant. Candado (1-2).

Cader: intr. ant. Caer, postrarse, humillarse (1).

Cadera://2. f. ant. Silla//4. ant. Silla de caderas (1-2).

Cadiello: m. ant. Caudillo (2).

Cadira: f. ant. Silla, asiento (1-2).

Cadira: f. ant. Olla pequeña (1).

Cadozo: m. ant. Estancamiento de agua en hoyas (2).

Caecer: intr. ant. Acaecer, ir a parar (1-2).

Caer://23. intr. ant. Caber (1).

Cafela: f. ant. Cerrojo (1).

Cafiz: m. ant. Cahíz (Medida de capacidad para áridos de distinta cabida según las regiones) (1-2).

Cafizamiento: m. ant. Derecho que se pagaba por regar cada cahizada (Porción de terreno que se puede sembrar con un cahíz de grano) (1).

Caher: intr. ant. Caer (2).

Cahuerco: m. ant. Carcavuezo (Hoyo profundo en la tierra) (1).

Cai: m. ant. Cortina de muelle (1).

Caire: m. ant. y Germ. Dinero (2).

Caja://20. f. ant. Almacén o depósito de géneros y mercaderías para el comercio (1).

Cajeta://3. f. d. desus. Cuba. Caja de tabaco, tabaquera (1).

Cal: pron. relat. ant. Cual (2).

Cal: f. ant. Calle (1-2).

Cala: f. ant. Prueba (2).

Calabrina: f. ant. Hedor//Celdita (2).

Calada://3. f. ant. Camino estrecho y áspero (1).

Caladelante: adv. t. y l. ant. Caradelante (1).

Calafetar: tr. ant. Calafetear (1).

Calagraña: f. ant. Uva de colgar (2).

Calambre: m. ant. Mar. Cable (1).

Calamida: f. ant. Calamita (1).

Calamorrar: intr. ant. Darse de testaradas o topar los carneros unos con otros (1).

Calaño, ña: adj. ant. Compañero, igual, semejante (1-2).

Calar: tr. ant. Tocar, convenir, importar (2).

Calaverna: f. ant. Calavera (1).

Calavero: m. ant. Calavera (1).

Calcadera: f. ant. Calcañar (1).

Calce: m. ant. Cáliz//2. ant. Caz (1) //Pedazo de hierro que se añade a la reja gastada (2).

Calculación://2. f. ant. Acción de Calcular (1).

Calça: f. ant. Calza (2).

Calçada: f. ant. Calzada (2).

Calçado: p. p. ant. de Calçar. Calzado (2).

Calçar: tr. ant. Calzar (2).

Calçe: m. ant. Cáliz (2).

Calda: f. ant. Felpa (2).

Caldeo://4. m. ant. Astrólogo//5. ant. Matemático (1).

Calecer: r. ant. Calentarse (2).

Calembé: m. desus. Cuba. Taparrabo (1).

Calendario://2. m. ant. Data (1).

Calendata: f. ant. For. Ar. Data (1).

Calentura://2. f. ant. Calor (1-2).

Caleza: f. ant. Penetración, capacidad (1).

Cálibo: m. ant. Calibre (1).

Cálice: m. ant. Cáliz (1).

Calicud: f. ant. Tejido delgado de seda (1).

Calitut: f. ant. Calicud (1).

Cálido, da: adj. ant. Astuto (1).

Caliginidad: f. ant. Calígine (Niebla, obscuridad, tenebrosidad) (1).

Calmaría: f. ant. Calma (1).

Calmayo: m. ant. Cierto pescado (2).

Calmería: f. ant. Calma o falta de viento en el mar (1).

Calnado: m. ant. Candado (1).

Calomanco: m. ant. Ar. Calamaco (Tela de lana delgada y angosta, que tiene un torcidillo como jerga) (1).

Calomna: f. ant. Calumnia (2).

Calomnia: f. ant. Caloña (1).

Calompna: f. ant. Calomna (2).

Calona: f. ant. Caloña (2).

Calonge: m. ant. Canónigo (1-2).

Calongía: f. ant. Canonjía//2. ant. Casa inmediata a la iglesia, donde habitan los canónigos (1-2).

Caloniar: tr. ant. Caloñar (1-2).

Calonna: f. ant. Caloña (2).

Calonnia: f. ant. Calomnia (1).

Caloña: f. Calumnia//2. ant. Pena pecuniaria que se imponía por ciertos delitos o faltas//3. ant. Querella// 4. ant. Tacha, censura (1-2).

Caloñar: tr. ant. Calumniar//2. ant. Exigir responsabilidad, principalmente pecunaria, por un delito o falta (1-2).

Caloñia: f. ant. Calonnia (2).

Caloñosamente: adv. m. ant. Con calumnia (1).

Calumbre: f. ant. Moho, orín, herrumbre (A. N. L.)

Calumbrecerse: r. ant. Enmohecerse (1).

Calumbriento, ta: adj. ant. Mohoso, tomado del orín (1).

Calumne: f. ant. Calomna (2).

Calumnia: f. ant. Delito y sobre todo pena pecuniaria (2).

Calumniar://2. tr. ant. Vengar o reparar agravios (1)//Achacar, imputar, acusar y ejecutar (2).

Calunia: f. ant. Calumnia (1).

Caluña: f. ant. Caloña (1).

Calumpnia: f. ant. Calumnia (2).

Calura: f. ant. Calor (2).

Calvario://4. m. fig. ant. Osario (1).

Calvecer: intr. ant. Encalvecer (1).

Calveta: f. ant. Calvete (1).

Calvete://2. m. ant. Estaca (1).

Calveza: f. ant. Calvez (Calvicie) (1).

Calza: f. ant. Cal (1).

Calzatrepas: f. ant. Trampa o cepo (1).

Calze: m. ant. Cauce (2).

Callador, ra: adj. ant. Callado (1).

Callantar: tr. ant. Callar (2).

Callante: p. a. ant. de Callar. Que calla (1).

Callantío, a: adj. ant. Callado, silencioso (1).

Callecer: intr. ant. Encallecer (1).

Callentar: tr. ant. Calentar (1).

Calletre: m. ant. Caletre (1).

Callonna: f. ant. Caloña (2).

Callosar: intr. ant. Encallecer (1).

Cama: f. ant. Pierna (2).

Cama://13. f. fig. ant. Sepulcro (1).

Camal://3. ant. Cadena gruesa, con su

argolla, que se echaba a los esclavos para que no se huyesen (1).

Camarada://3. f. ant. Batería (1).

Camarista://2. ant. El que vivía en alguna cámara de posada y no tenía trato con los demás hospedados (1).

Camba: f. ant. Pierna (2).

Cambariella: d. de Cámara, lecho (1).

Cambia: f. ant. For. Cambio (1).

Cambiadizo, za: adj. ant. Mudadizo (1).

Cambiador://2. m. ant. Cambista (1).

Cambra: f. ant. Cámara (1).

Camear: tr. ant. Camiar (2).

Cameña: f. ant. Camita (2).

Cámera: f. ant. Cámara (1).

Camiar: tr. ant. Cambiar//2. ant. Vomitar (1-2).

Caminada: f. ant. Jornada//2. ant. Camino o viaje de aguadores o jornaleros (1).

Caminero, ra://3. m. y f. ant. Caminante (1-2).

Camio: m. ant. Cambio (1-2).

Camisa://11. f. ant. Alba//12. ant. Dote (1).

Campal: adj. desus. Perteneciente al campo (1).

Campeada: f. ant. Correría, salida repentina, expedición súbita contra el enemigo en son de algarada (1).

Campeador: adj. ant. Decíase del guerrero que sobresalía en el campo con acciones señaladas. Usáb. t. c. s. (1-2).

Campear://9. tr. ant. Mil. Tremolar banderas o estandartes (1).

Campechana://2. f. desus. Cuba y Méj.

Bebida compuesta de diferentes licores mezclados (1).

Campejar: intr.. ant. Campear (1).

Campero://9. m. ant. El que corría el campo para guardarlo (1)//El que tornea (2).

Campés, sa: adj. ant. Silvestre, campestre (1).

Campión: m. ant. Campeón (1).

Camuna: f. ant. Tela común (2).

Can://5. m. ant. As (1).

Canaballa: f. ant. Barca pescadora (1).

Canadiella: f. ant. Antigua medida para líquidos (1).

Canado: m. ant. Candado (1).

Canal: com. ant. Cuerpo abierto de la res, quitadas las asaduras (2).

Canalador: m. ant. Acanalador (1).

Canaliega: f. ant. Canal (1).

Canalla: f. ant. Perrería (1).

Canana: f. ant. Bolsa de cuero, vaso, aljaba (2).

Cancanilla: f. ant. Especie de Armadijo//2. ant. fig. Engaño o trampa (1).

Cancel://3. m. ant. fig. Término o límite hasta donde se puede extender alguna cosa (1).

Canceller: m. ant. Canciller//2. ant. En algunas iglesias, maestrescuela (1).

Cancellería: f. ant. Oficina destinada para registrar y sellar los despachos y provisiones reales (1).

Cancellero: m. ant. Canciller (1).

Canciller://6. m. ant. Cancelario (El que en las universidades tenía la autoridad pontificia y regia para dar los grados) (1).

Cancillería://4. f. ant. Chancillería (1).

Candalo: m. ant. Variedad del pino (1).

Candelera: f. ant. Candelaria (1).

Candelería: f. ant. Velería (1).

Candelero://5. m. ant. Velero (1).

Candelor: m. ant. Candelaria (1).

Candial: adj. ant. Candeal (2).

Candidado: m. ant. Candidato (1).

Candil://8. m. ant. Velón//9. ant. Candelero (1).

Candiote: adj. ant. Candiota (Natural de Candía). Apl. a pers., usáb. t. c. s. (1).

Carnecer: intr. ant. Encanecer (1).

Caneciente: adj. ant. Cano (1).

Canez: f. ant. Canicie//2. ant. fig. Estado de la persona que se acerca a la vejez (1).

Canfor: m. ant. Alcanfor (1).

Canfora: f. ant. Canfor (1).

Canforar: tr. ant. Alcanforar (1).

Cangroso, sa: adj. ant. Que adolece de cáncer (1).

Canguelo: m. ant. Miedo (1).

Canillera: f. ant. Parte de la armadura que cubre la canilla (2).

Canina://2. f. ant. Canícula (1).

Canmiar: tr. ant. Cambiar (1).

Canonge: m. ant. Canonje (2).

Canonía: f. ant. Canonjía (1).

Canónico, ca://6. adj. ant. Se aplicaba a la iglesia o casa donde residían los canónigos seglares. Usáb. t. c. s. (1).

Canonigado: m. ant. Canonicato (1).

Canonisa: f. ant. Canonesa (1).

Canonje: m. ant. Canónigo (1).

Canonjible: adj. ant. Perteneciente al canónigo o a la canonjía (1).

Cansadura: f. ant. Cansancio (2).

Cansamiento: m. ant. Cansancio (1).

Cansar://4. intr. ant. Cansarse (1-2).

Cansedad: f. ant. Cansancio (2).

Cansedat: f. ant. Cansedad (2).

Canssar: intr. ant. Cansar (2).

Canso: adj. ant. Cansado (2).

Cansoso, sa: adj. ant. Cansado (1).

Cantabrio, bria: adj. ant. Cántabro (1).

Cantadera: f. ant. Cantadora (1)// Canto (2).

Cantadero: m. ant. Cantor (2).

Cantador, ra: adj. ant. Cantor (1).

Cantal: m. ant. Piedra (2).

Cantalena: f. ant. Canto (2).

Cantería://4. f. ant. Cantera (1).

Cantía: f. ant. Cuantía (1).

Cántica: f. ant. Cantar, cántico (1-2).

Canticar: intr. ant. Cantar (1-2).

Cántiga: f. ant. Cántica//2. ant. Cantar (1).

Cantitativo, va: adj. ant. Cuantitativo (1).

Canto://7. m. ant. Cántico//8. ant. Mús. Instrumento de canto (1).

Canto: adj. ant. Cuanto (2).

Cantonada: f. ant. Ar. Cantón (Esquina) (1).

Cantonar:: tr. ant. Cantar (2).

Cantor://3. m. ant. Compositor de cánticos y salmos (1).

Cantoría: f. ant. Canturía (1).

Cantusar: tr. ant. Engatusar (1).

Canudo, da: adj. ant. Canoso//2. ant. fig. Antiguo, anciano (1).

Cañada: f. ant. Vasija para vino (2).

Cañadiella: f. ant. Cañadilla (2).

Cañadilla: f. ant. Medida de líquido

Cañado: m. ant. Candado (2).

Cañahierla: f. ant. Cañaherla (Planta umbelífera) (1).

Cañal://4. m. ant. Cañería//5. ant. Caño del agua (1).

Cañavera: f. ant. Caña (2).

Cañaverar: tr. ant. Cañaverear (1).

Cañiherla: f. ant. Cañerla (Cañaherla) (1).

Cañillera: f. ant. Canillera (2).

Cañivete: m. ant. Cuchillo pequeño (1).

Caño://8. m. ant. Mina o camino subterráneo para comunicarse de una parte a otra (1)//Cueva (2).

Cañuto://4. m. ant. fig. Cañutazo (Soplo o chisme) (1).

Caostra: f. ant. Claustro (1).

Capa://13. f. ant. En las aves, plumaje que cubre el lomo (1)//Caseta portátil de madera para los soldados (2).

Capacear: intr. ant. Ar. Detenerse con frecuencia en la calle para hablar con las personas (1).

Capada://2. f. ant. Alondra (1).

Capadillo: m. ant. Especie de chilindrón o parte de él (1).

Capapiel: f. ant. Capa de piel (2).

Capcionar: tr. ant. For. Capturar (1).

Capdal: adj. ant. Cabdal (1-2).

Capelardiente: f. ant. Capilla ardiente (1).

Capelo://4. m. ant. Sombrero (1).

Capelleja: f. ant. Capilleja (2).

Capellina: f. ant. Armadura de acero para la cabeza (2).

Capiello: m. ant. Capillo (2).

Capilla://9. f. ant. Capullo o vaina en que se cría la semilla de algunas hierbas (1).

Capilleja://2. f. d. ant. Caperuceta (1).

Capillo: m. ant. Capacete (2).

Capirón: m. ant. Cubierta de la cabeza (1).

Capirotada: m. ant. Olla podrida (2).

Capirotera: f. ant. Caperuza (1).

Capitán://6. m. ant. Mil. General (1).

Capitanía://5. f. ant. Gobierno militar //6. ant. Señorío (1).

Capitol: m. ant. Capítulo//2. ant. Cabildo (1-2).

Capitoso, sa: adj. ant. Caprichudo, terco o tenaz en su dictamen u opinión (1).

Capitulante://2.m. ant. Capitular (1).

Capítulo: m. ant. Cabildo (2).

Caponar://2. tr. ant. Capar (1).

Caporal: adj. ant. Capital o principal. Decíase sólo de algunas cosas, como de los vientos (1). .

Capseta: f. ant. Cajeta (2).

Captenencia: f. ant. Conservación, amparo o protección (1-2).

Captener: tr. ant. Conservar o proteger (1-2).

Captivante: p. a. ant. de Captivar. Que captiva (1).

Captivar: tr. ant. Cautivar (1-2).

Captiverio: f. ant. Cautiverio (1).

Captividad: f. ant. Cautividad (1).

Captividat: f. ant. Captividad (2).

Captivo, va: adj. ant. Cautivo//2. ant. Infeliz, desdichado//3. m. ant. Captiverio (1-2).

Capucho://2. m. ant. Capullo (1).

Capyello: m. ant. Capillo (2).

Car: conj. causal ant. Porque (1).

Carabe: m. ant. Ambar amarillo (2).

Cárabo: m. ant. Cierto perro de caza (1-2).

Cárabo://3. m. ant. Cáraba (Cierta embarcación grande usada en Levante) //4. ant. Cangrejo (1).

Caradelante: adv. t. ant. En adelante //2. adv. l. ant. Hacia adelante (1).

Carael: m. adv. ant. Frente a, cara a cara de, hacia (2).

Caramel://2. m. ant. Caramelo (1).

Caramela: f. ant. Caramillo (1).

Caramillar: intr. ant. Tocar el caramillo (1).

Caraos: m. ant. Carauz (1).

Carauz: m. ant. Acto de brindar apurando el vaso (1).

Cáravo: m. ant. Cárabo (2).

Carboncla: f. ant. Carbúncula (2).

Carboniento: adj. ant. Negro como carbón (2).

Carbúncula: f. ant. Carbúnculo (Rubí) (1).

Carcaño: m. ant. Calcaño (Calcañar) (1).

Cárcava: f. ant. Foso (2).

Carcavar: tr. ant. Carcavear (1-2).

Carcavear: tr. ant. Rodear de cárcavas un campo o ciudad fortificándole (1-2).

Carcavera: adj. ant. Decíase de la ramera que se iba a las cárcavas a usar de sus liviandades. Usáb. t. c. s. (1).

Cárcavo://2. m. ant. Cóncavo del vientre del animal (1).

Carcax: m. ant. Carcaj (2).

Carcaxo: m. ant. Carcax (2).

Carcelería://3. f. ant. Conjunto de delincuentes preso en una cárcel (1).

Carcelaje: m. ant. Derecho que pagaba el preso por su estancia en la cárcel (2).

Carceraje: m. ant. Carcelaje (1).

Carcerar: tr. ant. Encarcelar (1).

Carcomecer: tr. ant. Carcomer (1).

Carcomiento, ta: adj. ant. fig. Que padece carcoma o consunción (1).

Carda://6. f. ant. Especie de embarcación semejante a la galeota (1)//Felpa (2).

Cardaestambre: m. ant. Cardador (1).

Cardenaladgo: m. ant. Cardenalazgo (1).

Cardenalazgo: m. ant. Cardenalato (1).

Cardenalía: f. ant. Cardenalato (1).

Cardeña: f. ant. Piedra preciosa de color cárdeno (1-2).

Cardial: adj. ant. Cardiaco (1).

Carduza: f. ant. Carda (1).

Carel: adv. ant. Cara el (2).

Carena: f. ant. Penitencia hecha por espacio de cuarenta días ayunando a pan y agua (1).

Carentena: f. ant. Cuarentena (2).

Careza, [-ça, -sa]: f. ant. Carestía (2).

Carga://10. f. ant. Acción de disparar a un tiempo muchas armas de fuego (1).

Cargue: m. ant. Acción y efecto de Cargar una embarcación//2. ant. Pasaporte o licencia para cargar (1).

Carguerío: m. ant. Carguío (Carga) (1).

Cariá: adv. ant. Hacia, enfrente (2).

Cariaco: m. desus. Cuba. Baile popular (1).

Caridoso, sa: adj. ant. Caritativo (1).

Carillo: m. ant. Hermano o compañero (2).

Cariñoso, sa://2. adj. ant. Enamorado (1).

Carioso, sa: adj. ant. Que tiene caries (1).

Carlear: intr. ant. Bostezar de hambre (2).

Carlina: f. ant. Especie de hierba (2).

Carmesín: adj. ant. Carmesí (1).

Cármeso: m. ant. Carmesí (1).

Carminante: p. a. ant. de Carminar. Que carmina (2).

Carminar: tr. ant. Expeler (1).

Carnadura: f. ant. Carne (2).

Carnaje://2. m. ant. Destrozo grande o mortandad que resulta de una batalla (1).

Carnal://7. m. ant. Carnaval (1).

Carnario: m. ant. Carnero (1).

Carnecería: f. ant Carnicería (2).

Carnecero: adj. ant. Carnicero (2).

Cárneo, a: adj. ant. Que tiene carne (1).

Carnero://3. m. ant. Ariete//4. ant. El signo Aries//5. ant. Sitio o lugar donde se guarda la carne (1).

Carneruna: f. ant. Piel de carnero (2).

Carnífice://2. m. ant. Verdugo (1).

Caro, ra://4. adj. ant. Gravoso o dificultoso (1).

Carona (A): m. adv. ant. Junto a, a raíz de las carnes (2).

Caronal: adj. ant. Carnal (2).

Carpellida: f. ant. Arañazo (2).

Carpentear: tr. ant. Arrejacar (Dar a los sembrados, cuando ya tienen bastantes raíces, una labor que consiste en romper la costra del terreno) (1).

Carpentero: m. ant. Carpintero (2).

Carraca: f. ant. Especie de barca (2).

Carracón: m. ant. Buque que se usaba en la Edad Media (1).

Carral: m. ant. Cuba para vino (2).

Carraleja: f. ant. Cañaheja (1).

Carranca: f. ant. Especie de embarcación (2).

Carrear: tr. ant. Acarrear (1-2).

Carrejar: tr. ant. Carrear (1).

Carrellada: f. ant. Carrillada (2).

Carrera: f. ant. Viaje, camino, sendero (2).

Carretón://5. m. ant. Cureña (Armazón sobre ruedas o correderas y en la cual se monta el cañón de artillería) (1-2).

Carrial: m. ant. Camino (2).

Carrietella: d. de Carreta (2).

Carril: adj. ant. Carretero (1)//m. ant. Camino (2).

Carrillada://3. f. ant. Carrillera (Quijada de ciertos animales)//4. ant. Bofetón (1).

Carrizo: m. ant. Carrizal (2).

Carrocero://3. m. ant. Cochero (1).

Carruaje://3. m. ant. Trato o trajín con carros, coches, etc. (1).

Carta://8. f. ant. Papel para escribir// 9. ant. Hoja escrita de papel o pergamino//10. ant. Instrumento público (1-2).

Cartapel://2. m. ant. Cartel o edicto (1).

Cartear://2. intr. ant. Hojear los libros (1).

Cartelario: m. ant. Escrito, biografía// Escritura, carta (2).

Cartelear: tr. ant. Poner carteles infamatorios (1).

Cartiella: f. ant. Libro, escrito, carta (2).

Cartiero: m. ant. Una de las cuatro partes en que se distribuía el año para algunos fines (1).

Carzelage: m. ant. Carcelaje (2).

Cas: f. ant. Casa (2).

Casa://15. f. pl. ant. Casa (1)//Población, ciudad (2).

Casada: f. ant. Ar. Casal (Casería, casa de campo) (1).

Casado: m. ant. Los de la casa (2).

Casador: m. ant. For. El que anula, borra o inutiliza una escritura u otra cosa (1).

Casalero, ra: m. y f. ant. Persona que vivía en un casal (1).

Casamentar: intr. ant. Casar 1).

Casamiento://4. m. ant. Dote (1).

Casar://2. m. ant. Solar, pueblo arruinado o conjunto de restos de edificios antiguos (1).

Casateniente: m. ant. El que tenía casa en un pueblo y era cabeza de familia (1).

Cascabiello: m. ant. Cascabel (2).

Cascatreguas: m. ant. El que quebranta las treguas (1).

Cascavel: m. ant. Cascabel (2).

Cascaviello: m. ant. Cascabiello (2).

Cascún: adj. ant. apóc. de Cascuno (1-2).

Cascuno, na: adj. ant. Cada uno (1-2).

Casería://3. f. ant. Cría de gallinas en casa (1).

Casero, ra://5. adj. ant. Decíase de los árboles cultivados, a diferencia de los silvestres//11. ant. Habitante, morador (1-2).

Casia://2. f. ant. Bot. Canela (1).

Casimodo: m. ant. Cuasimodo (1).

Caso, sa: adj. ant. For. Nulo (1).

Cassa: f. ant. Casa (2).

Castañuela://2. f. desus. Antigua labor femenina en forma de castaña, que servía para adornar vestidos (1).

Castel: m. ant. Castillo (1).

Castellar://2. m. ant. Campo donde hay o hubo castillo (1-2).

Castellería: f. ant. Castillería (1).

Castellero: m. ant. Castillero (1-2).

Castielo: m. ant. Castillo (2).

Castiello: m. ant. Castillo (2).

Castigadamente: adv. m. ant. Correctamente (1).

Castigador, ra://2. adj. ant. Que reprende y amonesta a otro para su enmienda. Usáb. t. c. s. (1).

Castigamento, [-miento]: m. ant. Castigo (1)//Corrección (2).

Castigar://7. tr. ant. Advertir, prevenir, enseñar//8. r. ant. Enmendarse, corregirse, abstenerse (1-2).

Castigo://2. m. ant. Represión, aviso, consejo, amonestación o corrección //3. ant. Ejemplo, advertencia, enseñanza (1-2).

Castil: m. ant. Castillo (2).

Castillería://2. f. ant. Alcaidía de un castillo (1).

Castillero: m. ant. Castellano (1).

Castimonia: f. ant. Castidad (1).

Casto, ta://3. adj. ant. Hablando del estilo, castizo (1).

Castorio: m. ant. Castóreo (Subtancia crasa de olor fuerte y desagradable segregada por dos glándulas abdominales que tiene el castor) (1).

Castra: f. ant. Casa, lugar recatado (2).

Castro://2. m. ant. Real o sitio donde estaba acampado y fortificado un ejército (1).

Cata://3. f. ant. Cordel con un plomo en un extremo, para medir alturas// 4. Argent. y Chile. desus. Cotorra, perico (1).

Catadura: f. ant. Mirada//Semblante (2).

Catalufa://2. f. ant. Tafetán doble labrado (1).

Catamiento: m. ant. Observación, advertencia (1).

Cataplexia://3. f. ant. Pat. Apoplejía (1).

Catar://5. tr. ant. Buscar, procurar, solicitar//6. ant. Guardar, tener//7. ant. Curar (1)//Mirar, ver (2).

Catasta: f. ant. Potro para dar tormento desconyuntando al paciente (1).

Catecumenia: f. ant. Galería alta u

otro lugar reservado en las antiguas iglesias, donde se colocaban los catecúmenos (1).

Catedrar: intr. ant. Conseguir cátedra en un establecimiento de enseñanza (1).

Cateo: m. ant. Acción y efecto de catear (Catar) (1).

Catequismo://3. m. ant. Catecismo (1).

Cáthedra: f. ant. Cátedra (2).

Cáthreda: f. ant. Cátedra (2).

Catido: p. p. ant. de Catar (2).

Catifa: f. ant. Alcatifa (Tapete o alfombra fina) (1).

Catimía: f. ant. Vena mineral honda de que se saca oro o plata (1).

Catino: m. ant. Escudilla o cazuela (1).

Cativar: tr. ant. Cautivar (1).

Cativero: m. ant. Cautiverio (2).

Catividad: f. ant. Cautividad (2).

Cativo, va: adj. ant. Cautivo//2. ant. Malo, infeliz, desgraciado (1-2).

Caucera: f. ant. Cacera (Zanja o canal por donde se conduce el agua para regar) (1).

Caucionero: m. ant. El que hace la fianza y da caución (1).

Caudal://3. adj. ant. Principal//7. m. ant. Capital o fondo (1-2).

Caudalero: adj. ant. Principal (2).

Caudiello: m. ant. Caudillo (2).

Caudillar: tr. ant. Acaudillar (2).

Cautivo, va://2. adj. ant. Cativo (1).

Cava://4. f. ant. Cueva u hoyo (1).

Cavada: f. ant. Hoyo (1).

Cavado, da: adj. ant. Cóncavo (1).

Cavador://2. m. ant. Enterrador o sepulturero (1).

Cavalgar: tr. ant. Cabalgar (2).

Cavallería: f. ant. Caballería (2).

Cavallero: m. ant. Caballero (2).

Cavallía: f. ant. Caballía (2).

Cavallo: m. ant. Caballo (2).

Cavero: adj. ant. Cabero (2).

Cavo, va: adj. ant. Cóncavo (1).

Caxquete: m. ant. Casquete (2).

Cays: m. ant. Cafiz (2).

Cazar: tr. ant. Coger en la guerra (2).

Cazcorvo, va://2. adj. ant. Patizambo, zancajoso//3. m. ant. Hoz, podadera (1).

Cazón: m. ant. Azúcar, que, por no estar bien purificado, es moreno (1).

Cazorría: f. ant. Dicho indecoroso o malsonante (1).

Cazurro, rra://2. adj. ant. Decíase de las palabras y expresiones bajas y groseras y del que las usaba (1-2).

Ceba://4. f. ant. Mont. Cebo (1).

Cebadería: f. ant. Lugar o paraje donde se vende cebada (1).

Cebar: tr. ant. Disponer con cebo el lazo de caza (2).

Cebera: f. ant. Cibera (Que sirve para cebar) (1)//Grano de trigo (2).

Cebo: m. ant. Comida (2).

Cebolludo, da://2. adj. ant. Decíase de la persona tosca y basta, o gruesa y abultada (1).

Cebra://2. f. ant. Nombre antiguo de la cabra montés (1).

Cebrero: m. ant. Sitio áspero y quebrado preferido por las cabras monteses. Usáb. m. en pl. (1).

Cebtí: adj. ant. Ceutí (Natural de Ceuta). Apl. a pers., usáb. t. c. s. (1).

Cecial: adj. ant. Como cecina, tratándose de pecados (2).

Ceción: f. ant. Cición (1).

Cedierueda: f. ant. Cideruela (2).

Cedicio, cia: adj. ant. Lacio (1).

Cedo: adv. t. ant. Luego, presto, al instante (1-2).

Cedra: f. ant. Cítara (1-2).

Cedrero: m. ant. Citarista (1-2).

Cegador, ra://2. adj. ant. Adulador y lisonjero. Usáb. t. c. s. (1).

Cegajear: intr. ant. Tener malos los ojos//2. ant. Ver poco (1).

Cegajez: f. ant. Dolencia de los ojos (1).

Cegajoso, sa: adj. ant. Casi ciego// Obstinado (2).

Cegamiento: m. ant. Ceguedad (1).

Cegatero, ra: m. y f. ant. Regatón (1).

Ceguledora: adj. ant. Mala mujer (2).

Cégulo: adj. ant. Cornudo (2).

Cegullo: adj. ant. Cégulo (2).

Cejo://2. m. ant. Ceja, ceño o sobrecejo (1-2).

Cela: f. ant. Celda//2. ant. Cilla (Casa o cámara donde se recogían los granos) (1).

Celadamente: adv. m. ant. A escondidas, encubiertamente (1).

Celante: p. a. ant. de Celar. Que celal

Celante: p. a. ant. de Celar. Que cele (1).

Celar://5. tr. ant. Recelar (1)//Encubrir (2).

Celda://5. f. ant. Alojamiento o camarote que tiene el patrón en su nave//6. ant. Cámara, aposento (1).

Celebrador, ra://2. m. y f. ant. Persona que mandaba celebrar a sus expensas la fiesta de algún santo en el templo (1).

Celebrero: m. ant. Clérigo que asistía a los entierros (1).

Celemí: m. ant. Celemín (1).

Celerado, da: adj. ant. Malvado, perverso (1).

Celeramiento: m. ant. Aceleramiento (1).

Celerar: tr. ant. Acelerar (1).

Celerario, ria: adj. ant. Celerado (1).

Celerizo: m. ant. Cellerizo (1-2).

Celero: m. ant. Cellero (2).

Celidueña: f. ant. Celidonia (Clase de hierba) (1).

Celorgiano: m. ant. Cirujano (2).

Celtre: m. ant. Acetre (Caldero pequeño con que se saca agua de las tinajas o pozos) (1).

Cellerer: m. ant. Despensero (2).

Cellerizo: m. ant. Cillerizo//Cillerero (En algunas órdenes monásticas, mayordomo del monasterio) (1-2).

Cellero: m. ant. Cillero (1-2).

Cemiento: m. ant. Cimiento (2).

Cempellar: intr. ant. Esforzarse, porfiar (2).

Cena: f. ant. Escena (1).

Cenabe: f. ant. Colchón, almohadón (2).

Cenada: f. ant. Comida (2).

Cenar: m. ant. Cena (1).

Cenceño, ña://2. adj. ant. Puro, sencillo, sin composición (1-2).

Cencerrado, da: adj. ant. Encerrado (1).

Cencerril: adj. ant. Perteneciente al cencerro (1).

Cencerrión: m. ant. Cerrión (Canelón) (1).

Cendal://4. ant. Especie de guarnición para el vestido (1)//Tela de seda muy delgada (2).

Ceníco: adj. ant. Cínico (2).

Cenoso, sa: adj. ant. Cenagoso (1).

Censuar: tr. ant. Acensuar (Imponer censo) (1).

Censura://7. f. ant. Padrón, asiento, registro o matrícula (1).

Censurar://4. tr. ant. Hacer registro o matrícula (1).

Centena: f. ant. Caña del centeno (1).

Centenario://7. m. ant. Centena (1).

Centilación: f. ant. Centelleo (1).

Centrical: adj. ant. Central (1).

Centro://13. m. fig. desus. Cuba. Terno de pantalón, camisa y chaleco (1).

Ceñidero: m. ant. Ceñidor (1).

Ceñiglo: m. ant. Mal ceño//Ar. Planta como el abrojo (2).

Capadgo: m. ant. Derecho que pagaba el preso por su estancia en la cárcel (2).

Cepejón: m. ant. Porra, cepa (2).

Caponada: f. ant. Golpe de porra o cepa (2).

Cerbelo: m. ant. Cerebelo (1).

Cerbillo: m. ant. Cerebro (1).

Cerca://2. ant. Cerco o asedio de ciudad o plaza (1-2).

Cercadura: f. ant. Cerca (1).

Cercamiento: m. ant. Acción y efecto de Cercar (1).

Cercandanza: f. ant. Acción de andar cerca o aproximarse alguna cosa (1).

Cercanidad: f. ant. Cercanía (1).

Cercar://4. tr. ant. Acercar (1)//Rodear y sitiar, poner cerca//ant. Burg. Buscar (2).

Cerceta://2. f. ant. Coleta (1).

Cercillo: m. desus. Zarcillo (1).

Cerdudo://3. m. ant. Cerdo (1).

Ceribón: m. ant. Cesión de bienes//Hacer ceribones: fr. ant. fig. Hacer excesivos rendimientos y sumisiones, como algunas veces los que hacían cesión de bienes (1).

Cermeñal: m. ant. Cermeño (Especie de peral) (1).

Cernejas: f. pl. ant. Pelos que caen sobre la frente (2).

Cerqua: f. ant. Cerco o asedio de ciudad o plaza (2).

Cerrada: f. ant. Acción y efecto de cerrar (1).

Cerradamente: adv. m. ant. Implícitamente (1).

Cerradura://3. f. ant. Cercado//4. ant. Encerramiento (1).

Cerraduría: f. ant. Cerramiento (1).

Cerraje: m. ant. Serrallo (1).

Cerralle: m. ant. Cerco//Cerraje (1).

Cerramiento: m. ant. Lugar cerrado (2).

Cerrero, ra://3. adj. ant. fig. Altanero, soberbio (1).

Cerristopa: f. ant. Cerro de estopa (2).

Cerro (En): m. adv. ant. En pelo (2).

Cerrotino: m. ant. Cerro que se saca del cáñamo o lino cuando se rastrilla (1).

Certamen: m. ant. Desafío, duelo, pelea o batalla entre dos o más personas (1).

Certanedad: f. ant. Certeza (1).

Certano, na: adj. ant. Cierto (1).

Certas: adv. ant. Ciertamente (2).

Certenidad: f. ant. Certeza (2).

Certeramiente: adv. m. ant. Ciertamente (2).

Certero: adj. ant. Cierto, sabedor (2).

Certidumbre://2. f. ant. Seguro, obligación de cumplir una cosa (1).

Certificadamente: adv. m. ant. Cierta o seguramente (1).

Certificar://4. intr. ant. Fijar, señalar con certeza (1).

Certificatoria: f. ant. Certificación (1).

Cesarino, na: adj. ant. Cesariano (1).

Cesión: f. ant. Cición (1).

Ceso: m. ant. Cesión (1).

Cestro: m. ant. Sistro (1).

Cetre: m. ant. Acetre (1).

Cetrinidad: f. ant. Color cetrino (1).

Cevada: f. ant. Cebada (2).

Cevar: tr. ant. Cebar (2).

Cevera: f. ant. Cebera (2).

Cevil: adj. ant. Cruel, fiero (2).

Cibdad: f. ant. Ciudad (2).

Cibdadano: adj. ant. Ciudadano (1-2).

Cibdath: f. ant. Cibdad (2).

Cibera: f. ant. Cebera (2).

Cibierueda: f. ant. Cideruela (2).

Cibo: m. ant. Cebo (1).

Cicalar: tr. ant. Acicalar (1).

Cicatrizamiento: m. ant. Cicatrización (1).

Cicatrón: m. ant. Ciclatón//Brial de ese material (2).

Cicial: m. ant. Cecial (Merluza u otro pescado parecido a ella, seco y curado al aire) (1).

Cición: f. ant. Calentura intermitente que entra con frío (1).

Ciclatón: m. ant. Tela de seda, que solía tener además oro//Brial de esta tela (2).

Ciderueda: f. ant. Cideruela (2).

Cidath: f. ant. Ciudad (2).

Cideruela: f. ant. Lonja larga y residuos de partes gruesas al descarnar las piezas en las reses (2).

Cidierveda: f. ant. Cideruela (2).

Ciella: f. ant. Cilla (1-2).

Ciénago: m. ant. Cieno//2. ant. Cenegal (1).

Cienso: m. ant. Censo (2).

Cientanal: adj. ant. De cien años. Decíase sólo de cosas (1).

Ciente: adj. ant. Esciente (1).

Cientemente: adv. m. ant. Escientemente (1).

Cienteñal: adj. ant. Cientanal (1).

Cierto, ta://5. adj. ant. Certero (1).

Cifac: m. ant. Cifaque (1).

Cifaque: m. ant. Peritoneo (1).

Cigoñino: m. ant. Cría de cigüeña (2).

Ciguda: f. ant. Cicuta (2).

Cigulo: adj. ant. Cégulo (2).

Ciguñuela: f. ant. d. de Cigüeña (1).

Cillero: m. ant. Silo o troje (2).

Cima: f. ant. Cimiento (2).

Cimar: tr. ant. Recortar una cosa por encima; como el pelo de los paños, y las puntas de las hierbas o de los árboles (1).

Cimbria://2. f. ant. Arq. Cimbra (1).

Cimental: adj. ant. Fundamental (1).

Cimentera: f. ant. Arte de cimentar (1).

Cimera: f. ant. Cima (2).

Cimia: f. ant. Marrubio (Planta herbácea) (1).

Cimorra: f. ant. Veter. Especie de catarro nasal de las caballerías (1).

Cincoañal: adj. ant. De cinco años (1).

Cincuentaina: f. ant. Mujer de cincuenta años (1).

Cincuentañal: adj. ant. De cincuenta años (1).

Cincuentenario, ria: adj. ant. Perteneciente al número cincuenta (1).

Cincuesma: f. ant. Día de la pascua del Espíritu Santo (1-2).

Cinchar: m. ant. Cinchera (Parte del cuerpo de la caballería en que se pone la cincha) (1).

Cineríceo, a: adj. ant. Cinericio (De ceniza) (1).

Cingir: tr. ant. Ceñir (1).

Cinquaesma: f. ant. Pascua de Pentecostés (2).

Cinquena: f. ant. Conjunto de cinco unidades (1)//Moneda de cinco dineros (2).

Cinqueno, na: adj. ant. Quinto (1).

Cinta://6. f. ant. Cintura//7. ant. Cinto//8. ant. Correa (1-2).

Cintero: m. ant. Ceñidor (2).

Cinto://4. m. ant. Recinto murado//5.

ant. Cíngulo (Cordón o cinta de seda o de lino, con una borla a cada extremo, que sirve para ceñirse el sacerdote el alba) (1-2).

Cipdad: f. ant. Ciudad (2).

Cipión: m. ant. Báculo (1).

Cipotada: f. ant. Golpe con cipote o palillo de atabal (2).

Ciprino, na: adj. ant. Cipresino (Perteneciente al ciprés) (1).

Circo://5. m. ant. Cerco (1).

Circunvenir: tr. ant. Estrechar un oprimir con artificio engañoso (1).

Cisclatón: m. ant. Ciclatón (2).

Cisme: f. ant. Chinche (2).

Citara://3. f. ant. Cojín o almohada (1).

Citaredo: m. ant. Citarista (1).

Citarizar: intr. ant. Tocar o tañer la cítara (1).

¡Cito!: interj. ant. Voz para llamar a los perros (1).

Cítola://2. f. ant. Cítara (1-2).

Citolero, ra: m. y f. ant. Citarista (1).

Citoria: f. ant. Citación (1).

Citote://2. m. ant. Persona que hacía la citación (1).

Citra: adv. l. ant. Del lado de acá (1).

Civera: f. ant. Cibera (2).

Civil://3. adj. ant. Grosero, ruin, mezquino, vil (1-2).

Civilidad://2. f. ant. Miseria, mezquindad, grosería, vulgaridad, vileza (1).

Civilmente://2. adv. m. desus. Vilmente (1).

Clamar: tr. ant. Llamar (1).

Clamor://4. m. ant. Voz o fama pública (1)//Toque de campana (2).

Clamoso, sa: adj. ant. Que clama o grita (1).

Clauquillador: m. ant. Ar. El que sellaba los cajones de mercaderías en la aduana (2).

Clauquillar: tr. ant. Ar. Sellar los cajones de mercaderías en la aduana (1).

Claustra: f. ant. Claustro, encierro (2).

Claustrar: tr. ant. Cercar (1).

Claustrero: adj. ant. Decíase del que profesaba la vida del claustro. Usáb. t. c. s. (1-2).

Claustro://3. m. ant. Cámara o cuarto (1).

Clausura://5. f. ant. Sitio cercado o corral (1).

Clavar://7. tr. ant. Herretear (1).

Clave://5. f. ant. Llave (1-1).

Clavecímbano: m. ant. Clavicímbalo (1)

Clavero: m. ant. Llavero, despensero (2).

Clavicímbalo: m. ant. Clavicordio (1).

Cleda: f. ant. Mil. Mantelete (1).

Clerecía: f. ant. Estado eclesiástico, saber (2).

Cleresía: f. ant. Clerecía (2).

Clérigo: m. ant. Letrado (2).

Clerizia: f. ant. Clerecía (2).

Clerizón, [-son, -çon]://2. m. ant. Clerizonte (El que usaba de hábitos clericales sin estar ordenado) (1).

Clíbano: m. ant. Horno portátil (1).

Clines: m. ant Crines (2).

Clínico, ca://2. m. y f. ant. Persona adulta que pedía el bautismo en la cama, por hallarse en peligro de muerte (1).

Clochel: m. ant. Campanario (1).

Coa: f. ant. Cauda (Cola) (2).

Coadyudador, ra: m. y f. ant. Coadyuvador, ra (1).

Coalla://2. f. ant. Codorniz (1).

Coamante: adj. ant. Compañera o compañero en el amor (1).

Coaptar: tr. ant. Proporcionar, ajustar o hacer que convenga una cosa con otra (1).

Cobardar: r. ant. Acobardarse (2).

Cobdal: adj. ant. Codal (2).

Cobdicia: f. ant. Codicia (2).

Cobdiciar: tr. ant. Codiciar (2).

Cobdicioso: adj. ant. Codicioso (2).

Cobdo: m. ant. Codo (2).

Cobejera: f. ant. Encubridora, alcahueta (1).

Cobertera://2. f. ant. Cubierta de alguna cosa (1).

Cobertero: m. ant. Cubierta o tapa (1).

Cobertor://3. m. ant. Cobertero (1).

Cobertura://4. f. ant. fig. Encubrimiento, ficción (1).

Cobierta: f. ant. Simulación (2).

Cobijadura: f. ant. Cobijamiento//2. ant. Cubierta (1).

Cobijar: tr. ant. Cubrir (2).

Cobijera: f. ant. Camarera (1-2).

Cobil: m. ant. Escondite o rincón (1).

Cobrado, da://2. adj. ant. Bueno, cabal, esforzado (1).

Cobramiento: m. ant. Recobro o recuperación//2. ant. Utilidad, ganancia, aprovechamiento (1).

Cobrar://7. intr. ant. Reparar, enmendar (1).

Cobre://2. m. ant. Reata de bestias//3. ant. Horca de cebollas o ajos (1).

Cobrir: tr. ant. Cubrir (2).

Cobro://2. m. ant. Lugar donde se asegura, guarda o salva una cosa//3. ant. Expediente, arbitrio, providencia, medio para conseguir un fin (1).

Cocadriz: f. ant. Cocodrilo (1).

Coce: f. ant. Coz (1).

Cocedera: f. ant. Cocinera (1).

Cócedra: f. ant. Cólcedra (1-2).

Cocedrón: m. aum. de 'Cócedra (1).

Cocer://5. tr. ant. fig. Pensar, estudiar o meditar alguna cosa (1).

Cocero, ra: adj. ant. Coceador (1).

Cocero, ra: adj. ant. Cosero (2).

Cocimiento://4. m. ant. Escozor o picazón en alguna parte del cuerpo (1).

Cocina: f. ant. Vianda aderezada al fuego, potaje, caldo (2).

Cocinería: f. ant. Manera de guisar (1).

Cocota: f. ant. Cogotera (1).

Cocotriz: f. ant. Cocodrilo (1).

Cocuyuelo: m. ant. 'Cerviz o parte posterior del cuello (2).

Cochero://2. m. ant. Maestro de coches (1).

Cochillo: m. ant. Cuchillo (1-2).

Cochío, a: adj. ant. Cochero (1).

Cochizo, za: adj. ant. Cochío (1).

Cocho, cha: adj. ant. Cocido (2).

Cochura: f. ant. Efecto de estarse cociendo o ya cocido//Masa que está en el horno//Escozor, dolor (2).

Coda: f. ant. Cola (1).

Codada: f. ant. Codazo (1).

Codal: adj. ant. De a codo, grande (2).

Codecido: m. ant. Codecillo (1).

Codecillar: intr. ant. Codicilar (1).

Codecillo: m. ant. Codicillo (1).

Codicia://3. f. ant. fig. Apetito sensual (1).

Codicilar: intr. ant. Hacer Codicilo (1).

Codicilio: m. ant. Codicilo (1).

Codicillo: m. ant. Codicilo (1) .

Código://4. m. ant. Códice (1).

Cordón://2. m. ant. Maslo (1).

Cofia: f. ant. Gorra de tela que se usaba debajo del yelmo, capacete, almófar, etc. (2).

Cofina: f. ant. Cofín (Cesto o canasto de esparto, mimbres o madera, para llevar frutas u otras cosas) (1).

Cofino: m. ant. Cofín (1).

Cofonder: tr. ant. Cohonder (1-2).

Cofrade://2. m. ant. El que está admitido en un pueblo, concejo o partido, o es de él (1).

Cofradería: f. ant. Hermandad (2).

Cofradero: m. ant. Muñidor (Criador de cofradía, que sirve para avisar a los hermanos las fiestas, entierros y otros ejercicios a que deben concurrir) (1).

Cofradía://3. f. ant. Vecindario, unión de personas o pueblos congregados entre sí para participar de ciertos privilegios (1).

Cofraría: f. ant. Cofradía (2).

Cofrear: tr. ant. Estregar, refregar (1).

Cogecha: f. ant. Cosecha (1-2).

Cogecho, cha: adj. ant. Cogido (1).

Cogedor://6. m. ant. Cobrador o recaudador de rentas y tributos reales (1).

Coger://14. tr. ant. Acoger, dar asilo// 16. ant. Acogerse (1).

Cogermano, na: m. y f. ant. Cohermano, na (1).

Cogienda: f. ant. Cosecha (1).

Cogimiento: m. ant. Cogedura (1).

Cogitar: tr. ant. Reflexionar o meditar (1).

Cognocer: tr. ant. Conocer (1).

Cognombre: m. ant. Sobrenombre o apellido (1).

Cognominar: tr. ant. Llamar a uno por el sobrenombre o apellido (1).

Cogolmar: tr. ant. Colmar (1).

Cogolla: f. ant. Cogulla (1).

Cogombradura: f. ant. Acogombradura (Acción y efecto de Acogombrar: aporcar) (1).

Cogombral: m. ant. Lugar plantado de cogombros (2).

Cogonbro: m. ant. Cohombro (2).

Cogotera://3. f. ant. Pelo rizado y compuesto que caía sobre el cogote (1).

Cogüerzo: m. ant. Confuerzo (1).

Cohechador://2. adj. ant. Decíase del juez que se dejaba cohechar (1).

Cohechar://3. tr. ant. Obligar, forzar, hacer violencia//2. ant. intr. Dejarse cohechar (Dejarse sobornar) (1).

Cohechazón: f. ant. Agr. Cohecha (1).

Cohermano, na: m. y f. ant. Primo hermano//2. ant. Medio hermano//3. ant. Hermanastro//4. ant. Cofrade (1).

Cohetazo: m. desus. Barreno (1).

Cohíta: f. ant. Porción de cosas contiguas, y principalmente manzana de casas (1).

Cohol: m. ant. Alcohol (1).

Cohonder: tr. ant. Confundir//2. ant. Manchar, corromper, vituperar (1-2).

Cohondimiento: m. ant. Acción y efecto de cohonder (1).

Cohondir: tr. ant. Cohonder (2).

Cohortar: tr. ant. Conhortar (1).

Coición: f. ant. Junta o conjunción (1).

Coidar: tr. ant. Cuidar, pensar (1-2).

Coido, m. ant. Cuidado (1).

Coidoso, sa: adj. ant. Cuidadoso (1-2).

Coiecha: f. ant. Cosecha (2).

Coillazo: m. ant. Nav. Collazo (1).

Coita: f. ant. Cuita (2).

Coitar: tr. ant. Cuitar (1-2).

Coitivo, va: adj. ant. Perteneciente al coito (1).

Coitoso, sa: adj. ant. Cuitoso (1-2).

Coitral: adj. ant. Cuitral (2).

Coja: f. ant. Corva (1).

Cojedad: f. ant. Cojera (1).

Cojez: f. ant. Cojera (1).

Cojijo: m. ant. Inquietudes y molestias menudas que desazonan (2).

Coladero://3. m. ant. Colada (1).

Colante: p. a. ant. de Colar. Que cuela (1).

Colaudar: tr. ant. Alabar (1).

Cólcedra: f. ant. Colchón de lana o pluma//2. ant. Colcha (1).

Colcedrón: m. aum. de Cólcedra (1).

Colectánea: f. ant. Colección (1).

Colgado: adj. ant. Caído (2).

Colidir: tr. ant. Ludir (Frotar, estregar, rozar una cosa con otra) (1).

Colmadura: f. ant. Colmo (1).

Colmellada: f. ant. Colmillazo (2).

Colmenero://3. m. ant. Colmenar (1).

Colo: m. ant. Colon (1).

Colodra: f. ant. Vasija de madera, como barreño, para ordeñar o beber (2).

Colodradgo: m. ant. Derecho que se pagaba por vender vino (2).

Colodrago: m. ant. Colodradgo (2).

Colodro: m. ant. Especie de calzado de palo//2. ant. Ar. Medida que servía para los líquidos (1).

Colombroño: m. ant. Tocayo (Respecto de una persona, otra que tiene su mismo nombre) (1).

Colon://2. m. ant. Cólico (1).

Coloración//2. f. ant. Salida del color al rostro//3. ant. fig. Pretexto, motivo (1).

Coloradamente: adv. m. ant. Con color o pretexto (1).

Colorado: adj. ant. Coloreado, fingido (2).

Coloramiento: m. ant. Acción y efecto de colorarse (1).

Colorar://2. tr. ant. fig. Colorear//3. r. ant. Encenderse, ponerse colorado (1).

Colotra: f. ant. Colodra (2).

Colpada: f. ant. Golpazo (2).

Colpar: tr. ant. Herir (1)//Golpear (2).

Colpe: m. ant. Golpe (1).

Coludir: intr. ant. Ludir (1).

Columnario://4. m. ant. Columnata (1).

Collación: f. ant. Parroquia, barrio, asociación de vecinos (2).

Collada://2. f. ant. Cuello (1).

Collar://6. m. ant. Parte de la vestidura que ciñe el cuello (1).

Collarada: f. ant. Canesú (2).

Collazión: f. ant. Collación (2).

Collazo, [-ço]: m. ant. Criado, siervo//Labrador que percibía parte de los frutos (2).

Collecho: adj. ant. Acogido (2).

Collejo: m. ant. Colegio (1).

Coller: tr. ant. Coger (1).

Collir: tr. ant. Coller (2).

Com: prep. ant. Como (2).

Coma: f. ant. Crín (1).

Comalecerse: r. ant. Marchitarse o dañarse (1).

Comanda: f. ant. Mando//Contienda (2).

Comandamiento: m. ant. Mando//2. ant. Mandamiento o precepto (1).

Comarcante: p. a. ant. de Comarcar. Que comarca (1).

Combadura://2. f. ant. Bóveda (1).

Combater: tr. ant. Combatir (2).

Combatimiento: m. ant. Combate (1).

Combleza: f. ant. Manceba del casado, después concubina (2).

Comblezado: adj. ant. Se decía del casado cuya mujer estaba amancebada con otro (1).

Comblezo: m. ant. El que estaba amancebado con una mujer casada (1).

Combluezo: m. ant. Enemigo, contrario (1).

Combruezo: m. ant. Comblezo (1).

Comedero://2. adj. ant. Comedor (1).

Comediar://2. tr. ant. Arreglar, moderar o hacer comedido a alguno (1).

Comedición: f. ant. Pensamiento, meditación (1).

Comédico, ca: adj. ant. Cómico (1).

Comedio: m. ant. Medio (2).

Comedir, [-se]: tr. ant. Pensar, premeditar o tomar las medidas para alguna cosa (1-2).

Comedición: m. ant. Pensamiento (2).

Comedo: m. ant. Comediante (1).

Comendable: adj. ant. Recomendable (1).

Comendación: f. ant. Encargo o encomienda//2. ant. Alabanza, encomio o recomendación (1).

Comendadero: m. ant. Comendero (1).

Comendadoría: f. ant. Encomienda (1).

Comendamiento: m. ant. Encomienda//2. ant. Mandamiento o precepto (1).

Comendar: tr. ant. Encomendar, recomendar (1-2).

Comentación: f. ant. Comento (1).

Comenzadero, ra: adj. an. Que ha de comenzar o dar principio (1).

Comenzador: m. ant. El que comienza o da principio a una cosa (1).

Comenzamiento: m. ant. Comienzo (1).

Comeres: m. ant. Manjares (2).

Cometedor, ra://2. adj. ant. Acometedor. Usáb. t. c. s. (1).

Cometer://4. tr. ant. Acometer//6. r. ant. Arriesgarse, exponerse//7. ant. Entregarse a uno o fiarse de él (1-2).

Cometida: f. ant. Acometida (1).

Cometiente: p. a. ant. de Cometer. Que comete (1).

Cometimiento: m. ant. Acometimiento (1).

Comienço: m. ant. Comienzo (2).

Comienda: f. ant. Encomienda (1-2).

Comiente: p. a. ant. de Comer. Que come (1).

Comigo: pron. pers. ant. Conmigo (1).

Comiscar://2. tr. ant. Carcomer, cercenar (1).

Comisionario: m. ant. Comisionado (1).

Cómite: m. ant. Conde (1).

Commo: prep. ant. Como (2).

Como: m. ant. Burla, chasco (1).

Compaciente: adj. ant. Que se compadece (1).

Compadradgo: m. ant. Compadrazgo (1).

Compadrado: m. ant. Compadrazgo (1).

Compadre://5. m. ant. Protector, bienhechor (1).

Compagamiento: m. ant. Compage (1).

Compage: f. ant. Enlace o trabazón de una cosa con otra (1).

Companiero, ra: m. y f. ant. Compañero, ra (1).

Companya: f. ant. Compañía (2).

Companyon: m. ant. Compañón (2).

Compaña, as://2. f. ant. Familia//3. ant. Mil. Compañía (1-2).

Compañar: tr. ant. Acompañar (2).

Compañería: f. ant. Burdel (1).

Compañía://5. f. ant. Alianza o confederación//6. ant. Compaña (1).

Compaño: m. ant. Compañero (1-2).

Compañón://2. m. ant. Compañero o compaño (1-2).

Compañuela: f. d. ant. de Compaña (1-2).

Compatía: f. ant. Simpatía (1).

Compatrioto: m. ant. Compatriota (1).

Compás: m. ant. Espacio, duración (2).

Compelir: tr. ant. Compeler (1).

Competer://2. intr. ant. Competir (1).

Compezar, [-çar]: tr. ant. Empezar (2).

Compiadarse: r. ant. Compadecerse, apiadarse (1).

Complanar: tr. ant. Aclarar o explicar con claridad (1).

Complañir: intr. ant. Llorar, compade- cerse. Usáb. t. c. r. (1).

Completorio, ria: adj. ant. Perteneciente o relativo a la hora de completas //2. m. ant. Completas//3. ant. Galas, adornos (1).

Complido, da: adj. ant. Cumplido (1-2).

Complidura: f. ant. Calidad o medida conveniente o correspondiente (1).

Complimiento: m. ant. Fin, perfección// 2. ant. Surtimiento, provisión (1).

Complir: tr. ant. Cumplir//Convenir (2).

Complisión: f. ant. Complexión (2).

Complixión: f. ant. Complexión (1).

Componimiento: m. ant. Modo con que está ordenada o arreglada una cosa //2. ant. Composición, calidad o temple//3. ant. Compostura o adorno// 4. ant. fig. Modestia, compostura (1).

Comportante: p. a. ant. de Comportar. Que comporta (1).

Comportar: tr. ant. Llevar juntamente con otro alguna cosa (1).

Comporte://3. m. ant. Sufrimiento (1) //Modo de portarse//Deporte (2).

Composible: adj. ant. Componible (1).

Composta: f. ant Composición (1).

Comprada: f. ant. Compra (1).

Comprar://3. tr. ant. Pagar (1).

Cómpreda: f. ant. Compra (1).

Comprehender: tr. ant. Comprender (1).

Comprehensible: adj. ant. Comprensible (1).

Comprehensión: f. ant. Comprensión (1).

Comprehensor, ra: adj. ant. Comprensor (1).

Compremimiento: m. ant. Compresión (1).

Compresamente: adv. m. ant. En compendio (1).

Comprir: tr. ant. Cumplir (2).

Comprometiente: p. a. ant. de Comprometer. Que compromete (1).

Compromisión: f. ant. Comprometimiento (1).

Compto: m. ant. Cuenta (1).

Compulsar://2. tr. ant. Compeler (1).

Compungimiento: m. ant. Compunción (1).

Compungir://2. tr. ant. Punzar//3. ant. Remorderle a uno la conciencia (1).

Comtar: tr. ant. Contar (2).

Comte: m. ant. Conde (2).

Comunal://4. adj. ant. Mediano, regular, ni grande ni pequeño (1)//Común (2).

Comunaleza: f. ant. Medianía y regularidad entre los extremos de lo mucho y lo poco//2. ant. Comunicación//3. ant. Comunidad de pastos y aprovechamientos (1).

Comunalía: f. ant. Medianía (1).

Comunalmente://2. adv. m. ant. Comúnmente (1).

Comunamente: adv. m. ant. Comúnmente (1).

Comunicar://5. tr. ant. Comulgar (1).

Conbid: m. ant. Convite (2).

Conbidar: tr. ant. Convidar (2).

Conbide: m. ant. Convite (2).

Conblueça: f. ant. Combleza (2).

Conbrueza: f. ant. Combleza (2).

Conbit: m. ant. Conbid (2).

Conca://2. f. ant. Cuenca (1).

Concatenamiento: m. ant. Concatenación (1).

Concavado, da: adj. ant. Cóncavo (1).

Concejeramente://2. adv. ant. Judicialmente, ante el juez (1).

Concejil://7. m. ant. Concejal (1).

Concejo (En): m. adv. ant. En público (2).

Concello: m. ant. Concejo (1).

Concepto, ta: adj. ant. Conceptuoso//8. m. ant. Feto (1).

Concertación: f. ant. Contienda, disputa (1).

Concertado, da://3. adj. ant. Compuesto, arreglado (1).

Concertar://10. r. ant. Componerse y asearse (1).

Conceso, sa: p. p. ant. de Conceder (1).

Conceto: m. ant. Concepto (1).

Conceyo: m. ant. Concilio//2. ant. Concejo (1).

Concibimiento: m. ant. Concebimiento (1).

Concionar: intr. desus. Hablar en público, predicar (1).

Concloir: tr. ant. Concluir, cerrar (2).

Concludir: tr. ant. Concluir, cerrar (2).

Concluso, sa://2. adj. ant. Incluido o contenido (1).

Concomerse: r. ant. Rebullirse meneando hombros y espaldas, consumirse (2).

Concordanza: f. ant. Concordancia//2. ant. Concordia (1).

Concorvado, da: adj. desus. Corcovado (1).

Concovado, da: adj. ant. Encovado (1).

Concuasar: tr. ant. Quebrantar, estrellar, hacer pedazos//2. ant. For. Casar, anular (1).

Concubio: m. ant. Hora de la noche en que suelen recogerse las gentes a dormir (1).

Concuerde: adj. ant. Concorde (1).

Concurriente: p. a. ant. Concurrente (1).

Conchil: adj. ant. Conchado (1).

Conchoso, sa: adj. ant. Conchudo (1).

Condecabo: adv. m. ant. Otra vez (1).

Condedijo: m. ant. Escondrijo, lugar donde guardar algo (2).

Condemnar: tr. ant. Condenar (2).

Condempnar: tr. ant. Condemnar (2).

Condensa: f. ant. Lugar o cámara donde se guarda alguna cosa; como la despensa, etc. (1).

Condensar://2. tr. ant. Condesar (1).

Condeñar: tr. ant. Condenar (2).

Condepñar: tr. ant. Condeñar (2).

Condesa: f. ant. Junta, muchedumbre (1).

Condesado: m. ant. Condado (1).

Condesar://2. tr. ant. Reservar, poner en custodia y depósito una cosa (1-2).

Condesiguo: m. ant. Condesijo (2).

Condesijo: m. ant. Depósito, escondrijo para guardar (1-2).

Condexar: tr. ant. Condesar (1).

Condido: m. ant. Cundido (1).

Condidor: m. ant. Fundador (1).

Condidura: f. ant. Aderezo de la comida (1).

Condir: tr. ant. Condimentar (1).

Condistinguir: tr. ant. Distinguir (1).

Condoler: tr. ant. Compadecer (1).

Conducidor, ra: adj. ant. Conductor. Usáb. t. c. s. (1).

Conduciente: p. a. ant. de Conducir. Que conduce (1).

Conducta://9. f. ant. Capitulación o contrato (1).

Conductero://2. m. ant. Conductor (1).

Conducho: m. ant. Bastimento, comida (2).

Conduta: f. ant. Conducta//2. ant. Instrucción que se daba por escrito a los que iban provistos en algún gobierno (1).

Condutero: m. ant. Conductero (1).

Conexidad: f. ant. Conexión (1).

Confabulador, ra://2. m. y f. ant. Decidor de cuentos o fábulas (1).

Confabular://2. intr. ant. Decir, referir fábulas (1).

Confación: f. ant. Confección (2).

Confacción: f. ant. Confección (1).

Confaccionar: tr. ant. Confeccionar (1).

Confadre: m. ant. Hermano (2).

Confarración: f. ant. Confarreación (1).

Confechar: tr. ant. Poner de acuerdo (2).

Confecho: m. ant. Acuerdo (1-2).

Confederanza: f. ant. Confederación (1).

Conferecer: tr. ant. Conferir o dar una cosa (1).

Conferencia://7. f. ant. Cotejo (1).

Confesante://3. m. ant. Penitente que confiesa sacramentalmente sus pecados (1).

Confesional://2. m. ant. Confesionario (1).

Confiador, ra: adj. ant. Confiado (1).

Confiante: p. a. ant. de Confiar. Que confía o tiene confianza (1).

Conficiente: adj. ant. Que obra o hace (1).

Confición: f. ant. Confección (1-2).

Conficcionar: tr. ant. Confeccionar (1).

Confiesa: f. ant. Confesión (1).

Confieso, sa: adj. ant. For. Confeso (1).

Configuración://2. f. ant. Conformidad, semejanza de una cosa con otra (1).

Confirmamiento: m. ant. Confirmación (1).

Confisión: f. ant. Confesión (2).

Confita: f. ant. Morada (2).

Confiturería: f. ant. Confitería (1).

Confiturero, ra: m. y f. ant. Confitero, ra (1).

Confonder: tr. ant. Confundir (2).

Confondir: tr. ant. Confundir (2).

Conforto: m. ant. Conforte (1-2).

Confradería: f. ant. Cofradería (2).

Confradía: f. ant. Cofradía (1).

Confragoso: adj. ant. Fragoso (1).

Confrañirse: r. ant. Quebrantarse (2).

Confrontar://5. intr. ant. Parecerse una cosa a otra, convenir con ella. Usáb. t. c. r. (1).

Confuerto: m. ant. Conforte (2).

Confuerzo, [-ço]: m. ant. Confortación //2. ant. Banquete fúnebre (1)//Esfuerzo (2).

Confugio: m. ant. Refugio (1).

Confuir: intr. ant. Huir con otro u otros //2. ant. Recurrir (1).

Confundiente: p. a. ant. de Confundir. Que confunde (1).

Congelo: m. ant. Miedo (2).

Congloriar: tr. ant. Llenar de gloria (1).

Congojo: m. ant. Ansia, anhelo (1).

Conhortamiento: m. ant. Conhorte (1).

Conhortar: tr. ant. Confortar. Usáb. t. c. r. (1).

Coniecha: f. ant. Recolección o recaudación (1).

Conjugación: f. ant. Cotejo, comparación de una cosa con otra (1).

Conjugado, da://2. adj. ant. Conyugado (1).

Conjugal: adj. ant. Conyugal (1).

Conjugalmente: adv. m. ant. Conyugalmente (1).

Conjugar: tr. ant. Cortejar, comparar una cosa con otra (1).

Conjuntar: tr. ant. Juntar. Usáb. t. c. r. (1-2).

Conjuntivo://4. adj. ant. Gram. Subjuntivo (1).

Conjuntura: f. ant. Conjunción//2. ant. Coyuntura (1).

Conjuración://2. f. ant. Conjuro (1).

Conjurador: //2. m. ant. Conjurado (1).

Conjuramentar://2. tr. ant. Convenirse con juramento para ejecutar una cosa (1).

Conloar: tr. ant. Loar con otro u otros (1).

Conloyar: tr. ant. Conloar (2).

Conmorimiento: m. ant. Conmoción (1).

Conna: contracc. ant. de Con la (2).

Connombrar: tr. ant. Nombrar, designar (1-2).

Connombre: m. ant. Cognombre (1).

Connocer: tr. ant. Conocer (2).

Connoçençia: f. ant. Conocimiento (2).

Connoçia: f. ant. Connoçençia (2).

Connoçiente, ta: adj. ant. Conociente (2).

Connoçer: tr. ant. Connocer (2).

Connosçencia: f. ant. Connoçençia (2).

Connosciente, ta: adj. ant. Connoçiente (2).

Connosco: abl. ant. de pl. del pron. pers. de 1.ª pers. en género m. y f. (Con nosotros) (1).

Connusco: pron. pers. ant. Connosco (1).

Connuvo: pret. ant. de Conocer (2).

Conoçençia: f. ant. Conocimiento (1-2)..

Conociente, ta: adj. ant. Conocido (2).

Conocimiento://5. m. desus. Papel firmado en que uno confiesa haber recibido alguna cosa, y se obliga a pagarla o volverla//6. ant. Agradecimiento (1).

Cononçia: f. ant. Conoçençia (2).

Conortar: tr. ant. Conhortar (2).

Conorte: m. ant. Animo (2).

Conosçemiento: m. ant. Conocimiento (2).

Conoscencia: f. ant. Agradecimiento, reconocimiento//2. ant. For. Conocencia (1).

Conosçer: tr. ant. Conocer (2).

Conparar: tr. ant. Comprar (2).

Conplar: tr. ant. Comprar (2).

Conprar: tr. ant. Comprar (2).

Conptar: tr. ant. Contar, hacer o acontecer (2).

Conpusición: f. ant. Composición (2).

Conqueridor, ra: adj. ant. Conquistador. Usáb. t. c. s. (1).

Conquerir: tr. ant. Conquistar (1).

Conquesta: f. ant. Conquista (1).

Conquirir: tr. ant. Conquerir (2).

Conquiso, sa: p. p. irreg. ant. de Conquerir (1).

Conquista://4. f. ant. Ganancia o adquisición de bienes (1).

Conquisto: p. p. irreg. ant. de Conquerir (1).

Conregnante adj. ant. Que coreina (1).

Consacrar: tr. ant. Consagrar (1).

Consagramiento: m. ant. Consagración (1).

Consagrar: intr. ant. Emparentar entre suegro y yerno (2).

Consecración: f. ant. Consagración (1).

Consecrante: p. a. ant. de Consagrar (1).

Consecrar: tr. ant. Consagrar (1).

Consegrar: tr. ant. Consagrar (1).

Conseguir: tr. ant. Seguir, acompañar (2).

Consejable: adj. ant. Capaz de recibir consejo (1).

Consejador: m. ant. Aconsejador (1).

Consejadriz: f. ant. Consejera (1).

Consejar: tr. ant. Aconsejar. Usáb. t. c. r.//2. ant. Conferenciar (1-2).

Consejeramente: adv. m. ant. Con destreza y maña (1).

Consejo://9. m. ant. Modo, camino o medio de conseguir una cosa (1).

Consejuela: f. ant. d. de Conseja (1).

Consenar: tr. ant. Dar seña, enterar (2).

Consenciente: p. a. ant. de Consentir. Que consiente alguna cosa mala (1).

Conseyo: m. ant. Consejo (1).

Consignar://6. tr. ant. Hablando de dinero, entregar//7. ant. Signar o señalar a uno con la señal de la cruz (1).

Consiliario ria://3. m. y f. ant. Persona que aconseja con otra (1).

Consiliativo, va: adj. ant. Dícese de lo que aconseja o sirve de consejo (1).

Consiment: m. ant. Cosiment (2).

Consograr: intr. ant. Consuegrar (1-2).

Consolación://2. f. ant. Limosna (1).

Consoldamiento: m. ant. Consolidación (1).

Consoldar: tr. ant. Consolidar (1).

Consonamiento: m. ant. Sonido de una voz (1).

Consonar: tr. ant. Salomar (Acompañar una faena con la saloma o son cadencioso) (1).

Conspirar: tr. ant. Convocar, llamar a uno en su favor (1).

Consseja: f. ant. Conseja (Cuento)// Amonestación (2).

Conssejar: tr. ant. Consejar (2).

Consseguir: tr. ant. Conseguir (2).

Consennar: tr. ant. Consenar (2).

Constable: adj. ant. Constante (1).

Constar://4. intr. ant. Consistir (1).

Constipativo, va: adj. ant. Que produce constipación (1).

Constituto, ta: p. p. irreg. ant. de Constituir (1).

Constribar: tr. ant. Costribar (2).

Constrictura: f. ant. Cerramiento o estrechura (1).

Constringir: tr. ant. Constreñir (1).

Constriñimiento: m. ant. Constreñimiento (1).

Constriñir: tr. ant. Constreñir (1).

Constunbre: f. ant. Costumbre (2).

Constuprador: adj. ant. Estuprador (1).

Constuprar: tr. ant. Estuprar (1)..

Consueto, ta: adj. ant. Decíase de lo acostumbrado (1).

Consuetud: f. ant. Costumbre (1).

Cónsul (General)://2. m. ant. Caudillo (1).

Consulaje: m. ant. Consulado (1).

Consulazgo: m. ant. Consulado (1).

Consulto, ta: adj. ant. Sabio, docto (1).

Consumiente: p. a. ant. de Consumir. Que consume (1).

Consumir://4. tr. ant. Sumir o beber el vino de la ablución en la misa (1).

Consumitivo, va: adj. ant. Consuntivo (1).

Consumo://2. m. ant. Hablando de caudales, de juros, de libranzas o créditos contra la real hacienda, extinción (1).

Consuna (De): m. adv. ant. De consuno (1).

Conta: f. ant. Cuenta (1-2).

Contado, da: adj. ant. Ilustre//Exacto (2).

Contador, ra://3. adj. ant. Novelero, hablador. Usáb. t. c. s.//11. m. ant. Contaduría (1).

Contalar: tr. ant. Mesar, arrancar (2).

Contante: p. a. ant. de Contar. Que cuenta (1).

Contante://2. m. ant. Tanto o cuenta para contar (1).

Contanto: contracc. ant. de Con esto (2).

Contecer: intr. ant. Acontecer (1).

Conteçer: intr. ant. Contecer (2).

Contejido, da: adj. ant. Decíase de lo que estaba tejido (1).

Contemplatorio, ria: adj. ant. Decíase del sitio o paraje a propósito para contemplar o mirar con atención (1).

Contemplor: m. ant. Contendor (2).

Contendor: m. ant. Contendiente (2).

Contemptible: adj. ant. Contentible (1).

Contención://2. f. ant. Intensión, esfuerzo, conato (1).

Contenencia://2. f. ant. Contenido//3. ant. Continente (1).

Contenencia: f. ant. Contienda (1). .

Contenent: m. ant. Continente (2).

Contenente: m. ant. Continente (1)// Semblante (2).

Contentación: f. ant. Contento (1).

Contenteza: f. ant. Contento (1).

Contento, ta://2. adj. ant. Contenido o moderado (1).

Contentor: m. ant. Contendor o contendedor (1-2).

Contesçer: intr. ant. Conteçer (2).

Contía: f. ant. Cuantía (1-2).

Continamente: adv. m. ant. Continuamente (1).

Continencia://5. f. ant. Continente (1).

Contingiblemente: adv. m. ant. Contingentemente (1).

Contino, na: adj. ant. Continuo//2. m. ant. Continuo//3. adv. m. ant. Continuo//**A la contina:** m. adv. ant. A la continua//**De contino:** m. adv. ant. De continuo (1).

Continuamiento: m. ant. Continuación (1)

Continuidad://3. f. ant. Continuación (1).

Contioso, sa: adj. ant. Cuantioso (1)

Contir: intr. ant. Acontecer (2).

Contorcer: tr. ant. Retorcer (2).

Contornar://2. tr. ant. fig. Tornar, regresar (1).

Contra: prerp. ant. Hacia, enfrente de (2).

Contrabando://4. m. ant. Cosa hecha contra un bando o pregón público (1).

Contractación: f. ant. Contratación (1).

Contractar: tr. ant. Contratar (1).

Contracto://2. m. ant. Contrato (1).

Contrada: f. ant. Paraje, región, sitio, lugar (1-2).

Contradecidor, ra: adj. ant. Contradictor. Usáb. t. c. s. (1).

Contradecimiento: m. ant. Contradicción (1).

Contradicente: p. a. ant. de Contradecir. Que contradice (1).

Contradicho://2. m. ant. Contradicción (1).

Contradizo, za: adj. ant. Encontradizo (1).

Contrafacción: f. ant. Infracción, quebrantamiento (1).

Contrafacer: tr. ant. Contrahacer//2. ant. fig. Contravenir (1).

Contrafecho, cha: p. p. irreg. ant. de Contrafacer (1).

Contrahacimiento: m. ant. Acción y efecto de contrahacer (1).

Contrahorte: m. ant. Contrafuerte (1).

Contrair: tr. ant. Oponerse, ir en contra (1).

Contralar: tr. ant. Contrallar (1).

Contralidad: f. ant. Contralla (1).

Contralla: f. ant. Contradicción, oposición (1-2).

Contrallación: f. ant. Contralla (1).

Contrallador, ra: adj. ant. Contrariador. Usáb. t. c. s. (1).

Contrallamiento: m. ant. Contrariedad (2).

Contrallar: tr. ant. Contrariar, contradecir (1-2).

Contrallo, lla: adj. ant. Contrario, opuesto//2. m. ant. Contralla//**Por el contrallo:** m. adv. ant. Por el contrario (1-2).

Contrapaso://2. m. ant. Permuta, cambio de una cosa por otra (1).

Contrapelear: intr. ant. Defenderse peleando (1).

Contraproducéntem: loc. lat. desus. Contraproducente (1).

Contrapugnar: tr. ant. Lidiar, combatir una cosa con otra (1).

Contrapuntear://3. tr. ant. Cotejar, comparar una cosa con otra (1).

Contrarea: f. ant. Contradicción (1).

Contraría: f. ant. Contrarea (1-2).

Contraridad: f. ant. Contrariedad (1).

Contrarioso, sa: adj. ant. Contrario (1).

Contraseño: m. ant. Contraseña (1).

Contrasta: f. ant. Contraste u oposición (1).

Contrastante://2. p. a. ant. Que contrasta (1).

Contrasto: m. ant. Opositor, contrario (1).

Contrata://5. f. ant. Contrada (1).

Contratación://4. f. ant. Trato familiar//5. ant. Contrata//6. ant. Remuneración, paga (1).

Contratamiento: m. ant. Acción y efecto de contratar (1).

Contravenidor, ra: adj. ant. Contraventor. Usáb. t. c. s. (1).

Contraveniente: p. a. ant. de Contravenir. Que contraviene (1).

Contravenimiento: m. ant. Contravención (1).

Contraventa: f. ant. Retroventa (1).

Contrecto, ta: adj. ant. Contrecho (1) //Contraído, tullido (2).

Contrecho://2. m. ant. Pasmo interior que padecen las caballerías (1).

Contremecer: intr. ant. Temblar. Usáb. t. c. r. (1).

Contribuir://4. tr. ant. Atribuir (1).

Controbadura, [-vadura]: f. ant. Cantar respondiendo, estribillo (2).

Controbar, [-var]: tr. ant. Cantar e improvisar o componer cantares con estribillo o respuesta de unos a otros (2).

Contubernal: m. ant. El que vive con otro en un mismo alojamiento (1).

Contumace: adj. ant. Contumaz (1).

Conturbamiento: m. ant. Conturbación (1).

Conuerte: m. ant. Conorte (2).

Conusco: pron. pers. ant. Connusco (1).

Convalecimiento: m. ant. Convalecencia (1).

Convalidad: f. ant. Convalidación (1).

Convenencia: f. ant. Conveniencia (1).

Convenialmente: adv. m. ant. Convencionalmente (1).

Convenir://5. intr. ant. Cohabitar, tener comercio carnal con una mujer (1).

Conventillo://2. desus. m. Casa de mujeres públicas (1).

Convento://3. m. ant. Concurso, concurrencia, junta de muchas personas (1).

Conversación://5. f. ant. Habitación o morada (1).

Conversamiento: m. ant. Conversación (1).

Conversante: p. a. ant. de Conversar. Que conversa (1).

Conversativo, va: adj. ant. Conversable (1).

Convertiente: p. a. ant. de Convertir. Que convierte (1).

Convertimiento: m. ant. Conversión (1).

Convicio: m. ant. Injuria, afrenta, improperio (1).

Conviento: m. ant. Convento (2).

Convivio: m. ant. Convite (1).

Convocadero, ra: adj. ant. Que se ha de convocar (1).

Convolar: intr. ant. Volar (1).

Convusco: abl. ant. de pl. del pron. pers. de 2.ª pers. en género m. y f. (Con vosotros) (1-2).

Conyector: m. ant. El que conjetura (1).

Conyectura: f. ant. Conjetura (1).

Conyugado, da: adj. ant. Casado (1).

Conyunto, ta: adj. ant. Conjunto (1).

Coñocer: tr. ant. Conocer (2).

Copanete: m. ant. Cópano (Especie de barco pequeño usado antiguamente) (1).

Copdicia: f. ant. Codicia (2).

Copellán: m. ant. Copela (Vaso de figura de cono truncado, hecho con cenizas de huesos calcinados, y donde se ensayan y purifican los minerales de oro y plata (1).

Copiba: f. ant. Copaiba (1).

Copilación: f. ant. Compilación (1).

Copino: m. ant. Copa o vaso pequeño (1-2).

Copleador: m. ant. Coplero (1).

Copular: tr. ant. Juntar o unir una cosa con otra (1).

Coquinario, ria: adj. ant. Perteneciente a la cocina//2. m. ant. Cocinero (1).

Cor: m. ant. Corazón//**De cor:** m. adv. ant. De corazón (1-2).

Cor: m. ant. Coro (1).

Coraçón: m. ant. Corazón (2).

Corada: f. ant. Entrañas (2).

Coradela: f. ant. Corada (Corazonada) (1).

Corajosamente: adv. m. ant. Con coraje, valerosamente (1)).

Corajoso, sa://2. adj. ant. Animoso, esforzado, valeroso (1).

Corajudo: adj. ant. Valiente (2).

Coral: adj. ant. Del corazón (2).

Coraza://2. f. ant. Parte de la montura que cubría el fuste o casco de la silla. Era de piel con labores (1).

Corcés, sa: adj. ant. Corso. Apl. a pers., usáb. t. c. s. (1).

Corcova://2. f. ant. Corvadura de cualquier cosa, o bulto que altera su forma exterior (1).

Corcovar: intr. ant. Dar corcovos (2).

Corcha://3. f. ant. Corcho (1).

Corda: f. ant. Cuerda (2).

Cordiella: f. ant. Canon de la misa, serie, lista (2).

Cordillera://2. f. ant. Lomo que hace una tierra seguida e igual que parece ir a cordel (1).

Cordojo: ant. Congoja, aflicción grande (1-2).

Condojoso, sa: adj. ant. Muy afligido, acongojado (1-2).

Coriandro: m. ant. Culantro (1).

Corma: f. ant. Grillos, prisión (2).

Cormano, na: m. y f. ant. Cohermano, na (1-2).

Cornadura: f. ant. Cornamenta (2).

Cornal: m. ant. Angulo (2).

Corneado, da://2. adj. ant. Que tiene puntas (1).

Cornero: m. ant. Cada una de las dos entradas que tienen las personas en la cabeza sobre las sienes (1).

Cornía: f. ant. Cornamenta (2).

Coro://15. m. ant. Danza (1).

Corolla: f. ant. Corona pequeña (1).

Coronado://5. m. ant. Cornado (Moneda antigua) (1)//Ordenado en sacramentos (2).

Coronamiento: m. ant. Coronación (1).

Corónica: f. ant. Crónica (1).

Coronista: m. ant. Cronista (1).

Coronizar: tr. ant. Coronar (1).

Corporiento, ta: adj. ant. Corpulento (1).

Corral://5. m. ant. Patio principal//7. ant. Mil. Cerca (1-2).

Correchamente: adv. m. ant. Correctamente (1).

Corredera://7. f. ant. Carrera (1)//Corrida (2).

Corredero, ra: adj. ant. Corredor (1-2).

Corredoría: f. ant Correduría (1).

Corredura://2. f. ant. Correduría (1).

Correduría://3. f. ant. Correría (1).

Corregir://4. tr. ant. fig. Afeitar (1).

Correlato, ta: adj. ant. Correlativo (1).

Correncia: f. ant. Correría//Catarro (2).

Corresponsión: f. ant. Correspondencia o proporción de una cosa con otra (1).

Correyuela: f. ant. Correhuela (Corea) (1).

Corrida://3. f. ant. Fluxión o movimiento de un líquido//4. ant. Correría (1).

Corienda: ger. de Correr. Corriendo (2).

Corrimiento://3. m. ant. Correría (1)

Corrompible: adj. ant. Corruptible (1)

Corrompiente: p. a. ant. de Corromper. Que corrompe (1).

Corrompimiento: m. ant. Corrupción (1).

Corroto: m. ant. Mortificación (2).

Corrugar: tr. ant. Arrugar (1).

Corrugo: m. ant. Acequia hecha para tomar agua de un río (1).

Corrupción://3. f. ant. Diarrea (1).

Corrupto, ta://2. adj. ant. Dañado, perverso, torcido (1).

Corruto: adj. ant. Corrompido (2).

Corsa: f. ant. Mar. Viaje de cierto número de leguas de mar, que puede hacerse en un día (1).

Corsero: m. ant. Corredor (2).

Corso: m. ant. Carrera (2).

Cort: f. ant. Corte (2).

Cortada: f. ant. Cortamiento (1).

Cortado, da://5. adj. ant. Decíase de lo que estaba esculpido (1).

Cortamiento: m. ant. Corte (1).

Cortapisa: f. ant. Fimbria en lo bajo del vestido (2).

Cortar://22. r. ant. Redimirse (1).

Corte://14. f. ant. Distrito de cinco leguas en derredor de las corte//15. ant. Cortes (1-2).

Cortear: intr. ant. Hacer la corte (2).

Cortidor: m. ant. Curtidor (2).

Cortinado, da: adj. ant. Que tiene cortinas (1).

Corto: p. p. ant. de Cortar. Cortado (2).

Cortón: adj. ant. Que corre de corte en corte (2).

Corulla://2. f. ant. Mar. Crujía (1).

Corvar: tr. ant. Encorvar (1).

Corvedad: f. ant. Curvidad (1).

Corvilla: f. ant. Inclinación (2).

Corvillo (Miércoles): fr. ant. Miércoles de ceniza (2).

Corvina: f. ant. Cierto pescado (2).

Cos: m. ant. Cuerpo//**En cos:** fr. ant. En cuerpo (2).

Cosario://5. m. ant. Corsario (1).

Cosecha://4. f. ant. Colecta (1).

Cosedizo, za: adj. ant. Que se puede coser (1).

Cosero, ra: adj. ant. Corredor de coso, de gala fiesta (2).

Cosetear: intr. ant. Justar, lidiar (1).

Cosiment: m. ant. Merced, amparo, compasión (2).

Coso://3. m. ant. Curso, carrera, corriente (1-2).

Cosquear: intr. ant. Cojear (2).

Cosquillas://2. f. pl. ant. fig. Desavenencia, rencilla, inquietud (1).

Cossa: ant. Cosa (2).

Cossero, ra: adj. ant. Cosero (2).

Cosso: m. ant. Coso (1-2).

Costa://4. f. ant. Costilla (1)//Gasto (2).

Costadía: f. ant. Acostamiento, salario (2).

Costado://5. m. ant. Espalda o revés (1).

Costanera://2. f. ant. Costado o lado (1-2).

Costecilla: f. ant. d. de Cuesta (1).

Costelación: f. ant. Constelación (1).

Costelar: tr. ant. Obrar las estrellas en uno, predestinar (2).

Costera://5. f. ant. Costado o cuerno del ejército (1-2)//Costa (2).

Cestero, ra://3. adj. ant. Costanero (1-2).

Costreñimiento: m. ant. Constreñimiento (1).

Costreñir: tr. ant. Constreñir (1).

Costribación: f. ant. Acción y efecto de costribar (1).

Costribar: tr. ant. Constipar, estreñir// 2. intr. ant. Hacer fuerza, trabajar con vigor (1-2).

Costribo: m. ant. Apoyo, arrimo (1).

Costringimiento: m. ant. Acción y efecto de costringir (1).

Costringir: tr. ant. Constringir (1).

Costriñiente: p. a. ant. de Costriñir. Que costriñe (1).

Costriñir: tr. ant. Constriñir (1).

Costruimiento: m. ant. Construcción (1).

Costruir: tr. ant. Construir (1).

Costumado, da: adj. ant. Acostumbrado a alguna cosa (1).

Costumbrar: tr. ant. Acostumbrar. Usáb. t. c. r. (1-2).

Costumbrero: adj. ant. Acostumbrado al trato (2).

Costumero, ra: adj. ant. Costumbrero (2).

Costumnar: tr. ant. Costumbrar (1-2).

Costumne: f. ant. Costumbre (1-2).

Costumpne: f. ant. Costumne (2).

Cota://3. f. ant. Jubón//2. ant. Acotación, anotación o cita (1-2).

Cotarro: m. ant. Monte (2).

Cote: adv. m. ant. De lado, al través (2).

Cotear: tr. ant. Acotar (1)//Dar o poner coto, determinar tasa y precio (2).

Cotejamiento: m. ant. Cotejo (1).

Coto://5. m. ant. Mandato, precepto// 6. ant. Pena pecuniaria señalada por la Ley (1-2).

Cotofle: m. ant. Cotofre (1).

Cotofre: m. ant. Medida de capacidad para líquidos que hacía aproximadamente medio litro (1).

Cotón: m. ant. Algodón (2).

Cotrofe: m. ant. Vaso para beber (1).

Covarde: adj. ant. Cobarde (2).

Covardo: adj. ant. Cobarde (2).

Covil: m. ant. Cubil (2).

Coxa: f. ant. Coja (2).

Coxcox (A): m. adv. ant. A la pata coja (1).

Coxear: intr. ant. Cojear (2).

Coxixo: m. ant. Cojijo (2).

Coxo, xa: adj. ant. Cojo (2).

Coxquear: intr. ant. Cojear (1-2).

Coyso, sa: adj. ant. Cojo (2).

Coytado, da: adj. ant. Cuitado (2).

Coyundado, da: adj. ant. Atado con coyunda (1).

Cozcucho: m. ant. Alcuzcuz (1).

Cozina: f. ant. Cocina (2).

Cradir: intr. ant. Agradecer (2).

Craquelenque: m. ant. Especie de panecillo (1).

Cras: adv. t. ant. Mañana (1-2).

Crasedad: f. ant. Crasitud (Gordura) (1).

Crasicia: f. ant. Crasicio (1).

Crasicie: f. ant. Grosura//2. ant. Crasitud (1).

Cratrodial: adj. ant. Cuatridial (1).

Creación://5. f. ant. Crianza (1).

Creamiento: m. ant. Reparación o renovación (1).

Crear://5. tr. ant. Criar (1).

Creativo, va: adj. ant. Capaz de crear alguna cosa (1).

Creatura: f. ant. Criatura (1).

Crecencia: f. ant. Aumento (1).

Crecentar: tr. ant. Acrecentar (1).

Crecer://6. tr. ant. Aventajar (1).

Crecido, da://2. adj. ant. Grave, importante (1).

Credencia://3. f. ant. Credencial (1).

Creder: intr. ant. Creer (2).

Crediente: p. a. ant. de Creder. Creyente (2).

Credulidad://2. f. ant. Creencia (1).

Creedero, ra://2.. adj. ant. Digno de crédito (1).

Creedor, ra://2. adj. ant. Acreedor (1).

Creencia: f. ant. Confianza (2).

Creencia://5. f. ant. Mensaje o embajada//6. ant. Salva (1).

Creendero: adj. ant. Recomendado, favorecido (1-2).

Creido: m. ant. Crédito (2).

Cremesín: adj. ant. Cremesino (1).

Cremesino, na: adj. ant. Carmesí (1).

Crenche: f. ant. Crencha (Raya que divide el pelo en dos partes) (1).

Crespa: f. ant. Melena o cabellera// Crespa de luz: ant. Conjunto de rayos de luz (1).

Crespar: tr. ant. Encrespar o rizar//2. r. ant. Irritarse o alterarse (1).

Cresta://6. f. ant. Crestón (1).

Creyença: f. ant. Creencia (2).

Creyer: tr. ant. Creer (1).

Criación: f. ant. Cría de animales//2. ant. Crianza//3. ant. Creación (1-2).

Criaçón: f. ant. Criación (2).

Criado, da://3. m. y f. ant. Persona que ha recibido de otra la primera crianza, alimento y educación//4. ant. Cliente (1-2).

Criamiento: m. ant. Creación (1).

Criante: p. a. ant. de Criar. Que cría (1).

Crianza, [-ça]://6. f. ant. Criamiento (1-2).

Criasón: f. ant. Criazón (2).

Criazón: f. ant. Familia (1-2).

Crida: f. ant. Pregón (1).

Cridar: intr. ant. Gritar o dar voces (1).

Crieta: f. ant. Grieta (2).

Criminosamente: adv. m. ant. Criminalmente (1).

Crismar: m. ant. Administrar el sacramento del bautismo o el de la confirmación (1).

Crisneja: f. ant. Crines (2).

Cristianego, ga: adj. ant. Perteneciente al cristiano (1).

Cristianesco, ca://2. adj. desus. Cristiano (1).

Cristianiego, ga: adj. ant. Cristianego (1).

Crisvelo: m. ant. Candil (1).

Croajar: intr. ant. Crascitar (Graznar el cuervo) (1).

Crochel: m. ant. Torre de un edificio (1).

Cróvo: pret. de Creer. Creyó (2).

Croza: f. ant. Cruz o báculo pontifical o episcopal (1-2).

Crúamente: adv. m. ant. Cruelmente (1).

Crubir: tr. ant. Cubrir (2).

Crucejada: f. ant. Encrucijada (1).

Cruciar: intr. ant. Padecer (2).

Crucifigar: tr. ant. Crucificar (2).

Crucijada: f. ant. Encrucijada (1).

Cruç: f. ant. Cruz (2).

Crudel: adj. ant. Cruel (2).

Crudío, dia: adj. ant. fig. Bronco o áspero (1).

Crudo, da: adj. ant. Cruel, vulgar (2).

Crueleza: f. ant. Crueldad (1).

Cruentación: f. ant. Acción y efecto de Cruentar (1).

Cruentar: tr. ant. Ensagrentar. Usáb. t. c. r.//2. r. ant. fig. Encruelecerse (1).

Cruentidad: f. ant. Crueldad (1).

Cruentidad f. ant. Crueldad (1).

Crueza: f. ant. Crueldad (1-2).

Crúo, a: adj. ant. Crudo (1-2).

Crus: f. ant. Cruz (2.

Crustoso, sa: adj. ant. Costroso (1).

Cruyziar: intr ant. Padecer (2).

Cruzador, ra: adj. ant. Que cruza o atraviesa de una parte a otra (1).

Cruzar: tr. ant. Hacer una cruz (2).

Cuadernario, ria: adj. ant. Cuaternario (1).

Cuaderno, na: adj. ant. De cuatro (2).

Cuadra://11. f. ant. Astron. Cuadratura (1)//Sala (2).

Cuadradura: f. ant. Cuadratura (1).

Cuadrangulado, da: adj. ant. Cuadrangular (1).

Cuadrilla: f. ant. División de la hueste en cuatro partes para dividir el botín (2).

Cudrillero: f. ant. Cabeza de cuadrilla que guarda y reparte el botín (2).

Cuadrillo: m. ant. Saeta (2).

Cuádriple: adj. ant. Cuádruple (1).

Cuadropea: f. ant. Cuadrúpedo//Pal. Ferial de ganado (2).

Cuaio: m. ant. Cuajo (2).

Cualque: pron. indet. Cualquiera (2).

Cualquiere: pron. indet. ant. Cualquiera (2).

Cualsequier: pron. indet. ant. Cualquiera (2).

Cuamaño, ña: adj. ant. que, como correlativo de tamaño, demuestra el grandor o dimensiones de las cosas (1-2).

Cuanmaño, ña: adj. ant. Cuamaño (2).

Cuantioso, sa://3. adj. ant. Hacendado (1).

Cuarentena: f. ant. Cuaresma (2).

Cuarenteno, na: adj. ant. Cuadragésimo (1).

Cuaresmar: intr. ant. Hacer u observar cuaresma (1).

Cuartamente: adv. m. ant. En cuarto lugar (1).

Cuartera: f. ant. Derecho del pastor (2).

Cuartero: m. ant. Cuartillo (2).

Cuarterón://7. m. ant. Blas. Cuartel (1).

Cuartilla://7. f. ant. Cuarteta (1)//Medida de capacidad (2).

Cuatrañal: adj. ant. Cuadrienal (1).

Cuatrega: f. ant. Cuadriga (1).

Cuatridial: adj. ant. Cuatriduano (De cuatro días) (1).

Cubdicia: f. ant. Codicia (2).

Cuberturas: f. ant. Especie de gualdrapa (2).

Cubierta: f. ant. Simulación (2.)

Cubierto, ta://10. ant. Cobertor (1).

Cubijadera: f. ant. Cobejera (1).

Cubril: m. ant. Cobertizo, cosa que cubre (2).

Cubrir://7. intr. ant. Vestir (1).

Cucioso, sa: adj. ant. Acucioso (1).

Cuchar://6. f. ant. Broca o tenedor (1).

Cuchellijo: m. d. ant. Cuchillejo (2).

Cuchillar: tr. ant. Acuchillar (1).

Cucho: m. ant. Cerdo (2).

Cudar: tr. ant. Cuidar, pensar (2).

Cudicia: f. ant. Codicia (1-2).

Cudicioso sa: adj. ant. Codicioso (2).

Cuecho: adj. ant. Cocido (2).

Cuedar: tr. ant. Cudar (2).

Cueidar: tr. ant. Cuedar (2).

Cueita: f. ant. Culta (1-2).

Cueitar: tr. ant. Cuitar (2).

Cuellidegollado, da: adj. ant. Que llevaba el vestido muy escotado//2. ant. Decíase de este mismo vestido (1).

Cuello://9. m. ant. Garganta del pie (1).

Cuemde: m. ant. Conde (2).

Cuemo: adv. m. ant. Como (1-2).

Cuempadre: m. ant. Compadre (2).

Cuen: m. ant. Conde (2).

Cuenca://5. f. ant. Pila (1).

Cuend: m. ant. Conde (2).

Cuenda: f. ant. Lo que recoge y divide la madeja (2).

Cuende: m. ant. Conde (1-2).

Cuenta://11. f. ant. Cantidad, número, cuenta, porción (1-2).

Cuenta: f. ant. Cuento (1).

Cuentra: prep. ant. Hacia, enfrente de (2).

Cuer: m. ant. Cor (1-2).

Cueral: adj. ant. Coral (2).

Cuerda://12. f. ant. Cordón (1).

Cuerno://8. m. ant. Cada uno de los botoncillos que ponían al remate de la varilla en que se arrollaba el libro o volumen de los antiguos//10. ant. Mar. Varal largo y delgado que se solía añadir al palo de la entena (1).

Cuero://4. m. pl. ant. Colgaduras de guadameciles (1).

Cuesa: f. ant. Cueza (1).

Cueslo: m. ant. Consuelo (1-2).

Cuesta://2. f. ant. Costilla, espaldas (1-2).

Cuestas: f. pl. ant. Coste (1).

Cueta: f. ant. Cuita (2).

Cuetar: tr. ant. Cuitar (2).

Cueza://2. f. ant. Cierta medida de granos (1)//Derecho o alcabala que se cobraba del grano vendido en los mercados (2).

Cuezo://2. m. ant. Cuévano pequeño (Cualquier cesto que se lleva a la espalda) (1).

Cugujón: m. ant. Cogujón (Cualquiera de las puntas que forman las almohadas, colchones, serones, etc. (1).

Cuida://2. ant. Cuidado (1).

Cuidador, ra://3. adj. ant. Muy pensativo, metido en sí (1).

Cuido: m. ant. Cuidado (2).

Cuidosamente: adv. m. ant. Cuidadosamente (1).

Cuidoso, sa://2. adj. ant. Angustioso, fatigoso, congojoso (1).

Cuita://2. f. ant. Ansia, anhelo, deseo vehemente (1).

Cuitadez: f. ant. Propensión a tener muchas cuitas (1).

Cuitar: tr. ant. Acuitar. Usáb. t. c. intr. y c. r.//2. r. ant. Darse mucha prisa, anhelar por alcanzar algo (1).

Cuitoso, sa: adj. ant. Urgente, apresurado (1-2).

Cuitral: adj. ant. Se decía del ganado viejo que sólo sirve para el matadero (2).

Cuja://4. f. ant. Muslo (1).

Cujara: f. ant. Cuchara (1).

Culebro: m. ant. Culebra (1).

Culpante: adj. ant. Culpable (1).

Culposo, sa://2. ant. Culpado (1).

Cultiello: m. ant. Cuchillo (1).

Cultor, ra: adj. ant. Cultivador (1).

Cultoso, sa: adj. ant. Culto (1).

Cultura://2. f. ant. Culto (1).

Culuebra: f. ant. Culebra (2).

Cullidor: m. ant. Cobrador, recaudador (1).

Cum: adv. ant. Como (2).

Cumplimiento://6. m. ant. Abasto o provisión de alguna cosa//7. ant. Sufragio (1).

Cumplir://8. intr. ant. Bastar, ser suficiente (1).

Cumquibus: f. ant. Dinero (1).

Cumulación: f. ant. Acción y efecto de cumular (Acumular) (1).

Cumunalmente: adv. m. ant. En común, sin partición ni división (1).

Cundiente: p. a. ant. de Cundir. Que cunde (1).

Cundir: tr. ant. Ocupar, llenar (1).

Cunta: f. ant. Cuenta (2).

Cuntar: tr. ant. Contar (2).

Cuntir: intr. ant. Acontecer, suceder, ocurrir (1-2).

Cuñadadgo: m. ant. Cuñadío (1).

Cuñadería: f. ant. Compadrazgo (1).

Cuñaderío: m. ant. Cuñadío (1).

Cuñadez: f. ant. Cuñadía (Afinidad) (1).

Cuñadío: m. ant. Cuñadía (1).

Cuñado, da://2. m. y f. ant. Pariente o parienta por afinidad en cualqiuer grado (1).

Cuñal: adj. ant. Sellado con cuño (1).

Cuño://3. m. ant. Cuña//4. ant. Montón o pelotón (1).

Cuomo: adv. m. ant. Como (1).

Cuquero: adj. ant. Pícaro, cuco (2).

Cura://5. f. ant. Cuidado//6. ant. Curaduría (1-2).

Curadgo: m. ant. Curato (1).

Curadoría: f. ant. Curaduría (1).

Curamiento: m. ant. Curación (1).

Curazgo: m. ant. Curato (1).

Curia://5. f. ant. Corte (1)//Cuidado (2).

Curial://2. adj. ant. Cortesano//3. ant. Práctico o experto (1).

Curialidad: f. ant. Cortesanía o buena crianza (1).

Curiar: intr. ant. Guardar, cuidar, pastorear (1-2).

Cursario, ria: adj. ant. Corsario. Apl. a pers., usáb. t. c. s. (1).

Curso://7. m. ant. Corso (1).

Cursor: m. ant. Correo//2. ant. Escribano de diligencias (1).

Cursorio: adj. ant. Corriente (2).

Curtidura: f. ant. Curtimiento (1).

Curueña: f. ant. Cureña (1-2).

Curuxía: f. ant. Mar. Crujía (2).

Custumbre: f. ant. Costumbre (2).

Cusseorio: adj. ant. Cursorio (2).

Cutianamente: adv. m. ant. Cotidianamente (2).

Cutiano, na: adv. ant. Diariamente, continuadamente//**De cutiano:** loc. adv. De diario, de continuo//**En cutiano:** loc. adv. De cutiano (1-2).

Cutidianamente: adv. m. ant. Cotidianamente (2).

Cutidero://2. m. ant. Choque o golpe (1).

Cutir://2. tr. ant. Poner en competencia//3. intr. ant. fig. Combatir, competir (1).

Cuzmena: f. ant. Taparrabo (2).

Ço: pron. dem. Eso (2).

113

8

CH

Chabacano: m. ant. Cuchillito (2).

Chambrana: f. ant. Carp. Zoquete de madera en que se asienta la obra// Arq. Cerco de madera o piedra, que se pone por lo alto de puertas y ventanas (2).

Chamorro, rra: m. y f. ant. Corto de haberes, pobre, vil (2).

Chamorrar: tr. ant. Esquilar o trasquilar (1).

Champrana: f. ant. Chambrana (2).

Chanceler: m. ant. Chanceller (1).

Chancellar: tr. ant. Cancelar (1).

Chanceller: m. ant. Chanciller (Canciller) (1).

Chancilleria://3. f. ant. Cancillería (1).

Chanco: m. ant. Chapín (1).

Chancha: f. ant. Embuste, mentira, engaño (1).

Chanela: f. ant. Chinela (1).

Changer: intr. ant. Lamentar (2).

Chanquear: intr. ant. Andar en chancos (1).

Chanzón: f. ant. Canción (2).

Chanzoneta: f. ant. Villancico festivo (2).

Chançoneta: f. ant. Chanzoneta (2).

Chapadamente: adv. m. ant. Perfectamente (1).

Chapado, da://adj. ant. Decíase de la persona de chapa (1).

Chapar://2. tr. ant. Poner o sentar la herradura a modo de chapa en el casco de la caballería (1)//Redoblar (2).

Chapel: m. ant. Chapín pequeño (1).

Chapelete: m. ant. Ar. Cobertura de la cabeza, a modo de sombrero o bonete (1).

Chapelo: m. ant. Sombrero (1).

Chapirete: m. ant. Capucho o capirote (2).

Chapirón: m. ant. Capirote (1).

Chapirote: m. ant. Capirote (1).

Chapullar: intr. ant. Andar en el agua metiendo la cabeza (2).

Charambela: f. ant. Instrumento músico (2).

Charriote: m. ant. Carro (1).

Charrúa://2. f. Mar. ant. Urca (1).

Chatón: m. ant. Tachón (1-2).

Chavarí: m. ant. Especie de lienzo (1).

Chaza: f. ant. Especie de versos (2).

Cherriado: m. ant. Chirriado (1).

Cherriador, ra: adj. ant. Chirriador (1).

Cherriar: intr. ant. Chirriar (1).

Cherrido: m. ant. Chirrido (1).

Cherrión: m. ant. Chirrión (1).

Chiar: intr. ant. Piar (1).

Chicarrero, ra: m. y f. ant. Zapatillero, ra (1).

Chinagala: f. ant. Cierto canto (2).

Chiquinez: f. ant. Pequeñez, niñez (2).

Chicharro://3. m. ant. Chicharra (1).

Chifla://2. f. ant. Espadilla (1).

Chinar: intr. ant. Rechinar (1).

Chinchón: m. ant. Chichón (1).

Chinchorrería://3. f. ant. fig. Patraña, mentira, burla (1).

Chirlar: intr. ant. Chirriar (2).

Chirlón: m. ant. Que chirla (2).

Chirriado://2. m. ant. Chirrido (1).

Chista: f. ant. Chiste (2).

¡Chiste!: interj. ant. ¡Chisto! (1).

Chival: m. ant. Hato de chivos (1)// Caballejo flaco (2).

Chivital: m. ant. Lugar donde recogen los chivos (2).

Chivitel: m. ant. Chivital (2).

Chivitero: m. ant. Corral para chivos (2).

Chivitil: m. ant. Chivital (2).

Chocallo: m. ant. Zarcillo (1).

Chocarrería://2. f. ant. Fullería (1).

Chocarrero://3. adj. ant. Fullero (1).

Chocarresco, ca: adj. ant. Chocarrero (1).

Choclar://2. intr. ant. fig. Entrarse en una parte de golpe o con prisa (1).

Choça: f. ant. Choza (2).

Chorrar: intr. ant. Chorrear (1).

Chotar: tr. ant. Mamar el choto (Cría de la cabra) (1).

Choz://De choz: m. adv. ant. De golpe, de repente (1).

Chubazo: m. ant. Chubasco (1).

Chucallo: m. ant. Chocallo (1).

Chuchero: adj. ant. El que achucha (2).

Chufa://2. f. ant. Burla, mentira, mofa, escarnio (1-2).

Chufar: intr. ant. Hacer escarnio de una cosa (1)//Burlar (2).

Chufear: intr. ant. Chufar (1)//Burlar (2).

Chufeta: f. ant. Palabras de burla (2).

Chupón://5. m. ant. Chupetón (1).

Churrillero, ra: adj. ant. Churrullero (1).

Churrupear: intr. ant. Beber vino en poca cantidad y a menudo, saboreándose (1).

Chuzón://3. m. desus. Botarga o moharracho en las antiguas comedias (1).

D

Dacá: adv. l. ant. De acá, o del lado de acá (1).

Dacio: m. desus. Tributo o imposición sobre alguna cosa (1).

Dactilión: m. desus. Mús. Aparato que se colocaba en el teclado de los pianos para dar agilidad y seguridad a los dedos del principiante (1).

Dadero, ra: adj. ant. Que es de dar, o se ha de dar//2. ant. Dadivoso (1).

Dado://4. m. ant. Don, donación (1-2).

Daifa://2. f. ant. Huéspeda a quien se trata con regalo y cariño (1).

Daine: m. ant. Gamo (2).

Dalgo (Hacer mucho). fr. ant. Hacer bien, tratar con agasajo y regalo (1).

Dalind: adv. l. ant. De allá (1).

Dallá: adv. l. ant. De allá, o del otro lado de allá. o al otro lado (1).

Dallén: adv. l. ant. Del otro lado de allá, o del lado de allá, o del otro lado (1).

Damasquín: m. ant. Clase de tela (2).

Damiento: m. ant. Dádiva (1).

Damil: adj. ant. Perteneciente a las damas o propio de ellas (1).

Damnable: adj. ant. Digno de condenarse (1).

Damnado, da: adj. ant. Condenado. Usáb. t. c. s. (1).

Damnar: tr. ant. Condenar, perjudicar, dañar. Usáb. t. c. r. (1-2).

Damno: m. ant. Daño (22).

Danpnar: tr. ant. Dañar (2).

Dañable://3. adj. ant. Culpable (1).

Dañación: f. ant. Acción y efecto de dañar (1).

Dañamiento: m. ant. Daño (1).

Dañar://3. tr. ant. Condenar a uno, dar sentencia contra él (1).

Daquén: adv. l. De aquende, de la parte de acá (1).

Daquende: adv. l. ant. De aquí, desde aquí (2).

Daquent: adv. l. ant. Daquende (2).

Daquí: adv. l. ant. De aquí (1-2).

Dapno: m. ant. Daño (2)

Dapño: m. ant. Daño (2).

Daraga: f. ant. Escudo (2).

Dardada: f. ant. Golpe dado con el dardo (1).

Dafina: f. ant. Adefina (2).

Darga: f. ant. Adarga (1-2).

Dargadante: f. ant. Adarga de ante (2).

Data://4.. f. ant. Permiso por escrito para hacer alguna cosa (1).

De://19. prep. ant. A (1).

Deal: adj. ant. Perteneciente a los dioses (1).

Deán://3. m. ant. Decurión (1).

Deballar: intr. ant. Bajar, depender//tr. ant. Abatir, embestir (2).

Debandar: tr. ant. Desunir, esparcir, separar (1).

Debatido: m. ant. Vencido (2).

Debatirse: r. ant. Abatirse el ave (2).

Debda: f. ant. Deuda (1-2).

Debdo: m. ant. Debda (1)//Deudo (2).

Debidor: m. ant. Deudor (1).

Deble: adj. ant. Endeble (1).

Debordar: intr. ant. Brindar (2).

Deboxar: tr. ant. Escribir (22).

Debrocar: intr. ant. Enfermar (1-2)//tr. ant. Echar boca abajo, desocupar un cesto o vasija volcándola (2).

Debujar: tr. ant. Escribir (2).

Debuxar: tr. ant. Debujar (2).

Decaemento: m. ant. Decaimiento (1).

Decaible: adj. ant. Perecedero, caduco (1).

Decaimento: m. ant. Descaecimiento (1).

Decantar://intr. ant. Desviarse, apartarse de la línea por donde se va (1).

Decebimiento: m. ant. Acción y efecto de Decebir (1).

Decebir: tr. ant. Engañar (1).

Decembrio: m. ant. Diciembre (1).

Decenario://4. m. ant. Decenar (1).

Decendencia: f. ant. Descendencia (1).

Decender: intr. ant. Descender (1).

Decendida: f. ant. Descenso o caída// 2. ant. Bajada (1).

Decendiente: p. a. ant. Descendiente (1).

Decendimiento: m. ant. Descendimiento (1).

Deceno: adj. ant. Décimo (2).

Decenso: m. ant. Catarro o reúma (1).

Decepar: tr. ant. Descepar (Arrancar de la raíz los árboles o plantas que tienen cepa) (1).

Deceptorio, ria: adj. an. Engañoso (1).

Decercar: tr. ant. Descercar (1-2).

Decernir: tr. ant. Discernir (1).

Decerrumbar: tr. ant. Derrumbar (1).

Decesión: f. ant. Precedencia en tiempo (1).

Deceso: m. ant. Muerte natural o civil (1).

Decesor, ra: m. y f. ant. Predecesor, ra (1).

Decibir: tr. ant. Decebir (2).

Decida: f. ant. Bajada (2).

Decidor://3. m. ant. Trovador, poeta (1).

Deciembre: m. ant. Diciembre (1-2).

Deciente: p. a. ant. Diciente (1).

Deciente: adj. ant. Que cae o muere. Usáb. t. c. s. (1).

Decimar: tr. ant. Diezmar (1).

Décimo://5. m. ant. Diezmo (1).

Decir://3. m. ant. Composición poética de poca extensión (1).

Decir://8. tr. ant. Pedir, rogar//9. ant. Trovar, versificar//10. ant. Mont. Latir el perro (1).

Deciseno, na: adj. ant. Dieciseiseno (1).

Declarado, da://2. adj. ant. Aplicábase a la persona que hablaba con demasiada claridad (1).

Declaramiento: m. ant. Declaración (1).

Declaro: m. ant. Declaración (1).

Declinar://2. intr. ant. Reclinar (1).

Decoger: intr. ant. Coger, tomar (2).

Decolación: f. ant. Degollación (1).

Decolgar: intr. ant. Colgar (1).

Decor: m. ant. Adorno, decencia (1).

Decorado: adj. ant. Entendido (2).

Decorar: tr. ant. Tener y recitar de memoria (2).

Decoro, ra: dj. ant. Decoroso (1).

Decorrerse: r. ant. Escurrirse, deslizarse (1).

Decorrimiento: m. ant. Corriente o curso de las aguas (1).

Decretación: f. ant. Determinación o establecimiento (1).

Decreto://5. m. ant. Dictamen parecer (1).

Decúbito://2. m. ant. Med. Asiento que hace un humor, pasando de una parte a otra del cuerpo (1).

Decuria://4. f. ant. Colmena (1).

Deçorrumar: intr. ant. Desmoronar (2).

Dedil://2. m. ant. Dedal (1).

Dedolar: intr. ant. Dolar (2).

Deesa: f. ant. Diosa (1-2).

Defácile: adv. m. ant. Fácilmente (1).

Defalicido, da: adj. ant. Defallicido (1).

Defallecido, da: adj. ant. Falto, necesitado, arruinado (1).

Defallecimiento: m. ant. Desfallecimiento//2. ant. Falta (1).

Defallicido, da: adj. ant. Defallecido (1).

Defamar: tr. ant. Infamar (1).

Defedación: f. ant. Fealdad (1).

Defeminado, da: adj. ant. Afeminado (1).

Defendedor://2. m. ant. Abogado (1).

Defendemiento: m. ant. Defensa, prohibición (2).

Defender: tr. ant. Prohibir//Evitar (2).

Defendiente: p. a. ant. de Defender. Que defiende (1).

Defendimiento: m. ant. Defensa, prohibición//2. ant. Acción y efecto de Defender (1-2).

Defensable: adj. ant. Defendible (1).

Defensar: tr. ant. Defender (1).

Defensatriz: adj. ant. Defensora (1).

Defensible: adj. ant. Defendible (1).

Defensión://2. f. ant. Amparo, protección//3. ant. Prohibición, estorbo o impedimento//4. ant. For. Descargo (1).

Deferente://3. adj. ant. Astron. Aplicábase al círculo que se suponía descrito alrededor de la Tierra por el centro del epiciclo de un planeta (1).

Defesa: f. ant. Dehesa//Defendida (1-2).

Defesado: adj. ant. Con defensa o valla (2).

Defesar: tr. ant. Dehesar (1).

Defeso, sa: adj. ant. Vedado o prohibido (1-2).

Defianza: f. ant. Desconfianza (1).

Defiar: intr. ant. Desconfiar (1).

Deflaquecimiento: m. ant. Enflaquecimiento (1).

Deflujo: m. ant. Fluxión abundante (1).

Defoir: tr. ant. Defuir (1).

Defondonar: tr. ant. Desfondar (1).

Defuir: tr. ant. Huir, evitar (1).

Defunción://2. f. ant. Funeral, exequias (1).

Defunto, ta: adj. ant. Difunto. Usáb. t. c. s. (1-2).

Degano: m. ant. Quintero o administrador de una hacienda de campo (1).

Degaña: f. ant. Decania (Finca o iglesia rural propiedad de un monasterio) (1-2).

Degañero: m .ant. Que mora en degaña, granjero (1-2).

Degastar: tr. ant. Devastar (1).

Degestir: tr. ant. Digerir (1).

Degollamiento: m. ant. Degollación (1).

Degradar: intr. ant. Bajar por grados (2).

Degredo: m. ant. Decreto (1-2).

Degregar: tr. ant. Apartar de la grey (2).

Degüella: f. ant. Degollación (1).

Deguno, na: adj. ant. Ninguno (1).

Dehender: tr. ant. Hender (1).

Dehendimiento: m. ant. Acción y efecto de Dehender (1).

Dehortar: tr. ant. Disuadir o desaconsejar (1).

Deiar: tr. ant. Dejar (2).

Deitado: m. ant. Escrito, historia, relación (2.)

Deitar: tr. ant. Dictar (2).

Deixar: tr. ant. Dejar (2).

Dejado://5. m. ant. Dejo, final (1).

Dejar://16. tr. ant. Perdonar//2. ant. abandonar (1).

Dejarretadera: f. ant. Desjarretadera (1).

Dejarretar: tr. ant. Desjarretar (1).

Dejemplar: tr. ant. Difamar, dehonrar (1).

Dejugar: tr. ant. Quitar el juego (1).

Dél: contracc. ant. de la prep. De y el pron. Él. De él (1).

Delado: m. ant. Bandido, forajido (1).

Delant: adv. l. ant. Delante (1-2).

Delantado: p. p. ant. de Adelantar. Adelantado (2).

Delante://4. adv. m. ant. De delante, o delante de (1).

Delantealtar: m. ant. Frontal (1).

Delantera://7. f. ant. Vanguardia (1).

Delantre: adv. l. ant. Delante (22).

Delate: m. ant. Delado (1).

Delaxar: tr. ant. Cansar o fatigar (1).

Delectable: adj. ant. Deleitable (1).

Delectablemente: adv. m. ant. Deleitablemente (1).

Delectamiento: m. ant. Deleitamiento (1).

Delectar: tr. ant. Deleitar. Usáb. t. c. r. (1).

Delecto: m. ant. Orden, elección, discernimiento (1).

Deleido, da: adj. ant. Débil (2).

Deleit: m. ant. Deleite (2).

Delejar: tr. ant. Renunciar o donar (1).

Deleto: m. ant. Deleite (2).

Deleto, ta: adj. ant. Quitado o borrado (1).

Deletreado, da: adj. ant. Publicado o divulgado (1).

Deleznadero, ra: adj. ant. Deleznable (1).

Deleznadizo, za: adj. ant. Resbaladizo, escurridizo (1).

Deleznamiento: m. ant. Acción y efecto de deleznarse (1).

Deleznante: p. a. ant. de Deleznarse. Que se delezna (1).

Deleznarse: r. ant. Deslizarse, escurrirse, resbalarse (1-2).

Delgacero, ra: adj. ant. Delgado (1).

Delgadeza: f. ant. Delgadez (1).

Delgado, da://6. adj. ant. Poco, corto, escaso (1).

Delgazamiento: m. ant. Adelgazamiento (1).

Delgazar: tr. ant. Adelgazar (1).

Deliberación: f. ant. Liberación (1).

Deliberador, ra: adj. ant. Libertador. Usáb. t. c. s. (1).

Deliberamiento: m. ant. Deliberación (1).

Deliberar: tr. ant. Liberar (1).

Delibración: f. ant Deliberación (1).

Delibramiento: m. ant. Deliberamiento (1).

Delibranza: f. ant. Delibración (1).

Delibrar: tr. ant. Acabar, concluir//2. ant. Romper a hablar//3. ant. Despachar, matar//4. ant. For. Despachar (1-2).

Delicadura: f. ant. Delicadeza (1).

Delicamiento: m. ant. Delicadeza, regalo, delicia (1).

Deliciarse: r. ant. Deleitarse (1).

Delicio: m. ant. Delicia, diversión (1).

Delicto: m. ant. Delito (1).

Deliçio: m. ant. Delicia, regalo (2).

Delintar: tr. ant. Ceder o traspasar (1).

Delinterar: tr. ant. Delintar (1).

Deliñar: tr. ant. Aliñar, componer, aderezar (1).

Deliramento: m. ant. Delirio (1).

Delivrar: tr. ant. Delibrar (2).

Delongar: tr. ant. Alargar, prolongar (1).

Della, llo://2. contracc. ant. de ella y de ello. Usáb. para explicar que es preciso mezclar la dulzura con la severidad, sufrir los males con los bienes y usar de templanza en todo lo que se hace (1).

Della: contracc. ant. de De ella (2)

Dello: contracc. ant. de De ello (2).

Demandable: adj. ant. Apetecible, digno de ser buscado (1).

Demandanza, [-ça]: f. ant. Demanda, acción o derecho (1-2).

Demandar://4. tr. ant. Intentar, pretender//5. ant. Hacer cargo de una cosa (1)//Exigir reparación de ofensa, reclamar judicialmente//Buscar//Poner por testigo (2).

Demandido: pret. de Demandar. Demandó (2).

Demandudo: pret. de Demandar. Demandó (2).

Demanial: adj. ant. Que dimana o se deriva de una cosa, o corresponde a ella (1).

Demarrarse: r. ant. Extraviarse, descarriarse (1).

Demás: adv. ant. Además (2).

Demasiado, da://2. adj. ant. Que habla o dice con libertad lo que siente (1).

Dementar: tr. ant. Mentar, mencionar, recordar (1-2).

Domesura: f. ant. Maltrato (2).

Demientra: adv. t. ant. Mientras (1-2).

Demientre: adv. t. ant. Demientra (1-2).

Demientres: adv. t. ant. Demientra (1-2).

Demigar: tr. ant. Disipar, esparcir (1).

Demitir: tr. ant. Dimitir (1).

Demo: m. ant. Gal. Demonio (2).

Demoniado, da: adj. ant. Endemoniado. Usáb. t. c. s. (1-2).

Demonial: adj. ant. Demoniaco (1).

Demoño: m. ant. Demonio (2).

Demonstrable: adj. ant. Demostrable (1).

Demonstracción: f. ant. Demostración (1).

Demonstrador, ra: ad. ant. Que demuestra. Usáb. t. c. s. (1).

Demonstramiento: m. ant. Demostramiento (1).

Demonstrar: tr. ant. Demostrar (1).

Demoranza: f. ant. Demora (1).

Demostramiento: m. ant. Demostración (1).

Demostranza: f. ant. Muestra, alarde o revista (1).

Demudar: tr. ant. Mudar//intr. ant. Mudarse (2).

Demuestra: f. ant. Señal, demostración o ademán (1).

Demulciente: adj. ant. Med. Demulcente (Emoliente) (1).

Demulcir: tr. ant. Halagar, recrear (1).

Den: adv. t. y l. ant. Dende (2).

Denante: adv. t. ant. Denantes (Antes) (1).

Dend: adv. t. y l. ant. De allí, desde allí, de ello, después, desde (1-2).

Denegamiento: m. ant. Denegación (1).

Denegrado: adj. ant. Horrible, malo (2).

Denegrecer://2. tr. ant. fig. Denigrar (1).

Denidad: f. ant. Dignidad (2).

Denodadas (A): m. adv. ant. Con denuedo (2).

Denodado: adj. ant. Extremado//Enojado (2).

Denodarse: r. ant. Atreverse, esforzarse, mostrarse osado y feroz (1-2).

Denodeo: m. ant. Denuedo (2).

Denostable: adj. ant. Vituperable (1).

Denostada: f. ant. Injuria o afrenta (1).

Denostamiento: m. ant. Denuesto (1).

Denosteo: m. ant. Denuesto (2).

Denosto: m. ant. Desacato (2).

Densar: tr. ant. Coagular, espesar, encrasar, engrosar lo líquido//2. ant. Espesar, unir (1).

Densuno: adv. m. ant. De consuno (1).

Dent: adv. t. y l. ant. Dende (2).

Dentecer: intr. ant. Endentecer (1).

Dentera: f. ant. Rabia y odio (2).

Dentorno: adv. m. ant. Del rededor (1).

Dentrotraer: tr. ant. Meter, introducir (1).

Denuesto://2. m. ant. Tacha, reparo, objeción (1)//Desacato (2).

Deñar: tr. ant. Tener por digno//r. ant. Dignarse (1-2).

Déos: m. ant. Dios (2).

Departición: f. ant. Partida (2).

Departidamente: adv. m. ant. Distintamente, separadamente y a cada uno en particular (1-2).

Departidos: adj. ant. Diversos (2).

Departimiento: m. ant. División, separación//2. ant. Diferencia//3. ant. Ajuste, convenio//4. ant. Porfía, disputa, pleito//5. ant. Demarcación//6. ant. For Divorcio (1-2).

Departir://2. intr. ant. Altercar//3. tr. ant. Separar, repartir, dividir en partes//4. ant. Enseñar, explicar//5. ant. Diferenciar, distinguir//6. ant. Discurrir, juzgar//7. ant. Demarcar//8. ant. Impedir, estorbar//9. ant. For. Disolver un matrimonio (1-2).

De pasadas: adv. l. ant. A pocos pasos (2).

Depdo: m. ant. Deudo (2).

Dependente: p. a. ant. Dependiente (1).

Depeñar: tr. ant. Despeñar (2).

Deponer://5. tr. ant. Poner o depositar (1).

Depopulación: f. ant. Despoblación//2. fig. ant. Desolación, tala y destrucción de campos y poblados (1).

Deportar, /-se/://2. r. ant. Descansar, reposar, hacer mansión//3. ant. Divertirse, recrearse (1-2).

Depós: adv. t. ant. Después (1-2).

Deposante: p. a. ant. de Deposar. Que deposa (1).

Deposar: tr. ant. Deponer (1).

Depost: adv. t. ant. Depós (2.

Depreces: m. pl. ant. Derechos pagados por una cosa (1).

Deprehender: tr. ant. Aprender (1).

Deprehenso, sa: p. p. irreg. ant. de Deprehender (1).

Deprendador, ra: adj. ant. Ladrón. Usáb. t. c. s. (1).

Deprender: tr. ant. Coger//Deprehender (2).

Depresura: f. ant. Bajeza (2).

Depreterición: f. ant. For. Preterición (1).

Deprima: adv. l. ant. Primeramente (2).

Deprunar: intr. ant. Bajar una cuesta (2).

Depuerto: m. ant. Recreo (2).

Depues: adv. t. ant. Después (2).

Depús: adv. t. ant. Depós (2).

Deputador, ra: adj. ant. Diputador (1).

Derabar: tr. ant. Cortar el rabo (2).

Derecero: adj. ant. Derecho (2).

Derecha://3. f. ant. Conjunto de perros de caza que se sueltan, según determinadas reglas, para seguir la res. //4. ant. Camino que llevan los mismos perros cuando siguen la caza (1).

Derechero: adj. ant. Justiciero (2).

Derechez: f. ant. Derecheza (1).

Derecheza: f. ant. Derechura (1).

Derecho, cha: p. p. irreg. ant. de Dirigir//8. ant. Cierto.//9. ant. Legítimo (1).

Derechora: f. ant. Derechura (1).

Derechorero, ra: adj. ant. Derechurero (1).

Derechura://2. f. ant. Rectitud, integridad, justificación//3. ant. Sueldo

o salario que se da a los criados//
4. ant. Derecho//5. ant. Destreza (1-
2).

Derechureramente: adv. m. ant. Recta
o derechamente (1).

Derechurero, ra: adj. ant. Exacto, jus-
tificado, recto//2. ant. Legítimo o
según derecho (1)//Justiciero (2).

Derechuría: f. ant. Derecho, justicia
(1-2).

Derechuro, ra: adj. ant. Justo, legítimo
(1).

Derezar: tr. ant. Encaminar (1).

Derraigamiento: m. ant. Acción y efecto de Derraigar (1).

Derraigar: tr. ant. Desarraigar (1).

Derramada: f. ant. Publicación (2).

Derramadura: f. ant. Derramamiento
(1).

Derramamiento://3. ant. Acción de Desmandarse o apartarse con desorden
los que estaban juntos en un sitio
(1).

Derramar://3. tr. ant. Separar, apartar
//5. intr. ant. Desmandarse (1).

Derrancadamente: adv. m. ant. Arrebatadamente, con precipitación (1).

Derrancar: intr. ant. Acometer, pelear
repentinamente con ímpetu y arran-
que (1).

Derranchadamente: adv. m. ant. Desor-
denada, precipitadamente (1-2).

Derranchado, da: adj. ant. Descompuesto, desordenado, desmandado (1)//
Engañoso, fraudulento (2).

Derranchar: intr. ant. Descomponerse,
desordenarse, desmandarse (1-2).

Derranjadamente: adv. m. ant. Desordenadamente (2).

Derranjadamientre: adv. m. ant. Derranjadamente (2).

Derredor: adv. l. ant. Alrededor (2).

Derrería (A la): m. adv. ant. A la postre, al fin o al cabo (1).

Derribado, da://3. adj. ant. Abatido, humilde (1).

Derribamiento: m. ant. Derribo (1).

Derribante: p. a. ant. de Derribar. Que
derriba (1).

Derribar://8. tr. ant. fig. Inducir, incitar, compeler//9. ant. Cetr. Perder
el halcón la fuerza y virtud, o soltar las plumas por estar mudando o
por otra causa (1).

Derriscar: tr. ant. Limpiar, desmontar,
desembarazar (1).

Derrisión: f. ant. Irrisión, escarnio (1).

Derrocar://2. tr. ant. Derribar uno a
otro luchando//6. intr. ant Caer, venir al suelo una cosa. Usáb. t. c. r.
(1).

Derrochar://2. tr. ant. Derrocar (1).

Derromper: tr. ant. Romper, quebrantar, violentar (1-2).

Derronper: tr. ant. Derromper (2).

Derronchar: tr. ant. Combatir, pelear
(1).

Derrumbiadero: m. ant. Derrumbadero
(1).

Derrumbiar: tr: ant. Derrumbar. Usáb.
t. c. r. (1).

Des: contracc. ant. de De ese (1).

Des: prep. ant. apócope de Desde (1).

Desabatir: tr. ant. Descontar, rebajar,
rebatir (1).

Desabido, da: adj. ant. Ignorante//2. ant. Excesivo, extraordinario (1).

Desabor://2. m. ant. fig. Sinsabor, pena, disgusto (1).

Desaborado, da: adj. ant. Desabrido, áspero al gusto (1-2).

Desaborar: tr. ant. Quitar el sabor a una cosa; ponerla desabrida o de mal gusto//2. ant. fig. Desazonar, desabrir, quitar a uno el gusto que tiene de alguna cosa (1).

Desabores: m. pl. ant. Sinsabor (2).

Desaborgar: intr. ant. Desabrir (2).

Desacabdillar: tr. ant. Desacaudillar (2).

Desaciado: adj. ant. Abandonado, flojo, que se queda atrás (2).

Desacordado: adj. ant. Encontrado, desacorde (2).

Desacordamiento: m. ant. Desacuerdo (1).

Desacordanza: f. ant. Desacuerdo o discordancia (1).

Desacordar://2. intr. ant. Discordar, no convenirse uno con lo dicho o ejecutado por otro. Usáb. t. c. r.//4. ant. Perder el acuerdo, quedar fuera de sentido (1-2).

Desacotado://2. m. ant. Desacoto (Acción y efecto de desacotar) (1).

Desacotar: intr. ant. Apartarse del concierto o cosa que se está tratando (1).//Quitar el coto o prohibición (2).

Desadonar: tr. ant. Quitar gracia (2).

Desafamación: f. ant. Disfamación (1).

Desafamar: tr. ant. Disfamar (1).

Desafear://2. tr. ant. Afear (1).

Desafeitar: tr. ant. Desadornar, afear,

desasear//2. ant. fig. Manchar, afear (1).

Desafiación: f. ant. Desafío (1).

Desafiamiento: m. ant. Desafío (1).

Desafianza: f. ant. Desafío (1).

Desafiar://4. tr. ant. Romper la fe y amistad que se tiene con uno//5. ant. Deshacer, descomponer//6. ant. Ar. Desnaturalizar (1-2).

Desafío://3. m. ant. Carta o recado verbal en que los reyes de Aragón manifestaban la razón o motivo que tenían para desafiar a un ricohombre o caballero (1).

Desafiuciar: tr. ant. Desahuciar (1).

Desafiuzar: tr. ant. Desafiuciar (1).

Desafuciamiento: m. ant. Acción y efecto de Desafuciar (1).

Desafuciar: tr. ant. Desahuciar (1).

Desagotar: tr. ant. Desaguar o agotar (1).

Desagraviamento: m. ant. Desagravio (1).

Desaguisadamente: adv. m. ant. De manera inconveniente, sin razón ni justicia (1-2).

Desaguisado, da://2. adj. ant. Inconveniente, injusto, contrario a la razón //3. ant. Intrépido, osado, insolente (1-2).

Desahogamiento: m. ant. Desahogo (1).

Desahuciar: tr. ant. Desconfiar (2).

Desainar: intr. ant. Enflaquecer (2).

Desajacarse: r. ant. Excusarse, eximirse, libertarse (1).

Desajuntar: tr. ant. Apartar, desunir descoblar (1).

Desalado: adj. ant. Con las alas extendidas (2).

Desalar://2. r. ant. Estar o andar con las alas abiertas (1).

Desalforjar://2. tr. ant. Quitar las alforjas a una caballería (1).

Desalmado, da://4. adj. ant. Privado o falto de espíritu (1).

Desalmenado, da://3. adj. ant. fig. Falto de adorno, remate o coronación (1).

Desaliñar: tr. ant. Echar a perder, descomponer (2).

Desamar: tr. ant. Odiar (2).

Desamigo: m. ant. Enemigo (1-2).

Desamistad: f. ant. Enemistad (1).

Desamparado, da: //2. adj. ant. Separado o dislocado (1).

Desamparamiento: m. ant. Desamparo (1).

Desañadir: tr. ant. Lo opuesto de añadir (2).

Desapañar: intr. ant. Desconcertar (2).

Desapercibidamente: adv. m. ant. Desapercibidamente (1).

Desapercibido, da: adj. ant. Desapercibido (1).

Desapercibimiento: m. ant. Desapercibimiento (1).

Desapercibo: m. ant. Desapercibimiento (1).

Desapoderar: tr. ant. Quitar el poder, la posesión y la facultad dada (2).

Desapostar: tr. ant. Afear (2).

Desapostura: f. ant. Falta de garbo, de disposición o gentileza en una persona o cosa//2. ant. Desaliño o desaseo//3. ant. Indecencia (1-2).

Desapresar: tr. ant. Hacer que suelte la presa (2).

Desapretar://2. tr. ant. fig. Sacar a uno del aprieto en que se halla (1).

Desaprir: intr. ant. Apartarse, separarse (1).

Desaprovechoso, sa: adj. ant. Perjudicial, dañoso (1).

Desapteza: f. ant. Insuficiencia, falta de aptitud (1).

Desapto, ta: adj. ant. Que no es apto o propósito para una cosa (1).

Desapuesto, ta: adj. ant. Desataviado, de mala disposición y presencia//2. adv. m. ant. Descompuesta, feamente (1-2).

Desaquí: adv. l. y t. ant. Desde ahora, desde aquí (2).

Desarmar: tr. ant. Disparar el ingenio de caza (2).

Desarrado, da: adj. ant. Desgraciado, triste, desconsolado, descorazonado (2).

Desarraigamiento: m. ant. Desarraigo (1).

Desarramiento: m. ant. Desconsuelo (2).

Desarrar: intr. ant. Desanimarse, perder el brío y ánimo, descorazonarse (2).

Desarro: m. ant. Aflicción (2).

Desatamiento: m. ant. Desatadura (1).

Desatapadura: f. ant. Destapadura (1).

Desatapar: tr. ant. Destapar (1).

Desatar://4. tr. ant. fig. Disolver, anular (1).

Desatemplarse: r. ant. Destemplarse, desarreglarse (1).

Desatentamiento: m. ant. Desatiento (1).

Desaterecer: intr. ant. Dejar de estar aterido (2).

Desatesado, da: adj. ant. Flojo (1).

Desatiriser: intr. ant. Dejar de estar aterido (2).

Desatravesar: tr. ant. Quitar lo que estaba atravesado (1).

Desavenimiento: m. ant. Desavenencia (1).

Desaventura: f. ant. Desventura (2).

Desaventuradamente: adv. m. ant. Desventuradamente (1).

Desaventurado, da: adj. ant. Desventurado (1-2).

Desavezar: tr. ant. Desacostumbrar. Usáb. t. c. r. (1).

Desayuntamiento: m. ant. Acción y fecto de Desayuntar (1).

Desayuntar: tr. ant. Desunir, separar, apartar (1).

Desazado, adj. ant. Abandonado, flojo, que se queda atrás (2).

Desbabado: adj. ant. Bobo que se le cae la baba (2).

Desbaldir: tr. ant. Esparcir, derramar, echar abajo//Malograr, derrochar, dar de balde (2).

Desbalzar: tr. ant. Derrotar, vencer, desbaratar (2).

Desballestar: tr. ant. Desarmar la ballesta (1).

Desbaradero: m. ant. Lugar donde se desbara (2).

Desbarar: intr. ant. Resbalar, deslizarse//Ar. Desbarizarse (2).

Desbaratamiento://2. m. ant. Desbarato (1).

Desbarate: m. ant. Acción de Desbaratar, vencimiento (2).

Desbarato: m. ant. Desbarate (2).

Desbaraustar: tr. ant. Desbarajustar (1).

Desbarrada: f. ant. Desorden con alboroto (1).

Desbocar: intr. ant. Salir por la boca (2).

Desbolver: tr. ant. Desenvolver//r. ant. Desnudarse (2).

Desbrazado: adj. ant. Con los brazos extendidos (2).

Desburrifar: tr. ant. Aburrir (2).

Descabelladura: f. ant. Acción y efecto de Descabellar (1).

Descabeñarse: r. ant. Descabellarse (1).

Descabildadamente: adv. m. ant. Descabezadamente//2. ant. Sin guía ni dirección (1).

Descalabrado, da://2. adj. ant. Imprudente, arrojado (1)//Trastornado de cabeza (2).

Descalimar: intr. ant. Mar. Levantarse o disiparse la calima (1).

Descallador: m. ant. Herrador (1).

Descaminado://2. m. ant. Descamino (1).

Descamino://3. m. ant. Derecho impuesto sobre las cosas descaminadas (1).

Descanssar: intr. ant. Descansar (2).

Descanto: m. ant. Desgaste (2).

Descañar://2. tr. ant. Romper la caña del brazo o de la pierna (1).

Descapellado: adj. ant. Descabellado (2).

Descargamiento: m. ant. Descarga//2. ant. Descargo (1).

Descarnado: adj. ant. Flaco (2).

Descaudilladamente: adv. m. ant. Sin concierto ni orden por falta de caudillo (1).

Descaudillar: intr. ant. No guardar orden ni concierto por falta de caudillo; desordenarse, desconcertarse por esta causa (1)//Dejar sin caudillo (2).

Descavalgar: intr. ant. Descabalgar (2).

Descayo: m. ant. Decaimiento (2).

Descendida://2. f. ant. Expedición marítima con desembarco (1).

Descendiente://3. f. ant. Bajada, falda o vertiente (1).

Descendimiento://3. m. ant. Fluxión o destilación que cae de la cabeza al pecho o a otras partes (1).

Descennir: tr. ant. Desceñir (2).

Descensión://2. f. ant. Descendencia (1).

Descerebrar: tr. ant. Descalabrar (1).

Descingir: tr. ant. Desceñir (1).

Desciplina: f. ant. Disciplina (2).

Descobertura: f. ant. Descubrimiento (1).

Descobierto, ta: p. p. irreg. ant. de Descobrir. Descubierto (2).

Descobijadamente: adv. m. ant. Desabrigadamente (1).

Descobrir: tr. ant. Descubrir (2).

Descocido: adj. ant. Arrugado, escocido (2). .

Descocho, cha: adj. ant. Muy cocido (1).

Descogencia: f. ant. Elección (2).

Descoger: tr. ant. Escoger (1-2).

Descogotar: tr. ant. Acogotar (1).

Descolarse: r. ant. Bajarse el cuello de la camisa o túnica (2).

Descomimiento: m. ant. Desgana (1).

Descómodo, da: adj. ant. Incómodo (1).

Descompañar: tr. ant. Desacompañar (1).

Descomulgación: f. ant. Excomulgación (1).

Descomulgadero, ra: adj. ant. Descomulgado (1).

Descomulgamiento: m. ant. Excomulgamiento (1).

Descomunal: adj. ant. Extremoso (2).

Descomunaleza: f. ant. Excomunión (1).

Desconcorde: adj. ant. Desacorde (1).

Desconfiante: p. a. ant. de Desconfiar. Que desconfía (1).

Desconforme://2. adv. m. ant. Sin conformidad con una cosa (1).

Desconhortamiento: m. ant. Desconhorte (1).

Desconhortar: tr. ant. Desanimar, desalentar. Usáb. t. c. r. (1).

Desconhorte: m. ant. Desaliento, decaimiento de ánimo (1).

Desconocencia: f. ant. For. Ingratitud (1).

Desconsejar: tr. ant. Desaconsejar (1).

Descontamiento: m. ant. Descuento (1).

Desconvenible://2. adj. ant. No conviene (1).

Desconveniblemente: adv. m. ant. Fuera de propósito o de razón (1).

Desconversar: tr. ant. Huir del trato y conversación (1).

Descoraznadamente: adv. m. ant. Descorazonadamente (1).

Descoraznamiento: m. ant. Descorazonamiento (1).

Descorazonar://3. intr. ant. fig. Desmayar, perder el ánimo (1).

Descordar: intr. ant. Discordar (1).

Descordia: f. ant. Discordia (2).

Descordojo: m. ant. Gusto, placer (1).

Descostreñimiento: m. ant. Desenfreno (1).

Descostumbre: f. ant. Olvido de una costumbre (1).

Descotar: tr. ant. Levantar o quitar el coto o prohibición del uso de un camino, término, heredad, etc. (1).

Descrecer: intr. ant. Decrecer (2).

Descreencia, [-ça]: f. ant. Incredulidad (2).

Descrinar: tr. ant. Desgreñar (1).

Descriptorio, ria: adj. ant. Descriptivo (1).

Descrubir: tr. ant. Descubrir (2).

Descrucificar: tr. ant. Desenclavar, quitar de la cruz al que estaba en ella (1).

Descrucijar: tr. ant. Desencrucijar (2).

Descubierta://2. f. ant. Descubrimiento o revelación de una cosa que se ignoraba (1).

Descubrición: f. ant. Registro que una casa tiene sobre otra (1).

Descuidamiento: m. ant. Descuido (1).

Descujar: tr. ant. Descuajar (2).

Desculpar: tr. ant. Disculpar (2).

Descumulgar: tr. ant. Descomulgar (2).

Descumunal: adj. ant. Descomunal (2).

Descumunión: f. ant. Descomunión (2).

Descura: f. ant. Descuido (1).

Desdel: contracc. ant. de Desde el (1).

Desdende: adv. l. y t. ant. Desde allí, o desde entonces (1).

Desdennar: tr. ant. Desdeñar (2).

Desdeñado, da: adj. at. Desdeñoso (1).

Desdeñanza: f. ant. Desprecio (1).

Desdeño: m. ant. Desdén (1).

Desdón: m. ant. Insulsez, falta de gracia (1).

Desdonadamente: adv. m. ant. Rústicamente, groseramente (1).

Desdonado, da: adj. ant. Sin gracia o don (2).

Dsdonar: tr. ant. Quitar lo que se había dado o donado (1-2).

Desdormido, da: adj. ant. Despavorido y mal despierto (1).

Dese, sa, so: contracc. ant. de De ese, de esa y de eso (1).

Deseadero, ra: adj. ant. Deseable (1).

Deseante: p. a. ant. de Desear. Que desea (1).

Deseguir: tr. ant. Seguir la parcialidad de una persona (1).

Desellar: tr. ant. Quitar el sello (2).

Desembarcación: f. ant. Desembarco (1).

Desembargar://2. tr. ant. Evacuar el vientre (1)//Librar, apartar (2).

Desemblante: adj. ant. Desemejante (1)

Desemblanza: f. ant. Desemejanza (1).

Desembrar: tr. ant. Diseminar. Usáb. t. c. r. (1).

Desemejable: adj. desus. Fuerte, grande, terrible//2. ant. Desemejante (1).

Desemejado, da: adj. ant. Desemejable (1).

Desemejar://3. tr. ant. Disfrazar (1).

Desempachar://2. tr. ant. Despachar (1).

Desemparar: tr. ant. Desamparar (2).

Desempeñamiento: m. ant. Desempeño (1).

Desempulgar: tr. ant. Quitar de las empulgaderas la cuerda de la ballesta (1-2).

Desenalar: intr. ant. Quitar la señal (2).

Desencabalgado, da: ad . ant. Deciase del que estaba desmontado (1).

Desencargar://2. tr. ant. Descargar (1).

Desencasadura: f. ant. Desencajadura (1).

Desencasar: tr. ant. Desencajar (1).

Desencentrar: tr. ant. Descentrar (1).

Desenfrenación: f. ant. Desenfreno (1).

Desend: adv. l. y t. ant. Desende/ /2. ant. Luego (1-2).

Desende: adv. l. y t. ant. Desdende (1-2).

Desenfrenación: f. ant. Desenfreno (1).

Desengañado, da://2. adj. ant. fig. y fam. Despreciable y malo (1).

Desengañamiento: m. ant. Desengaño (1).

Desenhadamiento: m. ant. Desenfado (1).

Desenhadar: tr. ant. Desenfadar. Usáb. t. c. r. (1).

Desenhastiar: tr. ant. Quitar e hastío (1).

Desenhechizar: tr. ant. Deshechizar (1).

Desenhetrable: adj. ant. Aplicábase al cabello que se podía desenredar o desenmarañar (1).

Desenlustrar: tr. ant. Deslustrar (1).

Desenparar: tr. ant. Desemparar (2).

Desenquietar: tr. ant. Inquietar (1).

Desenrazonado, da: adj. an. Que carece de razón (1).

Desensañar: intr. ant. Quitar la saña, desenojar (2).

Desenseñamiento: m. ant. Falta de enseñanza, ignorancia (1).

Desentendido, da://2. adj. ant. Ignorante (1-2).

Desentendimiento: m. ant. Desacierto, despropósito, ignorancia (1).

Desentido, da: adj. ant. Loco o necio (1).

Desentollecer: tr. ant. Restituir a los nervios el uso perdido por algún accidente. Usáb. t. c. r.//2. ant. fig. Librar de embarazos, impedimentos o daños (1).

Desentropezar: tr. ant. Desembarazar, quitar tropiezos (1).

Desenvergonzadamente: adv. m. ant. Desvergonzadamente (1).

Desenvolver://4. tr. ant. Agilitar (Hacer ágil) (1).

Deseñamiento: m. ant. Falta de enseñanza e instrucción (1).

Deseñalar: intr. ant. Quitar la señal (2).

Deseñar: tr. ant. Hacer señas para dar noticia de algo (1).

Deseño: m. ant. Desiño o designio (1).

Desesperamiento: m. ant. Desesperación (1).

Desesperanza://2. f. ant. Desesperación (1).

Deserpiar: tr. ant. Arrancar las serpias (2).

Deserrar: intr. ant. Errar (2).

Desertido, da: adj. ant. Desierto (2).

Desesado: adj. ant. Sin seso (2).

Desfacción: f. ant. Acción y efecto de Deshacer o deshacerse (1).

Desfacedor: adj. ant. Deshacedor (1).

Desfacer: tr. ant. Deshacer. Usáb. t. c. r. (1).

Desfacimiento: m. ant. Daño, detrimento, menoscabo, ruina o destrucción (1).

Desfalcación: f. ant. Desfalco (1).

Desfalcar://4. tr. ant. fig. Apartar, desviar a uno del ánimo o intención en que estaba (1).

Desfallecer://3. intr. ant. Faltar (1).

Desfallecimiento://2. m. ant. Extinción, fenecimiento (1).

Desfallido: adj. ant. Caído (2).

Desfallimiento: m. ant. Caída, error (2).

Desfamamiento: m. ant. Infama, infamación (1).

Desfamar: tr. ant. Declarar a uno por infame (1).

Desfanbrido, da: adj. ant. Hambriento (2).

Desfavor: m. ant. Disfavor (1).

Desfazado, da: adj. ant. Desfachatado (1-2).

Desfear: tr. ant. Desfigurar (1-2).

Desfechar: tr. ant. Tirar con el arco (1).

Desfecho, cha: p. p. irreg. ant. de Desfacer (1-2).

Desfegurar: tr. ant. Desfigurar (2).

Desfer: tr. ant. Deshacer (2).

Desferra: f. ant. Discordia, disensión, oposición de dictámenes o de voluntades (1).

Desferrar: tr. ant. Quitar los fierros (1)//Descerrajar (2).

Desfeuzado: adj. ant. Desconfiado (2).

Desfiar: tr. ant. Desafiar (2).

Desfianza: f. ant. Desconfianza (1).

Desfiladiz: m. ant. Filadiz (Seda que se saca del capullo roto) (1).

Desfilar: tr. ant. Deshilar (1).

Desfiuciado, da: adj. ant. Desconfiado o desahuciado (1-2).

Desfiuza: f. ant. Desconfianza (1).

Desfiuzar: tr. ant. Desahuciar, quitar la esperanza (2)//2. intr. ant. Desconfiar (1).

Desfolar: tr. ant. Desfollar (1).

Desfollar: tr. ant. Desollar (1-2).

Desforzado: adj. ant. Esforzado (2).

Desfrenadamente: adv. m: ant: Desenfrenadamente (1).

Desfrez: m. ant. Desprez (1).

Desfrezar: tr. ant. Disfrazar. Usáb. t. c. r. (1).

Desfructar: tr. ant. Desfrutar (2).

Desfuir: tr. ant. Defuir (1).

Desfundar: tr. ant. Desenfundar (1).

Desgajar://4. tr. ant. fig. Hablando de la amistad de uno, dejarla, abandonarla (1).

Desgañar: intr. ant. Desganar (2).

Desganirse: r. ant. Desgañitarse (1).

Desgastador, ra: adj. ant. Que desgasta. Usáb. t. c. s. (1)//Gastador (2).

Desgastar://2. tr. ant. Desperdiciar o mal gastar (1).

Desgotar: tr. ant. Agotar el agua en que está empapada una cosa exprimiéndola (1).

Desgracia://7. f. ant. Menoscabo en la salud (1).

Desgraciado, da (Estar uno)://2. ant. Padecer menoscabo en la salud (1).

Desgraciar://4. r. ant. No estar bueno (1).

Desgradar: tr. ant. Degradar (1).

Desgradar: intr. ant. Desagradar (1).

Desgradecer: intr. ant. Desagradecer (2).

Desgradecido, da: adj. ant. Desagradecido (1).

Desgrado: m. ant. Desagrado//A desgrado: m. adv. ant. A disgusto (1-2).

Desgraduar: tr. ant. Degradar (1).

Desguarnir: tr. ant. Despojar de los adornos y preseas (1).

Desguisado, da: adj. ant. Desaguisado (1)//Desarreglado (2).

Desguizar: tr. ant. Romper en pedazos (2).

Deshabido, da: adj. ant. Desventurado, infeliz e infame (1).

Deshacimiento: m. ant. Acción y efecto de Deshacer o deshacerse//2. ant. fig. Desasosiego, inquietud (1).

Deshambrido, da: adj. ant. Hambriento (2).

Deshambrinar: intr. ant. Desfallecer de hambre (2).

Deshebrar: tr. ant. Desenmarañar (2).

Deshechura: f. ant. Deshacimiento (1).

Desheladura: f. ant. Deshielo (1).

Desher: tr. ant. Desfer (2).

Desheredar://2. tr. ant. Privar a uno de su heredamiento (1).

Desherencia: f. ant. Desheredamiento (1).

Desherrar: tr. ant. Desferrar (2).

Deshijado, da: adj. ant. Aplicábase a la persona a quien habían faltado los hijos (1).

Deshijar: tr. ant. Dejar sin hijo (2).

Deshonestad: f. ant. Deshonestidad (1).

Deshonestar: tr. ant. Deformar//2. ant. Deshonrar, infamar, desacreditar (1).

Deshonesto, ta://3. adj. ant. Grosero, descortés, indecoroso (1).

Deshonra://3. f. ant. Desacato, falta de respeto (1).

Deshospedado, da: adj. ant. Que carece de hospedaje o alojamiento (1).

Desí: adv. l. y t. ant. Desde allí, después (2).

Déside: adj. ant. Desidioso (1).

Desierra: f. ant. El andar errado (2).

Desigual://4. adj. ant. Excesivo, extremado (1).

Desigualado, da://2. adj. ant. Desigual (1).

Desigualeza: f. ant. Desigualdad (1).

Desinteresal: adj. ant. Desinteresado (1).

Desinteresamiento: m. ant. Desinterés (1).

Desiñar: tr. ant. Designar (1).

Desiño: m. ant. Designo (1).

Desipiencia: f. ant. Insipiencia (1).

Desipiente: adj. ant. Insipiente (1).

Desir: tr. ant. Decir (2).

Desjuzgar: tr. ant. Juzgar mal (2).

Deslaiar: tr. ant. Resbalar, dar de soslayo (2).

Deslaidar. tr. ant. Afear, desfigurar (1).

Deslanar: tr. ant. Despelusar, quitársele la lana (2).

Deslánguido, da: adj. ant. Flaco, débil y extenuado (1).

Deslardar: tr. ant. Dejar sin lardo, sin sustancia, sin fuerza (2).

Deslardarse: r. ant. Enflaquecer, perder carne (1).

Deslatar: tr. ant. Disparar, arrojar//2. intr. ant. Disparatar (1).

Deslate: m. ant. Disparo, estallido//2. ant. Dislate (1).

Deslavamiento: m. ant. Descaro (1).

Deslavar: tr. ant. Lavar, perdonar (2).

Deslayo: adv. m. ant. De través (2)// **En deslayo:** m. adv. ant. A la deshilada (1).

Deslegar: tr. ant. Desligar (2).

Desleido: adj. ant. Descompuesto (2).

Deslenar: tr. ant. Desviar (2).

Deslimar: intr. ant. Dejar de limar (2).

Deslinajar: tr. ant. Envilecer, menospreciar. Usáb. t. c. r. (1).

Deslinar: tr. ant. Despojar o desarmar (1).

Deslindadura: f. ant. Deslinde (1).

Deslindar: intr. ant. Desnaturalizarse (2).

Desloor: m. ant. Vituperio (1).

Deslumbre: m. ant. Deslumbramiento//2. ant. Vislumbre (1).

Desmaído: p. p. ant. de Desmaír (2).

Desmaír: intr. ant. Desmayarse, acobardarse (2).

Desmalingrar: intr. ant. Murmurar, hablar o decir mal (1).

Desmallar: tr. ant. Romper la malla de la cota (2).

Desmanar: tr. ant. Deshacer la manada del ganado//2. ant. Apartar o excusar (1)//Impedir (2).

Desmanarse: r. ant. Desarreglarse (2).

Desmanchar: tr. ant. Deshonrar//2. ant. Desmallar (1-2).

Desmancho: m. ant. Deshonra, infamia (1).

Desmangorrear: tr. ant. Desmangar (1).

Desmano: m. ant. Desmán (2).

Desmañar: tr. ant. Estorbar, impedir (1).

Desmaridar: tr. ant. Separar de su marido a la mujer (1).

Desmarrido, da: adj. ant. Triste (2).

Desmayamiento: m. ant. Desmayo (1).

Desmedrido: adj. ant. Medroso (2).

Desmedrir: tr. ant. Amedentrar (2).

Desmembradura: f. ant. Desmembración (1).

Desmembramiento: m. ant. Desmembración (1).

Desmemorado, da: adj. ant. Desmemoriado. Usáb. t. c. s. (1).

Desmesura: f. ant. Falta de mesura (2).

Desmiramiento: m. ant. Falta de miramiento o advertencia (1).

Desmocadero: m. ant. Despabiladeras (1).

Desmocar: intr. ant. Sonarse o quitarse los mocos (1).

Desmoderadamente: adv. m. ant. Inmoderadamente (1).

Desmoledura: f. ant. Acción y efecto de Desmoler (Desgastar, corromper, digerir) (1).

Desmurar: tr. ant. Demoler los muros o murallas de una ciudad, fortaleza o castillo (1).

Desnaturación: f. ant. Desnaturalización (1).

Desnatural: adj. ant. Extraño, violento, no natural (1).

Desnaturamiento: m. ant. Desnaturación (1).

Desnaturar: tr. ant. Desnaturalizar. Usáb. t. c. r.//2. r. ant. Romper el vasallo los vínculos que le ligaban con su señor natural (1).

Desnegar: tr. ant. Negar (2).

Desnerviar: tr. ant. Desnervar (1).

Desnoblecer: tr. ant. Envilecer, hacer perder la nobleza (1).

Desnuyar: tr. ant. Desnudar (2).

Desnuyo: adj. ant. Desnudo (2).

Desobedecimiento: m. ant. Desobediencia (1).

Desoldar: intr. ant. Soltarse lo soldado (2).

Desollamiento: m. ant. Desolladura (1).

Desombrado: adj. ant. Desgraciado, que perdió la sombra (1).

Desonar: intr. ant. Disonar (2).

Desondra: f. ant. Deshonra (1-2).

Desondrar: tr. ant. Deshonrar (1-2).

Desonor: m. ant. Deshonor (2).

Desonrar: tr. ant. Desondrar (2).

Desonrra: f. ant. Deshonra (2).

Desordenanza: f. ant. Desorden (1-2).

Desordenar://2. tr. ant. Degradar a una persona eclesiástica (1).

Desordir: tr. ant. Desordenar (2).

Desorna: f. ant. Desondra (1).

Desornamiento: m. ant. Deshonramiento (2).

Desornar: tr. ant. Deshonrar (2).

Desorrumar: intr. ant. Desmoronar (2).

Desosado: adj. ant. Sin hueso (2).

Desosegar: tr. ant. desus. Desasosegar (1).

Desosiego: m. ant. Desasosiego (2).

Desoterrado, da://2. adj. ant. Insepulto (1).

Desoterrar: tr. ant. Desenterrar (1-2).

Desoy: adv. t. ant. Desde hoy (2).

Despabilar://2. tr. fig. desus. Cercenar, quitar de una cosa algo que en ella estorba o constituye una imperfección (1).

Despabilo: m. ant. Despabiladura (1).

Despachada: f. desus. En las contadurías de relaciones, el empleo ejercitado por una segunda clase de oficiales que no podían rubricar los despachos que ejecutaban y sólo ponían al pie de ellos «despachada» //2. desus. El oficial que servía este empleo (1).

Despachadamente: adv. m. ant. Con mucha brevedad y ligereza (1).

Despachamiento: m. ant. Destierro (1).

Despachurrado, da://2. adj. desus. Decíase de la persona ridícula y despreciable (1).

Despagado, da://2. adj. desus. Enemigo, adversario. Usáb. t. c. s. (1)// Descontento (2).

Despagamiento: m. desus. Descontento, disgusto (1).

Despagar: tr. desus. Descontentar, disgustar. Usáb. m. c. r. (1-2).

Despaladinar: tr. ant. Declarar o explicar (1).

Despalmar: tr. ant. Limpiar la embarcación, embrearla y ensebarla (2).

Desparado, da: adj. ant. Diferente, diverso (1).

Desparar: tr. ant. Descomponer o desconcertar lo que estaba dispuesto//2. ant. Prorrumpir (1).

Desparar: tr. ant. Desamparar, dejar (2).

Desparcimiento: m. ant. Esparcimiento (1).

Desparcir: tr. ant. Esparcir. Usáb. t. c. r. (1).

Despartir: intr. ant. Partir//tr. ant. Apartar y dividir el ganado, la herencia, etc. (2).

Desparear: tr. ant. Separar, apartar o desigualar (1).

Desparecer://3. r. ant. No parecerse, ser desemejante una cosa de otra (1).

Desparrancado, da: adj. desus. Esparrancado (Que anda o está muy abierto de piernas) (1).

Despasmarse: r. ant. Recobrarse, volver sobre sí de la suspensión o del susto o pasmo (1).

Despecio: m. ant. Dispendio (1).

Despechador: m. desus. El que carga demasiados pechos o tributos (1).

Despechamiento: m. desus. Despecho (1).

Despechar: tr. desus. Imponer tributos excesivos (1-2).

Despecho://3. m. desus. Disgusto o sentimiento vehemente//4. desus. Rigor, aspereza (1).

Despechoso, sa: adj. ant. Despechado, indignado, furioso (1-2).

Despedazadura: f. ant. Despedazamiento (1).

Despediente: m. ant. Expediente (1).

Despejar://5. r. desus. Divertirse, esparcirse (1).

Despelicar tr. ant. Arrancar pelos (2).

Despelotar: tr. desus. Desgreñar, enmarañar y descomponer el pelo//2. ant. Desplumar un ave a otra (1).

Despeluncar: tr. ant. Despeluzar (1).

Despeluzo: m. ant. Despeluzamiento (1).

Despender: tr. ant. Gastar y malbaratar (2).

Despensa://5. f. desus. Conjunto de cosas que el despensero o comprador trae para el gasto diario de la comida//6. ant. Acción y efecto de Despender, distribuir o repartir//8. pl. ant. Expensas (1-2).

Despensero://3. m. ant. Despensero mayor (1).

Despenseta: f. ant. d. de Despensa (1).

Despenssa: f. ant. Despensa (2).

Despeñadura: f. ant. Despeño (1).

Despepitado://2. m. desus. Arcabucero de a caballo, empleado en el servicio de corredor o explorador (1).

Despepitador: m. desus. Despepitado ((1).

Desperación: f. ant. Desesperación (1).

Desperado: adj. ant. Desesperado (2).

Desperanza: f. ant. Falta de esperanza (1).

Desperar: intr. ant. Desesperar. Usáb. t. c. r. (1-2).

Desperdiciadura: f. ant. Desperdicio (1).

Desperdiciamiento: m. desus. Desperdicio (1).

Desperecer: intr. ant. Perecer (1).

Desperir: intr. ant. Perecer (2).

Despernancado, da: adj. desus. Esparrancado (1).

Despernancarse: r. desus. Esparrancarse, despatarrarse (1).

Desperteza: f. ant. Previsión, conocimiento (1).

Despesa: f. ant. Dispendio, gasto (1).

Despesar: tr. ant. Expender (1)//Pesar (2).

Despestañar://3. r. fig. desus. Quemarse uno las cejas, estudiar con ahínco//4. fig. desus. Desvelarse, poner gran cuidado y aplicación en alguna cosa (1).

Despezar: tr. ant. Despedazar o hacer piezas (2).

Despidiente: p. a. desus. de Despedir (2).

Despiezar: tr. ant. Despezar (2).

Despiritado, da: adj. ant. Que carece de espíritu (1).

Desplacible: adj. ant. Desapacible (1).

Desplanar: tr. ant. Explicar (1)//Explanar (2).

Desplantar: tr. ant. Desarraigar (1).

Desplayar: tr. ant. Explayar (1).

Desplegadamente: adv. m. ant. Abierta y expresamente (1).

Desplego: m. desus. Claridad, ingenuidad sin rebozo, en la expresión o declaración de algo (1).

Despoblada: f. ant. Despoblación (1).

Despoblamiento: m. ant. Despoblación (1).

Despoderado, da: adj ant. Desposeído, despojado (1).

Despojamiento: m. ant. Despojo (1).

Despojo://6. m. ant. Espolio (Conjunto de bienes que, por haber sido adquiridos con rentas eclesiásticas, quedan de propiedad de la Iglesia al morir sin testar el clérigo que las poseía) (1).

Despolvorizar tr. ant. Despolvorear (1).

Desponer: tr. ant. Deponer (1-2).

Desposación: f. ant. Desposorio (1).

Desposajas: f. pl. ant. Esponsales (1).

Desposamiento: m. ant. Desposorio (1).

Desposar: intr. ant. Esposar (2).

Déspoto: m. ant. Déspota (1).

Despreciamiento: m. ant. Desprecio (1).

Desprez: m. ant. Desprecio//2. ant. For. Rebeldía del delincuente que no se presentaba //3. ant. Multa en que incurría (1).

Desprivanza: f. desus. Caída y pérdida de la privanza (1).

Desprivar: tr. desus. Hacer caer en la privanza//2. intr. desus. Caer de la privanza (1-2).

Despropiar: tr. ant. Expropiar o despojar a uno de una cosa (1).

Desproveídamente://2. adv. m. ant. Inopinadamente (1).

Desproveimiento: m. ant. Desprevención (1).

Desprunada: f. ant. Precipicio, peligro (2).

Desprunar: intr. ant. Bajar (2).

Despuesto, ta: p. p. irreg. del ant. Desponer (1).

Despullar: tr. ant. Desnudar (1).

Despuntar://3. tr. ant. Desapuntar //4. ant. Mar. Montar o doblar una punta o un cabo (1).

Desputación: f. ant. Disputa (2).

Desputar: tr. ant. Disputar (2).

Desque: adv. t. ant. Desde que, luego que, así que (1-2).

Desquilar: tr. ant. Esquilar (1).

Desquilo: m. ant. Esquileo (1).

Desquitamiento: m. ant. Desquite (1).

Desquito, ta: p. p. irreg. ant. de Desquitar (1).

Desquizar: tr. ant. Desquiciar (2).

Desradigar: tr. ant. Desarraigar (2).

Desraigar: tr. ant. Desarraigar//2. ant. fig. Extinguir, extirpar (1).

Desraspar: tr. ant. Raspar o raer (1).

Desreptar: tr. ant. Reponer en la estima y honra (2).

Desreverencia: f. ant. Irreverencia (1)

Desrostrar: tr. ant. Herir en el rostro afeándolo o descomponiéndolo. Usáb. t. c. r. (1).

Dessar: tr. ant. Dejar (2).

Dessear: intr. ant. Desear (2).

Desseo: m. ant. Deseo (2).

Desseoso: adj. ant. Deseoso (2).

Desta: contracc. ant. de De esta (2).

Destablar: tr. ant. Desentablar (1).

Destacarse: intr. ant. Quitarse el colmenero la carantoña (2).

Destajado: adj. ant. Determinado (2).

Destajamiento: m. ant. Rebaja, disminución//2. ant. Extravío de un raudal que toma nuevo curso (1).

Destajar://3. tr. ant. Atajar, precaver //4. ant. Interrumpir//5. ant. Extraviar, descarriar (1)//Cortar, apartar, omitir, abolir (2).

Destajo://2. m. ant. División o atajadizo (1).

Deste, ta, to: contracc. ant. de De este, de esta y de esto (2).

Destelladura: f. ant. Destilación (1).

Destellar: tr. ant. Gotear, destilar (1-2).

Destello: m. ant. Destilación (1).

Destemperado, da: adj. ant. Desleído o disuelto (1).

Destemperamiento: m. ant. Destemplanza (1).

Destemplamiento: m. ant. Destemplanza (1).

Destenprado: adj. ant. Destemplado (2).

Destentadamente: adv. m. ant. Desatentadamente (1).

Desteridad: f. ant. Destreza (1).

Desterminar: intr. ant. Determinar (2).

Desterramiento: m. ant. Destierro (1).

Desterrante: p. a. ant. de Desterrar. Que destierra (1).

Desterrar://4. tr. ant. Desenterrar (1).

Destez: m. ant. Contratiempo, penalidad, infortunio (1).

Destín: m. ant. Testamento, última voluntad//2. ant. Destino (1)

Destinación://2. f. ant. Destino (1).

Destinado, da://2. adj. ant. Desatinado (1).

Destinar: intr. ant. Desatinar (1).

Destiñar: tr. ant. Limpiar las colmenas de los destiños o escarzos (1).

Destirpar: tr. ant. Extirpar (1).

Destorbar: tr. ant. Estorbar (2).

Destorcer: tr. ant. Estorcer//Quitar la torcedura (2).

Destorpado: adj. ant. Torpe, feo (2).

Destorpadura: f. desus. Acción y efecto de afear, manchar o estropear (1).

Destorpar: tr. desus. Deturpar (1)// Destrozar (2).

Destorvar: tr. ant. Destorbar (2).

Destotro, tra: contracc. ant. de De este otro, de esto otro, de esta otra (2).

Destrabar://3. tr. ant. Romper o deshacer las vallas o trincheras (1).

Destramar://2. tr. fig. ant. Romper, deshacer la trama, conjuración o engaño que se había hecho (1).

Destrero, ra: adj. ant. Diestro, experto, ejercitado en armas (1).

Destrez: f. ant. Destreza (1).

Destreza://2. f. desus. Esgrima (1).

Destributar: tr. ant. Eximir del pago del tributo (1).

Destricia: f. ant. Escasez, necesidad, aprieto (1).

Destroir: tr. ant. Destruir (2).

Destronchar: tr. ant. Tratar de una materia sin profundizarla (1).

Destropar: tr. ant. Separar o dividir el ganado o la gente, de suerte que cada uno vaya solo o por un lado (1).

Destructo, ta: p. p. irreg. ant. de Destruir (1).

Destruición: f. desus. Destrucción (1).

Destruimiento: m. ant. Destrucción (1).

Desturbar: tr. ant. Echar, expeler, arrojar (1).

Desunar: tr. ant. Desnudar (2).

Desuno: adv. m. ant. De consuno, de conformidad, con unión, juntamente (1).

Desuñir: tr. ant. Desuncir (1).

Desús (Al): m. adv. ant. Por encima de (1).

Desusar: intr. ant. Perder la costumbre (2).

Desvaído, da://3. adj. ant. Vaciado, adelgazado, disminuido (1).

Desvaidura: f. ant. Adelgazamiento, disminución (1).

Desvainar://2. tr. ant. Desenvainar (1).

Desvalía: f. ant. Desvalimiento (1).

Desvalido, da://2. adj. ant. Acelerado, presuroso, desalado (1).

Desvalor: m. ant. Cobardía, miedo//2. ant. Falta de mérito o de estimación (1).

Desvalorar://2. tr. desus. Acobardar, amedrentar (1).

Desvariable: adj. ant. Que puede variar o mudarse (1).

Desvariadamente://2. adv. m. ant. Diferentemente, con diversidad o desemejanza (1).

Desvariado, da://5. adj. ant. Diverso, diferente, desemejante (1).

Desvariamiento: m. ant. Diversidad, diferencia (1).

Desvariar: tr. ant. Diferenciar, variar, desunir o desviar (1).

Desvarío://3. m. ant. Desunión, división, disensión (1).

Desvencijar://2. r. desus. Quebrar (1).

Desvergonzamiento: m. ant. Desvergüenza (1).

Desvergoñadamente: adv. m. ant. Desvergonzadamente (1).

Desvergüenzamiento: m. ant. Desvergonzamiento (1).

Desviada: f. ant. Camino desviado (2).

Desviamiento: m. ant. Desvío (1).

Desviar://4. intr. ant. Apartarse, separarse (1).

Desvolver: tr. ant. Desenvolver//r. Desnudarse (2).

Desyerra: intr. ant. El andar errado (2).

Desyuncir: tr. ant. Desuncir (1).

Desyunto, ta: p. p. irreg. ant. de Desyuncir//2. desus. Disyunto (1).

Detardamiento: m. ant. Tardanza (1).

Detardar: tr. ant. Retardar o tardar (1-2)//2. intr. ant. Detenerse, hacer mansión (1).

Detenencia: f. ant. Detención (1-2).

Detentor: m. desus. Fort. Detentador (El que retiene la posesión de lo que no es suyo) (1).

Determinamiento: m. ant. Determinación (1).

Detornar: tr. ant. Volver segunda vez (1).

Detraedor: m. desus. Detractor (1).

Detraimiento: m. ant. Infamia, deshonor (1).

Deturpar: tr. ant. Afear, manchar, estropear (1).

Deudo://3. m. ant. Deber, deuda (1-2).

Deudoso, sa: adj. ant. Que tiene deudo o parentesco con uno (1).

Deus: m. ant. Dios (2).

Devallar: intr. ant. Deballar (2).

Deván: adv. t. ant. Devant (1).

Devandicho, cha: adj. ant. Sobredicho (1).

Devanear://2. intr. ant. Vaguear (1).

Devant: adv. t. ant. Antes, anteriormente (1).

Deveces: adv. ant. A las veces (2).

Devedamiento: m. ant. Prohibición, rémora (2).

Devedar: tr. ant. Prohibir, vedar (1-2).

Devegadas: adv. t. ant. De veces (2).

Devenir: intr. ant. Llegar a ser, hacerse (2).

Devesa: f. ant. Dehesa (1).

Devezes: adv. ant. Deveces (2).

Deviedo: m. ant. Veda//2. ant. Vedado//3. ant. Entredicho//4. ant. For. Deuda contraída por delito o rebeldía (1).

Devierso: adj. ant. Diverso (2).

Devieso: m. ant. Divieso (1).

Devinar: tr. ant. Adivinar (2).

Devino, na: m. y f. ant. Adivino, na (1-2).

Devinto, ta: adj. ant. Vencido (1).

Devisa: f. ant. Divisa (2).

Devisar: tr. ant. Pactar, concertar, convenir//2. ant. Señalar, declarar la suerte o género de armas para el combate en los duelos y desafíos//3. ant. Dividir o hacer particiones//4. ant. Contar, referir//5. ant. Disfrazar (1)//Divisar (2).

Devisero: m. ant. Heredero o heredado y avecindado, de behetría (2).

Devisso: adj. ant. Dividido (2).

Devodar: intr. ant. Votar o jurar (1).

Devolver: tr. ant. Desenvolver (2).

Devoraz: adj. ant. Voraz (1).

Devover: tr. ant. Dedicar, ofrecer, entregar. Usáb. t. c. r. (1).

Dexar: tr. ant. Dejar (2).

Dexmero: m. ant. Dezmero (Perteneciente al diezmo (1).

Deyecto, ta: adj. ant. Vil, despreciable (1).

Deytador: m. ant. Dictador (2).

Deyuso: adv. l. ant Debajo (1).

Dezmatorio://3. m. ant. Persona que pagaba el diezmo (1).

Dezmera: f. ant. Dezmería (Territorio de que se cobraba el diezmo para una iglesia o persona determinada) (1).

Dezmero: m. ant. El que paga diezmo, cristiano (2).

Dezmía: f. ant. Dezmería (1).

Dezir: tr. ant. Decir (2).

Di: adv. l. ant. De allí (1-2).

Diablado, da: adj. ant. Endiablado (1-2).

Diabloría: f. ant. Acción diabólica (2).

Diabro: m. ant. Diablo (2).

Diabrería: f. ant. Diablería (2).

Diamétrico, ca: adj. ant. Diametral (1).

Diarría: f. ant. Diarrea (1).

Diárrico, ca; adj. ant. Med. Diarreico (1).

Dibujar: tr. ant. Escribir (2).

Diceder: intr. ant. Retirarse (2).

Diciplina: f. ant. Disciplina (1).

Diciplinante: m. ant. Disciplinante (1).

Diciplinar: tr. ant. Disciplinar (1).

Dictado://3. m. ant. Composición en verso//4. ant. Materia de que se trata en cualquier escrito (1-2).

Dictaduría: f. ant. Dictadura (1).

Dictante: p. a. ant. de Dictar. Que dicta. Usáb. t. c. s. (1).

Dictatura: f. ant. Dictadura (1).

Dieta://3. f. desus. Estipendio que gana el médico diariamente por visitar un enfermo (1).

Diessa: f. ant. Diosa (2).

Diezma: f. ant. Décima (1).

Diezmo, ma: adj. ant. Décimo (1).

Difamar://3. tr. ant. Divulgar (1).

Difamatoria: f. at. Difamación (1).

Difamia: f. ant. Difamación o deshonra (1).

Diferecer: intr. ant. Diferir (1).

Diferencialmente: adv. m. ant. Diferentemente (1).

Dificilidad: f. ant. Dificultad (1).

Dificílimo, ma: sup. ant. de Difícil (1).

Difinecer: tr. ant. Definir (1).

Difinición: f. desus. Definición (1).

Difinidura: f. ant. Solución de un argumento (1).

Difinir: tr. desus. Definir (1).

Difiuciar: tr. ant. Desahuciar (1).

Difugio: m. ant. Efugio (Evasión, salida, recurso para sortear una dificultad) (1).

Digerecer: tr. ant. Digerir (1).

Digestir: tr. ant. Digerir (1).

Digesto, ta: p. p. irreg. ant. de Digerir (1).

Digladiar: intr. ant. Batallar o pelear con espada cuerpo a cuerpo (1).

Dignar: tr. ant. Tener por digno (2).

Dilación://2. f. ant. Dilatación, extensión, propagación (1).

Diligencia://5. f. ant. Amor, dilección (1).

Diligenciero://2. m. ant. For. Encargado por los fiscales para evacuar algunas diligencias de oficio, como pruebas de hidalguía, etc. (1).

Diluir: tr. ant. Engañar (1).

Dilusivo: adj. ant. Que tiene facultad de diluir (1).

Diminución: f. desus. Disminución (1).

Diminuecer intr. ant. Menguar, mermar (1).

Diminuir: tr. desus. Disminuir (1).

Dinarada f. ant. Dinerada//2. ant. Cantidad de comestible que se compra con un dinero (1-2).

Dinerada: f. ant. Cantidad de dinero; cantidad de comestible o bebida que se compra con un dinero (2).

Dinero: m. ant. Moneda de poco valor (2).

Dino, na: adj. ant. Digno (1).

Dío: m. ant. Dios (2).

Diocesal: adj. ant. Diocesano (1).

Diosesa: f. ant. Diosa (1).

Dioso, sa: adj. ant. De muchos años (1).

Dirruir: tr., ant. Derruir (Derribar, destruir, arruinar un edificio) (1).

Disantero, ra: adj. ant. Dominguero (1-2).

Disanto: m. ant. Día santo o de fiesta (2).

Discante://2. m. desus. Concierto de música, especialmente de instrumentos de cuerda (1)//Canto de ave, canción (2).

Discernedor, ra: adj. ant. Discernidor. Usáb. t. c. s. (1).

Discerner: tr. ant. Discernir (1).

Discolor: adj. ant. De varios colores (1).

Discordanza: f. ant. Discordancia (1).

Discretiva: f. ant. Facultad de discernir (2).

Discuento: m. desus. Noticia, cuenta, razón (1).

Disculpación: f. ant. Disculpa (1).

Discurriente: p. a. ant. de Discurrir. Que discurre (1).

Discurrimiento: m. ant. Discurso, razonamiento (1).

Discurso://10. m. ant. Carrera, curso, camino que se hace por varias partes (1).

Disfama: f. ant. Difamación (1).

Disfamamiento: m. ant. Difamación (1).

Disfamoso: adj. ant. Infamatorio (2).

Disformoso, sa: adj. ant. Disforme (1).

Disfrez: m. ant. Desfrez (1).

Disfrezarse: r. ant. Disfrazarse (1)

Disgerible: adj. ant. Digestible (1).

Desierto: adj. ant. Desierto (2).

Disímbolo, la: adj. desus. Disímil, diferente, disconforme (1).

Disípula: f. ant. Erisipela (1).

Disipular: tr. ant. Erisipelar. Usáb. m. c. r. (1).

Disolver://4. tr. desus. Resolver (1).

Disparato, ta: adj. ant. Disparatado (1).

Disparcialidad: f. ant. Desunión en los ánimos, desavenencia entre aquellos que forman parcialidad o grupo (1).

Dispensa://3. f. pl. ant. Expensas (1).

Dispensativo, va: adj. ant. Dícese de lo que dispensa o tiene facultad de dispensar (1).

Dispertador, ra: adj. ant. Despertador. Usáb. t. c. s. (1).

Dispertar: tr. ant. Despertar. Usáb. t. c. r. (1).

Dispierto, ta: p. p. irreg. ant. de Dispertar (1).

Disponedor://2. m. ant. Testamentario (1).

Disponiente: p. a. ant. de Disponer. Disponente (1).

Dispositiva: f. ant. Disposición, expedición y aptitud (1).

Dispositorio, ria: adj. ant. Dispositivo (1).

Disputación: f. ant. Disputa (1-2).

Disterminar: tr. ant. Deslindar (1).

Distilación: f. ant. Destilación (1).

Distilante: p. a. ant. de Distilar. Que destila (1).

Distilar: tr. ant. Destilar (1).

Distilatorio: m. ant. Destilatorio (1).

Distinto: m. ant. Instinto (1).

Distracción://4. f. ant. Distancia, separación (1).

Distracto: m. ant. For. Disolución del contrato (1).

Disyunta: f. desus. Mús. Mutación de voz con que se pasa de una propiedad o deducción a otra (1).

Disyunto, ta: adj. ant. Apartado, separado, distante (1).

Ditado: m. ant. Dictado (1-2).

Ditirámbica: f. ant. Ditirambo (1).

Dito, ta: p. p. irreg. ant. Dicho (1).

Diurnal: m. ant. Diurno (1).

Diurnario: m. ant. Diurno (1).

Diversorio: m. desus. Posada, mesón común o particular (1).

Divinación: f. ant. Adivinación (1).

Divinadero: m. ant. Adivinador (1).

Divinador, ra: m. y f. ant. Adivinador, ra (1).

Divinalmente: adv. m. ant. Divinamente (1).

Divinanza: f. ant. Adivinanza (1).

Divinar: tr. ant. Adivinar (1).

Divino, na://2. m. y f. ant. Adivino, na (1-2).

Divisa: f. ant. Cada una de las partes de la behetría dividida entre los hijos del señor (2).

Divisero: m. ant. Devisero (2).

Diviso: adj. ant. Dividido (2).

Dix: m. ant. Dije (1).

Diz: adj. ant. Diez (2).

Dizer: tr. ant. Decir (2).

Do://2. ant. De donde (1)//Donde (2).

Doblado, da://6. adj. ant. Gemelo (1).

Dobladura://5. f. ant. Duplicación de una cosa//6. desus. fig. Doblez (1).

Doblegadura: f. ant. Dobladura (1).

Doblegamiento: m. ant. Acción y efecto de Doblegar o doblegarse (1).

Dobler: m. ant. Alforjas (2).

Doblería: f. ant. Calidad de doble en algunas cosas, como las horas canónigas, o las distribuciones que se dan por ellas//2. ant. Derecho que en algunas partes había para que el de más autoridad llevase doble emolumento que los demás (1).

Doblez: m. ant. Alforja (1).

Doblo: m. ant. Duplo (1)//Moneda antigua (2).

Doblura: f. ant. Doblez (1).

Dobrar: tr. ant. Doblar (2).

Dobro: m. ant. Doblo (2).

Doceno: adj. ant. Duodécimo (2).

Doceñal: adj. ant. De doce años (1).

Docientos, ta: adj. pl. desus. Doscientos (1).

Doctitud: f. desus. Calidad de docto (1).

Doctrinanza: f. ant. Literatura o ciencia (1).

Doctrinar: tr. ant. Adoctrinar (2).

Documento: m. desus. Instrucción que se da a uno en cualquier materia, y particularmente aviso y consejo para apartarle de obrar mal (1).

Dolar: tr. ant. Golpear, herir (2).

Dolçor: m. ant. Dulzor (2).

Dolencia: f. ant. Dolo (Engaño, fraude, simulación) (1).

Dolencia://2. f. ant. Infamia o deshonra (1).

Doler: intr. ant. Dolerse (2).

Dolido://2. m. ant. Dolor, lástima, compasión (1).

Doliente://4. adj. ant. fig. Aplícase al tiempo, estación o lugar en que se padecen enfermedades (1).

Doliosamente adv. m. ant. Dolorosamente (1).

Dolioso, sa adj. ant. Dolorido (1)//Doloroso (2).

Dolorido, da://3. adj. ant. Doloroso//4. m. desus. Pariente del difunto, que preside el duelo en el entierro o recibe los pésames (1).

Dolorío: m. ant. Dolor (1-2).

Dolorioso, sa: adj. ant. Doloroso (1).

Dolzor: m. ant. Dulzor (1).

Domage [-tge]: m. ant. Daño (2).

Domanio: m. ant. Patrimonio privado y particular de un príncipe (1).

Domenguera: adj. ant. Dominguera (2).

Domientre: adv. t. ant. Mientras (2).

Dominguera: f. ant. Derecho del guardador de ganados (2).

Dominguillo://3. m. d. desus. Pelele en figura de soldado que se ponía en la plaza para que el toro se cebase en él (1).

Domínico, ca: adj. ant. Perteneciente al dueño o señor (1).

Domne: m. ant. Señor, don (2).

Domno: m. ant. Señor, don (2).

Dompne: m. ant. Domne (2).

Don://2. m. ant. Sin estar acompañado de otro nombre, y por sí solo, Señor (1)//Donde (2).

Dona: f. desus. Don (1).

Dona: f. ant. Mujer, dama//2. ant. Dueña//3. ant. Mar. Mar de donas (1).

Donable: adj. ant. Digno de que se le de (1).

Donadío: m. ant. Don//2. ant. Donación (1)//Donativo (2).

Donario: m. ant. Donaire (2).

Doncas: adv. m. ant. Pues (1).

Doncel://5. m. ant. Hijo de adolescente de padres nobles//6. ant. Paje, y especialmente el del rey (1).

Doncellil: adj. fam. desus. Propio de las doncellas (1).

Dond: adv. l. ant. De donde (1)//Donde (2).

Donde://4. adv. l. ant. De donde, donde o a donde (1-2).

Doneador: adj. ant. Galanteador. Usáb. t. c. s. (1).

Doneadero: adj. ant. Que dice donaires (2).

Donear: tr. ant. Galantear (1).

Doneo: m. ant. Galanteo (1).

Dono: m. ant. Don, gracia (2).

Donosía: f. ant. Donosura (1).

Donoso: adj. ant. Gracioso, lleno de dones (2).

Donsella: f. ant. Doncella (2).

Dont: adv. l. ant. Dond (2).

Doña: f. ant. Joya o alhaja//2. ant. Don, dádiva o regalo, y particularmente las que se hacían recíprocamente con ocasión de matrimonio//3. pl. ant. Ayudas de costas que, además del salario diario, se daban a principio de año a los oficiales de las herrerías que había en las minas de hierro (1).

Doña://2. f. ant. Dueña//3. ant. Monja (1).

Doñeador: adj. ant. Cortejador (2).

Doñear: tr. ant. Cortejear (2).

Doñeguil: adj. ant. Señoril (1)//Donairoso (2).

Doñeo: m. ant. Cortejo, halago (2).

Doñoso: adj. ant. Cortesano (2).

Dormición: f. ant. Acción de dormir (1).

Dormijoso, sa: adj. ant. Soñoliento (1).

Dormiloso, sa: adj. ant. Dormilón (1).

Dormimiento: m. ant. Dormición (1).

Dormitor: m. ant. Dormitorio (1).

Dos://5. m. ant. Ochavo (1).

Doseno: adj. ant. Doceno (2).

Dotamiento: m. ant. Dotación (1).

Dotor: m. ant. Doctor (1).

Dotrina: f. ant. Doctrina (1).

Dotrinar: tr. ant. Doctrinar (1).

Dotrinero: m. ant. Doctrinero (1).

Doy: adv. t. ant. De hoy, o desde hoy (1).

Dozientos: adj. ant. Doscientos (2).

Dragea: f. ant. Gragea (1).

Drago://2. m. ant. Dragón (1-2).

Dragontía: f. ant. Dragontea (Planta herbácea) (1).

Drajea: f. ant. Dragea (2).

Drapero: m. ant. Pañero (1).

Drapos: m. pl. ant. Paños (2).

Dreço: adv. m. ant. Por derecho (2).

Drezar: tr. ant. Aderezar o aparejar (1).

Drizar: tr. desus. Mar. Arriar o izar las vergas (1).

Dromedal: m. ant. Dromedario (1).

Dúa: f. desus. Prestación personal en las obras de fortificación//2. desus. Cuadrilla de operarios que se emplea en ciertos trabajos de minas (1).

Duán: m. ant. Diván (1).

Dubda: f. ant. Duda//2. ant. Temor (1-2).

Dubdança: f. ant. Duda (2).

Dubdar: intr. ant. Dudar (2).

Dubiedad: f. ant. Duda (1).

Duc: m. ant. Duque (1).

Ducado://7. m. ant. Gobierno, mando o dirección de gente de guerra (1).

Ducientos, tas: adj. pl. ant. Doscientos (1).

Duçaina: f. ant. Dulzaina (2).

Dudamiento: m. ant. Duda (1).

Dudanza: f. ant. Duda//2. ant. Temor (1-2).

Dudar://3. tr. ant. Temer (1).

Duecho, cha: adj. ant. Ducho (Acostumbrado) (1-2)).

Duelo://2. m. desus. Pundonor o empeño de honor (1).

Duena: f. ant. Dona (1).

Duende: m. ant. Animal doméstico (2).

Duenya: f. ant. Dueña (2).

Dueña: f. ant. Señora, dama (2).

Dueño://3. m. desus. Ayo, preceptor (1).

Dulceza: f. ant. Dulzura (1).

Dulda: f. ant. Duda, temor (2).

Duldar: tr. ant. Dudar, temer (2).

Dulta: f. ant. Dulda (2).

Dultar: tr. ant. Duldar (2).

Dúos, as: adj. pl. ant. Dos (1).

Duplado, da: adj. ant. Duplicado, doble (1).

Duque://2. m. ant. General de un ejército//3. ant. Comandante general militar y político de una provincia (1).

Dur: adv. m. ant. A duras penas, difícilmente (2).

Durada: f. ant. Duración (1).

Durador, ra: adj. ant. Que dura o permanece (1-2).

Duradura: f. ant. Duración (1).

Duranza: f. ant. Duración (1).

Durar://3. intr. ant. Estarse, mantenerse en un lugar (1).

Duresa: f. ant. Dureza (2).

Durez: f. ant. Dureza (1).

Dusnar: r. ant. Hacerse ducho, enseñado (2).

Duz: m. ant. Guía (2).

Duz: adj. ant. Dulce (2).

Duze: adj. ant. Dulce (2).

E

E: conj. copulat. ant. Y (2).

Eburno: m. ant. Marfil (1).

Ecepto: adv. m. ant. Excepto (1).

Eceptuar: tr. ant. Exceptuar (1).

Eclesiástico, ca://4. adj. ant. Docto, instruido (1).

Eclipsi: m. desus. Eclipse (1).

Écloga: f. ant. Égloga (1).

Ecuable: adj. ant. Justo, igual y puesto en razón (1).

Ecuamente: adv. m. ant. Con igualdad o equidad (1).

Ecuante: adj. ant. Igual (1).

Ecuator: m. ant. Astron. Ecuador (1).

Ecúleo: m. ant. Potro (1).

Ecuo, cua: adj. ant. Recto, justo (1).

Echadizo://5. adj. ant. Levadizo (1).

Echado, da://2. adj. ant. Echadizo (1).

Echadura://3. f. ant. Tiro, o alcance del tiro de una cosa, como piedra, etc. (1).

Echamiento://2. m. ant. Acción de echar un niño a la puerta de una iglesia o en la casa de expósitos (1).

Echura: f. ant. Echada o tiro (1).

Edath: f. ant. Edad (2).

Efectual: adj. ant. Efectivo (1).

Efectualmente: adv. m. ant. Efectivamente (1).

Efectuosamente: adv. m. ant. Efectivamente (1).

Efeminación: f. ant. Afeminación (1).

Efeminadamente: adv. m. ant. Afeminadamente (1).

Efeminado, da: adj. ant. Afeminado (1).

Efeminamiento: m. ant. Afeminamiento (1).

Efeminar: tr. ant. Afeminar. Usáb. t. c. r. (1).

Efero, ra: adj. ant. Fiero (1).

Efeto: m. ant. Efecto (1).

Eficacidad: f. ant. Eficacia (1).

Efimeral: adj. ant. Efímero (1).

Eflujo: m. ant. Efluxión (1).

Efluxión: f. ant. Exhalación, evaporación de espíritus vitales o de vapores de algunos cuerpos//2. ant. Med. Expulsión del producto de la concepción en los primeros días del embarazo (1).

Efulgencia: f. ant. Refulgencia (1).

Efundir://2. tr. ant. fig. Hablar, decir una cosa (1).

Egaia: f. ant. Igualdad (2).

Egeno, na: adj. ant. Pobre, escaso, miserable (1).

Egestad: f. ant. Necesidad, miseria, pobreza (1).

Egestión: f. ant. Excremento (1).

Egiciano, na: adj. ant. Egipciano. Apl. a pers., usáb. t. c. s. (1).

Egiptano, na://2. adj. ant. Gitano. Apl. a pers., usáb. t. c. s. (1).

Eglera: f. ant. Cascajar, arenal (2).

Eglesia: f. ant. Iglesia (1).

Egresión: f. ant. Salida de alguna parte (1).

Eguado: adj. ant. Igual (2).

Eguaja: f. ant. Igualdad (2).

Equala: f. ant. Igualdad (2).

Egualanza, [-ça]: f. ant. Igualdad (2).

Eguar: tr. ant. Igualar (1-2).

Eje://4. m. ant. Torno (1).

Ejecutadero, ra: adj. ant. Exigible (1).

Ejecutador: m. ant. Ejecutor (1).

Ejemplar://2. tr. ant. Copiar un instrumento (1).

Ejemplario: m. ant. Libro compuesto de casos prácticos o ejemplos doctrinales//2. ant. Ejemplar (1).

Ejemplificar://2. tr. ant. En lo moral, dar ejemplo (1).

Ejemplo://4. ant. Ejemplar (1).

Ejercido, da://2. adj. ant. Hollado, frecuentado (1).

Ejerciente: p. a. ant. de Ejercer. Que ejerce (1).

Ejercitador, ra: adj. ant. Que ejerce o ejercita un ministerio u oficio (1).

Ejercitativo, va: adj. ant. Que se puede ejercitar (1).

Ejército: m. ant. Tributo antiguo (2).

Ejido: m. ant. Afueras de la población (2).

Ela, ella: art. ant. La (2).

Elchi: m. ant. Elche (2).

Elche: m. ant. Renegado del cristianismo (2).

Ele: art. ant. El (2).

Elébor: m. ant. Eléboro (Género de planta) (1).

Elefante://2. m. desus. Bogavante (1).

Elegiano, na: adj. ant. Elegiaco (1).

Elegidor: m. ant. Elector (1).

Elegio, gia: adj. ant. Elegíaco//2. ant. Afligido, acongojado (1).

Elementado, da: adj. ant. Fil. Que se compone o consta de elementos (1).

Elementar: adj. ant. Elemental (1).

Elemósina: f. ant. Limosna (1).

Eleto, ta: adj. ant. Pasmado, espantado (1).

Eligible: adj. ant. Elegible (1).

Eligiente: p. a. ant. de Elegir. Que elige (1).

Eligir: tr. ant. Elegir (1).

Elogista: m. ant. El que alaba y elogia (1).

Eloquio: m. ant. Habla (1).

Ell: art. ant. El (2).

Elle, elli: art. ant. El (2).

Embabido: adj. ant. Abobado (2).

Embabir: tr. ant. Abobar (2).

Embaimiento: m. ant. Acometimiento, atropello (2).

Embair://2. tr. ant. Acometer, atropellar, maltratar//3. ant. Avergonzar, confundir//Detener (1-2).

Embajatorio, ria: adj. ant. Perteneciente al embajador (1).

Embajatriz: f. ant. Embajadora (1).

Embajo: adv. l. ant. Debajo (1).

Emballenado://3. m. desus. Corpiño de mujer armado de ballenas (1).

Embaratar: intr. ant. Meterse en pelea (2).

Embaratarse: r. ant. Pelear, mezclarse con el enemigo (2).

Embarcadura: f. ant. Embarco (1).

Embarduñar: tr. ant. Embadurnar (1).

Embargado, da://2. adj. ant. Ahíto//3. m. ant. Embargo (1).

Embargador, ra: adj. ant. Que estorba o embaraza (1).

Embargamiento: m. ant. Embargo (1).

Embargar: tr. ant. Abrumar, turbar// Embarazar (2).

Embargo://2. m. ant. Embarazo, impedimento, obstáculo//3. ant. Daño, incomodidad (1-2).

Embargoso, sa: adj. ant. Embarazoso (1-2).

Embarraganar: tr. ant. Tomar o tener por barragana (2).

Embarrar://2. tr. ant. Acorralar, o arrinconar al enemigo (1)//Cercar, sitiar, encerrar levantando tierra para impedir la entrada o salida//Detener// Fortificarse, ampararse tras trinchera, etc.//Meter en la barrera o defensa//r. ant. Darse de barro (2).

Embastar: tr. ant. Poner en bastos o palos, apalear (2).

Embastardar: intr. ant. Bastardear (1).

Embatirse: r. ant. Embestirse, acometerse (1).

Embauco: m. ant. Embaucamiento (1).

Embazar: intr. ant. Atollar, atollarse, pararse, quedar perplejo (2).

Embebdarse: r. ant. Embriagarse (2).

Embeleñar: tr. ant. Hechizar, encantar (2).

Embellinado: adj. ant. Furioso (2).

Embeodar: tr. ant. Poner beodo (2).

Embeodarse: r. ant. Embriagarse (2).

Embeudar: tr. ant. Embeodar (2).

Embiar: tr. ant. Enviar (2).

Emblandecer: tr. ant. Poner blando (2).

Emblanqueado, da: adj. ant. Aplicábase a la moneda de cobre plateada (1).

Emblanquear: tr. ant. Blanquear (1).

Emblanquición: f. ant. Emblanquecimiento (1).

Emblanquecimiento: m. ant. Blanquimiento (1).

Embocador: m. ant. Embocadero (1).

Embono: m. desus. Refuerzo que se echa en la ropa (1).

Emboscar: tr. ant. Meter en el bosque (2).

Emboticar: tr. ant. Almacenar (1).

Embotir: m. ant. Obra de taracea en madera (2).

Embozar://3. tr. ant. fig. Contener, refrenar (1).

Embrasar: tr. ant. Abrasar (1).

Embravar: tr. ant. Embravecer. Usáb. t. c. r. (1).

Embrazar://2. tr. ant. Abrazar (1).

Embriago: adj. ant. Embriagado (2).

Embrocar: intr. ant. Caer de bruces// tr. ant. Poner algo boca bajo, volcar (2).

Emburujar: tr. ant. Embrujar, hechizar (2).

Embutido://6. m. ant. Cierta especie de tafetán (1).

Embutir://4. tr. ant. fig. Injerir, mezclar unas cosas con otras (1).

Emenda: f. ant. Enmienda (1-2).

Emendable: adj. ant. Enmendable (1).

Emendación: f. ant. Acción y efecto de Emendar o emendarse (1).

Emendador: m. ant. El que enmienda (1).

Emendadura: f. ant. Enmienda (1).

Emendamiento: m. ant. Emendadura (1).

Emendar: tr. ant. Enmendar (1-2).

Ementar: tr. ant. Mentar (1-2).

Emienda: f. ant. Enmienda (1-2)//2. m. ant. En la orden de Santiago, caballero que hacía las veces de un trece por ausencia de éste (1).

Emiente: f. ant. Enmiente (1).

Emisario://2. m. desus. Desaguadero o conducto para dar salida a las aguas de un estanque o de un lago (1).

Emolir: tr. desus. Med. Ablandar (1).

Empachador, ra: adj. ant. Que embaraza o estorba. Usáb. t. c. s. (1).

Empachamiento: m. ant. Empacho (1).

Empadronar://2. r. ant. Apoderarse, enseñorearse de una cosa (1).

Empaliar: tr. ant. Paliar (1).

Empalmar://3. tr. ant. Herrar (1).

Empara: f. ant. Defensa, amparo (2).

Emparamiento: m. ant. Embargo (2).

Emparanza: f. ant. Embargo (2).

Emparança [-za]: f. ant. Obstáculo (2).

Emparar: tr. ant. Amparar, defender (2).

Emparchar://2. tr. ant. fig. Encubrir una cosa para que no se publique (1).

Emparejo: m. ant. Par o yunta de bueyes (1).

Empavorecer: intr. ant. Llenarse de pavor, miedo, espanto o sobresalto (1).

Empecedor, ra: adj. ant. Que empece (1).

Empecer: tr. desus. Dañar, ofender, causar perjuicio (1).

Empecículo: m. ant. Obstáculo (2).

Empeciente://No empeciente: m. adv. ant. No obstante (1).

Empechar: tr. ant. Impedir, estorbar (1).

Empedecer: tr. ant. Empecer (1).

Empedernecer: tr. ant. Empedernir (1).

Empeine://4. m. desus. Uña del caballo (1).

Empelecer: intr. ant. Echar pelo (2).

Empella: f. ant. Pella (Masa que se une y aprieta, regularmente en forma redonda) (1).

Empellada: f. ant. Empellón (1-2).

Empellar: tr. ant. Empujar (2).

Empellejar: tr. ant. Vestir de pellejos (2).

Empellicar: tr. ant. Forrar una cosa con pieles (1).

Empendolar: tr. ant. Poner péndolas o plumas a los cuadrillos, saetas o darlos (1-2).

Empenta://2. f. ant. Empuje, empellón (1).

Empeña: f. ant. Empella//2. ant. Cada una de las alas del hígado (1).

Empeñamiento: m. ant. Empeño (1-2)

Emperadora: f. ant. Emperatriz (1).

Emperadriz: f. ant. Emperatriz (2).

Emperante: m. ant. Emperador (2).

Empersonar: tr. ant. Empadronar (Asentar o escribir a uno en el padrón o libro de los moradores de un pueblo) (1).

Empestar: tr. ant. Apestar (1).

Empestiferar: tr. ant. Apestar (1).

Empeyorar: tr. ant. Empeorar (2).

Empezamiento: m. ant. Comienzo (1-2).

Empiadar: tr. ant. Apiadar. Usáb. t. c. r. (1-2).

Empicar: tr. ant. Ahorcar//r. ant. Tomar pique o reñir entre dos o más (1-2).

Empiezo: m. ant. Comienzo (1).

Empiezo: m. ant. Embarazo,, impedimento, estorbo (1).

Empigüelar: tr. ant. Apiolar (Poner pihuela o apea) (1).

Empino: m. desus. Elevación, prominencia (1).

Empiolar: tr. ant. Apiolar (1).

Empizcar: tr. ant. Azuzar (1).

Emplacear: tr. ant. Emplazar (2).

Emplastro: m. ant. Emplasto (1).

Emplazar: tr. ant. Acusar ante el tribunal (2).

Emplazo: m. desus. Emplazamiento (1).

Emplea: f. ant. Mercaderías en que se emplea el dinero para comerciar (1-2).

Emplear://6. r. desus. Tener trato amoroso, casarse (1)//Comprar el trajinero (2).

Emplenta: f. ant. Pleita (1).

Empleo://3. m. desus. Amor, amorío (1)//Compra (2).

Emplumajar: tr. ant. Adornar con plumajes. Usáb. t. c. r. (1).

Empobrido, da: p. p. irreg. ant. de Empobrecer. Empobrecido (1-2).

Empoderar: tr. desus. Apoderar. Usáb. t. c. r. (1).

Empollar: intr. ant. Criar ampolla (1).

Emponer: tr. ant. Imponer (2).

Emponzoñadera: f. ant. Emponzoñadora (1).

Emponzoñoso, sa: adj. ant. Ponzoñoso (1).

Empós: adv. t. y l. ant. En pos (1-2).

Empotría: f. ant. Alectoria (Piedra que suele hallarse en el hígado de los gallos viejos) (1).

Emprear: tr. ant. Emplear (2).

Emprender://3. tr. ant. Prender fuego. Usáb., t. c. r. (1).

Emprensar: tr. ant. Prensar (1).

Emprenta: f. ant. Imprenta (1).

Emprentar: tr. ant. Imprimir (1-2).

Empreñación: f. ant. Preñez (1).

Empreñar://2. tr. ant. Impregnar. Usáb.

t. c. r.//4. intr. desus. Concebir la hembra (1).

Empresentar: tr. ant. Presentar//Hacer un regalo (1-2).

Emprestado: m. ant. Empréstito (1).

Emprestador: m. ant. El que empresta (1).

Empréstamo: m. ant. Empréstito (1-2).

Emprestar: tr. ant. Prestar (1-2).

Empréstido: m. ant. Préstamo//2. ant. Tributo, pecho, derrama (1-2).

Emprestillador, ra: adj. ant. Que anda pidiendo prestado. Usáb. t. c. r.//2. desus. Petardista (1).

Emprestillar: tr. ant. Andar pidiendo prestado (1).

Emprestillón, na: adj. ant. Emprestillador. Usáb. t. c. s. (1).

Empresto, ta: p. p. irreg. ant. de Emprestar (1-2).

Emprimación: f. ant. Imprimación (1).

Emprimado: adj. ant. Ser primero (2).

Emprimar://2. tr. ant. Preferir, dar el primer lugar//3. ant. Ensayar, estrenar (1).

Emprimir: tr. ant. Imprimir (1).

Emprisionar: tr. ant. Aprisionar (1).

Empués: adv. l. y t. ant. Después de (2).

Empuesta: f. ant. Apuesta (2)

Empujada: f. ant. Empujón (1-2).

Empujamiento: m. ant. Empuje (1).

Empujo: m. ant. Empuje (1).

Empulgar: tr. ant. Tomar entre los pulgares (2).

Empuñado: adj. ant. Arrestado y firme como el puño (2).

Empuyarse: r. ant. Herirse con púa (1).

Emundación: f. ant. Acción y efecto de Limpiar (1).

En://5. prep. ant. Con//6. ant. Denota el término de un verbo de movimiento (1)//Ende (2).

Enaciado, da: adj. ant. Tornadizo, elche, renegado (1-2).

Enaciyar: tr. ant. Tratar las lanas con el aceche, acije o aceite de vitriolo (1).

Enadir: tr. ant. Añadir (2).

Enalzar: tr. ant. Ensalzar (2).

Enamistad: f. ant. Enemistad (2).

Enamiztad: f. ant. Enemistad (2).

Enamorada: f. desus. Ramera, mujer de mala vida (1).

Enamorosamente: adv. m. ant. Amorosamente (1).

Enanarse: r. desus. Hacerse enano (1).

Enante: adv. t. ant. Enantes (1-2).

Enantes: adv. t. ant. Antes (1-2).

Enanto: adv. t. ant. Enante (2).

Enanzar: intr. ant. Adelantar, hacer más labor, avanzar (2).

Enaparejar: intr. ant. Emparejar (1).

Enarración: f. ant. Acción y efecto de enarrar (1).

Enarrar: tr. ant. Narrar (1).

Enartamiento: m. ant. Fraude, artificio engañoso (1).

Enartar: tr. ant. Engañar//Embelesar con arte//Encubrir con disimulación o engaño (1-2).

Enaspar: tr. ant. Aspar (Hacer madeja el hilo en el aspa) (1).

Enatíamente: adv. m. ant. Con desaliño, con abandono, con descompostura (1).

150

Enatieza: f. ant. Desaliño, descompostura, desaseo (1).

Enatío, a: adj. ant. Ocioso, excusado, suprefluo, fuera de propósito (1-2).

Enbaçar: tr. ant. Embazar (2).

Enbiar: tr. ant. Enviar (2).

Enbolver: tr. ant. Envolver (2).

Enbotar: tr. ant. Embotar (2).

Enbraçar: tr. ant. Embrazar (2).

Encabalgado: m. ant. Soldado de a caballo (2).

Encabalgamento: m. ant. Encabalgamiento (1).

Encabalgar: intr. ant. Cabalgar, montar (1).

Encabellado: adj. ant. Con cabello (2).

Encabelladura: f. ant. Cabellera (1).

Encabellar: intr. ant. Criar cabello ∩ ponérselo postizo (1).

Encabezonamiento: m. desus. Encabezamiento (1).

Encabezonar: tr. desus. Encabezar (1).

Encachar://2. tr. ant. Encajar o empotrar (1).

Encaecer, [-escer]: intr. ant. Parir (1-2).

Encaecida: adj. ant. Parida (1).

Encalabriar: tr. desus Encalabrinar. Usáb. t. c. r. (1).

Encalvar: intr. desus. Encalvecer (1).

Encalzar: tr. ant. Perseguir, aprisionar, vencer, seguirle tras los talones, alcanzar (1-2).

Encalzo: tr. ant. Perseguimiento (2).

Encallar:// í. tr. ant. Encallecer (1).

Encalletrar: tr. ant. Fijar una cosa en la cabeza; persuadirse muy firmemente de ella. Usb. t. c. r. (1).

Encamar: tr. ant. Acostar, ladear (2).

Encambar: tr. ant. Inclinar (2).

Encambronar://3. r. ant. Ponerse tieso y cuellierguido sin volver ni bajar la cabeza a nadie (1).

Encanamento: m. ant. Canal//2. ant. Arq. Adorno horizontal formado por canecillos o modillones (1).

Encandilador, ra: adj. desus. Deslumbrador (1).

Encantadera: f. ant. Encantadora (1)// Encanto (2).

Encanto: m. ant. Encante (1).

Encanudo: adj. ant. Encanecido (2).

Encañadura: f. ant. Encañado (1).

Encañutar: tr. ant. Encanutar//2. intr. desus. Encañar las mieses (1).

Encaponado, da: adj. ant. Acaponado (1).

Encara: adv. m. y t. ant. Ar. Todavía, aún, con todo (1-2).

Encaramadura: f. ant. Acción y efecto de encaramar o encaramarse//2. ant. Altura, elevación (1).

Encaramillotar: tr. ant. Encaramar (1).

Encarar: tr. ant. Apuntar (2).

Encarcajado, da: adj. ant. Que lleva carcaj (1).

Encarcerar: tr. ant. Encarcelar (1).

Encargadamente: adv. m. ant. Encarecidamente, con encargo y empeño (1).

Encargamiento: m. ant. Encargo (1).

Encargar://4. tr. ant. Cargar (1-2).

Encarnar: intr. ant. Encarnizar//Ensañarse el toro, cebarse (2).

Encartamiento: m. ant. Pacto (2).

Encartar: tr. ant. Poner a uno en carta o fuera de la ley (2).

Encasado: adj. ant. Cansado (2).

Encasamento: m. ant. Nicho (1).

Encasamiento://2. m. ant. Reparo de las casas (1).

Encascabelar://2. r. desus. Meter el azor el pico en el cascabel (1).

Encatarrado, da: adj. desus. Que está acatarrado (1).

Encativar: tr. ant. Cautivar (1).

Encautivar: tr. ant. Cautivar (2).

Encebra: f. ant. Cebra (1).

Encebro: m. ant. Encebra (1).

Encelar: tr. ant. Celar, ocultar, encubrir (1-2).

Encelarse: r. ant. Llenarse de celo o de celos (2).

Encendemiento: m. ant. Encendimiento (2).

Encensar: tr. ant. Encensuar (1).

Encensario: m. ant. Incensario (1).

Encensuar: tr. ant. Acensuar (Imponer censo) (1).

Encentar://2. tr. ant. Cortar o mutilar un miembro (1).

Enceñado: adj. ant. De mal gesto (2).

Encercar: tr. ant. Cercar (1).

Encerco: m. ant. Cerco (1).

Encerrado, da://2. ant. Breve, sucinto (1).

Encerramiento://2. m. ant. Coto o término cerrado para pastos, etc. (1).

Encerrar: tr. ant. Apretar, apelmazar (2).

Encertar: tr. ant. Acertar (1).

Enceso: p. p. irreg. ant. de Encender, Encendido (2).

Encestar://3. tr. ant. Embaucar, engañar//4. fam. desus. Dejar pegado a la pared al contrincante en una disputa (1).

Encetar: intr. ant. Comenzar a comer (2).

Encia: prep. ant. Hacia (1).

Encienso: m. ant. Incienso (1).

Encienso: m. ant. Ajenjo (1).

Encimar://4. tr. ant. Acabar, terminar, dar cima (1-2).

Encintar: tr. desus. Empreñar (1).

Encitar: tr. ant. Incitar (1).

Enciva: f. ant. Encía (1-2).

Enclarar: tr. ant. Aclarar (1).

Enclarecer: tr. ant. Aclarar (2).

Enclarescer: tr. ant. Esclarecer (1).

Enclavazón: f. ant. Clavazón (1).

Enclavear: tr. ant. Trabajar con clavos (2).

Encobador, ra: adj. ant. Encubridor: Usáb. t. c. s. (1).

Encobar: tr. ant. Encoger (2).

Encobierta: f. ant. Disimulo, tapujo (2).

Encobo: m. ant. Encubrimiento (2).

Encobrar: tr. desus. Poner en cobro, salvar (1).

Encobrir: tr. ant. Encubrir (2).

Encomendamento: m. ant. Mandamiento (1).

Encomendar://3. tr. desus. Dar indios en encomienda//4. ant. Recomendar, alabar (1).

Encomenzamiento: m. ant. Comienzo (1).

Encomenzar: tr. ant. Comenzar (1-2).

Encompasar: tr. ant. Compasar (1).

Encomunalmente: adv. m. ant. Común-mente (1).

Enconado://2. adj. ant. Teñido o manchado (1)//Que tiene encono (2).

Enconamiento://3. m. ant. Veneno (1).

Enconar: tr. ant. Enojar (2).

Enconía: f. ant. Encono (1).

Encontinente: adv. t. ant. Incontinenti (1).

Encontrada: f. ant. Encuentro, encontrón//Territorio (2).

Encontrado: m. ant. Visión (2).

Encorar: intr. ant. Cicatrizarse el cuero (2).

Encordar: tr. ant. Atar con cuerda// Poner acordes (2).

Encorecer: intr. ant. Echar cuero (1-2).

Encortamiento: m. ant. Acortamiento (1).

Encortar: tr. ant. Acortar (1).

Encostar: tr. ant. Inclinar (2).

Encovar: tr. ant. Encobar (2).

Encovo: m. ant. Encobo (2).

Encreído: adj. ant. Creído, confiado (2).

Encrespo: m. ant. Encrespadura (1).

Encreyente: adj. ant. Creyente (1-2).

Encrinado: adj. ant. Encrisnejado (1).

Encrisnejado, da: adj. desus. Dícese del cabello u otra cosa que está hecha trenzas (1).

Encrobir: tr. ant. Encubrir (2).

Encrudelecer: tr. ant. Encruelecer. Usáb. t. c. r. (1).

Encruzado: m. ant. Caballero cruzado (1).

Encuadernador://3. m. ant. fig. El que

une y concierta voluntades, afectos, etc. (1).

Encuadernar://2. tr. ant. fig. Unir y ajustar algunas cosas, como voluntades, afectos, etc. (1).

Encubertar://3. tr. ant. Encubrir (1).

Encubierta: f. ant. Disimulo, tapujo (2).

Encubrimiento://2. m. ant. Cubierta con que se tapa una cosa para que no se vea (1).

Enculpar: tr. ant. Inculpar (1).

Encuñar: tr. ant. Acuñar (1).

Encuño: m. ant. Acuñación (1).

Enchicar: tr. ant. Achicar (1-2).

End: adv. l. ant. Ende (2).

Ende: adv. l. ant. Allí//2. ant. De allí, o de aquí//3. ant. De esto//4. ant. Más de, pasados de (1-2).

Endechera: f. ant. Plañidera (1).

Endechoso, sa: adj. ant. Triste y lamentable (1).

Endelgadecer: intr. ant. Adelgazar ponerse delgado (1).

Endeliñar: tr. ant. Adeliñar. Usáb. t. c. r. (1).

Endemás: adv. m. ant. Particularmente, con especialidad (1).

Endenantes: adv. t. ant. Antes (1).

Enderecera: f. ant. Derecera (Derechera) (1).

Enderecho: adj. ant. Derecho (2).

Endereza: f. ant. Dedicatoria//2. ant. Buen despacho (1).

Enderezamiento://2. m. ant. Dirección o gobierno (1).

Enderezar://5. tr. ant. Ayudar, favorecer//7. ant. Aderezar, preparar, adornar (1).

Enderezo: m. ant. Dirección (1).

Endolencia: f. ant. Indulgencia (1).

Endonar: tr. desus. Donar (1).

Endrecera: f. ant. Derechera (1).

Endrezar: tr. ant. Aderezar, preparar//
2. ant. Remediar, recompensar (1)//
Enderezar (2).

Endulcecer: tr. ant. Endulzar. Usáb. t.
c. r. (1).

Endulcir: tr. ant. Endulzar (1).

Endulzorar: tr. ant. Endulzar (1).

Enduramiento: m. ant. Endurecimiento
(1).

Endurar: tr. ant. Soportar//Tardar (2).

Enechar: tr. ant. Echar a un niño en
la casa de expósitos (1).

Enemiga://2. f. ant. Maldad, vileza (1-
2).

Enemigable: adj. ant. Enemigo (1).

Enemigablemente: adv. m. ant. Con
enemiga (1).

Enemigadero, ra: adj. ant. Propenso
a discordias y enemistades (1).

Enemigar: tr. ant. Enemistar. Usáb. t.
c. r.//2. ant. Aborrecer (1).

Enemistanza: f. ant. Enemistad (1).

Enemizat: f. ant. Enemistad (2).

Enemizidat: f. ant. Enemistad (2).

Enemiztad: f. ant. Enemistad (2).

Enero: m. ant. Género (2).

Enertarse: r. ant. Quedarse yerto (1).

Enerve: adj. desus. Débil, afeminado,
sin fuerza (1).

Enervolar: tr. nt. Enherbolar (Poner
hierba venenosa) (2).

Enescar: tr. ant. Poner cebo (1).

Enezmitad: f. ant. Enemistad ((2).

Enfaronear: intr. ant. Enharonear (2).

Enfastiar: tr. ant. Causar hastío (1).

Enfastidiar: tr. ant. Fastidiar (1).

Enfear: tr. ant. Afear (1).

Enfellonarse: r. ant. Irritarse (2).

Enfeminado, da: adj. ant. Afeminado
(1).

Enfengir: tr. ant. Enfeñir (2).

Enfenjir: tr. ant. Enfengir (2).

Enfennir: tr. ant. Enfeñir (2).

Enfeñir: tr. ant. Fingir, presumir (2).

Enferir: tr. ant. Hallar (2).

Enfermedad: f. ant. Firmeza (2).

Enfermamente: adv. m. ant. Flaca o
débilmente (1).

Enfermante: p. a. ant. de Enfermar. Que
enferma (1).

Enfermizar: tr. ant. Hacer enfermiza a
una persona (1).

Enfermosear: tr. ant. Hermosear (1).

Enferozar: tr. ant. Enfurecer. Usáb. t.
c. r. (1).

Enfervorecer: tr. ant. Enfervorizar (Infundir buen ánimo) (1).

Enfestar: tr. ant. Enhestar, enderezar,
levantar//2. r. ant. Levantarse, rebelarse, atreverse (1-2).

Enfeuciar: tr. ant. Confiar (2).

Enfiar: tr. ant. Fiar a uno, salir por fiador suyo//2. intr. ant. Confiar (1-2).

Enficionar: tr. ant. Inficionar (1).

Enfiesto: adj. ant. Enhiesto, erguido,
levantado (1-2).

Enfilar://5. tr. ant. Hilar, tejer (1).

Enfingimiento: m. ant. Fingimiento (1).

Enfingir: tr. ant. Fingir//3. ant. Presumir, hincharse y manifestar soberbia
(1-2).

Enfinta: f. ant. Fraude, engaño (1)// Fingimiento, disimulo (2).

Enfintosamente: adv. m. ant. Fingidamente (2).

Enfitéosis: f. ant. Enfiteusis (Cesión pepetua o por largo tiempo del dominio útil de un inmueble, mediante el pago anual de un canon y de laudemio por cada enajenación de dicho dominio) (1).

Enfitéoto, ta: adj. ant. Enfitéutico (Dado en enfiteusis o perteneciente a ella) (1).

Enfiteutecario, ria: adj. ant. Enfitéutico (1).

Enfiteuticario, ria: adj. ant. Enfiteutecario (1).

Enfiuzar: intr. ant. Confiar (1).

Enflaquecer://4. intr. ant. Sentir daño o menoscabo en la salud (1).

Enflaquido: adj. ant Enflaquecido (2).

Enflorecer: tr. ant. Enflorar. Usáb. t. c. r. (1).

Enfocilar: intr. ant. Brillar (2).

Enfogar: tr. ant. Encender una cosa, haciéndola ascuas//2. ant. Ahogar (1-2).

Enfolloniar: intr. ant. Desvergonzar (2).

Enforcar: tr. ant. Ahorcar (1-2).

Enforciar: f. ant. Fuerza o violencia que se hace a una persona (1).

Enforción: f. ant. Tributo (2).

Enformar: tr. ant. Informar (1).

Enfornar: tr. ant. Enhornar (1).

Enforrar: tr. ant. Aforrar (1).

Enforro: m. ant. Forro (1).

Enfortalecer: tr. ant. Fortalecer (1).

Enfortalecimiento: m. ant. Fortalecimiento//2. ant. Fortaleza (1).

Enfortecer: tr. ant. Fortalecer (1).

Enfortir: tr. ant. Enfurtir (Dar en el batán a los paños de lana el cuerpo correspondiente) (1).

Enforzar, [-çar]: tr. ant. Esforzar (2).

Enfoscar: tr. ant. Oscurecer (1).

Enfotar: tr. ant. Enhortar (2).

Enfotarse: r. ant. Ast. Tener fe y confianza excesiva en sí mismo (1).

Enfraquecer: intr. ant. Enflaquecer (2).

Enfuciar: intr. ant. Enfiuzar (1).

Enfurcio: m. ant. Enfurción (1).

Enfuriarse: r. ant. Enfurecer (1).

Enfuziar: intr. ant. Enhuciar (2).

Enfychisar: tr. ant. Hechizar (2).

Enfyngir: tr. ant. Enfingir (2).

Engafecer: intr. ant. Contraer la lepra (1).

Enganar: tr. ant. Engañar (2).

Engañamiento: m. ant. Engaño (1).

Engañanza: f. ant. Engaño (1).

Engañifla: f. ant. Engañifa (1).

Engarrar: tr. ant. desus. Agarrar (1).

Engasajar: tr. ant. Agasajar (1).

Engasgar: tr. ant. Asir (2).

Engastonar: tr. ant. Engastar (1-2).

Engazo: m. desus. Engarce (1).

Engendración: f. ant. Generación (1).

Engendrador://2. m. ant. Progenitor (1).

Engenerativo, va: adj. ant. Generativo (1).

Engenio: m. ant. Ingenio (1).

Engeñar: tr. ant. Combatir con ingenios o máquinas, o disponerlos para combatir (1).

Engeñero: m. ant. Ingeniero (1).

Engeño: m. ant. Ingenio (1).

Engeñoso, sa: adj. ant. Ingenioso (1).

Engeridura: f. ant. Engerimiento (1).

Engerimiento: m. ant. Acción y efecto de engerir (1).

Engerir: tr. ant. Ingerir (1).

Engina: f. desus. Angina (1).

Englut: m. ant. Engrudo (2).

Englutativo, va: adj. ant. Glutinoso o aglutinante (1).

Englutir: tr. ant. Engullir (1).

Engordecer: tr. ant. Engordar. Usáb. t. c. intr. (1).

Engordido: adj. ant. Hinchado (2).

Engorra: f. desus. Asimiento, detención //2. ant. Vuelta o gancho de hierro de algunas saetas, que sirve para que no se caigan ni puedan sacarse de la herida sin grandes violencias y daño (1).

Engorrar: tr. ant. Tardar, detener (1-2) //r. ant. Detenerse (2).

Engraciar: intr. ant. Agradar, caer en gracia (1-2).

Engramear: tr. ant. Sacudir, menear (1-2).

Engranarse: r. ant. Formar grano (2).

Engredar: tr. ant. Untar de greda (2).

Engregido: adj. ant. Engreido (2).

Engreimiento://2. m. desus. Compostura y adornos con que las mujeres se visten y aderezan (1).

Engrillarle: tr. ant. Alegrarle (2).

Engrosecer: tr. ant. Engrosar (1).

Enguedat: f. ant. Libertad, quietud (2).

Enguera: f. ant. Alquiler que devengaba una bestia de carga o tiro//2. ant.

Importe de lo que una bestia dejaba de producir mientras estaba prendada (1-2).

Enguerar: tr. ant. Dar en alquiler (2).

Enguirlandar: tr. ant. Enguinaldar (1).

Engurria: f. ant. Arruga (1).

Engurriado, da://2. adj. Rugoso (1).

Engurriamiento: m. ant. Arrugamiento (1).

Engurriar: tr. ant. Arrugar (1).

Enhadar: tr. ant. Enfadar (1).

Enhado: m. ant. Enfado (1).

Enhadoso, sa: adj. ant. Enfadoso (1).

Enhambrecerse: intr. ant. Tener hambre (2).

Enharonear: intr. ant. Hacer del haron, emperezar (2).

Enhastío: m. ant. Hastío (1).

Enhastioso, sa: adj. desus. Enfadoso (1).

Enhechizar: tr. ant. Hechizar (1).

Enhelgado, da: adj. ant. Helgado (Que tiene los dientes ralos y desiguales) (1).

Enhestar://2. tr. ant. Levantar gente de guerra (1-2).

Enhetradura: f. ant. Acción y efecto de Enmarañar o enmarañarse el cabello (1).

Enhetramiento: m. ant. Enhetradura (1).

Enhetrar, [-se]: tr. ant. Enmarañar y enredar la lana, el cabello, etc., enredar. Usáb. t. c. r. (1-2).

Enhogar: tr. ant. Ahogar (2).

Enhorcar://2. tr. ant. Ahorcar (1-2).

Enhotado, da: adj. ant. Confiado (1).

Enhotar: tr. ant. Azuzar o incitar (1)// Asegurar, dar confianza (2).

Enhoto: m. ant. Seguridad, confianza (1-2).

Enhuciar: intr. ant. Enfuciar (2).

Enhumedecer: tr. ant. Humedecer (1).

Enimigo: m. ant. Enemigo (2).

Enjagüe://2. m. ant. Enjuague (1).

Enjalbegar: tr. ant. Blanquear, encalar (2).

Enjeco: m. ant. Incomodidad, molestia //2. ant. Pertubación, perjuicio (1).

Enjeco: m. ant. Duda, dificultad, enredo (1).

Enjergado, da://2. adj. ant. Enlutado o vestido de jerga, que era el luto antiguo (1).

Enjerir: tr. ant. fig. Incluir, insertar una cosa en otra (1).

Enjoyado, da://2. adj. ant. Que tiene o posee muchas joyas (1).

Enjuague://5. desus. Complacencia y alarde con que uno se gloría de algo (1).

Enjuramiento: m. ant. Juramento legal (1).

Enjurar: tr. ant. Dar, traspasar o ceder un derecho (1).

Enjuto, ta://3. adj. ant. fig. Parco y escaso, así en obras como en palabras (1).

Enlagañar: intr. ant. Enlegañar (Llenar de legañas las pestañas) (1).

Enlasar: tr. ant. Enlazar (1).

Enlijar: tr. ant. fig. Viciar, corromper, manchar, inficionar//2. r. ant. Emporcarse, mancharse, ensuciarse (1-2).

Enlisar: tr. ant. Alisar (1).

Enlizar: tr. ant. Meter en liza, incitar a pelear (2).

Enlocado: adj. ant. Fiero, suelto (2).

Enloquido: adj. ant. Enloquecido (2).

Enlozanecer: intr. ant. Lozanecer (1).

Enlucernar: tr. ant. Deslumbrar (1).

Enluciado, da: adj. ant. Enlucido (1).

Enllenar: tr. ant. Llenar (1-2).

Enmarchitable: adj. desus. Marchitable (1).

Enmarchitar: tr. desus. Marchitar (1).

Enmechar: tr. ant. Mechar (1).

Enmendamiento: m. ant. Enmendadura (1).

Enmenzar: tr. ant. Comenzar (1).

Enmienda://3. f. desus. Recompensa, premio (1)//Reparación (2).

Enmiente: f. ant. Memoria o mención (1).

Enmocecer: intr. ant. Recobrar el vigor de la mocedad (1).

Enmochiguar: tr. ant. Amochiguar (1).

Enmoldado, da: adj. ant. Impreso o de molde (1).

Enmontadura: f. ant. Acción y efecto de subir o levantar en alto una cosa (1).

Enmontar: tr. ant. Remontar, elevar, encumbrar (1).

Enmostrar: tr. ant. Mostrar, manifestar (1).

Enmustiarse: r. ant. Ponerse mustio (2).

Ennader: tr. ant. Añadir (2).

Ennochecer: intr. ant. Anochecer (2).

Enocar: tr. ant. Ahuecar (1).

Enojo://3. m. ant. Agravio, ofensa (1).

Enorfanecido, da: adj. desus. Huérfano (1).

Enormedad: f. ant. Enormidad (1).

Enoyo: m. ant. Enojo (2).

Enpara: f. ant. Empara (2).

Enparar: tr. ant. Emparar (Amparar, defender) (2).

Enpellar: tr. ant. Empellar (2).

Empenamiento: m. ant. Empeñamiento (2).

Enplaçar, [-sar]: tr. ant. Emplazar (2).

Enplea: f. ant. Emplea (2).

Enpoçonar: tr. ant. Emponzoñar (2).

Enpozonar: tr. ant. Emponzoñar (2).

Enpreñedat: f. ant. Preñez (2).

Enpresentar: tr. ant. Regalar (2).

Enpresto: m. ant. Emplasto (2).

Enpuesta: f. ant. Empuesta (2).

Enquesta: f. ant. Encuesta (2).

Enralido: adj. ant. Enrarecido//adv. c. ant. Poco (2).

Enramar: tr. ant. Cubrir de ramas// intr. ant. Coronarse de ramas, vanagloriarse (2).

Enrasar: tr. ant. Arrasar (1).

Enredamiento: m. desus. Enredo (1).

Enrehecer: intr. ant. Hacerse algo refez o barato (2).

Enridamiento: m. ant. Irritamiento (1).

Enridante: p. a. ant. de Enridar. Que enrida (1).

Enridar: tr. ant. Irritar. Usáb. t. c. r.// 2. ant. Azuzar (1-2).

Enridar: tr. ant. Rizar (1).

Enrizado://2. m. desus. Rizado, bucle (1).

Enrizar: tr. ant. Enridar (1).

Enriquentar: tr. ant. Enriquecer (2).

Enrobrescido:, da: adj. ant. Duro y fuerte como el roble (1).

Enrocado: adj. ant. Alto entre rocas (2).

Enrubescer: tr. ant. Poner o volver rojo o rubio. Usáb. t. c. r. (1).

Enruinar, [-se]: intr. ant. Hacerse ruin (2).

Ensae: m. ant. Ensayo (2).

Ensalma: f. ant. Enjalma (1).

Ensalmadera: f. ant. Ensalmadora (1).

Ensalmar://3. tr. ant. Descalabrar (1).

Ensalmar: tr. ant. Enjalmar (1).

Ensangostido, da: adj. ant. Angustiado (1).

Ensangrentarse: intr. ant. fig. Encenderse en ardimiento en guerras, disputas//Encruelecerse (2).

Ensangustiar: tr. ant. Angustiar. Usáb. t. c. r. (1).

Ensañado, da://2. adj. ant. Valeroso (1).

Ensarnecer: intr. ant. Llenarse de sarna (2).

Ensayalar: tr. ant. Cubir con tapete u otra cosa un mueble (1).

Ensayamiento: m. ant. Ensayo (1).

Ensayar://5. tr. desus. Sentar, caer bien una cosa//6. ant. Intentar, procurar (1)//Embestir, acometer//r. ant. Esforzarse en la lucha (2).

Ensaye://2. m. desus. Ensayo (1).

Ensayo: m. ant. Empeño, actividad (2).

Ensecar: tr. ant. Secar o enjugar (1).

Enseco: m. ant. Esfuerzo (2).

Ensellar: tr. ant. Ensillar (1-2).

Enseellar: tr. ant. Ensillar (2).

Ensembla: adv. m. ant. Ensemble (1).

Ensemble: adv. m. ant. Juntamente (1).

Ensemejante: adj. ant. Semejante (1).

Enseñadamente: adv. m. ant. Con enseñanza (1).

Enseñadero, ra: adj. ant. Que puede ser enseñado (1).

Enseñado, da://2. adj. ant. Docto, instruido (1-2).

Enseñalar: tr. ant. Señalar (1).

Enseñante: p. a. ant. de Enseñar. Que enseña (1).

Enseñoreador, ra: m. ant. El que enseñorea o se enseñorea (1).

Ensía: f. ant. Encía (2).

Ensiemplo: m. ant. Ejemplo (1-2).

Ensienpro: m. ant. Ensiemplo (2).

Ensilar://2. tr. ant. fig. Comer, tragar mucho (1).

Ensillar://2. tr. ant. Elevar, entronizar a uno (1).

Ensolvedera: f. desus. Brocha de pelo largo y suave con que se fundían las tintas al pintar (1).

Ensolvedor, ra: adj. ant. Que resuelve o declara una cosa o duda. Usáb. t. c. s. (1).

Ensoñar: intr. ant. Soñar (2).

Ensordamiento: m. ant. Efecto de ensordecer o hacerse sordo (1).

Ensordar: tr. ant. Ensordecer. Usáb. t. c. r. (1).

Ensotarse: r. ant. Meterse en soto (2).

Enssienplo: m. ant. Ejemplo (2).

Ensuyar: tr. ant. Emprender (1).

Enta: prep. ant. A, hacia (1).

Entablamiento: m. ant. Arq. Entablamento (1).

Entablarse: r. ant. Meterse entre tablas, encerrarse (2).

Entalamar: tr. ant. Cubrir con paños o tapices (1).

Entalle: m. ant. Obra de entalladura (1).

Entapecer: tr. ant. Tupir (1).

Entapetado, da: adj. ant. desus. Tapetado (1).

Entecado: adj. ant. Enteco, enfermo 2).

Entecar: tr. ant. Poner enteco, dañar (2).

Entecarse: r. ant. Enfermar, debilitarse (1).

Entelar: tr. ant. Turbar, nublar la vista (1).

Entencia: f. ant. Contienda (2).

Entenciar: tr. ant. Insultar (1)//Contender (2).

Entención, [-çón]: f. ant. Contienda (2).

Entendedor, [-dera]: adj. ant. Amante (2).

Entender: tr. ant. Oir (2).

Entendemiento: m. ant. Entendimiento (2).

Entendible: adj. ant. Inteligible (1).

Entendiente: p. a. ant. de Entender. Que entiende (1).

Entendimiento://4. m. ant. Inteligencia o sentido que se da a lo que se dice o escribe (1).

Entendudo: adj. ant. Entendido (2).

Entenzón: f. ant. Contienda, discordia (1).

Enteramiento: m. ant. Acción y efecto de enterar (1).

Enterar://2. tr. ant. Completar, dar integridad a una cosa (1).

Enterez: f. ant. Entereza (1).

Enterga: f. ant. Entrega (2).

Entergar: tr. ant. Entregar (2).

Enterriarse: intr. ant. Porfiar, tener tesón (2).

Entesadamente: adv. m. ant. Intensamente, fervorosamente (1).

Entesado, da://2. adj. ant. Repleto, ahíto de comida (1).

Entesar: tr. ant. Atesar, poner tieso (2).

Entestado, da://2. adj. ant. Encasquetado o encajado en la cabeza (1).

Entetado: adj. ant. Con tetas (2).

Entibiecer: tr. ant. Entibiar. Usáb. t. c. r. (1).

Entienza: f. ant. Disputa, discordia (2).

Entirar: tr. ant. Estirar (1).

Entirriarse: intr. ant. Tomar tirria (2).

Entocarse: r. ant. Tocarse (2).

Entoldadura: f. ant. Colgadura (1).

Entomecer: tr. ant. Entumecer. Usáb. t. c. r. (1).

Entomecimiento: m. ant. Entumecimiento (1).

Entonce: adv. t. ant. Entonces (1-2).

Entormecimiento: m. ant. Entumecimiento (1).

Entorno: m. ant. Contorno (1).

Entorpado: adj. ant. Torpe (2).

Entortijar: tr. ant. Ensortijar (1).

Entosicar: tr. ant. Entosigar (Atosigar) (1).

Entradero: m. desus. Entrada (1).

Entramiento: m. ant. Acción y efecto de Entrar (1).

Entramos, mas: adj. pl. ant. Entrambos (1-2).

Entrañal: adj. desus. Entrañable (1).

Entrañalmente: adv. m. desus. Entrañablemente (1).

Entrañizar: tr. ant. Querer a uno con íntimo afecto (1).

Entraño, ña: adj. ant. Interior, interno (1).

Entrapar: tr. desus. Echar muchos polvos en el cabello para desengrasarlo y limpiar la cabeza con el peine, y también llenarlo de manteca y polvos para que abulte.//2. desus. Empañar, enturbiar (1).

Entrar://26. tr. ant. Apoderarse de una cosa (1).

Entrático: m. ant. Entrada de religiosa o religioso (1).

Entrecielo: m. ant. Toldo (1).

Entrecolunio: m. ant. Arq. Intercolumnio (1).

Entredar: tr. ant. Entregar (2).

Entredecir: tr. ant. Prohibir la comunión y comercio con una persona o cosa (1).

Entrederramar: tr. ant. Derramar, verter poco a poco una cosa (1).

Entredicto: m. ant. Entredicho (1).

Entredicho://4. m. ant. Contradicción, reparo, obstáculo (1).

Entreduto: adj. ant. Introducido (2).

Entrega://3. f. ant. Restitución (1-2).

Entregadamente: adv. m. ant. Cabal y enteramente; con total entrega, posesión y dominio (1).

Entregado: adj. ant. Integrado, entero (2).

Entregamiente, [-tre]: adv. m. ant. Integramente (2).

Entregar://2. tr. ant. Devolver, restituir (1-2)//Enterar (2).

Entregerir: tr. desus. Poner, injerir, mezclar una cosa con otra (1).

Entrego, ga: p. p. irreg. ant. de Entregar (1)//adj. ant. Integro, entero (2).

Entregoteado, da: adj. ant. Goteado o salpicado (1).

Entrelunio: m. ant. Astron. Interlunio (1).

Entrellevar: tr. ant. Llevar a una persona o cosa entre otras (1).

Entremeano: adj. ant. Entremediano (2).

Entremediano, na: adj. ant. Intermedio (1)//Intermediario (2).

Entremedias: adv. l. ant. En medio (2).

Entremés://3. m. ant. Especie de máscara o mojiganga (1).

Entremesar: tr. ant. Entremesear (Hacer papel en un estremés) (1).

Entremetedor, ra: adj. ant. Entremetido (1).

Entremiente: adv. t. ant. Entretanto (1).

Entremostrar: tr. ant. Mostrar o manifestar escasa o imperfectamente una cosa (1).

Entreponer: tr. desus. Interponer (1).

Entrepostura: f. ant. Efecto de entreponer (1).

Entrepuesto, ta: p. p. irreg. ant. de Entreponer (1).

Entrerromper: tr. ant. Interrumpir (1).

Entrerrompimiento: m. ant. Interrupción (1).

Entreseña: f. ant. Enseña (1).

Entretarse: r. ant. Meterse en tretas (2).

Entretallamiento: m. ant. Cortadura o recortado hecho en una tela (1).

Entretenido://4. m. desus. Aspirante a oficio o cargo, que mientras lo alcanzaba tenía algunos gajes (1).

Entretenimiento://4. m. ant. Ayuda de costa, pensión o gratificación pecuniaria que se daba a uno para su manutención (1).

Entretomar: tr. ant. Emprender, intentar//2. ant. Entrecoger, detener una cosa entre otras (1).

Entrevenimiento: m. ant. Intervención (1).

Entrevenir: intr. desus. Intervenir (1).

Entreverar: intr. ant. Que va tomando color de la fruta al madurar (2).

Entrevolver: tr. ant. Envolver entre otras cosas (1).

Entreyacer: intr. ant. Mediar o estar en medio (1).

Entribulado: adj. ant. Atribulado (2).

Entricación: f. ant. Intricación (1).

Entricadamente: adv. m. ant. Intricadamente (1).

Entricadura: f. ant. Entricamiento (1).

Entricamiento: m. ant. Intricamiento (1).

Entricar: tr. ant. Intricar (1).

Entrico: m. ant. Entricamiento (1).

Entrido: p. p. ant. de Entrar. Entrado (2).

Entriega: f. ant. Entrega (1).

Entriego: m. ant. Entrega (1).

Entristar: tr. ant. Entristecer (1).

Entristecer://3. intr. ant. Entristecerse (1).

Entro: adv. m. ant. Hasta (1-2).

Entronecer: tr. ant. Deteriorar, maltratar (1).

Entropezado, da://2. adj. ant. Enmarañado o enredado (1).

Entropezar, [-car]: intr. ant. Tropezar (1-2).

Entropiezo: m. ant. Tropezón (1).

Entrujar: tr. ant. Entender, conocer// Tomar (2).

Envair: tr. ant. Embair (2).

Envarescer: tr. ant. Pasmar, sorprender//2. intr. ant. Pasmarse, sorprenderse (1).

Enveia: f. ant. Envidia (2).

Envejido: adj. ant. Envejecido (2).

Envelar: tr. ant. Cubrir con velo una cosa (1).

Enveleñar: tr. ant. Embeleñar (2).

Enveliñar: tr. ant. Enveleñar (2).

Enverdir: tr. ant. Dar o teñir de verde (1).

Envergonamiento: m. ant. Vergüenza (2).

Envergonzado, da://2. adj. ant. Vergonzante (1).

Envergonzamiento: m. ant. Vergüenza, empacho (1).

Envergonzante: p. a. ant. de Envergonzar. Que envergüenza//2. adj. ant. Vergonzante (1).

Envergonzar: tr. ant. Avergonzar//2. ant. Temer, reverenciar o respetar (1-2).

Enverguenzar: tr. ant. Temer, reverenciar (2).

Envernadero: m. ant. Invernadero (1).

Envernar: intr. ant. Invernar (1).

Enverniego, ga: adj. ant. Invernizo (1).

Enversado, da: adj. ant. Decíase de lo que estaba revocado en un edificio (1).

Envesar: tr. ant. Alejar, volver del envés (2).

Envestir://2. tr. ant. Revestir, cubrir (1).

Enviar://3. tr. ant. Dirigir, encaminar //4. ant. Desterrar, extrañar (1).

Envibdar: intr. ant. Enviudar (2).

Enviciosarse: r. ant. Enviciarse (1).

Envidiador, ra: adj. ant. Envidioso. Usáb. t. c. s. (1).

Envidar: tr. ant. Invitar, convidar (2).

Enviejar: tr. ant. Envejecer (1).

Envisar: tr. ant. Hacer enviso o avisado (2).

Envisidad: f. ant. Previsión, aviso (2).

Enviso, sa: adj. ant. Sagaz, advertido (1)//Discreto, avisado (2).

Envissar: tr. ant. Envisar (2).

Envivir: intr. ant. Vivir (2).

Envolcarse: r. ant. Envolverse (1).

Enxalvegar: tr. ant. Enjalbegar (2).

Enxanbre: m. ant. Enjambre (2).

Enxienplo: m. ant. Ejemplo (2).

Enxienpro: m. ant. Enxienplo (2).

Enxundia: f. ant. Enjundia (2).

Enxuto: adj. ant. Enjuto (2).

Enyertar: tr. ant. Poner yerta una cosa. Usáb. t. c. r. (1).

Enyescarse: r. ant. Encenderse, inflamarse (1).

Enyugamiento: m. ant. Casamiento (1).

Enyugar://3.. r. ant. fig. Casar (1).

Enyuntar: tr. ant. Juntar, uncir (1).

Enzarzada: f. desus. Mil. Fortificación pasajera (1).

Enzebro: m. ant. Encebro (2).

Epiglosis://2. f. ant. Zool. Epiglotis (1).

Epilencia: f. ant. Epilepsia (1).

Epiléntico, ca: adj. ant. Epiléptico (1).

Epistolero://2. m. ant. Subdiácono (1).

Epistólico, ca: adj. ant. Epistolar (1).

Epoto, ta: adj. ant. Bebido (1).

Equísimo, ma: adj. sup. ant. de Ecuo (1).

Equite://2. m. ant. Caballero o noble (1).

Equívoco://4. m. desus. Equivocación (1).

Eradicativo, va: adj. ant. Que tiene virtud de desarraigar (1).

Erario, ria: adj. ant. Pechero, contribuyente, tributario (1).

Ercer: tr. ant. Levantar (1-2).

Erecha: f. ant. Indemnización por daño de guerra, satisfacción, compensación o enmienda del daño recibido en la guerra (1-2).

Erechador: m. ant. Que hace las erechas (2).

Erechar: tr. ant. Indemnizar por daños de guerra (2).

Erecho: adj. ant. Erguido (2).

Erger: tr. ant. Erguir (2).

Erguioso: adj. ant. Erguido (2).

Erguir: tr. ant. Alzar (2).

Ergullir: intr. ant. Cobrar orgullo, envanecerse (1).

Eria: f. ant. Era, terreno labrantío (2).

Erisípula: f. ant. Erisipela (1).

Ermador, ra: adj. ant. Asolador. Usáb. t. c. s. (1).

Ermadura: f. ant. Ermamiento (1).

Ermamiento: m. ant. Asolamiento (1).

Ermar: tr. ant. Dejar yerma una ciudad tierra, etc.; destruir, asolar (1-2).

Erminyo: m. ant. Armiño (2).

Ero: m. ant. Heredad, tierra, era de huerta, etc. (2).

Erogatorio: m. desus. Cañón por donde se distribuye el licor que está en algún vaso o depósito (1).

Errada: f. ant. Yerro, error (1-2).

Erradio: adj. ant. Errado (2).

Erráneo, : adj. ant. Errante (1).

Erridar: tr. ant. Azuzar (2).

Erranza, [-ça]: f. ant. Error (1-2).

Erridar: tr. ant. Azuzar (2).

Erro: m. ant. Error, yerro (1).

Errona: f. ant. Suerte en que no acierta el jugador (1).

Erser: tr. ant. Erguir (2).

Erveja: f. ant. Arveja (2).

Eruga: f. ant. Oruga (1).

Erumnoso, sa: adj. ant. Trabajoso, penoso, miserable (1).

Es, essa, esso: pron. dem. Ese, esa, eso (2).

Esaminar: tr. ant. Examinar (2).

Esbaratar: tr. ant. Desbaratar (2).

Esblandecer: tr. ant. Esblandir (1).

Esblandir: tr. ant. Blandir (1).

Esbozar: intr. ant. Echar el primer bozo de barba (2).

Esca: f. ant. Cebo, comida (1).

Escabelo: m. ant. Escabel (1).

Escabrosearse://2. r. fig. ant. Resentirse, picarse o exasperarse (1).

Escaecer: intr. ant. Acaecer//tr. ant. Desatender, olvidar (2).

Escaencia: f. ant. Obvención o derecho superveniente (1).

Escalabrar: tr. ant. Descalabrar, cegar (2).

Escalada://2. f. ant. Escala, escalera (1).

Escalante: p. a. ant. de Escalar. Que escala (1).

Escaldrido, da: adj. ant. Astuto, sagaz (1).

Escalentador: m. ant. Calentador (1).

Escalentamiento: m. ant. Calentamiento (1).

Escalentar: tr. ant. Calentar//2. ant. Calentar con exceso//3. ant. fig. Inflamar//4. intr. ant. Formentar y conservar el calor natural (1-2).

Escalfamiento: m. ant. Calentura (1).

Escalfar://2. tr. desus. Descontar, mermar, quitar algo de lo justo//3. ant. Calentar (1).

Escaliar: tr. ant. Roturar (2).

Escallentar: tr. ant. Escalentar (2).

Escamar: tr. ant. Quitar la escama (2).

Escambrón: m. ant. Cambrón (Arbusto de la familia de las ramnáceas) (1).

Escambronal: m. ant. Cambronal (1).

Escaminar: tr. ant. Descaminar (2).

Escampamento: m. ant. Derramamiento (1).

Escandalizar://2. tr. ant. Conturbar, consternar (1).

Escanciania: f. ant. Oficio del escanciano (2).

Escanciano: m. ant. Escanciador, copero (2).

Escantador, ra: adj. ant. Encantador. Usáb. t. c. s. (1-2).

Escantamente: m. ant. Escantamiento (2).

Escantamiento: m. ant. Encantamiento (2).

Escantar: tr. ant. Encantar (1-2).

Escanto: m. ant. Encanto (2).

Escapar: tr. ant. Librar (2).

Escaque: m. ant. El rey en el ajedrez //Casilla del ajedrez//Instrumento músico (2).

Escaparulla: f. ant. Escarapela (1).

Escarbitar: tr. ant. Investigar (2).

Escarchar://5. tr. ant. Rizar, encrespar (1).

Escarín: m. ant. Tela muy fina de lino (2).

Escarlatín: m. ant. Tela, especie de escarlata, de color más bajo y menos fino (1).

Escarmentar://2. tr. ant. fig. Avisar de un riesgo (1).

Escarnar: tr. ant. Descarnar (1).

Escarnidamente: adv. m. ant. Escarnecidamente (1).

Escarnidor, ra: adj. ant. Escarnecedor. Usáb. t. c. s.//**de agua:** ant. Reloj de agua//2. ant. Regadera (1).

Escarnimiento: m. ant. Escarnio (1).

Escarnir: tr. ant. Escarnecer (1-2).

Escarpelar: tr. ant. Cir. Abrir con el escalpelo una llaga o herida para curarla mejor (1).

Escarpiador: m. ant. Escarpidor (Clase de peine) (1).

Escarpiar: tr. ant. Clavar con escarpias (1).

Escarzador: m. ant. Tirador, disparador (1).

Escasedat: f. ant. Escasez (2).

Escasez, [-za]: f. ant. Tacañería (2).

Escaseza: f. ant. Escasez (2).

Escaso: adj. ant. Tacaño (2).

Escatima://2. f. ant. Agravio, injuria, insulto o denuesto (1-2).

Escatimador: adj. ant. Murmurador (2).

Escatimar://3. tr. ant. Reconocer, rastrear y mirar con cuidado (1)//Enmendar (2).

Escatimoso: adj. ant. Que escatima o pleitea (2).

Escazarí: adj. ant. Escarzano (1).

Escelerado, da: adj. ant. Malvado (1).

Esceptro: m. ant. Cetro (1).

Escetar: tr. ant. Exceptar (1).

Escibar: tr. ant. Descerar//2. ant. Descebar (1).

Escible: adj. ant. Que puede o merece saberse (1).

Esciencia: f. ant. Ciencia (1).

Esciente: adj. ant. Que sabe (1).

Escientemente: adv. m. ant. Con ciencia o noticia de la cosa (1).

Escientífico, ca: adj. ant. Científico (1).

Escismático, ca: adj. ant. Cismático (1).

Esclatón: m. ant. Ciclatón (2).

Esclavadura: f. desus. Conjunto de esclavos que tenía cada hacienda (1).

Esclavonía: f. ant. Esclavitud (1).

Escobar: m. ant. Terreno de escobas (2).

Escociano, na: adj. ant. Escocés. Apl. a pers., usáb. t. c. s. (1).

Escodriñar: tr. ant. Escudriñar (2).

Escofiado, da://2. adj. ant. Aplicábase al que traía cofia en la cabeza (1).

Escolano: adj. ant. Estudiante (2).

Escolar://3. m. ant. Nigromante (1)// intr. ant. Escurrirse (2).

Escolarino, na: adj. ant. Escolástico (1).

Escoldo: m. ant. Rescoldo (1).

Escollecho: adj. ant. Escogido (2).

Escomearse: r. ant. Padecer estangurria (1).

Escomenzar: tr. ant. Comenzar (2).

Escomesa: f. ant. Acometimiento (1).

Escondedijo: m. ant. Escondrijo (2).

Escondedrijo: m. ant. Escondrijo (1).

Escondidijo: m. ant. Escondrijo (1).

Escondido://2. m. desus. Escondrijo (1).

Esconjuro: m. ant. Conjuro (1).

Escontra: prep. ant. Contra (1)//Hacia, junto a, cerca de (2).

Escopecina: f. ant. Escupitina (1).

Escopir: intr. ant. Escupir (2).

Escopo: m. ant. Objeto o blanco a que uno mira y atiende (1).

Escopro: m. ant. Escoplo (2).

Escorche: m. ant. Pint. Escorzo (1).

Escorir: tr. ant. Escurrir (1).

Escorrecho: adj. ant. Prevenido, apercibido//Alto, esbelto y enjuto (2).

Escorrencho: adj. ant. Escorrecho (2).

Escorrir: tr. ant. Escurrir (2).

Escorrozo://2. m. ant. Disgusto, indignación (1).

Escosa: adj. ant. Doncella, virgen (1).

Escossa: adj. ant. Escosa//fig. ant. Desviación de las aguas de un río para pescar en el cauce seco (2).

Escota: f. ant. Arq. Escocia (1).

Escotadizo, za: adj. ant. Decíase de lo que estaba escotado (1).

Escotar://3. tr. ant. Mar. Sacar el agua que ha entrado dentro de una embarcación (1)//Pagar (2).

Escoto: adj. ant. Hombre libre (2).

Escrevir: tr. ant. Escribir (2).

Escribán: m. ant. Escribano (1).

Escribano://4. m. desus. Maestro de escribir o maestro de escuela//5. ant. Escribiente (1)//Escritor (2).

Escribidor: m. ant. Escritor (1).

Escribiente://2. m. ant. Escritor (1).

Escribimiento: m. ant. Acción de escribir (1).

Escripto, ta: p. p. irreg. ant. de Escribir//2. m. ant. Escrito (1).

Escriptor, ra: m. y f. ant. Escritor (1).

Escriptura: f. ant. Escritura (1).

Escripturar: tr. ant. Escriturar (1).

Escripturario: m. ant. Escriturario (1).

Escritor, ra://3. m. y f. ant. Secretario, ria (1).

Escritorista: m. ant. El que por oficio hacía escritorios (1).

Escrocón: m. ant. Sobreveste (1).

Escrudinnar: tr. ant. Escudriñar (2).

Escrudiñar: tr. ant. Escudriñar (1-2).

Escrupulear: intr. ant. Escrupulizar (1).

Escuadría://2. f. ant. Escuadra (1).

Escuadro://2. m. ant. Cuadro (1).

Escuadronista: m. desus. Mil. Oficial inteligente en la táctica y en las maniobras de la caballería (1).

Escuantra: prep. ant. Escontra (2).

Escuchadera: f. desus. Escucha (1).

Escuchaño, ña: adj. ant. Decíase de la persona que se ponía en escucha (1).

Escudado: m. ant. Soldado armado de escudo (1-2).

Escuderante: p. a. ant. de Escuderear. Que escuderea (1).

Escudriño: m. ant. Escudriñamiento (1)

Escuela: f. ant. Séquito de un señor (2).

Escuella: f. ant. Escuela (2).

Esculca: f. desus. Espía o explorador (1-2).

Esculcar: tr. ant. Inquerir, espiar//Despreciar (2).

Esculpidura: f. ant. Grabadura (1).

Esculta: f. ant. Esculca (1).

Esculto, ta: p. p. irreg. ant. de Esculpir (1).

Escurana: f. ant. Oscuridad (1-2).

Escurar: tr. ant. Oscurecer (1).

Escuras (A): m. adv. ant. A oscuras (1).

Escurecer: intr. ant. Oscurecer (1).

Escurecimiento: m. ant. Oscurecimiento (1).

Escureza: f. ant. Escuridad (1-2).

Escuridad: f. ant. Oscuridad (1-2).

Escuro, ra: adj. ant. Oscuro (1).

Escurrir://3. tr. ant. Recorrer algunos parajes para reconocerlos (1).

Escurrir: tr. ant. Acompañar y despedir al que se va//Socorrer (1-2).

Escusabaraja://2. f. ant. Mar. Cuerpo muerto (1).

Escusadas (A): m. adv. ant. A escondidas (1).

Escusado: m. ant. Hombre que acompañaba al caballero en la guerra como escudero (2).

Escusano: adj. ant. Encubierto, escondido (1).

Escusaña: f. ant. Hombre de campo que en tiempo de guerra se ponía en un paso o vado para observar los movimientos del enemigo//A escusañas: m. adv. ant. A escondidas o a hurto (1).

Escusarse: r. ant. Esconderse, ocultarse (2).

Escusero: adj. ant. Que da escusas (2).

Escuso (A o En): m. adv. ant. Ocultamente, a escondidas (1-2).

Eseíble: adj. ant. Fil. Lo que puede ser (1).

Esenciarse: r. desus. Unirse íntimamente con otro ser, como formando parte de su esencia (1).

Eser: intr. ant. Ser (1).

Eseyente: adj. ant. Que es (1).

Esferista: m. ant. Astrólogo//2. ant. Astrónomo (1).

Esfogar: tr. ant. Desfogar (1).

Esforciamiento: m. ant. Esfuerzo, ánimo (2).

Esfforçio: m. ant. Esfuerzo (2).

Esforzamiento: m. ant. Esfuerzo (1-2).

Esforzar [-çar, -ciar]://5. r. ant. Asegurarse y confirmarse en una opinión (1)//Cobrar fuerzas o ánimo (2).

Esfriar: tr. ant. Resfriar. Usáb. t. c. r. (1).

Esfructar: tr. ant. Esfrutar (2).

Esfrutar: tr. ant. Desfrutar (2).

Esfuerzo://5. m. ant. Auxilio, ayuda, socorro (1).

Esgambete: m. ant. Gambeta (1).

Esgarrar: intr. ant. Huir, desgarrarse (2).

Esgarrón: m. ant. Huída (2).

Esgoardar: tr. ant. Esguardar (1).

Esgotar: tr. ant. Agotar (2).

Esguardar: tr. ant. Atender, mirar//2. ant. Considerar una cosa o atender a ella//3. ant. Tocar, pertenecer (1-2).

Esguarde: m. ant. Acción de esguardar (1).

Eslador: m. ant. Esleidor (2).

Eslamborado, da: adj. ant. Alamborado (Que tiene alambor = falseo) (1).

Esleción: f. ant. Elección (1).

Esledor: m. ant. Elector (1).

Esleer: tr. ant. Elegir (1-2)..

Esleíble: adj. ant. Que se debe elegir y es digno de elegirse (1).

Esleidor: m. ant. Elector (1-2).

Esleir: tr. ant. Elegir (1-2).

Esleito, ta: p. p. irreg. ant. de Esleir (1).

Eslesiar: tr. ant. Lisiar (2).

Eslindar: tr. ant. Allanar, aclarar (2).

Esloría: f. ant. Mar. Eslora//2. pl. ant. Mar. Esloras (1).

Esmaginar: intr. ant. Acordarse (2).

Esmair: tr. ant. Entristecer (2).

Esmedrir: tr. ant. Amedrentar (2).

Esmena: f. ant. Rebaja (1).

Esmerado: adj. ant. Puro, escogido (2).

Esmeramiento: m. ant. Esmero (1).

Esmeranda: f. ant. Esmeralda (2).

Esmerejón: m. ant. Mil. Pequeña pieza de la primitiva artillería (2).

Esmeril: m. ant. Mil. Pieza antigua de artillería (2).

Esmorecer: intr. desus. Desfallecer, perder el aliento (1).

Esmorecido, da: p. p. de Esmorecer (1).

Esora: adv. t. ant. A la misma hora (2).

Espaciamiento: m. ant. Esparcimiento, dilatación (1).

Espaciar: tr. ant. Ensanchar, desahogar (2).

Espácico, ca: adj. ant. Aciago (1).

Espacio://6. m. ant. Recreo, diversión (1-2).

Espacioso: adj. ant. Lento, sereno, alegre (2).

Espadada: f. ant. Tajo o golpe dado con espada (1-2).

Espadado, da: adj. ant. Que lleva o tiene ceñida la espada (1).

Espadarte: m. ant. Espandarte (2).

Espaladinar: tr. ant. Declarar, explicar con claridad (1).

Espalda://3. f. ant. Espaldón (1).

Espaldar: adj. ant. Postrero (1).

Espalto: m. ant. Fort. Explanada (1).

Espandarte: m. ant. Lenguado (2).

Espantauza [-ça]: f. ant. Cosa de espanto (2).

Esparsión: f. ant. Esparcimiento (1).

Esparsir [-zir]: tr. ant. Esparcir (2).

Espasmar: tr. ant. Pasmar (1).

Espavecer: intr. ant. Tener pavor (2).

Espavorecido, da: adj. ant. Despavorido (1).

Especia://3. f. ant. Med. Específico (1)//Clase, especie (2).

Especial://4. adv. m. desus. Especialmente (1).

Especiería://4. f. ant. Droguería (1).

Especiero://2. m. ant. Boticario (1).

Especiosidad: f. ant. Perfección (1).

Espectable: adj. ant. Digno de la consideración o estimación pública; muy conspicuo o notable (1).

Especular: adj. ant. Transparente, diáfano (1).

Especulario, ria: adj. ant. Perteneciente al espejo (1).

Espechar: tr. ant. Espichar (Pinchar) (1).

Espedar: tr. ant. Espetar (1).

Espedazar: tr. ant. Despedazar (1).

Espedimiento: m. ant. Despedida (1-2).

Espedir: tr. ant. Despedir (2).

Espedirse: r. ant. Despedirse (1).

Espedo: m. ant. Espeto (1-2).

Espejar://2. tr. ant. Limpiar, pulir, lustrar//3. r. ant. Mirarse al espejo (1-2).

Eslepuzo: m. ant. Despeluzo (1).

Espender: tr. ant. Despender, gastar// Colgar (2).

Espera://6. f. ant. Moneda de Levante (1).

Espera: f. ant. Esfera (1-2).

Esperabanda: f. ant. Adorno mujeril (2).

Esperable: adj. ant. Que se puede o debe esperar (1).

Esperación: f. ant. Esperanza (1).

Esperamiento: m. ant. Espera (1).

Esperante: p. a. ant. de Esperar. Que espera (1).

Esperdecido: adj. ant. Desperdiciado, perdido (2).

Esperdecir: tr. ant. Despreciar (1).

Esperecer: intr. ant. Perecer (1).

Esperido, da: adj. ant. Extenuado, flaco, débil (1).

Esperonte: m. desus. Fort. Obra en ángulo saliente, que se hacía en las cortinas de las murallas y a veces en las riberas de los ríos (1).

Esperriadero: m. ant. Acción y efecto de esperriar (1).

Esperriar: tr. ant. Espurriar (1).

Espertar: tr. ant. Despertar (1-2).

Esperteza: f. ant. Diligencia, actividad (1).

Espesamente: adv. m. ant. Con frecuencia, con continuación (1).

Espesedumbre: f. ant. Espesura (1).

Espeseza: f. ant. Espesura (1).

Espeso: adj. ant. Gastado//Abundante, frecuente, a menudo (2).

Espesura://2. f. ant. Solidez, firmeza (1).

Espeto: m. ant. Asador y arma aguzada (1-2).

Espiador: m. ant. Espía (1).

Espicial: adj. ant. Especial (2).

Espidimiento: m. ant. Espedimiento (2)

Espidir: tr. ant. Espedir (2).

Espiedo: m. ant. Espedo (1-2).

Espierto: adj. ant. Despierto (2).

Espigar://3. tr. desus. Mover el caballo la cola, sacudiéndola de arriba abajo (1).

Espigoso, sa: adj. ant. Que tiene espigas o abunda de ellas (1).

Espilocho: adj. ant. Pobre, desvalido.

Decíase del que iba desharrapado y mal vestido. Usáb. t. c. s. (1).

Espinaza [-ça]: f. ant. Espina//Espinaca (2).

Espingarda: f. desus. Cañón de artillería algo mayor que el falconete y menor que la pieza de batir (1).

Espiote: m. ant. Espiche (1)//Arma e instrumento en punta (2).

Espirador, ra://2. adj. ant. Inspirador (1).

Espiramiento: m. ant. Espiración//2. ant. Teol. Hablando de la Santísima Trinidad, Espíritu Santo (1).

Espirar://3. tr. ant. Aspirar (1).

Espirital: adj. ant. Perteneciente a la respiración (1)//Espiritual (2).

Esplendor://3. m. ant. Pint. Color blanco hecho de cáscaras de huevos, que servía para iluminaciones y miniaturas (1).

Esplenético, ca: adj. ant. Esplénico (Perteneciente al bazo) (1).

Espligo: m. ant. Espliego (2).

Espojar: tr. ant. Despojar (2).

Espolón://7. m. ant. Espuela (1).

Espolonada: f. ant. Arremetida de algún número de caballería contra el enemigo (2).

Espolonar: tr. ant. Espolear (2).

Espolonear: tr. desus. Espolear (1-2).

Espolvorar: tr. ant. Quitar el polvo, sacudir (1-2).

Espongiosidad: f. ant. Esponjosidad (1)

Espongioso, sa: adj. ant. Esponjoso (1).

Esponsalias: f. pl. ant. Esponsales (1).

Espontil: adj. ant. Espontáneo (1).

Esporón: m. ant. Espuela (1).

Esporonada: f. ant. Espolonada (1-2).

Esposajas: f. pl. ant. Esponsalias (1).

Espremir: tr. ant. Expresar (2).

Espresiva: f. ant. Expresión, facultad de expresarse (2).

Esprimir: tr. ant. Espremir (2).

Espuera: f. ant. Espuela (1-2).

Espurcísimo, ma: adj. ant. Inmundísimo, impurísimo (1).

Esquantra: prep. ant. Escontra (2).

Esquena: f. ant. Garrotillo (2).

Esquero: m. ant. Bolsillo (2).

Esquerro, rra: adj. ant. Izquierdo (1).

Esquilfada: adj. ant. Esquifada (Carga que suele llevar un esquife) (1).

Esquilfe: m. ant. Esquife (1).

Esquilmo: m. ant. Fruto o provecho de campos y ganados (2).

Esquilo: m. ant. Esquileo (1).

Esquilo: m. ant. Sant. Ardilla (1).

Esquimar: tr. ant. Esquilmar (2).

Esquimo: m. ant. Esquilmo (1-2).

Esquina://3. f. ant. Piedra grande que se arrojaba a los enemigos desde lugares altos (1).

Esquinancia: f. desus. Esquinencia (1).

Esquipar: tr. ant. Mar. Esquifar (1).

Esquipazón: m. ant. Mar. Esquifazón (Conjunto de remos y remeros con que se armaban las embarcaciones) (1).

Esquisa: f. ant. Pesquisa (2).

Esquisar: tr. ant. Buscar o investigar (1).

Esquitar: tr. ant. Desquitar, descontar o compensar (1).

Esquite: m. ant. Desquite (1).

Esquiveza: f. desus. Esquivez (1).

Esquividad: f. desus. Esquivez (1).

Esquivo: adj. ant. Desagradable, malo //Vano//Que hace huir (2).

Essora: adv. t. ant. Esora (2).

Estabilir: tr. ant. Establecer (1).

Establería: f. ant. Establo o caballeriza (1).

Establerizo: m. ant. Establero (1).

Establía [-bría]: f. ant. Establo (1-2).

Establido: adj. ant. Establecido (2).

Establimiento: m. ant. Establecimiento (1).

Establir: tr. ant. Establecer (1).

Estación://12. f. ant. Sitio o tienda pública donde se ponían los libros para venderlos, copiarlos o estudiar en ellos (1).

Estada: f. ant. Acción de estar (2).

Estadal://5. m. ant. Cirio o hacha de siete pies (1-2).

Estadero://2. m. ant. Bodegonero (1).

Estado://13. m. desus. Casa de comidas que era algo menos plebeya que el bodegón (1).

Estafada: f. ant. Estafa (2).

Estafero: m. ant. Criado de a pie o mozo de espuelas (1).

Estajar: tr. ant. Decidir (2).

Estajo://2. m. ant. Atajo (1).

Estalo: m. ant. Asiento en el coro (1).

Estalviar: tr. ant. Perdonar (2).

Estambrar://2. tr. ant. Tramar o entretejer (1).

Estamiento: m. ant. Estado en que se halla y permanece (1-2).

Estampador://2. m. ant. Impresor (1).

Estancia://8. f. ant. Mil. Campamento (1).

Estanciero://2. m. desus. Especie de mayoral encargado de velar el trabajo de los indios en las estancias (1).

Estanco://4. m. desus. Parada, detención, demora//5. ant. Estanque (1).

Estandal: m. ant. Estandarte (2).

Estante: adj. ant. Lo que está quieto (2).

Estanterol: m. Mar. desus. Madero, a modo de columna, que en las galeras se colocaba en la popa, en la crujía, y sobre el cual se afirmaba el tendal (1).

Estanza [-ça]: f. ant. Estancia, campamento//2. ant. Estado, conservación y permanencia de una cosa en el que el ser que tiene (1-2).

Estaño: m. ant. Laguna (1).

Estaquillo: m. ant. Estaquilla, puntero (2).

Estar://5. intr. ant. Ser (1)//Detenerse, quedarse quieto (2).

Estatera: f. ant. Peso, balanza (1).

Estatuario, ria: adj. ant. Estatutario (1).

Estella: f. ant. Estrella (2).

Estello: m. ant. Destello (2).

Estema: m. ant. Ar. Pena de mutilación (1-2).

Estemar: tr. ant. Ar. Privar, imponer la pena de mutilación//Pregonar//Lisiar (1-2).

Estendijarse: r. ant. Extenderse, estirarse (1).

Estercar: tr. ant. Estercolar (1).

Estereotipa: f. desus. Estereotipia (1).

Estido [-iedo]: pret. ant. de Estar. Estuvo (2).

Estierco: m. ant. Estiércol (2).

Estil: adj. ant. Estéril, seco (1).

Estilar: tr. ant. Destilar, gotear (1).

Estimación://3. f. ant. Instinto (1).

Estimulación: f. ant . Acción y efecto de Estimular (1).

Estímulo: m. ant. Aguijada (1).

Estimuloso, sa: adj. ant. Dícese de lo que estimula (1).

Estipe: m. ant. Arq. Estípite (Pilastra en forma de pirámide truncada, con la base menor hacia abajo) (1).

Estipendiario://2. m. ant. Tributario, pechero (1).

Estival: m. desus. Botín o borceguí de mujer (1).

Estivo: m. ant. Estío (2).

Estituido: adj. ant. Estatuído (2).

Estocador: m. ant. Estoqueador (1).

Estocar: tr. ant. Estoquear (Herir de punta con espada o estoque) (1).

Estol: m. ant. Acompañamiento o comitiva (1).

Estomático, ca: adj. ant. Perteneciente al estómago (1).

Estonce: adv. t. ant. Entonces (1-2).

Estonces: adv. t. ant. Entonces (1-2).

Estopazo [-ço]: m. ant. Lo basto del lino y cáñamo (2).

Estorcer: tr. ant. Libertar a uno de un peligro o aprieto. Usáb. t. c. intr. (1-2).

Estorcijón: m. ant. Retortijón (1).

Estorcimiento: m. ant. Evasión (1).

Estordecido, da: adj. ant. Estordido (1).

Estordido, da: adj. ant. Aturdido, fuera de sí (1-2).

Estornija: f. ant. Billarda (Un juego) (2).

Estorpar: tr. ant. Estropear, maltratar (2).

Estonz: adv. t. ant. Entonces (2).

Estoz: adv. t. ant. Entonces (2).

Estrabón: adj. ant. Bisojo (1).

Estrabosidad: f. ant. Med. Estrabismo (1).

Estrado: m. ant. Sala de recibir (2).

Estragamiento: m. ant. Estrago (1-2).

Estrangurria: f. ant. Med. Estranguria (Micción dolorosa gota a gota con tenesmo de la vejiga) (1).

Estrañar: tr. ant. Desterrar//Desechar (2).

Estrañeza: f. ant. Enemistad//Ser estraño (2).

Estraño: adj. ant. Extranjero (2).

Estraño: adj. ant. Extraño (2).

Estrapada: f. ant. Vuelta de cuerda en el tormento o trampazo (1).

Estrapajar: tr. ant. Entrapajar (1).

Estrazar: tr. ant. Despedazar, romper, hacer pedazos (1).

Estrazo: m. ant. Andrajo, pedazo arrancado de un vestido, ropa u otra cosa (1).

Estrechamento: f. ant. Estrechamiento (1).

Estrechar://2. tr. ant. Contener o detener a uno, impedirle o embarazarle para que no prosiga ni pase adelante en su intento (1).

Estrecheza: f. ant. Estrechez (1).

Estrechía: f. ant. Estrechez (1).

Estrecha (A la): m. adv. ant. Estrechamente//2. ant. Con amistad//3. ant. Rigurosamente (1).

Estrellamiento: m. ant. Conjunto de estrellas o porción de cielo que corresponde a un punto o región del globo (1).

Estrellería: f. ant. Astrología (2).

Estrellero://2. m. ant. Astrólogo (1-2).

Estremonia: f. ant. Astronomía (2).

Estremuloso, sa: adj. ant. Trémulo, temeroso, asombrado y propiamente tembloroso (1).

Estrena://2. f. desus. Principio o primer acto con que se comienza a usar o hacer una cosa (1-2).

Estrenar://3. tr. ant. Regalar, galardonar, dar estrenas (1).

Estreñir://2. r. ant. fig. Apocarse, encogerse (1).

Estrevencia: f. ant. Atrevimiento (2).

Estrever: intr. ant. Atrever (2).

Estrevio: adj. ant. Atrevido (2).

Estribador, ra: adj. ant. Que estriba y se afirma en una cosa (1).

Estribadura: f. ant. Acción de estribar (1).

Estricarse: r. ant. Desenvolverse (1).

Estricia: f. ant. Extremo, estrecho, conflicto (1).

Estricote (Al): m. adv. ant. Al retortero (2).

Estrígil: m. ant. Riel (1).

Estrillar: tr. ant. Restregar, rascar o limpiar con la almohaza los caballos, mulas y otras bestias (1).

Estringa: f. ant. Agujeta (1).

Estroir: tr. ant. Destruir (2).

Estroma: f. ant. Alfombra, tapiz (1).

Estropezadura: f. ant. Tropiezo (1).

Estropezar [-çar]: intr. ant. Tropezar (1-2).

Estropezón: m. ant. Tropezón (1-2).

Estropiezo: m. ant. Tropiezo (1).

Estruición: m. ant. Destrucción (2).

Estruido: adj. ant. Destruido (2).

Estruir: tr. ant. Destruir (2).

Estrupador: m. ant. Estuprador (1).

Estrupar: tr. ant. Estuprar (1).

Estrupo: m. ant. Estupro (1).

Estruz: m. ant. Avestruz (1-2).

Estudiar://5. tr. ant. Cuidar con vigilancia (1).

Estudioso, sa://2. adj. ant. fig. Propenso, aficionado a una cosa (1)

Estudo [-odo]: pret. de Estar. Estuvo (2).

Estui: m. ant. Estuche (2).

Estufar: tr. ant. Calentar una pieza (1).

Estujar: tr. ant. Apretar, poner cenceño (2).

Et: conj. ant. Y o E (1).

Etiopiano, na: adj. ant. Etíope. Apl. a pers., usáb. t. c. s. (1).

Euridar: tr. ant. Erridar (2).

Euripo: m. ant. Estrecho de mar (1).

Evacuar://4. tr. ant. Enervar, debilitar, minorar (1).

Evad [-des], **evas, evat:** defect. ant. que sólo se halla usado en estas personas del presente y del imperativo, y significa: veis aquí, ved, mira, mirad; y también sabed o entended (1-2).

Evagación: f. ant. Acción de vaguear (1).

Evangelistero://2. m. ant. Diácono//3. ant. Atril con su pie, sobre el cual se pone el libro de los Evangelios, para cantar el que se dice en la misa (1).

Evenir: impers. ant. Suceder, acontecer (1).

Evitado, da: adj. ant. Vitando (Que se debe evitar). Usáb. t. c. s. (1).

Evitar://4. r. ant. Eximirse del vasallaje (1).

Evolar: intr. ant. Volar (1).

Exagitado, da: adj. ant. Agitado, estimulado (1).

Exalbegar: tr. ant. Enjalbegar (2).

Exalzar: tr. ant. Ensalzar (1).

Examinación: f. ant. Examen (1).

Examinamiento: m. ant. Examen (1).

Examinante://2. m. ant. Examinando (1).

Exardecer: intr. ant. Enardecerse, airarse extremadamente (1).

Exaudible: adj. ant. De naturaleza o calidad para ser oído favorablemente, y que mueve a conceder lo que se pide (1).

Exaudir: tr. ant. Oír favorablemente los ruegos y conceder lo que se pide (1).

Exea: m. ant. Explorador (2).

Exceptación: f. ant. Excepción (1).

Exceptador, ra: adj. ant. Que exceptúa (1).

Exceptar: tr. ant. Exceptuar (1).

Excepto, ta: p. p. irreg. ant. de Exceptar //2. adj. ant. Independiente (1).

Exceso://5. m. ant. Enajenamiento y transportación de los sentidos (1).

Excidio: m. ant. Destrucción, ruina, asolamiento (1).

Excomulgación: f. ant. Excomunión (1).

Excomulgamiento: m. ant. Excomunión (1).

Excomunicación: f. ant. Excomunión (1).

Excullado, da: adj. ant. Debilitado, desvirtuado (1).

Excusada: f. ant. Excusa//**A excusadas:** m. adv. ant. A escusadas (1).

Excusadero, ra: adj. ant. Digno de excusa o que puede excusarse (1).

Excusano, na: adj. ant. Encubierto, escondido (1).

Excusanza: f. ant. Excusa (1).

Excusaña: f. ant. Hombre de campo que en tiempo de guerra se ponía en un paso o vado para observar el enemigo (1).

Excuso, sa: adj. ant. Excusado y de repuesto (1).

Execramento: m. ant. Execración//2. desus. Superstición en que se usa de cosas y palabras a imitación de los sacramentos (1).

Exento://7. m. desus. Oficial de guardia de corps, inferior al alférez y superior al brigadier (1).

Exequial: adj. ant. Perteneciente o relativo a las exequias (1).

Exercivo, va: adj. ant. Que ejerce con actividad y fuerza (1).

Exicial: adj. ant. Mortal, mortífero (1).

Exida: f. ant. Salida (1-2).

Exido: m. ant. Ejido (2).

Exiemplo: m. ant. Ejemplo (2).

Exigencia://3. f. ant. Exacción (1).

Eximición: f. ant. Exención (1).

Exir: intr. ant. Salir (1-2).

Exo, exa, eix: dem. Eso, esa, ese (2).

Exorado: m. ant. Arzón (2).

Exordiar: tr. ant. Empezar o principiar (1).

Exordio://3. m. ant. fig. Origen y principio de una cosa (1).

Exordir: intr. ant. Hacer exordio, dar principio a una oración (1).

Expavecer: tr. ant. Atemorizar, espantar. Usáb. t. c. r. (1).

Expedidamente: adv. m. ant. Expeditamente (1).

Expedido, da: adj. ant. Expedito, desembarazado (1).

Expedir://5. tr. ant. Despachar y dar lo necesario para que uno se vaya (1).

Explicablemente: adv. m. ant. Con distinción y claridad (1).

Expoiar: tr. ant. Espojar (2).

Exponedor: m. ant. Expositor (1).

Expremir: tr. ant. Expresar (1).

Expuesto, ta://3. adj. ant. Expósito (1).

Exquisa: f. ant. Esquisa (2).

Extendimiento: m. ant. Extensión//2. ant. fig. Expansión o dilatación de una pasión o afecto (1).

Exterminador://2. m. ant. Apeador o deslindador de términos (1).

Exterminar: tr. desus. Echar fuera de los términos, desterrar (1).

Extrañar://7. tr. ant. Rehuir, esquivar (1).

Extrañero, ra: adj. ant. Extranjero o forastero (1).

Extraño: adj. ant. Alejado (2).

Extravagante://3. m. ant. Escribano que no era del número ni tenía asiento fijo en ningún pueblo, juzgado o tribunal (1).

Extremadano, na: adj. ant. Extremeño. Apl. a pers., usáb. t. c. s. (1).

Extremar://2. ant. Separar, apartar una cosa de otra//3. ant. Hacer a uno el más excelente en su género (1).

Extremidad://3. f. ant. Superioridad (1).

Extremo://9. m. desus. Padrenuestro (1).

Exturbar: tr. ant. Arrojar o expeler a uno con violencia (1).

Exuberar: Intr. ant. Abundar con exceso (1).

Ezquerdear: tr. ant. Llevar una arma en el lado izquierdo//3. ant. fig. Izquierdar (1).

F

Faba: f. ant. Haba (1).

Fabeación: f. ant. Acción y efecto de fabear (1).

Fabeador: m. ant. Ar. Cada uno de los consejeros cuyos nombres se sacaban por suerte entre los insaculados en las bolsas de los jurados de Zaragoza, para votar los que podían entrar en suerte de oficios; y porque votaban con habas se les llamaba fabeadores (1).

Fabear: intr. ant. Ar. Votar con habas blancas y negras (1).

Fabla: f. ant. Habla//3. ant. Fábula//4. ant. Concierto, confabulación (1).

Fablable: adj. ant. Decible o explicable (1).

Fablado, da: adj. ant. Con los advs. bien o mal, bien o mal hablado (1).

Fablador, ra: adj. ant. Hablador. Usáb. t. c. s. (1).

Fablante: p. a. ant. de Fablar. Que fabla (1).

Fablar: tr. ant. Hablar (1).

Fablicar: tr. ant. Fabricar (2).

Fabliella: f. ant. Cuento o relación//2. ant. Hablilla (1).

Fablistán: adj. ant. Hablistán (Hablanchín). Usáb. t. c. s. (1).

Fablistanear: intr. ant. Charlar, hablar mucho y con impertinencia (1).

Fabordón: m. ant. Mús. Armonía de nota contra nota formada sobre un canto llano (2).

Fabricadamente: adv. m. ant. Hermosa y pulidamente; con artificio y primor (1).

Fabricador, ra: adj. ant. Fabricante (1).

Fabrido, da: adj. ant. Fabricado, labrado (1).

Fabrilmente: adv. m. ant. Artificiosamente; con maestría (1).

Fabro: m. ant. Artífice (1).

Fabulación: f. ant. Conversación (1).

Fabular: tr. ant. Hablar sin fundamento//2. ant. Inventar cosas fabulosas (1).

Fabulizar: tr. ant. Fabular (1).

Fabulosidad: f. ant. Falsedad de las fábulas (1).

Faca: f. ant. Jaca (1).

Facción://6. f. ant. Hechura//7. ant. Figura y disposición con que una cosa se distingue de otra (1).

Faccionar: tr. ant. Dar figura o forma a una cosa (1).

Facecia: f. desus Chiste, donaire o cuento gracioso (1).

Facecioso, sa: adj. ant. Que encierra en sí chiste o donaire (1).

Facedero, ra: adj. ant. Hacedero (1).

Facedor, ra: m. y f. ant. Hacedor//2. m. ant. Factor (1).

Facendera: f. ant. Hacendera (1).

Facer: tr. ant. Hacer. Usáb. t. c. r. (1).

Facerir: tr. ant. Zaherir, agraviar (1-2).

Facero, ra: adj. ant. Fronterizo (1).

Faceruelo: m. ant. Aceruelo, almohada (2).

Faceto, ta: adj. desus. Chistoso (1).

Facia: prep. ant. Hacia (1).

Facienda: f. ant. Hacienda//2. ant. Negocio, asunto//3. ant. Hecho de armas, pelea (1).

Faciente: p. a. ant. de Facer. Haciente. Usáb. t. c. s. (1).

Fácil://3. adj. desus. Aplícase al que con ligereza se deja llevar del parecer de otro, y por lo común se toma en mala parte (1).

Facílimo, ma: adj. sup. ant. de Fácil (1).

Facimiento: m. ant. Acción y efecto de

Hacer una cosa//2. ant. Trato o comunicación familiar//3. ant. Cópula carnal (1).

Facina: f. ant. Hacina (1).

Facinoroso, sa: adj. ant. Facineroso. Usáb. t. c. s. (1).

Fación: f. ant. Facción//**A fación:** m adv. ant. A manera, al modo (1).

Facionado, da: adj. ant. Con los advs. bien o mal, aplicábase a la persona bien o mal configurada en sus miembros, especialmente en el rostro (1).

Facistelo: m. ant. Facistol//2. ant. Faldistorio (Asiento especial de que usan los obispos en algunas funciones pontificales) (1).

Facistol://2. m. ant. Faldistorio (1)

Factor://6. m. ant. Hacedor o capataz (1).

Facultad://8. f. desus. Caudal o hacienda (1).

Facultoso, sa: adj. ant. Que tiene muchos bienes o caudales (1).

Facha: f. ant. Hacha (Tea) (1).

Facha: f. ant. Hacha (1).

Facha: f. ant. Faja (1).

Fachuela: f. d. ant. de Facha (1).

Fadar: tr. ant. Hadar (Determinar el hado una cosa) (1-2).

Fadiga: f. ant. Fatiga (2).

Fadrubado, da: adj. ant. Estropeado, desconcertado, descoyuntado (1).

Fajares: m. pl. ant. Haces o gavillas (1).

Falace: adj. ant. Falaz (1).

Falagador, ra: m. y f. ant. Persona que halaga (1).

Falagar: tr. ant. Halagar//2. ant. Apaciguar, amortiguar. Usáb. t. c. r.//3. r. ant. Alegrarse (1).

Falago: m. ant. Halago (1).

Falagüeñamente: adv. m. ant. Halagüeñamente (1).

Falagüeño, ña: adj. ant. Halagüeño (1).

Falaguero, ra: adj. ant. Halagüeño (1).

Falar: intr. ant. Hablar (2).

Falcar: tr. ant. Cortar con la hoz (1).

Falcón://2. m. ant. Halcón (1).

Falconero: m. ant. Halconero (1).

Falda://10. f. ant. Halda (1).

Falescer: intr. ant. Faltar (1).

Falidamente: adv. m. ant. En vano, sin fundamento (1).

Falido, da: adj. ant. Fallido (1).

Falifa: f. ant. Piel de cordero, pellica (2).

Falimiento: m. ant. Engaño, falsedad, mentira (1).

Falir: intr. ant. Engañar o faltar uno a su palabra (1).

Falquía: f. ant. Doble cabestro que se ataba al cabezón de una caballería (1).

Falsador, ra: adj. ant. Falseador (1).

Falsar: tr. ant. Romper (2).

Falsería: f. ant. Falsedad (2).

Falsía://2. f. ant. Falta de solidez y firmeza en alguna cosa (1).

Falso, sa://4. adj. desus. Cobarde, pusilánime (1).

Falsopeto: m. ant. Farseto (Jubón acolchado que se usaba debajo de las armas)//2. ant. Balsopeto (Bolsa grande que de ordinario se trae junto al pecho) (1).

Falssar: tr. ant. Falsar (2).

Falsso: adj. ant. Falso (2).

Faltar://8. intr. desus. Carecer (1).

Faltoso, sa: adj. ant. Falto, necesitado (1).

Faluca: f. ant. Falúa (Embarcación menor) (1).

Falla://3. f. ant. Falta (1-2).

Fallador, ra: adj. ant. Hallador (1).

Fallamiento: m. ant. Hallazgo, descubrimiento o invención (1).

Fallar: tr. ant. Hallar (1).

Fallazgo: m. ant. Hallazgo (1).

Fallecedor, ra: adj. ant. Fallecedero (1 2).

Fallecer://3. intr. ant. Carecer y necesitar de una cosa//4. ant. Faltar, errar //5. ant. Caer en una falta//Fallecer de una cosa: fr. ant. Desistir de ella (1-2).

Fallecido, da://2. adj. ant. Desfallecido, debilitado (1).

Falleser: intr. ant. Fallecer (2).

Fallençia: f. ant. Error, daño//Falta (2).

Fallenza: f. ant. Fallençia (2).

Fallía: f. ant. Falta (2).

Fallidero, ra: adj. ant. Perecedero (1).

Falliment: m. ant. Fallimento (2).

Fallimento: m. ant. Error//Pobreza (2).

Fallir: intr. ant. Engañar o faltar uno a su palabra (1)//Faltar, acabar (2).

Famado, da: adj. ant. Afamado (1-2).

Fambre: f. ant. Hambre (1).

Fambriento: adj. ant. Hambriento (1).

Fame: f. ant. Hambre (1).

Familiaridad://3. f. ant. Criados y personas de familia (1).

Familio: m. ant. Familiar, criado (1).

Famillo: m. ant. Familio (1).

Famoso, sa://4. adj. ant. Visible e indubitable (1).
Fanga: f. ant. Fango (2) .
Fano: m. ant. Templo (1)//Sierra o vertiente a pico (2).
Fañado: adj. ant. Crecido, alto (2).
Far: tr. ant. Hacer (1).
Faraute://5. m. ant. Intérprete (1).
Fardido, da: adj. ant. Ardido (1-2).
Fargayo: m. ant. Ruido confuso de la marica y otras aves (2).
Farina: f. ant. Harina (1).
Farmacético, ca: adj. ant. Farmacéutico (1).
Fármaco: m. ant. Medicamento (1).
Farón: m. ant. Fanal (1).
Farrago: m. desus. Fárrago (1).
Farropea: f. ant. Arropea (Grillete) (1).
Farsador, ra: m. y f. ant. Farsante (1).
Fartal: m. ant. Farte (1).
Fartar: tr. ant. Hartar (1).
Farte: m. ant. Frito de masa rellena de una pasta dulce con azúcar, canela y otras especias (1).
Farto, ta: adj. ant. Harto (1).
Fartura: f. ant. Hartura (1).
Fascas: adv. ant. Casi, hasta//Es decir (2).
Fascioso, sa: adj. ant. Fastidioso (1).
Fascona: f. ant. Azcona (Arma arrojadiza) (1).
Faséolo: m. ant. Frísol (Judía) (1).
Fasquía: f. ant. Asco o hastío, especialmente el que se toma de una cosa por su mal olor (1).
Fasquiar: tr. ant. Fastidiar (1).
Fasta: prep. ant. Hasta (1).
Fastial: m. ant. Arq. Hastial (1).

Fastío: m. ant. Hastío (1).
Fata: adv. l. ant. Hasta (1).
Fatigación://2. f. ant. fig. Importunación (1).
Fatila: f. ant. Hila (2).
Fatilado: adj. ant. Fazilado (2).
Fato: m. ant. Hado (1).
Fato: m. ant. Hato (1).
Fator: m. ant. Factor (1).
Fatoraje: m. ant. Factoría (1).
Fatoría: f. ant. Factoría (1).
Favo: m. ant. Panal (1).
Favorido, da: adj. desus. Favorecido (1).
Favorizar: tr. ant. Favorecer (2).
Favoroso: adj. ant. Cosa de favor (2).
Faya: f. ant. Falla (2).
Fayanca://2. f. desus. Vaya, burla (1).
Fayçón: f. ant. Facción (2).
Faz: f. ant. Haz (1).
Faz://4. f. pl. ant. Mejillas (1).
Faz: prep. ant. Hacia (1).
Faza: f. ant. Haza (Porción de tierra labrantía o de sembradura) (1).
Fazaleja: f. ant. Toalla (1).
Fazaña: f. ant. Hazaña//2. ant. Sentencia dada en un pleito//3. Sentencia o refrán (1).
Fazañero, ra: adj. ant. Hazañoso (1).
Fazañoso, sa: adj. ant. Hazañoso (1).
Fazferir: tr. ant. Echar en rostro a uno una acusación o un cargo, hiriéndole con él como si fuera con una cosa material (1).
Fazilado: adj. ant. Angustiado (2).
Fazoleto: m. ant. Pañuelo (1).
Fe: adv. dem. ant. He (1).
Fealdad: f. ant. Fidelidad (2).

Feamiento: m. ant. Fealdad (1).

Febledad: f. ant. Debilidad, flaqueza (1).

Febra: f. ant. Hebra (1).

Febrático, ca: adj. ant. Febricitante o calenturiento (1).

Febrido, da: adj. ant. Bruñido, resplandenciente (1).

Fecho, cha: p. p. ant. de Hacer//5. ant. Acción, hecho o hazaña//**Malos fechos:** ant. Delitos (1).

Fechor: m. ant. El que hace alguna cosa (1).

Fechura: f. ant. Hechura//2. ant. Hechura o figura que tiene una cosa (1).

Fedegosa: f. ant. Zamarra (2).

Feder: intr. ant. Heder (1).

Fediente: p. a. ant. de Feder. Que hiede (1).

Fediondo, da: adj. ant. Hediondo (1).

Fedor: m. ant. Hedor (1).

Feduzado: adj. ant. Fiuciado (2).

Feeza: f. ant. Fealdad (1).

Fefaciente: adj. ant Fehaciente (1).

Fegura: f. ant Figura (2).

Fejugo: adj. ant. Enojoso, embarazoso, pesado, molesto (2).

Fejuguez: f. ant. Pesadez (2).

Felicemente: adv. m. ant. Felizmente (1).

Felicitar://3. tr. desus. Hacer feliz y dichoso a uno (1).

Fellón: adj. ant. Falso, fanfarrón, airado, enojado, cruel, traidor (2).

Fellonía: f. ant. Locura, furor, enojo (2).

Fembra: f. ant. Hembra (1).

Femencia: f. ant. Hemencia (1).

Femenciar: tr. ant. Hemenciar (1).

Feminal: adj. ant. Femenil (1).

Fenchidor, ra: adj. ant. Henchidor (1).

Fenchimiento: m. ant. Henchimiento (1).

Fenchir: tr. ant. Henchir (1).

Fendedura: f. ant. Hendedura (1).

Fender: tr. ant. Hender (1).

Fenecer: tr. ant. Acabar (2).

Fenecí: m. desus. And. Estribo, contrafuerte de arco (1).

Fenestra: f. ant. Ventana (1).

Fenestraje: m. ant. Ventanaje (1).

Fengir: tr. ant. Fingir (2).

Feniciano, na: adj. ant. Fenicio. Apl. a pers. Usáb. t. c. s. (1).

Fer: tr. ant. Hacer (1).

Feral: adj. desus. Cruel, sangriento (1).

Feramente: adv. m. ant. Fieramente (2).

Feramient: adv. m. ant. Fieramente (2).

Feredad: f. ant. Fiereza (1).

Fereza: f. ant. Fiereza (2).

Ferial://2. adj. ant. Perteneciente a feria o mercado (1).

Ferida: f. ant. Herida//2. ant. Golpe (1).

Feridad: f. ant. Ferocidad o fiereza (1).

Ferido, da: p. p. de Ferir//2. adj. ant. Herido (1).

Feridor, ra: adj. ant. Que hiere. Usáb. t. c. s. (1).

Ferir: tr. ant. Herir//2. ant. Aferir (1).

Fermosamente: adv. m. ant. Hermosamente (1).

Fermoso, sa: adj. ant. Hermoso (1).

Fermosura: f. ant. Hermosura (1).

Ferocia: f. ant. Ferocidad (1).

Ferrada://2. f. ant. Herrada (1).

Ferrador: m. ant. Herrador (1).

Ferradura: f. ant. Herradura (1).

Ferraje: m. ant. Herraje (1).

Ferramienta: f. ant. Herramienta (1).

Ferrar://2. tr. ant. Herrar//3. ant. Marcar o señalar con hierro (1).

Ferrer: m. ant. Ferrero (1).

Ferrero: m. ant. Herrero (1).

Ferrojar: tr. ant. Aherrojar (1).

Ferropea: f. ant. Arropea (1).

Ferviente: p. a. ant. de Fervir. Que hierve//2. adj. fig. Fervoroso (1).

Fervir: tr. ant. Hervir (1).

Fervor: m. ant. Hervor (1).

Festa: f. ant. Fiesta (1).

Festeante: p. a. ant. de Festear. Que festea (1).

Festear: tr. ant. Festejar (1).

Festeo: m. ant. Festejo (1).

Festero, ra: m. y f. ant. Fiestero (1).

Festijero: m. ant. Festijo (2).

Fetila: f. ant. Aflicción (2).

Fetillado: adj. ant. Fazilado (2).

Fetor: m. desus. Hedor (1).

Feudar: tr. ant. Enfeudar (1).

Feuza: f. ant. Confianza (2).

Feuzia: f. ant. Feuza (2).

Fez: f. ant. Hez (1).

Fezilado: adj. ant. Fazilado (2).

Fi: m. desus. Hijo (1).

Fiado, da://2. adj. ant. Seguro y digno de confianza (1).

Fiadura: f. ant. Fianza//**Meter a uno en la fiadura:** fr. ant. Darle por fiador (1-2).

Fiaduría: f. ant. Fianza (1).

Fianza, [-ça]://5. f. ant. Confianza//6 ant. Finca (1-2).

Fiar://5. tr. ant. Afianzar o asegurar (1).

Fibiella: f. ant. Hebilla (1).

Ficar: intr. ant. Fincar (1).

Fidalgo, ga: m. y f. ant. Hidalgo (1).

Fidel: adj. ant. Fiel (2).

Fido, da: adj. ant. Fiel (1).

Fiducia: f. ant. Confianza (1).

Fiel://11. m. ant. Juez de lid por reto//12. ant. Persona a cuyo cargo se ponía judicialmente lo litigado durante el pleito (1-2).

Fielazgo: m. desus. Fielato (Oficio de fiel) (1).

Fieldad://5. f. ant. Fidelidad (1).

Fieltro://3. m. desus. Capote o sobretodo que se ponía encima de los vestidos para defenderse del agua (1).

Fieramente: adv. c. ant. Muy (2).

Fiero, ra://5. adj. ant. Aplicábase a los animales no domésticos (1).

Fierra: f. ant. Herradura (1).

Figo: m. ant. Higo (1).

Figón://2. m. ant. Figonero (Persona que tiene casa donde se guisan y venden cosas ordinarias de comer) (1).

Figura://6. f. desus. En lo judicial, forma o modo de proceder (1).

Figural: adj. ant. Perteneciente a la figura (1).

Fija: f. desus. Bisagra (1).

Fijadalgo: f. ant. Hijadalgo (1).

Fijo, ja: m. y f. ant. Hijo//2. ant. Descendencia (1).

Fijodalgo: m. ant. Hijodalgo (1).

Fil: m. ant. Fiel de romana (1).

Filáciga: f. ant. Filástica (Hilos de que se forman todos los cabos y jarcias) (1).

Filadillo: m. ant. Hiladillo (1).

Filado://2. m. ant. Hilado (1).

Filador, ra: m. y f. ant. Hilador (1).

Filamiento: m. ant. Hilado (1).

Filar: tr. ant. Hilar (1).

Filarete: m. desus. Red que se echaba por los costados del navío, dentro de la cual se colocaban ropas para defensa de las balas enemigas (1).

Filaucía: f. ant. Amor propio (1).

Filelí: m. ant. Tela muy fina de lana y seda, que se solía traer de Berbería (1).

Filo://3. m. ant. Hilo (1).

Filosofalmente: adv. m. ant. Filosóficamente(1).

Fin://2. m. desus. Límite, confín (1).

Finable: adj. ant. Acabable (1).

Finada: f. ant. Fin (2).

Finanza: f. ant. Fianza//2. ant. Rescate (1).

Finar: tr. ant. Acabar (2).

Fincable: adj. ant. Restante (1).

Fincar: tr. ant. Hincar//3. ant. Hincar (1).

Finchar: tr. ant. Hinchar (1).

Finchazón: f. ant. Hinchazón (1).

Fingimiento://2. m. ant. Fábula, ficción (1).

Finiestra: f. ant. Ventana (1).

Finida: f. ant. Estrofa final (2).

Finir: intr. ant. Finalizar o acabar (1).

Finojo: m. at. Hinojo. Usáb. m. en pl. (1).

Finta: f. ant. Fingimiento, amago falso (2).

Firma: f. ant. Prueba, afianzamiento (2).

Firmamiento: m. ant. Firmeza (1).

Firmar://2. tr. ant. Afirmar, dar firmeza y seguridad a una cosa (1-2).

Firmedumbre: f. ant. Firmeza (1-2).

Firmedumne: f. ant. Firmedumbre (2).

Fiscal://3. ant. Agente fiscal (Solicitador)//7. desus. Amér. En los pueblos de indios era uno de los indígenas encargado de que los demás cumpliesen sus deberes religiosos (1).

Fiscal: adj. ant. Cosa del fisco o del rey; tributo real (2).

Fiscalear: tr. ant. Fiscalizar (1).

Física://2. f. ant. Medicina (1-2).

Físico://6. m. ant. Profesor de medicina, médico (1-2).

Fístola: f. ant. Fístula (1).

Fistolar: tr. ant. Afistolar (1).

Fito, ta: p. p. ant. de Fincar//2. m. ant. Hito o mojón (1).

Fiucia: f. ant. Fiducia (1-2).

Fiuciado: adj. ant. Confiado (2).

Fiuciar: tr. ant. Afiuciar (1-2).

Fiusa: f. ant. Confianza (2).

Fiuza: f. ant. Confianza (2).

Fiuzado, da: adj. ant. Fiuciado (2).

Fiuzante: adj. ant. Confiado (2).

Flagicio: m. ant. Delito grave y atroz (1).

Flagicioso, sa: adj. ant. Que comete muchos y graves delitos (1).

Flaire: m. ant. Fraile (2).

Flamante: adj. ant. Que arroja llamas (1).

Flámula://2. f. ant. Ranúnculo o apio de ranas (1).

Flaquecer: intr. ant. Enflaquecer (1-2).

Flato://2. m. ant. Viento (1).

Flegma: f. ant. Flema (1).

Flegmático, ca: adj. ant. Flemático (1).

Flegmón: m. ant. Flemón (1).

Fletamiento: m. ant. Fletamento (1).

Fletar://5. tr. ant. Guat. Frotar, restregar (1).

Flocadura: f. ant. Fleco (1).

Floquecillo: m. d. ant. de Fleco (1).

Florescer: intr. ant. Florecer (1).

Floretada: f. ant. Papirote dado en la frente (1).

Flotar: tr. ant. Frotar (1).

Floxo: adj. ant. Flojo (2).

Flueco: m. ant. Fleco (1).

Fluslera: f. ant. Fruslera (Raeduras que salen de las piezas de azófar cuando se tornean) (1).

Fluxibilidad: f. ant. Calidad de fluxible (1).

Fluxible: adj. desus. Fluido, líquido (1).

Fluxión://2. f. ant. Flujo (1).

Focaria: f. ant. Barragana (2).

Fodolí: adj. desus. Entremetido, hablador (1).

Fogar: m. ant. Hogar (1).

Fogoso, sa: adj. ant. Que quema y abrasa (1).

Foguera: f. ant. Hoguera (1).

Foguero, ra: adj. ant. Perteneciente al fuego o llama de la hoguera//2. m. ant. Braserillo u hornillo en que se pone lumbre (1).

Foir: intr. ant. Huir (1).

Foiso, sa: adj. ant. Hondo (1).

Foja: f. ant. Hoja (1).

Fojuela: f. ant. Hojuela (1).

Fol: adj. ant. Loco (2).

Folga: f. ant. Huelga, pasatiempo y didiversión (1).

Folgado, da: p. p. de Folgar//2. adj. ant. Holgado (1).

Folgamiento: m. ant. Huelga (1).

Folganza: f. ant. Holgura o descanso//2. ant fig. Desahogo del ánimo (1).

Folgar: intr. ant. Holgar//2. ant. Tener ayuntamiento carnal (1).

Folgazano, na: adj. ant. Holgazán (1).

Folguín: m. ant. Golfín (Delfín) (1).

Folgura: f. ant. Holgura (1).

Folía: f. ant. Follía (2).

Foliar: tr. ant. Cantar folías (2).

Folión: m. ant. Folía (1)//adj. ant. Que canta y baila folías (2).

Folla://4. f. ant. Concurso de mucha gente, en que sin orden ni concierto hablan todos, o andan revueltos para alcanzar alguna cosa que se les echa a la rebatiña (1).

Follajería: f. ant. Follaje (1).

Follar: tr. ant. Hollar//2. ant. Talar o destruir (1).

Folleta: f. ant. Medida de vino que corresponde al cuartillo (1).

Folleto://2. m. ant. Gacetilla manuscrita que contenía regularmente las noticias del día (1).

Follía: f. ant. Locura, desvarío, jolgorio (1-2).

Follón://4. m. ant. Cualquiera de los vástagos que echan los árboles desde la raíz, además del tronco principal (1)//Cobarde (2).

Follonería: f. ant. Ruindad en el modo de proceder (1).

Follonía: f. desus. Vanidad, prensunción (1)//Fellonía (2).

Fómite: m. desus. Fomes (Causa que excita y promueve una cosa) (1).

Fona: f. desus. Cuchillo en las capas u otras ropas (1).

Fonda: f. ant. Honda (1).

Fondero: m. ant. Hondero (1).

Fondeza: f. ant. Profundidad (1).

Fondirse: r. ant. Hundirse (1).

Fondo, da: adj. ant. Hondo (1).

Fondón://3. m. ant. Fondo profundo (1).

Fondonero, ra: adj. ant. Hondonero (1).

Fondura: f. ant. Hondura (1).

Fonsada: f. ant. Tributo que pagaban los que no iban al fonsado (2).

Fonsadear: tr. ant. Guerrear (2).

Fonsadera: f. ant. Fonsada (2).

Fonsado://3. m. ant. Expedición, hueste, ejército, guerra, batalla, lid//Multitud (1-2).

Fonsario: m. ant. Foso que circunda las plazas (1).

Fonsato: m. ant. Fonsado (2).

Fontal://2. adj. ant. fig. Primero y principal (1).

Fontana: f. ant. Fuente (1).

Fontano, na: adj. ant. Fontanal (1).

Fontanoso, sa: adj. ant. Aplicábase al lugar que tiene muchos manantiales (1).

Fonte: f. ant. Fuente (1-2).

Fontecica, [-lla]: f. d. ant. de Fuente (1).

Fora: adv. l. ant. Fueras (2).

Foraco: m. ant. Agujero (2).

Foradador: m. ant. Instrumento con que se horada (1).

Foradar: tr. ant. Horadar (1).

Forado, da: adj. ant. Que está horadado//2. m. ant. Agujero (1).

Foraida: f. ant. Hondonada u hoyada (1).

Forajido, da://2. adj. desus. El que vive desterrado o extrañado de su patria o casa (1).

Forambre: f. ant. Agujero (1).

Forambrera: f. ant. Forambre (1).

Forano, na: adj. ant. Foráneo//2. ant. Rústico, huraño//3. ant. Exterior, extrínseco y de afuera (1-2).

Foraño, ña: adj. ant. Exterior, de afuera (1).

Foras: adv. l. ant. Fuera//2. ant. Fuera de (1-2).

Forca: f. ant. Horca//2. ant. Horquilla (1).

Forcejar://3. tr. ant. Forzar (1).

Forcia: f. ant. Fuerza (2).

Forciar: tr. ant. Forzar (1).

Forcina: f. ant. Especie de tenedor grande de tres púas (1).

Forcir: tr. ant. Fortalecer o reforzar (1).

Forçar: tr. ant. Forzar (2).

Forçiar: tr. ant. Forzar (2).

Forchina://2. f. ant. Tenedor para comer (1).

Forense://3. adj. ant. Público y manifiesto (1).

Forero, ra://3. adj. ant. Aplicábase al practicado y versado en los fueros. Usáb. t. c. s.//6. ant. Pechero//7. ant. El que cobraba las rentas debidas por fuero o derecho (1)//Solariego (2).

Forgicar: tr. ant. Forcejar (2).

Forínseco, ca: adj. ant. Que está de la parte de fuera (1).

Forista: m. ant. El versado en el estudio de los fueros (1).

Formadura: f. ant. Figura de una cosa y conformación de sus partes (1).

Formaje://2. m. desus. Queso (1).

Formidar: tr. ant. Temer, recelar (1).

Fornalla: f. ant. Horno (1).

Fornazo: m. ant. Hornazo (1).

Fornecer: tr. desus. Proveer de todo lo necesario una cosa para algún fin (1).

Fornecimiento: m. desus. Provisión, reparo y fortificación con que se proveía y guarnecía una cosa (1).

Fornecino, na: adj. ant. Decíase del hijo bastardo o del nacido de adulterio (1).

Fornición: f. ant. Abastecimiento o provisión (1).

Fornido, da: p. p. ant. de Fornir (1).

Fornimento: m. ant. Provisión y prevención que se hace de las cosas necesarias para un fin//2. ant. Arreo o jaez (1).

Fornimiento: m. ant. Fornimento (1).

Fornir: tr. ant. Fornecer (1).

Forno: m. ant. Horno (1).

Foro://8. m. ant. Fuero (1-2).

Forqueta: f. ant. Tenedor para comer// 2. ant. Horca (1).

Forradura: f. ant. Forro (1).

Forrajero://2. m. ant. Forrajeador (Soldado que va a forrajear) (1).

Forro, rra: adj. ant. Horro (1).

Fortalecer://2. tr. ant. Confirmar, corroborar (1).

Fortalecimiento://3. ant. Fortaleza (1)

Fortitud: f. ant. Fortaleza (1).

Fortuna://7. f. ant. Desgracia, adversidad, infortunio (1).

Fortunado, da://2. adj. ant. Afortunado (1).

Fortunal: adj. ant. Peligroso o arriesgado (1).

Fortunar: tr. ant. Afortunar (1).

Fortunio: m. desus. Felicidad, dicha// 2. ant. Infortunio (1).

Fortuno, na: adj. ant. Fortunoso (1).

Fortunoso, sa: adj. desus. Borrascoso, tempestuoso//2. ant. Azaroso, desgraciado (1).

Forza: f. ant. Fuerza (1).

Forzadamente://2. adv. m. ant. Forzosamente, necesariamente (1).

Forzado://9. adv. m. ant. Forzosamente (1).

Forzamento: m. ant. Forzamiento (1).

Forzante: p. a. ant. de Forzar. Que fuerza (1).

Forzar://6. r. ant. Esforzarse (1).

Forzoso, sa://3. adj. ant. Fuerte, recio, violento//4. ant. Forzudo//5. ant. Violento, contra razón y derecho (1).

Fosa://3. f. ant. Foso (1).

Fosada: f. ant. Foso (1).

Fosado: m. ant. Hoyo que se abre en

la tierra para alguna cosa//2. ant. Conjunto de fortificaciones de una ciudad//3. ant. Fonsadera (1-2).

Fosadura: f. ant. Zanja u hoyo hecho en la tierra (1-2).

Fosal://2. m. ant. Sepulcro, fosa (1).

Fosar: m. ant. Fosal (1).

Fosario: m. ant. Osario (1).

Fosato: m. ant. Fonsado (2).

Fósil://5. m. desus. Mineral o roca de cualquier clase (1).

Fosura: f. ant. Excavación (1).

Fossada: f. ant. Fonsada (2).

Fossadera: f. ant. Fonsadera (2).

Fossado: m. ant. Fonsado (2).

Foto: m. ant. Confianza (1).

Fótula: f. ant. And. Cucaracha voladora (1).

Foya: f. ant. Hoya (1).

Foyo: m. ant. Hoyo (1).

Foyoso, sa: adj. ant. Hoyoso (1).

Foz: f. ant. Alfoz (1).

Foz: f. ant. Hoz (1).

Fracasar: tr. desus. Destrozar, hacer trizas alguna cosa (1).

Fracción://5. f. ant. Infracción//6. ant. Quebrantamiento (1).

Fraco: adj. ant. Flaco (2).

Frade: m. ant. Fraile (1-2).

Fradear: intr. ant. Entrarse o meterse fraile (1-2).

Fradre: m. ant. Fraile (2).

Fragrancia: f. ant. Fragancia (1).

Fragua: f. ant. Fábrica (2).

Fraguante (En): m. adv. ant. En fragante (1).

Fraguar: tr. ant. Edificar (2).

Fraila: f. ant. Monja (2).

Frailar: tr. ant. Enfrailar (1).

Fraile://5. m. desus. En los ingenios de azúcar, bagazo o cibera que queda de la caña después de haberle sacado todo el jugo (1).

Frailego, ga: adj. ant. Frailesco (1).

Fraire: m. ant. Fraile (1-2).

Frairía: f. ant. Frailía (2).

Franc: adj. ant. Franco (2).

Francisca: f. ant. Segur (1).

Franco: adj. ant. Noble, libre, exento// Catalán//Generoso (2).

Frangollar: tr. ant. Quebrantar el grano del trigo (1).

Franqueado, da://2. adj. ant. Aplicábase al zapato recortado y desvirado pulidamente (1).

Franqueamiento: m. ant. Liberación (2).

Franquear://8. r. ant. Hacerse franco, libre o exento (1).

Franqueza: f. ant. Franquicia (2).

Franquía: f. ant. Libertad (2).

Frañer: tr. ant. Quebrantar (1).

Frañir: tr. ant. Romper (2).

Frao: m. ant. Ar. Fraude (1).

Frasis: amb. ant. Frase//2. desus. Habla, lenguaje (1).

Fratres: m. pl. ant. Tratamiento que se daba a los eclesiásticos que vivían en comunidad (1).

Fraudador, ra: adj. ant. Defraudador. Usáb. t. c. s. (1).

Fraudar: tr. ant. Cometer fraude o engañar (1).

Fraudulosamente: adv. m. ant. Fraudulentamente (1).

Frauga: f. ant. Fragua (2).

Fraugar: tr. ant. Fraguar (2).

Frecha: f. ant. Flecha (2).

Fredor: m. ant. Frío (1).

Fregación: f. ant. Fricación (1).

Fregata: f. ant. fam. Fregona (1).

Freila://2. f. ant. Religiosa lega de una orden regular (1).

Freilar: tr. ant. Recibir a uno en alguna orden militar (1).

Freire: m. ant. Fraile (2).

Freiría: f. ant. Frailía, convento, comunidad de frailes (2).

Frema: f. ant. Flema (2).

Frenar://3. tr. ant. fig. Refrenar (1).

Frenesía: f. ant. Frenesí (1).

Frere: m. ant. Freile (1).

Fresado, da://2. adj. ant. Guarnecido con franjas, flecos, etc., (1).

Fresar://4. intr. ant. Gruñir o regañar (1).

Frescal://2. adj. ant. Fresco (1).

Freso: m. ant. Friso (1).

Frezador: m. ant. Comedor o gastador (1).

Frezar: intr. ant. Frisar, acercarse (1).

Frey: m. ant. Fraile (2).

Fría: f. desus. Fresca (1).

Frialeza: f. ant. Frialdad (1).

Frido, da: adj. ant. Frío (1-2).

Fridoliento: adj. ant. Friolento (2).

Fridura: f. ant. Frío (2).

Frieza: f. ant. Frialdad (1).

Frige: adj. ant. Frigio (1).

Frigente: adj. ant. Que enfría o se enfría (1).

Frigerativo, va: adj. ant. Refrigerativo (1).

Frigoriento, ta: adj. ant. Friolento (1).

Friolengo, ga: adj. ant. Friolero (1).

Friolera://2. f. ant. Frialdad, cosa falta de gracia (1).

Frioliento, ta: adj. ant. Friolero (1).

Friollego, ga: adj. ant. Friolero (1).

Frior: m. ant. Frío (1).

Frisa://5. f. desus. Pelo de algunas telas, como el de la felpa (1)//Tela, vestidura (2).

Friura: f. desus. Frialdad (1-2).

Frivoloso, sa: adj. ant. Frívolo (1).

Froga: f. ant. Fábrica de albañilería, especialmente la hecha con ladrillos, a diferencia de la sillería (1).

Frogar: intr. ant. Fraguar//2. tr. ant. Hacer la fábrica o pared de albañilería (1).

Fronçir: tr. ant. Fruncir (2).

Frontalero, ra: adj. ant. Fronterizo (1).

Fronte: f. ant. Frente (1).

Frontería: f. ant. Frontera//**Hacer frontería:** fr. ant. Hacer frente (1).

Frontero: m. ant. Guardador de la frontera (2).

Fronzir: tr. ant. Fruncir (2).

Fror: f. ant. Flor (2).

Frotar: intr. ant. Flotar (2).

Fructa: f. ant. Fruta (1-2).

Fructero, ra: adj. ant. Frutal (1).

Fructo: m. ant. Fruto (1-2).

Fructual: adj. ant. Frutal (1).

Fruchiguar: intr. ant. Fructificar (2).

Frucho: m. ant. Fruto (2).

Fruente: f. ant. Frente (1-2).

Frunza: f. ant. Frunce (2).

Fruslera://2. f. ant. Latón o azófar (1).

Frutero: m. ant. Frutal (2).

Frutier: m. desus. Oficial palatino encargado de la frutería, según la etiqueta de la casa de Borgoña (1).

Frutífero, ra: adj. ant. Fructífero (1).

Frutificar: intr. ant. Fructificar (1).

Frutuoso, sa: adj. ant. Fructuoso (1).

Fucia: f. ant. Fiducia//**A fucia:** m. adv. ant. En confianza (1).

Fuciar: tr. ant. Fiuciar (2).

Fuelgo: m. ant. Aliento (1).

Fuend: f. ant. Fuente (2).

Fuent: f. ant. Fuente (2).

Fuera: adv. l. ant. Afuera (2).

Fueras: adv. m. ant. Fuera//**Fueras ende:** m. adv. ant. Fuera de (1).

Fuerça: f. ant. Fuerza (2).

Fuero://5. m. ant. Lugar o sitio en que se hace justicia (1).

Fuerte//22. adv. m. ant. Con mucho cuidado y desvelo (1).

Fuesa: f. ant. Huesa (1).

Fugar: tr. ant. Poner en fuga o huída (1).

Fugible: adj. ant. Que se debe huir (1).

Fugido, da: adj. ant. Fugaz (1).

Fugir: intr. ant. Huir (1).

Fuida: f. ant. Huida (1).

Fuidizo, za: adj. ant. Huidizo, fugitivo (1).

Fuimiento: m. ant. Salida o desamparo (1).

Fuir: intr. ant. Huir (1).

Fuisca: f. ant. Chispa (1).

Fulán: m. ant. Fulano (1-2).

Fulcir: tr. ant. Sustentar (1).

Fulminar://2. tr. ant. Ilustrar, iluminar (1).

Fulla: f. ant. Engaño (2).

Fumaje: m. ant. Tributo por el humo o casa (2).

Fumar: intr. ant. Humear (2).

Fumazga: f. ant. Fumaje (2).

Fumear: intr. ant. Humear (1).

Fumero: m. ant. Humero (1).

Fumo: m. ant. Humo//2. ant. Fuego//**Afumar fumos:** fr. ant. Tener hogar (1).

Fundago: m. ant. Almacén donde se guardaban algunos géneros (1).

Fundir://3. tr. at. Hundir. Usáb. t. c. r. (1).

Fundo, da: adj. ant. Profundo (1).

Funebridad: f. ant. Conjunto de circunstancias que hacen triste o melancólica una cosa (1).

Funeralias: f. pl. ant. Funerales (1).

Funeraria://2. f. pl. ant. Funerales (1).

Funestoso, sa: adj. ant. Funesto (1).

Funsado: m. ant. Fonsado (2).

Funsato: m. ant. Funsado (2).

Furacar: tr. ant. Horadar, hacer agujeros (1).

Furas: adv. m. ant. Fueras (2).

Furción: f. ant. Infurción (1)//Tributo al señor del solar en reconocimiento del dominio (2).

Furtadamente: adv. m. ant. Hurtadamente (1).

Furtador: m. ant. Ladrón (1).

Furtar: tr. ant. Hurtar//2. r. ant. Escaparse, huir (1).

Furtiblemente: adv. m. ant. Furtivamente (1).

Furto: m. ant. Hurto//**A furto:** m. adv ant. A hurto (1).

Fusado: m. ant. Fonsado (2).

Fusato: m. ant. Fusado (2).

Fuscar: tr. ant. Oscurecer (1).

Fusia: f. ant. Confianza (2).

Fuslera: f. ant. Fruslera (1).

Fuso: m. ant. Huso (1).

Fustán://2. m. ant. Amér. Enaguas o refajo de algodón (1).

Fuste: m. ant. Palo//Madera (2).

Fustero://3. m. desus. Carpintero (1).

Fustumbre: f. ant. Conjunto de varas o palos (1).

Futraque: m. fam. desus. Levita, casaca (1).

Fuyente: p. a. ant. de Fuir. Que huye (1).

G

Gabarse: r. ant. Alabarse (1-2).

Gabela://2. f. ant. Lugar público adonde todos podían concurrir para ver los espectáculos que se celebraban en él (1).

Gabia: f. ant. Caja, jaula (2).

Gafez: f. ant. Gafedad (Contracción permanente de los dedos, que impide su movimiento//2. Lepra que produce la susodicha contracción) (1).

Gafo: adj. ant. Tullido (2).

Gafoso, sa: adj. ant. Gafo (1).

Gagate: m. ant. Gagates (1).

Gagates: m. ant. Azabache (1).

Gago, ga: adj. ant. Tartamudo (1).

Gaho: adj. ant. Gafo (2).

Gahurras: f. ant. Mofa (2).

Gainape: m. ant. Guenabe (2).

Gaita://6. f. ant. Ayuda (1).

Gaje://2. m. ant. Prenda o señal de aceptar o estar aceptado el desafío entre dos//3. pl. ant. Sueldo o estipendio que pagaba el príncipe a los de su casa o a los soldados (1).

Gajudo: adj. ant. Lleno de gajos o nudos (2).

Galafate://2. m. desus. Corchete//3. desus. Ganapán (1).

Galantear://4. tr. ant. Engalanar (1).

Galardoneador, ra: adj. ant. Galardonador (1).

Galavardo: m. ant. Hombre alto, desgarbado y dejado, inútil para el trabajo (1).

Galbana: f. ant. Guisante pequeño (1).

Galdrapa: f. ant. Traje de hombre (2).

Galdudo, da: adj. ant. Galdido (Gandido) (1).

Galea: f. ant. Galera (1-2).

Galeador: adj. ant. Mentiroso, chismoso (2).

Galeoncete: m. d. ant. de Galeón (1).

Galerte: m. ant. El que servía en la galera (2).

Galeya: f. ant. Galera (2).

Galfarro://2. m. ant. Ministro inferior de justicia (1).

Galga: f. ant. Pedrusco (2).

Galicinio: m. ant. Parte de la noche próxima al amanecer (1).

Galima: f. ant. Hurto frecuente y pequeño (1).

Galimar: tr. ant. Arrebatar o robar (1).

Galindo, da: adj. ant. Torcido, engarabitado (1).

Galnape: m. ant. Guenabe (2).

Galocha: f. ant. Papalina (1).

Galopeo: m. ant. Galope (1).

Galota: f. ant. Papalina (1).

Gallareta: adj. ant. Que gallardea (2).

Gallarín: m. ant. Cuenta que se hace doblando siempre el número en progresión geométrica (1).

Gallear://5. r. ant. fig. y fam. Enfurecerse con uno, diciéndole injurias (1).

Galleta: f. ant. Cántaro de cobre (2).

Gallinería://3. f. ant. Gallinero (1).

Gallinero://7. m. fig. desus. Cazuela (1).

Gallinoso, sa: adj. ant. Pusilánime, tímido, cobarde (1).

Gallofa: f. ant. Pan (2).

Gallofero: m. ant. Pobre que pide (2).

Gamba: f. ant. Pierna (1-2).

Gambax: m. ant. Jubón colchado, debajo de la coraza (2).

Gamella://2. f. ant. Camella (1)//Barreña (2).

Gamello: m. ant. Camello (1).

Gamonital: m. ant. Gamonal (Tierra en que se crían muchos gamones) (1).

Ganada: f. ant. Ganancia (1).

Ganado: m. ant. Ganancia (2).

Gananciero, ra: adj. ant. Granjero (1).

Gancela: f. ant. Gacela (2).

Gandido, da://2. adj. desus. Hambriento, necesitado (1).

Gandir: tr. ant. Comer (1).

Gangrénico, ca: adj. ant. Gangrenoso (1).

Gano: m. ant. Ganancia (1).

Gañado: m. ant. Ganado (2).

Gañar: tr. ant. Ganar (2).

Gañivete: m. ant. Canivete (Navaja en forma de podadera) (1).

Garabata: f. ant. Trampa, arte para sonsacar en el comercio (2).

Garabatá: f. ant. Caraguatá (Planta del Río de la Plata) (1).

Garabato://4. m. desus. Bozal (1).

Garanón: m. ant. Garañón (2).

Garañón://3. m. desus. Caballo semental (1).

Garbañar: tr. ant. Coger (2).

Gárboli: m. desus. Cuba. Juego del escondite (1).

Garceta: f. ant. Ave (2).

Garçón: m. ant. Garzón (2).

Garçonía: f. ant. Garzonía (2).

Gardar: tr. ant. Guardar (1).

Gargalizar: intr. ant. Vocear (1).

Gargantería: f. ant. Glotonería (1).

Gargantero, ra: adj. ant. Glotón. Usáb. t. c. s. (1-2).

Gargantez: f. ant. Garganteza (1).

Garganteza: f. ant. Glotonería (1).

Gargantón, na: adj. ant. Glotón. Usáb. t. c. s. (1).

Gargozada: f. ant. Gorgozada (1).

Garguero: m. ant. Gaznate (2).

Garifalte: m. ant. Gerifalte (1).

Gariófilo: m. ant. Arbol que da la especia del clavo (1-2).

Garnacha: f. ant. Vestidura talar con mangas y vueltas que cae a las espaldas//Cerco de pelo, rapado el centro de la cabeza, y que cae en rizos (2).

Garnacho: m. ant. Justillo (2).

Garnato: m. ant. Granate (1).

Garnir: tr. ant. Arrear, armar, vestir

Garniso: m. ant. Granizo (2).

Garpellido: m. ant. Grito agudo de animal (2).

Garral: m. ant. Cuba para vino (2).

Garrancha://2. f. ant. Gancho (1).

Garridamente: adv. m. ant. Lindamente, gallardamente (1).

Garrideza: f. ant. Gallardía o gentileza de cuerpo (1).

Garrido, da: adj. ant. Galano (1-2).

Garridura: f. ant. Acción y efecto de garrir (1).

Garrir: intr. ant. Charlar (1).

Garrobal: adj. ant. Garrafal (1).

Garrobo: m. ant. Algarrobo (1).

Garrotear: tr. ant. Apalear (1).

Garzón://4. m. ant. El que solicita, enemora o corteja//5. ant. Joven que lleva vida disoluta con las mujeres//6. desus. Sodomita, tratando de costumbres moras (1).

Garzonear: tr. ant. Solicitar, enamorar, o cortejar//2. ant. Llevar el joven vida disoluta con las mujeres (1).

Garzonería: f. ant. Garzonía (1).

Garzonía: f. ant. Acción de solicitar,

enamorar o cortejar.//2. ant. Vida disoluta del joven (1-2).

Gasaiado: m. ant. Agasajo (2).

Gasajado://2. m. ant. Agasajo.//3. ant. Gusto, placer o contento (1-2).

Gasajar: tr. ant. Alegrar, holgar, divertir. Usáb. t. c. r. (1-2).

Gasajo: m. ant. Agasajo (1).

Gasajoso, sa: adj. ant. Alegre, regocijado, gustoso//2. ant. Agasajador (1).

Gasnar: tr. ant. Gritar (2).

Gassajado: m. ant. Gasajado (2).

Gastador, ra://2. adj. ant. fig. Que destruye o vicia (1).

Gastamiento://2. m. ant. Gasto (1).

Gastar: tr. ant. Echar a perder (2).

Gaudio: m. ant. Gozo (1).

Gavión: m. ant. Avión (1).

Gayo://4. m. ant. Grajo (1).

Gazafaton: m. ant. Disparate (2).

Gazgaz: m. ant. y desus. Burla que se hace de quien se dejó engañar (1).

Gaznar: tr. ant. Gritar (2).

Gaznido: m. ant. Graznido (1).

Ge: pron. ant. Se (1).

Gelo: m. ant. Hielo (1).

Geminar: tr. ant. Duplicar, repetir (1).

Gémino, na: adj. Duplicado, repetido (1).

Genabe: m. ant. Guenabe (2).

Genape: m. ant. Guenabe (2).

Genearca: m. ant. Cabeza o principal de un linaje (1).

Generante: p. a. desus de Generar. Que genera (1).

Generosía: f. ant. Generosidad (1).

Genesta: f. ant. Hiniesta (1).

Genetlítico, ca: adj. ant. Genetlíaco (1).

Genilla: f. ant. Pupila o niña del ojo (1).

Genitorio, ria: adj. ant. Genital (1).

Genitura: f. ant. Generación//2. ant. Semen o materia de la generación (1).

Geno: m. ant. Linaje (1).

Genojo: m. ant. Rodilla (1).

Genolí: m. desus. Pasta de color amarillo que se usaba en pintura (1).

Genollo: m. ant. Genojo (1).

Genovisco, ca: adj. ant. Genovés. Apl. a pers., usáb. t. c. s. (1).

Genro: m. ant. Yerno (1).

Gent: adv. m. ant. Muy bien, fácilmente, gentilmente, a la letra (1-2).

Gent: f. ant. Gente (2).

Gentalla: f. ant. Gentualla (1).

Gentamiente: adv. m. ant. Gentilmente (2).

Gentil://7. adj. ant. Gentilicio//8. ant. Noble (1).

Gento, ta: adj. ant. Gentil, bello, gallardo (1-2).

Genués, sa: adj. ant. Genovés. Apl. a pers., usáb. t. c. s. (1).

Geomético: m. ant. Geomántico (1).

Geótico, ca: adj. ant. Perteneciente a la tierra o que se ejecuta con ella (1).

Gerfo: m. ant. Grifo (2).

Gerifalco: m. ant. Gerifalte (1).

Gerifalte: m. ant. Ave del orden de las rapaces (1-2).

Germanidad: f. ant. Hermandad (1).

Germano, na: adj. ant. Genuino//2. m. ant. Hermano carnal (1).

Gerno: m. ant. Yerno (1).

Gestadura: f. ant. Cara o rostro (1).

Gesto://5. m. ant. fig. Aspecto o apariencia que tienen algunas cosas inanimadas (1).

Giga://3. f. ant. Instrumento músico de cuerda (1-2).

Gigánticamente: adv. m. ant. Al modo o manera de los gigantes (1).

Gigántico, ca: adj. ant. Giganteo (1).

Gigantino, na: adj. ant. Giganteo (1).

Gijo: m. ant. Quicio (2).

Ginea: f. ant. Genealogía (1).

Ginovés, sa: adj. ant. Genovés. Apl. a pers., usáb. t. c. s. (1).

Girada: f. ant. Giro (1).

Giramiento: m. ant. Giro (1).

Girante://2. m. ant. Novilunio (1).

Girgonza [-ça]: f. ant. Piedra fina (2).

Girifalte: m. ant. Gerifalte (2).

Girino://2. m. desus. Renacuajo, cría de la rana (1).

Giro, ra: adj. ant. Hermoso, galán (1).

Gironés, sa: adj. ant. Gerundense. Apl. a pers., usáb. t. c. s. (1).

Gitar: tr. ant. Guitar (2).

Gitarra: f. ant. Guitarra (2).

Glande://2. f. ant. Bellota (1).

Glera://2. f. ant. Cascajar, arenal (1-2).

Glotonía: f. ant. Glotonería (1).

Gobernáculo: m. ant. Mar. Gobernalle (Timón) (1).

Gobernallo: m. ant. Mar. Gobernalle (1).

Gobernamiento: m. ant. Gobierno (1).

Gobernanza: f. ant. Gobierno (1).

Gobernar://3. tr. ant. Sustentar o alimentar (1).

Gobierno://10. m. ant. Alimento y sustento (1).

Goçar: intr. ant. Gozar (2).

Goço: m. ant. Gozo (2).

Godeo: m. desus. Placer, gusto, contento (1).

Goja: f. ant. Cuévano o cesta en que se recogen las espigas (1).

Golfín: adj. ant. Facineroso, salteador, golfo y juerguista (2).

Golhin: adj. ant. Golfín (2).

Golnape: m. ant. Guenabe (2).

Golondrina://4. f. ant. Hueco de la mano del caballo (1).

Golosía: f. ant. Gula, glotonería (1).

Golossyna: f. ant. Golosina (2).

Golpada: f. ant. Golpazo (2).

Golpar: tr. ant. Golpear (2).

Gollardo: adj. ant. Goloso (2).

Gollería: f. ant. Gusto (2).

Gomar: tr. ant. Engomar (1).

Gómena: f. ant. Gůmena (Maroma gruesa que sirve en las embarcaciones para atar las áncoras y para otros usos) (1).

Gona: f. ant. Vestido de mujer (2).

Gonela: f. ant. Saya (2).

Gonsar: intr. ant. Gozar (2).

Gordeza: f. ant. Grosura (1).

Gordo, da://8. adj. ant. Torpe, tonto, poco avisado (1).

Gordor: m. ant. Gordura//2. ant. Grueso (1).

Gorga: f. ant. Cuello (2).

Gorgomillera: f. ant. Garguero (1).

Gorgón: m. ant. Esguín (Cría del salmón cuando aún no ha salido al mar) (1).

Gorgozada: f. desus. Gargantado o espadañada (1).

Gorguz: m. ant. Venablo (2).

Gorja: f. ant. Alegría (2)//**Mentir por la gorja:** fr. ant. Aseverar una cosa sin el más mínimo fundamento (1)

Gorjaz: ant. Desfiladero, garganta de terreno (2).

Gorjeamiento: m. ant. Gorjeo (1).

Gorjear://2. intr. ant. Burlarse (1).

Gorjería: f. ant. Gorjeo (1).

Gormar: tr. ant. Confesar (2).

Gorruendo: adj. ant. Harto o satisfecho de comer (1).

Gorzuz: m. ant. Gorguz (2).

Gosar: intr. ant. Gozar (2).

Goso: m. ant. Gozo (2).

Gostar: tr. ant. Gustar (2).

Goyoso: adj. ant. Gozoso (2).

Gozamiento: m. ant. Acción y efecto de Gozar de una cosa (1).

Gozoso, sa://2. adj. ant. Que se celebra con gozo (1).

Gozquillas: f. pl. ant. Cosquillas (1).

Gosquilloso, sa: adj. ant. Cosquilloso (1).

Graciado, da: adj. ant. Franco, liberal o gracioso (1).

Gracir: tr. ant. Agradecer (1).

Gradación://2. f. ant. Graduación (1)

Gradar: tr. ant. Gustar, querer//intr. ant. Ir, andar (2).

Gradecer: tr. ant. Agradecer (2).

Gradilla://2. f. ant. Parrilla (1).

Gradir: tr. ant. Agradecer (2).

Grado: m. ant. Voluntad, agradecimiento//Grada (2).

Gradoso, sa: adj. ant. Gustoso, agradable (1-2).

Grafa: f. ant. Garra (2).

Grafio://2. m. ant. Punzón (1)//Garfio (2).

Granadés, sa: adj. ant. Granadino (1).

Granadí: adj. ant. Granadino. Apl. a pers., usáb. t. c. s. (1).

Granado: adj. ant. Grande, importante, excelente (2).

Granar: intr. ant. Echar grano o hacer que grane (2).

Grand: adj. ant. Grande (1-2).

Grandánime: adj. ant. Magnánimo (1).

Grande://6. adj. ant. Mucho (1).

Grandecía: f. ant. Grandeza (1).

Grander: tr. ant. Engrandecer (1).

Grandez: f. ant. Grandeza (1).

Grandía: f. ant. Bravata//Grandeza (2).

Grandifacer: tr. ant. Engrandecer o hacer grande (1).

Grandifecho, cha: p. p. irreg. ant. de Grandifacer (1).

Grandificencia: f. ant. Grandeza (1).

Grandura: f. ant. Grandor (1).

Granjear://4. tr. ant. Cultivar con esmero las tierras y heredades, cuidando de la conservación y aumento del ganado (1).

Granisar: intr. ant. Granizar (2).

Graniso: m. ant. Granizo (2).

Grant: adj. ant. Grande (1-2)..

Graseza://2. f. ant. Grosura (1).

Grasor: f. ant. Grosura (1).

Gravante: p. a. ant. de Gravar. Que grava (1).

Grave: adj. ant. Duro (2).

Gravedumbre: f. ant. Aspereza, dificultud (1).

Gravescer: tr. ant. Agravar (1).

Graveza: f. ant. Gravedad//2. ant. Gravamen, carga//3. ant. Dificultad (1).

Greal: m. ant. Grial (2).

Grebón: m. ant. Greba (1).

Grecano, na: adj. ant. Griego (1).

Gredo: m. ant. Flor del nabo (2).

Grege: f. ant. Grey (1).

Grelo: m. ant. Gredo (2).

Gremio: m. desus. Regazo (1).

Gresgar: intr. ant. Reñir (2).

Greuge: m. ant. Queja del agravio hecho a las leyes o fueros que se daban ordinariamente en las Cortes de Aragón (1).

Grial: m. ant. Escudilla o plato (2).

Grida: f. ant. Grita (Gritería) (1).

Gridar: tr. ant. Gritar (1).

Grido: m. ant. Grito (1).

Griesco: m. ant. Griesgo (1).

Griesgo: m. ant. Encuentro, combate o pelea (1-2).

Grieve: adj. ant. Duro (2).

Grija: f. ant. Guija (1).

Grillado, da://2. adj. ant. Que tiene grillos (1).

Grillar: intr. ant. Cantar los grillos (1).

Grimar: intr. ant. Tener frío (2).

Grinon: m. ant. Greñas, barbas (2).

Griñón: m. ant. Grinon (2).

Gripo: m. ant. Especie de nave (2).

Grisa: f. ant. Gris (1).

Gritadera: f. ant. Gritadora (1).

Grojear: intr. ant. Gorjear (2).

Gróndola: f. ant. Góndola (1).

Gros: adj. ant. Grueso (2)//**En gros:** m. adv. ant. En grueso (1).

Grosa: f. ant. Gruesa (1).

Grosca: f. ant. Especie de serpiente muy venenosa (1).

Grosedad: f. ant. Grosura//2. ant. Grueso o espesor de una cosa//3. ant. Abundancia o fecundidad//4. ant. Grosería (1).

Grosez: f. desus. Grosura (1).

Groseza: f. ant. Grosor//2. ant. Espesura de los humores y licores//3. desus. Grosería (1).

Grosicie, [-sidad]: f. ant. Grosura (1).

Grosiento, ta: adj. ant. Grasiento (1).

Grosor//2. m. ant. Grosura (1).

Grúa://3. f. ant. Grulla (1).

Gruador: m. ant. Agorero (1).

Gruero, ra: adj. ant. Dícese del ave de rapiña inclinada a echarse a las grullas (1) .

Grueso, sa://5. adj. ant. Fuerte, duro y pesado (1).

Gruesso: adj. ant. Grueso (2).

Guacamaya: f. ant. Guacamayo (1).

Guacer: intr. ant. Guarecer o curarse (1).

Guácharo, ra://2. adj. ant. Aplicábase al que estaba continuamente llorando y lamentándose (1).

Guadalmecí: m. ant. Guadamecí (Cuero adobado y adornado con dibujos de pintura o relieve) (1).

Guadañeador: m. ant. Guadañero//2. ant. Guadañil (El que siega la hierba o el heno con la guadaña) (1).

Guado: m. ant. Color amarillo como el de la gualda (1).

Guadramaña: f. desus. Embuste o ficción, treta (1-2).

Guaita: f. ant. Guardia (2).

Guaitar: intr. ant. Mil. Aguaitar (1).

Gualardón: m. ant. Galardón (1).

Gualardonar: tr. ant. Galardonar (1-2).

Gualdrapa: f. ant. Traje de hombre (2).

Gualtería: f. ant. Mancebía, germanía (2).

Guañar: tr. ant. Ganar (2).

Guapo, pa: adj. fam. desus. Animoso, bizarro y resuelto (1).

Guarda://9. f. ant. Escasez//10. ant. Sitio donde se guarda cualquier cosa (1).

Guardadero: m. ant. Guardador (2).

Guardamiento: m. ant. Acción de guardar (1).

Guardar://7. tr. ant. Aguardar//8. ant. Impedir, evitar//9. ant. Atender o mirar a lo que otro hace//10. ant. Acatar, respetar, tener miramiento

Guardiano: m. ant. Guardián (2).

Guardua: f. ant. Guardia (2).

Guarecer://4. tr ant. Socorrer, amparar, ayudar (1)//5. intr. ant. Sanar, curar (1-2).

Guarecimiento: m. ant. Guardia, cumplimiento, observancia (1).

Guarenticio, cia: adj. ant. Guarentigio (Contrato, escritura o cláusula en que se daba poder a la Justicia para que la hiciese cumplir) (1).

Guarguero: m. ant. Gaznate (2).

Guarida://4. f. ant. Remedio, libertad (1-2).

Guaridero, ra: adj. ant. Curable o que se puede curar (1).

Guarimiento: m. ant. Curación//2. ant. Amparo, refugio, acogida (1-2).

Guarir: tr. ant. Curar//2. ant. Sanar// 3. intr. ant. Subsistir o mantenerse// 4. ant. Guarecer (1-2).

Guarismo: m. ant. Alguarismo (2).

Guarnecer://4. tr. ant. Corroborar, autorizar, dar autoridad a una persona //8. ant. Mil. Sostener o cubrir un género de tropa con otro, o una fortificación con otra (1).

Guarnición, [-zón]: f. ant. Arma defensiva que se viste (2).

Guarnimente: m. ant. Vestido y aderezo (2).

Guarnimiento: m. desus. Adorno, aderezo, vestidura (1-2).

Guarnir: tr. ant. Arrear, armar, vestir (2).

Guarte: contracc. ant. de Guárdate (2).

Guastante: p. a. ant. de Guastar. Que guasta (1).

Guastar: tr. ant. Consumir (1).

Guasto: m. ant. Consunción (1).

Guayadero: m. ant. Lugar destinado o dispuesto para el lloro o sentimiento, especialmente en los duelos (1).

Guayar: intr. ant. Llorar, lamentarse (1-2).

¡Guayas!: interj. ant. ¡Guay! (1).

Gubernación: f. ant. Gobernación (1).

Gubernar: tr. ant. Gobernar (1).

Gubileta: f. ant. Caja o vaso grande en que se metían los gubiletes (1).

Gubilete: m. ant. Cubilete (1).

Guego: m. ant. Broma. burla (2).

Güello: m. ant. Ojo. Usáb. m. en pl. (1).

Guenabe: m. ant. Colchón, almohadón (2).

Guercho, cha: adj. ant. Bizco. Usáb. t. c. s. (1).

Guerrería: f. ant. Arte de la guerra (1).

Guiaje: m. ant. Seguro, resguardo o salvoconducto (1).

Guiamiento: m. ant. Acción y efecto de guiar//2. ant. Guiaje (1).

Guidar: tr. ant. Guiar (1).

Guijo://2. m. ant. Guijarro (1)//Quicio (2).

Guinar: intr. ant. Guiñar (2).

Guinilla: f. ant. Genilla (1).

Guionaje: m. ant. Guía (2).

Guipuscoano, na: adj. ant. Guipuzcoano (1).

Guipuz: adj. ant. Guipuzcoano. Apl. a pers., usáb. t. c. s. (1).

Guirlanda: f. desus. Guirnalda (1-2).

Guisa://2. f. ant. Voluntad, gusto, antojo//3. ant. Clase o calidad (1-2)// **A guisa:** m. adv. ant. A modo, de tal suerte//**A la guisa:** m. adv. ant. A la brida//**De guisa:** m. adv. ant. Con condición, de manera (1).

Guisadamente: adv. m. ant. Cumplidamente, regladamente (1).

Guisado, da://2. adj. ant. Util o conveniente//3. ant. Aplicábase a la persona bien parecida o dispuesta//4. ant. Dispuesto, preparado, prevenido de lo necesario para una cosa//5. ant. Justo, conveniente, razonable. Usáb. t. c. s. m.//8. Germ. ant. Mancebía (1-2).

Guisamiento: m. ant. Aderezo, disposición o compostura de una cosa (1).

Guisar://4. tr. ant. Adobar, escabechar o preparar las carnes o pescados para su conservación (1-2)//Cuidar (2).

Guisarse: r. ant. Aparejarse, arreglarse (2).

Guita: f. ant. Cuerda delgada de cáñamo (2).

Guitar: tr. ant. Sujetar o coser con guita (2).

Guite: m. ant. Guita (1-2).

Guizgio: m. ant. Pincho (2).

Guiznar: intr. ant. desus. Hacer guiños (1).

Gula://3. f. ant. Esófago//2. desus. And. Bodegón (1).

Gulfara: f. ant. Zorra (2).

Gulhara: f. ant. Gulfara (2).

Gulosamente: adv. m. ant. Con gula (1).

Gurbia: f. ant. Gubia (1).

Gustable://2. adj. ant. Gustoso (1).

H

Habedero, ra: adj. ant. Que se ha de haber o percibir (2).

Haber: m. ant. Riqueza, dinero (2).

Haberado, da: adj. ant. Dícese del hacendado que tiene haberes o riquezas//2. ant. Que tiene valor o riqueza (1).

Haberío://3. m. ant. Haber (1).

Haberoso, sa: adj. ant. Rico, acaudalado (1).

Habidero, ra: adj. ant. Que se puede tener o haber (1).

Habillado, da: adj. ant. Vestido, adornado (1).

Habillamiento: m. ant. Vestidura, arreo o adorno en el traje (1).

Habitamiento: m. ant. Habitación (1).

Habitanza: f. ant. Habitación (1).

Habitudinal: adj. ant. Habitual (1).

Hablina: f. ant. Refrán (2).

Haca: f. ant. Jaca (2).

Hacedero://2. m. ant. Hacedor (1).

Hacendera: f. ant. Prestación personal (2).

Hacendería: f. ant. Obra o trabajo corporal (1).

Haçerio: m. ant. Gran pena (2).

Hacerir: tr. ant. Zaherir (1)//Echar en cara (2).

Hacienda://4. f. ant. Obra, acción o suceso//5. ant. Asunto, negocio que se trata entre algunas personas (1).

Haciente: p. a. ant. de Hacer. Que hace. Usáb. t. c. s. (1).

Hacimiento: m. ant. Acción y efecto de Hacer (1).

Hacino, na: adj. ant. Avaro, mezquino, miserable//2. ant. Triste (1).

Hachero://2. m. ant. Atalaya//3. desus. Vigía que hacía señales desde un hacho(Sitio elevado cerca de la costa) (1).

Hada://2. f. ant. Cada una de las tres Parcas//3. ant. Hado (1) .

Hadada: f. ant. Hada (1).

Hadador, ra: adj. ant. Que hada. Usáb. t. c. s. (1).

Hadario, ria: adj. ant. Desdichado (1) //Hado (2).

Hadeduro: adj. ant. Desdichado (2).

¡Hae!: interj. ant. ¡Ah! (1).

Hagundo: adj. ant. Facundo (2).

Hala: interj. ant. llamativa (2).

Halaguero, ra: adj. desus. Halagüeño (1).

Halarea: f. ant. Mandato (2).

Haldero, ra: adj. desus. Faldero (1).

Haldragas: adj. ant. Desdichado y para poco (2).

Haldraposo, sa: adj. ant. Andrajoso (1).

Haldrido: adj. ant. Arrojado, valiente (2).

Halía: f. ant. Alhaja (2).

Halifa: m. ant. Califa (1).

Halifado: m. ant. Califato (1).

Hallá: adv. l. ant. Allá (2).

Hallador, ra://3. adj. ant. Inventor. Usáb. t. c. s. (1).

Hallago: m. ant. Hallazgo (2).

Hallamiento: m. ant. Hallazgo (1).

Hallí: adv. l. ant. Allí (2).

Hambrío, a: adj. ant. Hambriento (1).

Handora: adj. ant. Que andorrea (2).

Hannafaga: f. ant. Añafaga (2).

Hanzo: m. ant. Contento, alegría, placer (1).

¡Hao!: interj. ant. Que se usaba para llamar a uno que estuviese distante// 2. m. ant. Renombre, fama (1).

Har: tr. ant. Hacer (2).

Haraganía: f. desus. Haraganería (1).

Haraute: m. ant. Rey de armas (1).

Harbar: intr. desus. Hacer alguna cosa de prisa y atropelladamente. Usáb. t. c. tr. (1).

Hardiment: m. ant. Denuedo (2).

Harmonista: com. ant. Armonista (1).

Harón: adj. ant. Perezoso (2).

Haronía: f. ant. Pereza (2).

Harpar: tr. ant. Guarnecer con franjas //Murmurar (2).

Hart: m. ant. Ardid, maña, engaño (2).

Hartazga: f. ant. Hartazgo (1).

Hartío, a: adj. ant. Harto o saciado (1).

Hascas: adv. ant. Casi (2).

Hastial: m. ant. Dintel (2).

Hata: prep. ant. Hasta (2).

Hato://9. m. ant. Redil o aprisco (1)// Ropa (2).

Havelo: m. ant. Abuelo (1).

Haver: m. ant. Haber (2).

Havo: m. ant. Favo (1).

Hayeno, na: adj. ant. Perteneciente al haya (1).

Haz://3. f. ant. fig. Fachada de un edificio (1)//Escuadrones//Cara (2) //**En haz, o en la haz:** m. adv. ant. A vista, en presencia (1).

Haza://2. f. ant. fig. Montón o rimero (1).

Hazaleja: f. ant. Toalla (2).

Hazañar: intr. ant. Hacer hazañerías (1).

Hazañero: adj. ant. Ostentoso, afectado (2).

Hazhilado: adj. ant. Afligido (2).

Hazo: m. ant. Pena grande (2).

He: conj. ant. Y (2).

He (A la): loc. ant. A la fe (1).

Hebillar: tr. ant. Poner hebillas en una cosa (1).

Hebraico://2. m. ant. Hebreo (1).

Hebrero: m. ant. Febrero (1).

Heciento, ta: adj. ant. Feculento (1).

Hecha: f. ant. Hecho o acción//2. ant. Fecha (1).

Hechizo, za://6. adj. ant. Contrahecho, falseado o imitado//7. ant. Bien adaptado o apropiado (1).

Hechor, ra: m. y f. ant. Autor (1).

Hedad: f. ant. Edad (2).

Hedat: f. ant. Edad (2).

Hedentino, na: adj. ant. Hediondo (1).

Hedentinoso, sa: adj. ant. Hediondo (1).

Hediente: p. a. ant. de Heder. Que hiede (1-2).

Hedo, da: adj. ant. Que huele mal (2).

Hedo, da: adj. ant. Feo (1-2).

Helante: p. a. ant. de Helar. Que hiela (1).

Helespontiaco, ca, [-tíaco]: adj. ant. Helespóntico (1).

Hélice: m. ant. Arq. Voluta (1).

Hélico, ca: adj. ant. Geom. De figura espiral (1).

Hembruno, na: adj. ant. Perteneciente a la hembra (1).

Hemencia: f. ant. Vehemencia, eficacia, actividad (1).

Hemenciar: tr. ant. Procurar, solicitar con vehemencia, ahínco y eficacia una cosa (1).

Hemencioso, sa: adj. ant. Vehemente, activo, eficaz (1).

Hemisfero: m. ant. Hemisferio (1).

Henar: tr. ant. Sembrar (1).

Hendiente: m. ant. Golpe que con la espada u otra arma cortante se tiraba o daba de alto a bajo (1).

Hendrija: f. ant. Rendija (1).

Heniestra: f. ant. Ventana (2).

Her: tr. ant. Hacer (1-2)

Heraute: m. ant. Haraute (1).

Herbadgo: m. ant. Herbaje (1).

Herbar://2. tr. ant. Enherbolar (1).

Herbecica, [-ta]: f. d. ant. de Hierba (1).

Herbera: f. ant. Herbero (Esófago o tragadero del rumiante) (1).

Herbero://2. m. ant. Mil. Forrajeador (1)//Herbolario (2).

Herbolado: adj. ant. Hechizado o muerto con hierbas (2).

Herbolar: tr. ant. Envenenar con hierbas (2).

Herbolaria: f. ant. Botánica aplicada a la medicina (1).

Herbolario, ria: adj. ant. Herbario (1).

Herbolecer: intr. ant. Herbecer (1).

Herbolero: m. ant. Hechicero (2).

Herbolizar: intr. ant. Bot. Herborizar (1).

Herculáneo, a: adj. ant. Hercúleo (1).

Herculano, na: adj. ant. Hercúleo (1).

Hércules://3. m. ant. Med. Epilepsia (1).

Herculino, na: adj. ant. Hercúleo (1).

Herecha: f. ant. Indemnización por daño de guerra (2).

Heredad://3. f. ant. Herencia (1).

Heredaje: m. ant. Herencia (1).

Herendamiento://2. m. ant. Herencia (1).

Heredanza: f. ant. Heredad (1).

Heredar://4. tr. ant. Adquirir la propiedad o dominio de un terreno (1).

Hereditable: adj. ant. Que puede heredarse (1).

Hereja: f. ant. Mujer hereje (1).

Hereticar: intr. ant. Sostener con pertinencia una herejía (1).

Heria: f. ant. Feria (1).

Hería: f. ant. Era, terreno labrantío (1).

Herido, da://4. adj. ant. Sangriento (1).

Herimiento: m. desus. Acción y efecto de Herir//2. desus. Concurso de vocales que forman sílaba o sinalefa (1).

Herir://10. intr. ant. Con la prep. de y los nombres mano, pie, etc., temblarle a uno estas partes, padecer convulsiones de ellas//11. r. ant. Con la prep. de y algunos nombres, como peste o males pegajosos: contagiarse, infestarse (1).

Hermandad://8. f. ant. fig. Liga, alianza o confederación entre varias personas//9. ant. fig. Gente aliada y confederada//10. ant. fig. Sociedad (1).

Hermandarse: r. ant. Hermanar//2. ant. Hacerse hermano de una comunidad religiosa (1).

Hermanía: f. ant. Germanía (1).

Hermar: tr. ant. Dejar yermo (2).

Hermida: f. ant. Ermita (2).

Hermiño: m. ant. Armiño (2).

Hermollecer: tr. nt. Engordar (2).

Hermollo: m. ant. Brote (2).

Hermosear://2. intr. desus. Ostentar hermosura (1).

Heroísta: adj. ant. Aplicábase a los poetas épicos. Usáb. t. c. s. (1).

Herpete: m. ant. Herpe (1).

Herrado: m. ant. Herrada (Cubo de madera, con grandes aros de hierro o de latón y más ancho por la base que por la boca) (1).

Herramienta://3. f. ant. Herraje (1).

Herrar://4. tr. ant. Poner a uno prisiones de hierro (1).

Herretear://2. tr. ant. Marcar o señalar con un instrumento de hierro (1).

Herrojo: m. ant. Cerrojo (1).

Herrojar: tr. ant. Cerrar con cerrojos (2).

Herropea: f. ant. Arropea (Grillete) (1-2).

Herropeado, da: adj. ant. Que tiene los pies sujetos con prisiones de hierro (1).

Herropear: tr. ant. Echar herropea (2).

Herrugento, ta: adj. ant. Herrumbroso (1).

Herrugiento, ta: adj. ant. Herrumbroso (1).

Herrusca: f. ant. Arma vieja, por lo común, espada o sable (1).

Herver: intr. ant. Hervir (1).

Hervimiento: m. ant. Hervor (1).

Hervor://3. m. ant. fig. Ardor, animosidad//4. ant. fig. Fervor//5. ant. fig. Ahínco, vehemencia, eficacia (1).

Hervorizarse: r. ant. Enfervorizarse (Infundirse ánimo, fervor, celo ardiente) (1).

Hetría: f. ant. Enredo, mezcla, confusión (1).

Hí: adv. l. ant. **Ahí**, allí (1-2).

Hibiernal: adj. ant. Hibernal (1).

Hibiernar: intr. ant. Ser la estación de invierno (1).

Hidiondo, da: adj. desus. Hediondo (1).

Hidrocéfalo://2. m. ant. Hidrocefalia (1).

Hidrófobo://2. m. ant. Hidrofobia (1).

Hiebre: f. ant. Fiebre (1-2).

Hieltro: m. ant. Fieltro (1).

Hienda: f. ant. Estiércol (2).

Hiente: f. ant. Gente (2).

Hiera: f. desus. Jera (Obrada, jornal) (1).

Hierarquía: f. ant. Jerarquía (1).

Hierbazgo, [-adgo]: m. ant. Derechos de pastos (2).

Higaia: f. desus. Hígado//2. desus. Higadillo (1-2).

Higar: m. ant. Higuera (2).

Hilaza://4. f. ant. Hila (Acción de Hilar, hilera) (1).

Hileña: f. ant. Hilandera (1).

Hilera://4. f. ant. Hilandera (1).

Hincanza: f. ant. Morada (2).

Hincar://4. intr. ant. Quedar (1-2).

Hinchimiento: m. ant. Henchimiento (1).

Hinchir: tr. ant. Henchir (1).

Hiniestra: f. ant. Ventana (2).

Hinojar: intr. ant. Arrodillar. Usáb. t. c. r. (1)

Hiñir: tr. ant. Heñir (Amasar) (1).

Hipérbato: m. desus. Hipérbaton (1).

Hirco://2. m. ant. Macho cabrío (1).

Hirmalle: m. ant. Prendedero, broche// Firma (2).

Hirmar: tr. ant. Firmar (2).

Hispalo, la: adj. ant. Hispalense. Apl. a pers. Usáb. t. c. s. (1).

Hispanense: adj. ant. Español. Apl. a pers., usáb. t. c. s. (1).

Hispanidad://3. f. ant. Hispanismo (1).

Historial://3. m. ant. Historiador (1).

Histórico://4. m. ant. Historiador (1).

Hito: adj. ant. Fijo, ahíto//m. ant. Mojón (2).

Hito, ta://3. adj. ant. fig. Importuno (1).

Hobacho, cha: adj. ant. Hobachón (1)

Hoce: f. ant. Hoz (1).

Hojaldra: f. ant. Hojaldre (1).

Hojecer: intr. ant. Echar hoja los árboles (1).

Holgar://5. intr. ant. Yacer, estar, parar (1).

Holgazar: intr. ant. Holgazanear (1).

Holguín: adj. ant. Holgazán, juerguista (2).

Holgura: f. ant. Respiro, alivio (2).

Holosérico, ca: adj. ant. Aplicábase a los tejidos o ropas de pura seda (1).

Holleja: f. ant. Hollejo (1) .

Hollejuela: f. d. ant. de Holleja (1).

Hollinar: m. ant. Hollín (1).

Hombredad: f. ant. Hombradía (1).

Home: m. ant. Hombre//**de leyenda:** ant. Clérigo (1).

Homecillo: m. ant. Homicillo//2. ant. Enemistad, odio, aborrecimiento (1).

Homiciado: adj. ant. Enemigo (2).

Homiciano: m. ant. El que mata a otro (1).

Homiciar: intr. ant. Poner mal con otro (2).

Homiciarse: r. ant. Enemistarse, perder

la buena unión o armonía que se tenía con uno (1).

Homiciero: m. ant. El que causa o promueve enemistades y discordias entre otras personas (1)//Homicida (2).

Homicillo://2. m. ant. Homicidio (1).

Homicio: m. ant. Homicidio (1).

Homne: m. ant. Hombre (2).

Hondable://2. adj. ant. Hondo (1).

Hondonero, ra: adj. ant. Hondo (1-2).

Honestad: f. ant. Honestidad (1).

Honestar://3. r. ant. Portarse con moderación y decencia (1).

Hongoso, sa: adj. ant. Fungoso (1).

Honor: m. ant. Usufructo de las rentas de villa o castillo realengos, concedido por el rey a un caballero (2).

Honoración: f. ant. Acción y efecto de honrar (1).

Honorificación: f. ant. Acción y efecto de honorificar (1).

Honorificar: tr. ant. Honrar o dar honor (1).

Honorificencia: f. ant. Honra, decoro, magnificencia (1).

Honoroso, sa: adj. desus. Honroso (1).

Honrable: adj. ant. Digno de ser honrado (1).

Honta: f. ant. Deshonra (2).

Hontana: f. ant. Fuente (1).

Hontar: tr. ant. Deshonrar (2).

Hopa: f. ant. Traje de pastor (2).

Hora: f. ant. Tiempo (2).

Horacar: tr. ant. Furacar (1).

Horaco: m. ant. Agujero (1).

Horado: m. ant. Agujero (2).

Horambrera: f. ant. Agujero (1).

Horaño: adj. ant. Huraño (2).

Hordio: m. ant. Cebada (1).

Hormazo://2. m. ant. Tapia o pared de tierra (1).

Hormento: m. ant. Fermento o levadura (1).

Hormigos: m. pl. ant. Guisado de avellanas machacadas, pan rallado y miel (2).

Hornacha: f. ant. Hornaza (1).

Hornacho: m. ant. Hondonada (2).

Hornaje: m. ant. Ttributo por razón de los hornos (2).

Hornazo: m. ant. Pan (2).

Horquilla://6. f. desus. Clavícula (1).

Horrar: tr. ant. Ahorrar (1).

Horro: adj. ant. Libre (2).

Horrura: f. Bascosidad y superfluidad que sale de una cosa//2. Escoria// 3. ant. Horror (1).

Hortal: m. ant. Huerto (1).

Hortaleza: f. ant. Hortaliza (1).

Hortezuela: f. ant. d. de Huerta (1).

Hortezuelo: m. ant. d. de Huerto (1).

Hosalario: m. ant. Osario (2).

Hosar: m. ant. Huesa (2).

Hosco: adj. ant. Oscuro (2).

Hospedable: adj. ant. Digno de ser hospedado//2. ant. Perteneciente a buen hospedaje (1).

Hospedablemente: adv. m. ant. Hospitalmente (1).

Hospedado: m. ant. Huésped, hospedaje (2).

Hospedaje://3. m. ant. Hospedería (1).

Hospedería://5. f. ant. Número de huéspedes o tiempo que dura el hospedaje (1).

Hospital: adj. ant. Afable y caritativo con los huéspedes//2. ant. Hospedable (1).

Hospitalería: f. ant. Hospitalidad (1).

Hostaje: m. ant. Rehén (1).

Hostalaje: m. ant. Hospedaje (1).

Hostalero: m. ant. Mesonero (1).

Hoste: m. ant. Hospedador (1).

Hoste: m. ant. Enemigo//2. ant. Hueste (1).

Hostelaje: m. ant. Mesón//2. ant. Hostalaje (1).

Hosterero: m. ant. Hostelero (1).

Hostilla: f. ant. Ajuar (1).

Hoto: m. ant. Seguridad, confianza (2).

Hu: adv. l. ant. Donde (1).

Hucia: f. ant. Confianza (1-2).

Huciar: intr. ant. Tener confianza (2).

Huebos: m. ant. Necesidad, necesario, cosa necesaria (1-2).

Huebra: f. ant. Obra, adorno (2).

Huego: m. ant. Fuego (1).

Huélfago: m. ant. Enfermedad de los animales (2).

Huelgo: m. ant. Respiración (2).

Huerbos: m. ant. Huebos (2).

Huerco: m. ant. Andas para llevar a los muertos//2. ant. Muerte//3. ant. Demonio (1-2).

Huerfanidad: m. ant. Orfandad (1).

Huergo: m. ant. Huerco (2).

Huertero, ra: m. y f. ant. Hortelano, na (1).

Huesa: f. ant. Bota alta contra el barro (2).

Huest: f. ant. Hueste, ejército (2).

Huimiento: m. ant. Huida (1).

Hulano, na: m. y f. desus. Fulano, na (1).

Hulgajar: tr. ant. Ultrajar (2).

¡Hum!: interj. desus. ¡Huf! (1).

Humaina: f. desus. Tela muy basta (1).

Humanal://2. adj. ant. fig. Compasivo, caritativo e inclinado a la piedad (1).

Humazga: f. ant. Tributo por tener casa abierta (2).

Humedar: tr. ant. Humedecer (1).

Humera: f. ant. Humero (2).

Humero: m. ant. Chimenea (2).

Humidad: f. desus. Humedad (1).

Humiento, ta: adj. ant. Ahumado, tiznado (1).

Humigar: tr. ant. Fumigar (1).

Húmil: adj. ant. Humilde (1).

Humild: adj. ant. Humilde (2).

Humildanza: f. ant. Acatamiento, humildad (1-2.)

Humiliación: f. ant. Humillación (1).

Humiliar: tr. ant. Humillar (1).

Humílimo: adj. sup. ant. de Húmil (1).

Húmilmente: adv. m. ant. Humildemente (1).

Humilt: adj. ant. Humilde (2).

Humilladamente: adv. m. ant. Humildemente (1).

Humillamiento: m. ant. Humillación (1).

Humillar://4. r. ant. Arrodillarse o hacer adoración (1).

Humilloso, sa: adj. ant. Humilde (1-2).

Hunda: f. ant. Funda (2).

Hundición: f. ant. Hundimiento (1).

Hundidor: m. ant. Fundidor (1).

Hundir://2. tr. ant. Fundir (1).

Hungarina: f. ant. Anguarina (Gabán de paño burdo y sin mangas que usan los labradores de algunas comarcas) (1).

Hura: f. ant. Cabeza de jabalí (2).

Hurtada: f. ant. Hurto//**A hurtadas:** m. adv. ant. A hurtadillas (1).

Hurtadamente: adv. m. ant. Furtivamente (1).

Hurtas (A): m. adv. ant. A hurtadillas (1).

Hurtiblemente: adv. m. ant. Furtivamente (1).

Husmar: tr. ant. Husmear (1).

Hussa: f. ant. Huesa (2).

Huviar: intr. ant. Hallar medio de, poder (2).

Hy: adv. l. ant. Ahí, allí (2).

Hyscal: m. ant. Cuerda de esparto (2).

I

I: adv. l. ant. Allí, allá//adv. t. ant. Entonces//**Por i:** por eso (2).

Idola: f. ant. Idolo (2).

Ifant: m. ant. Infante (2).

Ifante: m. ant. Infante (2).

Iffante: m. ant. Infante (2).

Igleja: f. ant. Iglesia (2).

Iglisia: f. ant. Iglesia (2).

Ignóbil: adj. ant. Ignoble (1).

Ignobilidad: f. ant. Calidad de ignoble (1).

Ignoble: adj. ant. Innoble (1).

Ignoración: f. ant. Ignorancia (1).

Igreja: f. ant. Iglesia (1-2).

Iguado, da: p. p. ant. de Iguar//2. adj. ant. Igualado (1).

Igualación://3. f. desus. Alg. Ecuación (1).

Igualadera: f. ant. Igualdad (2).

Igualante: p. a. ant. de Igualar. Que iguala (1).

Igualanza: f. ant. Igualdad//2. ant. Iguala (1). .

Igualeza: f. ant. Igualdad (1).

Iguar: tr. ant. Eguar (1).

Ilustrante: p. a. ant. de Ilustrar. Que ilustra (1).

Ilustreza: f. ant. Nobleza esclarecida (1).

Imaginería: f. desus. Imaginería (1).

Imaginamiento: m. ant. Idea o pensamiento de ejecutar una cosa (1).

Imaginante: p. a. ant. de Imaginar. Que imagina (1).

Imaginar://3. tr. ant. Adornar con imágenes un sitio (1).

Imágines: f. pl. desus. de Imagen (1).

Imbiar: tr. desus. Enviar (1-2).

Imperador, ra://2. m. y f. desus. Emperador, ra (1).

Imperante: m. ant. Emperador (2).

Imperatorio, ria://2. adj. ant. Imperioso (1).

Imperfeto, ta: adj. desus. Imperfecto (1).

Imperiar: intr. ant. Imperar (1).

ímpeto: m. desus. Ímpetu (1).

impiadoso, sa: adj. desus. Impiedoso (1).

impígero, ra: adj. ant. Activo, pronto, vivo (1).

impingar: tr. ant. Lardear una cosa (1).

impíreo, a: adj. desus. Empíreo (1).

imple: m. ant. Toca (2).

imponer: tr. ant. Enseñar (2).

importable: adj. ant. Insoportable (1).

importar://5. tr. ant. Contener, ocasionar o causar (1).

impremir: tr. ant. Imprimir (1).

impresa: f. desus. Empresa (1).

impresario: m. desus Empresario (1).

impresión://6. f. ant. Imprenta (1).

imprimidor: m. ant. Impresor (1).

imprimir://3. tr. ant. Introducir o hincar con fuerza alguna cosa en otra (1).

impropiar: tr. ant. Usar las palabras con impropiedad (1).

impropiamente: adv. m. desus. Impropiamente (1).

impropriedad: f. ant. Impropiedad (1).

improprio, pria: adj. ant. Impropio (1).

improvidencia: f. ant. Falta de providencia (1).

impugnable: adj. ant. Inexpugnable (1).

imputrible: adj. desus. Incorruptible (1).

inauguración://2. f. desus. Exaltación de un soberano al trono (1).

incalar: intr. ant. Importar, tocar (1-2).

incaler: intr. ant. Tocar, importar (1).

incantación: f. ant. Encanto (1).

incensivo, va: adj. ant. Que enciende o tiene virtud de encender (1).

incenso: m. ant. Incienso (1).

incensor, ra: adj. ant. Incendiario. Usáb. t. c. s. (1).

inceptor: m. desus. Comenzador (1).

incerteza: f. ant. Incertidumbre (1).

incertitud. f. ant. Incertidumbre (1).

incestar: intr. ant. Cometer incesto (1).

incesto: adj. desus. Incestuoso (1).

inciente: adj. ant. Que no sabe (1).

inclin: m. ant. Inclinación (2).

inclusa: f. ant. Esclusa (1).

incogitado, da: adj. desus. Impensado (1).

incombusto, ta: adj. ant. No quemado (1).

incomposición://2. f. ant. Descompostura o desaseo (1). .

incompuestamente: adv. m. ant. Sin aseo, con desaliño//2. ant. fig. Sin compostura, desordenadamente (1).

incompuesto, ta: adj. desus. No compuesto//2. desus. Desaseado, desaliñado (1).

inconsultamente: adv. m. ant. Inconsideradamente (1).

inconsulto, ta: adj. ant. Que se hace sin consideración ni consejo (1).

incontinentemente://2. adv. ant. Incontinenti (1).

inconvencible: adj. ant. Invencible (1).

inconveniblemente: adv. m. ant. Sin conveniencia (1).

incorporable: adj. ant. Incorpóreo (1).

íncubo://2. m. ant. Med. Pesadilla (1).

incultivado, da: adj. ant. Inculto (1).

incurvar: tr. ant. Encorvar (1).

incusación: f. ant. Acusación (1).

Inchir: tr. ant. Enchir (2).

Indecoro, ra: adj. ant. Indecoroso (1).

Independente: adj. ant. Independiente (1).

Independentemente: adv. m. ant. Independientemente (1).

Índex: adj. desus. Índice. Usáb. t. c. s. //2. m. desus. Índice (1).

Índico://2. adj. desus. Índigo (Color azul) (1).

Indiestro, tra: adj. ant. No diestro, ni hábil para una cosa (1).

Indigerido, da: adj. ant. Indigesto (1).

Indignidad://3. f. ant. Indignación (1).

Indijado, da: adj. ant. Adornado con dijes (1).

Indilgar: tr. ant. Endilgar (1).

Indino: adj. ant. Indigno (2).

Indio: adj. ant. Azul oscuro (2).

Individuidad: f. ant. Individualidad (1).

Indiyudicable: adj. ant. Que no se puede o no se debe juzgar (1).

Indoctrinado, da: adj. ant. Que carece de doctrina o enseñanza (1).

Indomeñable: adj. desus. Indomable (1).

Inducir://2. tr. ant. Ocasionar, causar (1).

Industriosamente://2. adv. m. ant. De industria (1).

Inebriativo, va: adj. ant. Embriagador (1).

Inexistencia: f. ant. Existencia de una cosa en otra (1).

Inexistente: adj. ant. Que existe en otro (1).

Infamidad: f. ant. Infamia (1).

Infamoso, sa: adj. ant. Infamatorio (1).

Infantazgo: m. ant. Infantado (1).

Infante://7. m. ant. Descendiente de casa y sangre real//8. f. ant. Infanta (1-2).

Infantesa: f. desus. Infanta (1).

Infanzón [çón]: m. ant. Capitán de las mesnadas de los infantes y ricoshombres (2).

Infecir: tr. ant. Inficionar (Corromper, contagiar) (1).

Infecundarse: r. ant. Hacerse infecundo (1).

Inficiente: p. a. ant. de Infecir. Que inficiona (1).

Infición: f. ant. Infección (1).

Infidel: adj. ant. Infiel (1).

Infido, da: adj. ant. Infiel, desleal (1).

Infiesto, ta: adj. ant. Inhiesto, enhiesto, levantado, derecho (1).

Infingidor, ra: adj. ant. Fingidor (1).

Infingir: tr. ant. Fingir. Usáb. t. c. r. (1).

Infinido, da: adj. ant. Infinito (1).

Infinta: f. ant. Amago, fingimiento, disimulo (1-2).

Infintosamente: adv. m. ant. Fingidamente, con engaño (1).

Infintoso, sa: adj. ant. Engañoso, disimulado, fingido (1-2).

Infito: adj. ant. Elevado (2).

Infituosamente: adv. m. ant. Infintosamente (1).

Infirmar: tr. ant. Disminuir, minorar el valor y eficacia de una cosa (1).

Inflamamiento: m. ant. Inflamación (1).

Inflicto, ta: p. p. irreg. ant. de Infligir (1).

Influente: p. a. desus. de Influir. In-
fluyente (1).

Información://4. f. ant. fig. Educación,
instrucción (1).

Informamiento: m. ant. Información
(1).

Informar://2. tr. ant. fig. Formar, perfeccionar a uno por medio de la instrucción y buena crianza (1).

Infortuno, na: adj. ant. Desafortunado
(1).

Infrigidación: f. desus. Enfriamiento
(1).

Infundir: tr. ant. Poner un simple o
medicamento en un licor por cierto
tiempo (1).

Infuscar: tr. ant. Ofuscar, oscurecer
(1).

Infynta: f. ant. Infinta (2).

Ingeniero://2. m. ant. El que discurre
con ingenio las trazas y modos de
conseguir o ejecutar una cosa (1).

Ingiva: f. ant. Encía (1).

Ingratidon: m. ant. Ingratitud (2).

Ingre: f. ant. Ingle (1).

Inhabilitamiento: m. ant. Inhabilitación
(1).

Inhibir://2. tr. ant. Prohibir, estorbar
(1).

Inhonorar: tr. ant. Deshonrar (1).

Iniesta: f. ant. Retama (1).

Inigual: adj. ant. Desigual (1).

Inigualdad: f. ant. Desigualdad (1).

Inimicicia: f. ant. Enemistad (1).

Injuriamiento: m. ant. Acción y efecto
de injuriar (1).

Inmaduro, ra: adj. ant. Inmaturo (1).

Innaciente: adj. ant. Que no nace (1).

Innocencia: f. desus. Inocencia (1).

Innocente: adj. desus. Inocente (1).

Innoto, ta: adj. ant. Ignoto (1).

Innovar://2. tr. ant. Renovar (1).

Innumeridad: f. ant. Innumerabilidad
(1).

Inofenso, sa: adj. ant. Ileso (1).

Inopinable://2. adj. ant. Que no se puede ofrecer a la imaginación o no se
puede pensar que suceda (1).

Inorancia: f. ant. Ignorancia (1).

Inorar: tr. ant. Ignorar (1).

Inorme: adj. ant. Enorme (1).

Inple: m. ant. Imple (2).

Inquerir: tr. ant. Inquirir (1).

Inquietación: f. ant. Inquietud (1).

Inquisitivo, va: adj. ant. Que inquiere
y averigua con cuidado y diligencia
las cosas o es inclinado a esto (1).

Inscrutable: adj. ant. Inescrutable (1).

Insepultado, da: adj. ant. Insepulto (1).

Inserto, ta://2. adj. ant. Injerto (1).

Insienplo: m. ant. Ejemplo (2).

Insignido, da: adj. ant. Distinguido,
adornado (1).

Insimular: tr. ant. Acusar a uno de un
delito; delatarlo (1).

Insinia: f. ant. Insignia (1).

Insola: f. ant. Insula (1).

Insolente://3. adj. ant. Raro, desusado
y extraño (1).

Instantemente://2. adv. t. ant. Instan-
táneamente (1).

Instilación://2. f. ant. Destilación o
fluxión (1).

Instimular: tr. desus. Estimular (1).

Instímulo: m. desus. Estímulo (1).

Instinto://3. m. ant. Instigación o sugestión (1).

Institución://4. f. desus. Instrucción, educación, enseñanza (1).

Instituir://4. tr. desus. Enseñar o instruir//5. ant. Determinar, resolver (1).

Instituto://4. ant. Intento, objeto y fin a que se encamina una cosa (1).

Instructo, ta: p. p. irreg. ant. de Instruir (1).

Instruidor, ra: adj. ant. Instructor. Usáb. t. c. s. (1).

Instruto, ta: p. p. ant. de Instruir (1).

Insufridero, ra: adj. desus. Insufrible (1).

Insurgir: intr. ant. Insurreccionarse (1).

Inteleto: m. desus. Intelecto (1).

Intemperadamente: adv. m. ant. Sin templanza (1).

Intemperatura: f. ant. Intemperie (1).

Intender: tr. ant. Entender (1).

Intento, ta: adj. ant. Atento (1).

Interclusión: f. ant. Acción de Encerrar una cosa entre otras (1).

Interese: m. ant. Interés (1).

Interinario, ria: adj. ant. Interino (1).

Intermediado, da://2. adj. ant. Intermedio (1).

Interpretador, ra://2. adj. ant. Traductor. Usáb. t. c. s. (1).

Interromper: tr. ant. Interrumpir (1).

Interroto, ta: p. p. irreg. ant. de Interromper (1).

Interserir: tr. ant. Injerir una cosa entre otras (1).

Intitulación: f. ant. Título o inscripción //2. ant. Dedicatoria de una obra impresa o manuscrita (1).

Intitular://3. tr. ant. Nombrar, señalar o destinar a uno para determinado empleo o ministerio//4. ant. Dedicar una obra a uno, poniendo al frente su nombre para autorizarla (1).

Intocable: adj. desus. Intangible (1).

Intráneo, a: adj. ant. Interno (1).

Intributar: tr. ant. Atributar (1).

Intricable: adj. ant. Intrincable (1).

Intricación: f. ant. Intrincación (1).

Intricadamente: adv. m. ant. Intrincadamente (1).

Intricamiento: m. ant. Intrincamiento (1).

Introducidor, ra://2. adj. ant. Metedor (1).

Introducto, ta: adj. ant. Instruido, diestro (1).

Introductorio, ria: adj. ant. Que sirve para introducir (1).

Intrometerse: r. ant. Entrometerse (1).

Intuitu: m. ant. Intuito (Vista, ojeada o mirada) (1).

Inundancia: f. ant. Inundación (1).

Inusado, da: adj. ant. Inusitado (1).

Invair: tr. ant. Acometer, atropellar, maltratar//Avergonzar, confundir// Detener (2).

Invalidad: f. ant. Nulidad (1).

Invehir: tr. ant. Hacer o decir invectivas contra uno (1).

Invenible: adj. ant. Que se puede hallar o descubrir (1).

Invenir: tr. ant. Hallar o descubrir (1).

Inventación: f. ant. Invención (1).

Inventiva://2. f. ant. Invención (1).

Inverniso: adj. ant. Invernizo (2).

Invesar: tr. ant. Envesar (2).

Investigable: adj. desus. Que no se puede investigar (1).

Inviar: tr. ant. Enviar (1).

Invidia: f. ant. Envidia (1).

Invidiar: tr. ant. Envidiar (1) .

Invidioso, sa: adj. ant. Envidioso (1).

Invirtud: f. ant. Falta de virtud; acción opuesta a ella (1).

Invirtuosamente: adv. m. ant. Sin virtud, viciosamente (1).

Invirtuoso, sa: adj. ant. Falto de virtud y opuesto a ella (1).

Invito, ta: adj. desus. Invicto (1).

Inyuncto, ta: p. p. irreg. ant. de Inyungir (1).

Inyungir: tr. ant. Prevenir, mandar, imponer (1).

Irado, da: p. p. ant. de Irarse//2. adj. ant. Forajido (1).

Irarse: r. ant. Airarse (1).

Irascencia: f. ant. Iracundia (1).

Irlandesco, ca: adj. ant. Irlandés. Apil, a pers., usáb. t. c. s. (1).

Irracionable: adj. ant. Irracional (1).

Irracionablemente: adv. m. ant. Irracionalmente (1).

Irrecusable://2. adj. ant. Inevitable (1).

Irreprehensible: adj. desus. Irreprensible (1).

Irrequieto, ta: adj. desus. Inquieto, incesante, continuo (1).

Isípula: f. desus. Erisipela (1).

Isófago: m. desus Esófago (1).

Itar: tr. ant. Echar (1).

Itericia: f. ant. Ictericia (1).

Ivernal: adj. ant. Invernal (1).

Ivernar: intr. ant. Invernar (1).

Ivierno: m. ant. Invierno (2).

Izgonce: m. ant. Esconce (Angulo entrante o saliente) (1).

Izgonzar: tr. ant. Esconzar (Hacer a esconce una habitación u otra cosa cualquiera) (1).

J

Jabalín: m. ant. Jabalí (1-2).

Jabarcón: m. ant. Arq. Jabalcón (madero ensamblado en uno vertical para apear otro horizontal o inclinado) (1).

Jabeba: f. ant Mús. Especie de flauta (2).

Jabelgar: tr. ant. Jalbegar (Enjalbegar) (1).

Jacer: tr. ant. Tirar o arrojar (1).

Jacerino, na://2. adj. ant. Duro y difícil de penetrar, como el acero (1)

Jactante: p. a. ant. de Jactarse. Que se jacta (1).

Jactar: tr. ant. Mover, agitar (1).

Jactura: f. ant. Quiebra, menoscabo, pérdida (1).

Jaga: f. ant. Llaga (1).

Jaguadero: m. ant. Desaguadero (1).

Jahariz: m. ant. Jaraíz (Lagar) (1).

Jahes: m. ant. Jaez (2).

Jaldado: adj. ant. Amarillo encendido (2).

Jaldeta: f. ant. Faldeta//2. ant. Cada una de las vertientes o aguas de una armadura, desde el almizate hasta el estribo//3. ant. Distancia que había entre las alfardas que formaban cada vertiente de la armadura (1).

Jamás://2. adv. t. ant. Siempre//3. ant. Alguna vez (1).

Jambo: m. ant. Yambo (1).

Jambón: m. ant. Jamón (1).

Jamón://2. m. ant. Anca, pierna (1).

Jamona://2. f. ant. Galardón, gratificación o regalo consistente principalmente en perniles u otros comestibles (1).

Jamuscar: tr. ant. Chamuscar (1).

Janglería: f. ant. Juglaría, broma, juego (2).

Jaquel: m. ant. Blas. Cuadra o cuadrado (2).

Jaqueta: f. ant. Chaqueta (1).

Jáquima: f. ant. Alcahueta (2).

Jaquir: tr. ant. Dejar, desamparar (1).

Jarquía: f. ant. Distrito o territorio sito al este de una gran ciudad y dependiente de ella (1).

Jaropar: intr. ant. Tomar o dar jarope o medicinas líquidas (2).

Jarrer, ra: m. y f. ant. Tabernero, ra (1).

Jarretar: tr. ant. Desjarretar (1).

Jasarán: m. ant. Jacerina o cota de malla (2).

Jastre: m. ant. Sastre (1).

Javarí: m. ant. Jabalí (2).

Jazarán: m. ant. Jacerina o cota de malla (2).

Jazarino, na: adj. ant. Argelino. Apl. a pers., usáb. t. c. s. (1).

Janízaro, ra: adj. ant. Decíase del hijo de padres de diversa nación. Usáb. t. c. s. (1).

Jerbilla: f. ant. Zapatilla (2).

Jerigonzar: tr. ant. Hablar con oscuridad y rodeos; explicar con ellos una cosa (1).

Jeroglífica: f. desus. Mote (1).

Jerviguilla: f. d. desus. de Jervilla (Servilla) (1).

Jeta: f. ant. Seta (1).

Jetar: tr. ant. Jitar (2).

Jetudo: adj. ant. Hocicudo, de gran jeta (2).

Jimio: m. ant. Mono (2).

Jinebro: m. ant. Enebro (1).

Jinglar: intr. ant. Moverse de una parte a otra colgado como en columpio (2).

Jinglón: m. ant. Burla con meneos (2).

Jinja: f. ant. Jínjol (1).

Jinjo: m. ant. Jinjolero (1).

Jira: f. ant. Jirón (2).

Jisma: f. ant. Cuento o chisme (1).

Jismero, ra: adj. ant. Cuentero (1).

Jitar: tr. ant. Vomitar (1).

Jocalías: f. pl. ant. Ar. Alhajas de iglesia (1).

Jodío: adj. ant. Judío (2).

Jogar: intr. ant. Jugar, burlar, bromear //Chupar (2).

Joglar: m. ant. Juglar, músico, cantor y hasta trovador, y cuantos entretenían públicamente (1-2).

Joglaría: f. ant. Juglaría, broma, juego (2).

Joglería: f. ant. Pasatiempo, regocijo, placer (1).

Jograría: f. ant. Joglaría (2).

Joguer: intr. ant. Acostarse (1).

Jonjolí: m. ant. Ajonjolí (1).

Jornada://12. f. desus. Jornal//**rompida:** ant. Mil. Batalla o acción general (1).

Jornalar://2. intr. ant. Trabajar a jornal (1).

Jornea: f. ant. Jornada (2).

Jorrar: tr. ant. Remolcar (1).

Jostra: f. ant. Suela (1).

Jovar: tr. ant. Remolcar (1).

Joyar: intr. ant. Alegrar (2).

Jubero: m. ant. Labrador (2).

Jubilación://3. ant. Júbilo (1).

Jubilante: p. a. ant. de Jubilar. Que se jubila o se alegra (1).

Jubo: m. ant. Yugo (2).

Judería://3. f. ant. Judaísmo (1)//Barrio judío (2).

Judez: m. ant. Juez (2).

Judezno, na: m. y f. ant. Hijo de judío (1-2).

Judgador: m. ant. Juez (1).

Judgar: tr. ant. Juzgar (1).

Judicación: f. ant. Acción de juzgar (1).

Judicar: tr. ant. Juzgar (1).

Judicativo, va: adj. ant. Que juzga o puede hacer juicio de algo (1).

Judicario, ria: adj. ant. Judical (1).

Judicio: m. ant. Juicio (1).

Judiciosamente: adv. m. ant. Juiciosamente (1).

Judicioso, sa: adj. ant. Juicioso (1).

Judiego, ga: adj. ant. Perteneciente a los judíos (1).

Judiz: m. ant. Juez (2).

Juego: m. ant. Broma (2).

Juglar://5. m. ant. Trovador, poeta (1).

Juglara: adj. f. ant. de Juglar//2. f. ant. Juglaresa (1).

Juglarería: f. desus. Juglería (1-2).

Juglería: f. ant. Juglaría (1).

Juguatero, ra: adj. desus. Juguetón (1).

Juiciero: m. ant. El que juzga sin fundamento (1).

Juicio://10. m. ant. For. Sentencia del juez (1).

Juizio, [-sio]: m. ant. Juicio (2).

Jumencia: f. ant. Geomancia (2).

Juncir: tr. ant. Yungir (1).

Junta: f. ant. Reunión de los pueblos para tratar sus asuntos comunes (2).

Juntador, ra: adj. ant. Que junta. Usáb. t. c. s. (1).

Juntadura: f. ant. Juntura (1).

Juntamente://2. adv. m. ant. Unánimemente (1).

Juntamiento: m. ant. Acción y efecto de juntar o juntarse//2. ant. Junta o asamblea//3. ant. Juntura (1).

Juntero: m. ant. Comisionado para juntas de pueblo (2).

Juntura://2. f. ant. Junta//3. ant. Unión o mezcla de una cosa con otra (1).

Juñar: tr. ant. Sonar (2).

Jur: m. ant. Derecho (1).

Jura: f. ant. Juramento (2).

Juradería: f. ant. Juraduría (1).

Jurador, ra://2. adj. ant. Que jura. Usáb. t. c. s. (1).

Juradoría: f. at. Juraduría (1).

Juramiento: m. ant. Juramento (1).

Juridicial: adj. ant Judicial (1).

Jurio: m. ant. Juro o derecho perpetuo de propiedad (1).

Jusente: f. ant. Yusente (1).

Jusgar: tr. ant. Juzgar (2).

Justador://2. m. ant. Ajustador o jubón (1).

Justar: intr. ant. Combatir con otro (2).

Justicia://15. f. ant. Alguacil//**Pleito de justicia:** ant. Pleito o causa criminal //**Justicia a pleito:** m. adv. ant. Con condición (1).

Justiciador: m. ant. El que hace justicia (1).

Justiciar: tr. ant. Ajusticiar (1).

Jutgar: tr. ant. Juzgar (2).

Juvenco, ca: m. y f. ant. Novillo, lla (1).

Juvenecer: tr. ant. Rejuvenecer (1).

Juvenible: adj. ant. Juvenil (1).

Juventa: f. ant. Juventud (2).

Juycio: m. ant. Juicio (2).

Juyz: m. ant. Juez (2).
Juzgador://2. m. ant. Juez (1).
Juzgaduría: f. ant. Judicatura (1).
Juzgamiento: m. ant. Acción y efecto de juzgar (1).

Juzgar://3. tr. ant. Condenar a uno por justicia a perder una cosa; confiscársela (1).
Juzgo: m. ant. Juicio (1).

K

Kafiz: m. ant. Cafiz (2).

Kafyz: m. ant. Cafiz (2).

Karófilo: m. ant. Arbol que da la especia del clavo (1).

Kanape: m. ant. Colchón, almohadón (2).

Keneba: m. ant. Colchón, almohadón (2).

Kenebe: m. ant. Keneba (2).

Kenepe: m. ant. Kenebe (2).

L

Lá: adv. l. ant. Allá (2).

Labirinto: m. ant. Laberinto (1).

Lablar: intr. ant. Trabajar (2).

Laborador: m. ant. Trabajador o labrador (1).

Laborante://3. m. ant. Oficial (1).

Laboroso, sa: adj. desus. Laborioso (1).

Labradura: f. ant. Labor (1).

Labrancia: f. ant. Labranza (2).

Labrar: intr. ant. Trabajar (2).

Labriello: m. d. ant. de Labro (2).

Labrio: m. ant. Labro//m. desus. Labio (1-2).

Labro: m. ant. Labio (1-2).

Lacayil: adj. desus. Lacayuno (1).

Lacayo, ya: adj. desus. Lacayuno (1)// m. ant. Ar. Gente de guerra (2).

Lacera: f. ant. Incomodidad, pena (2).

Lacerado, da://4. adj. ant. Escaso. Usáb. t. c. s. (1).

Lacerador: m. ant. Acostumbrado a trabajos; capaz de resistirlos (1).

Lacerar://3. tr. ant. Penar, pagar un delito//4. ant. fig. Perjudicar a una persona, malquistarla con otra (1-2).

Lacerar://2. intr. ant. Escasear, ahorrar, gastar poco (1).

Lacerear: intr. ant. Lacerar (1).

Laceria: f. ant. Miseria, pobreza//2. ant. Trabajo, fatiga, molestia//3. ant. Mal de San Lázaro (1-2).

Lacerio: m. ant. Laceria (1)//Vida de trabajos (2).

Lacerto: m. ant. Lagarto (1).

Lacivo, va: adj. desus Lascivo (1).

Lacre://2. m. fig. y desus. Color rojo (1).

Lácrima: f. ant. Lágrima (1).

Lacrimable: adj. ant. Lagrimable (1).

Lacrimación: f. ant. Derramamiento de lágrimas (1).

Lacrimar: intr. at. Llorar (1).

Lactuoso, sa: adj. ant. Lácteo (1).

Ladera://2. f. ant. Lado (1).

Ladino, na: adj. ant. Aplicábase al romance castellano antiguo (1).

Lado: m. ant. Ancho (2).

Ladrador://2. m. ant. Perro (1).

Ladradura: f. ant. Ladra (1).

Ladriello: m. ant. Ladrillo (1).

Ladrobazo: m. aum. ant. de Ladrón (1).

Ladrocinio: m. ant. Latrocinio (1-2).

Ladronía: f. ant. Ladronicio (1).

Ladronicio: m. ant. Ladrocinio (2).

Laga: f. ant. Llaga (2).

Lagar: intr. ant. Llagar (2).

Lagartezna: f. ant. Lagartija (1).

Lagosta: f. ant. Langosta (1).

Lagostín: m. ant. Langostín (1).

Lagosto: m. ant. Lagosta (1).

Lagrema: f. ant. Lágrima (2).

Lagrimón, na: adj. ant. Lagrimoso, lagañoso o pitarroso (1).

Lagunar: m. ant. Lagunajo (1).

Laidamente: adv. m. ant. Ignominiosa o feamente, vergonzosamente (1-2).

Laido, da: adj. ant. Afrentoso, ignominioso//2. ant. Triste o caído de ánimo (1).

Lailán: m. ant. Almoneda, subasta (1).

Laja: f. ant. Traílla (1).

Lamar: tr. ant. Llamar (2).

Lamber: tr. ant. Lamer (1).

Lambicar: tr. ant. Alambicar (2).

Lambida: f. ant. Lamedura (1).

Lamentante: p. a. ant. de Lamentar. Que lamenta o se lamenta (1).

Laminero: adj. ant. Ar. Goloso (2).

Lambro: m. ant. Labro (2).

Lámpada: f. ant. Lámpara (1-2).

Lampero: adj. ant. Lúcio (2).

Lancho: m. desus. Lancha (1-2).

Landa: f. ant. Región (2).

Lande: f. ant. Glande (Bálano) (1)// Bellota (2).

Landre://3. f. ant. Peste levantina (1).

Lanero: adj. fig. ant. Vil, bajo o sencillo (2).

Langor: m. ant. Languor (1).

Lanteja: f. ant. Lenteja (2).

Lanterna: f. ant. Linterna (1).

Lanternón: m. ant. aum. de Lanterna (1).

Lantisco: m. ant. Lentisco (1).

Lanudo: adj. ant. fig. Sencillo, rústico, tosco, grosero (2).

Lanzar://4. tr. ant. Echar, imponer, cargar//5. ant. Emplear, invertir, gastar (1).

Lanzuela://2. f. d. ant. Lanceta para sangrar (1).

Laña://2. f. ant. Lonja de tocino (1).

Lapso, sa: adj. ant. Que ha caído en un delito o error (1).

Landero, ra: adj. ant. Graso (1)//Gordo (2).

Largaria: f. ant. Largo o longitud (1).

Largición: f. desus. Dádiva, regalo, prodigalidad (1).

Larguero, ra: adj. ant. Largo (1).

Larguez: f. ant. Largueza (1).

Larva://2. f. ant. Fantasma, espectro, duende (1).

Lasarse: r. ant. Fatigarse, cansarse (1).

Lasca://2. f. ant. Lancha [Chapa de piedra] (1).

Lascivia://2. f. ant. Apetito inmoderado de una cosa (1).

Lascivoso, sa: adj. ant. Lascivo (1).

Lasdrado: adj. ant. Lazrado (2).

Lasedad: f. ant. Lasitud (1).

Laserar: tr. ant. Lacerar (2).

Laserio: m. ant. Lacerio (2).

Lasrado: adj. ant. Lazrado (2).

Lasrar: tr. ant. Lacerar (2).

Lastar: tr. ant. Pagar la pena, padecer (2).

Lastimamiento: m. ant. Lastimadura (1).

Lasto: m. ant. Pena (2).

Lastrar: tr. ant. Lastar (2).

Lastrear: tr. desus. Lastrar (1).

Lastro: m. ant. Lasto (2).

Latinizar://3. intr. desus. Estudiar latín (1).

Latitante: p. a. ant. de Latitar. Que está oculto y escondido (1).

Latitar: intr. ant. Esconderse, ocultarse, andar escondido (1).

Latrina: f. ant. Letrina (1).

Lauda: f. ant. Laude (1).

Láudano://3. m. ant. Opio (1).

Laudar: tr. ant. Loar, alabar (1-2).

Laudativamente: adv. m. ant. De un modo laudativo (1).

Laudativo, va: adj. ant. Laudatorio (1).

Laude: f. ant. Alabanza (1).

Lavacro: m. desus Baño (1).

Lavadero://2. m. ant. Aljerifero (El que tenía por oficio pescar con aljerife: red) (1).

Lavador://3. m. ant. Lavadero (1).

Lavajal: m. ant. Lavajo (Charca de agua llovediza, que rara vez se seca) (1).

Lavajo: m. ant. Cacharro de lavar (2).

Lavandería: f. ant. Lavadero (1).

Lavativo, va: adj. ant. Que lava o tiene la virtud de lavar y limpiar (1).

Lavor: f. ant. Labor (2).

Lazar: intr. ant. Padecer, penar (2).

Lázaro: adj. ant. Lazarino. Usáb. t. c. s. (1).

Lazdrar: f. ant. Lazrar (1-2).

Lazera: f. ant. Lacera (2).

Lazerar: intr. ant. Padecer, hacer padecer (2).

Lazerio: m. ant. Lacerio (2).

Lazradamente: adv. m. ant. Con laceria o trabajo (1).

Lazrado: adj. ant. Que padece (2).

Lazrador: m. ant. El que padece y sufre trabajos y miserias (1-2).

Lazrar: intr. ant. Padecer y sufrir trabajos y miserias (1-2).

Lealdad: f. ant. Lealtad (1).

Lealtanza, [-ça]: f. ant. Lealtad (1-2).

Lebdar: tr. ant. Leudar (2).

Lebrasta: f. ant. Lebrasto (1).

Lebrasto: m. ant. Lebrato (Liebre nueva o de poco tiempo) (1).

Lebrillo: m. ant. Barreño (2).

Lebrón: adj. ant. Cobarde (2).

Lebroncillo://2. m. ant. Dado (1).

Lecencia: f. ant. Licencia (2).

Lación: f. ant. Lección (1).

Lecionario: m. ant. Leccionario (1).

Lector://5. m. ant. Catedrático o maestro que enseñaba una facultad (1).

Lectuario: m. ant. Letuario (Especie de mermelada) (1).

Lechera: f. ant. Litera//2. ant. Lechiga //3. ant. Mil. Explanada (1).

Lechiga: f. ant. Féretro o andas en que se llevaban los cadáveres a enterrar

//2. ant. Cama o lecho que servía para dormir y descansar (1-2).

Lechigado, da: adj. ant. Acostado en la cama (1).

Lechigarse: r. ant. Encamarse (2).

Lecho://9. m. ant. fig. Lechiga (1)// **Mar en lecho:** ant. Mar en bonanza. en calma (1).

Ledanía: f. ant. Letanía (1-2).

Ledanía: f. ant. Límite (1).

Ledo: adj. ant. Alegre (2).

Ledona: f. ant. Mar. Flujo diario del mar (1).

Leedor: m. ant. Diácono, que lee (2).

Leenda: f. ant. Leyenda (2).

Legalidad://3. f. ant. Legalización (1).

Legar: tr. ant. Ligar o atar (1-2).

Legar: intr. ant. Llegar (2).

Legislator: m. ant. Legislador (1).

Legón: m. ant. Azadón (2).

Leial: adj. ant. Leal (2).

Leijar: tr. ant. Dejar (1).

Leja: f. ant. Manda (1).

Lejar: tr. ant. Dejar, legar o mandar (1-2).

Lejura: f. ant. Lejanía (1).

Lemán: m. ant. Piloto práctico (1).

Lemanaje: m. ant. Pilotaje (1).

Lembo: m. ant. Barco de velas y remos//2. ant. Barca (1).

Lembrar: tr. ant. Recordar (1).

Leme: m. ant. Timón (1).

Lemera: f. ant. Mar. Limera (Abertura en la bovedilla de popa, para el paso de la cabeza del timón) (1).

Lena: f. ant. Alcahueta (1).

Lendera: f. ant. Linde (1).

Lengos: adv. l. ant. Lejos (2).

Lengua://8. f. ant. Habla//9. ant. Espía (1).

Lenguaje://6. m. ant. Uso del habla o facultad de hablar (1).

Lengüear: tr. ant. Espiar, seguir a uno, preguntando, tomando lengua o noticia de él (1).

Leniente: p. a. ant. de Lenir. Que lenifica (1).

Lenir: tr. ant. Lenificar (Suavizar, ablandar) (1).

Lenón: m. ant. Alcahuete//2. ant. Rufián (1).

Lenterna: f. ant. Linterna (1).

Lenteza: f. ant. Lentitud (1).

Lentío: m. ant. Frío húmedo del amanecer (2).

Lentiscina: f. ant. Almáciga (1).

Lento://5. adj. ant. Hablando de árboles y arbustos, flexible o correoso (1).

Lentor: m. ant. Flexibilidad o correa de los árboles y arbustos (1).

Lentura: f. ant. Lentor (1).

Lenzal: adj. ant. De lienzo (1).

Leparse: r. ant. Componerse, arreglarse (2).

Lerdez: f. ant. Pesadez, tardanza (1).

Lesar: tr. ant. Dejar (2).

Lesonjero: adj. ant. Lisonjero (2).

Lest: m. ant. Leste (Este) (1).

Letargia: f. ant. Letargo (1).

Leticia: f. ant. Alegría, regocijo, deleite (1).

Letigio, [-jo]: m. ant. Litigio (1).

Letor, ra: adj. ant. Lector. Usáb. t. c. s. (1).

Letra://12. f. ant. Carta//13. ant. Letrero (1).

Letrado, da://3. adj. ant. Que sólo sabía leer//4. ant. Que sabía escribir//5. ant. Que se escribe y pone por letra (1).

Letradura: f. ant. Literatura//2. ant. Instrucción en las primeras letras o en el arte de leer (1).

Letraduría: f. ant. Dicho vano e inútil, proferido con alguna presunción (1).

Letrear: tr. ant. Deletrear (1).

Letrero, ra: adj. ant. Letrado (1).

Letrudo, da: adj. ant. Letrado. Usáb. t. c. s. (1).

Letuario://2. m. ant. Electuario (1).

Letura: f. ant. Lectura//**Ir, o proceder con letura:** fr. ant. Advertir, atender, o poner cuidado (1-2).

Leucofeo, a: adj. desus. De color gris o ceniciento (1).

Leudar: tr. ant. Fermentar (2).

Levada://2. f. ant. Llevada, recado o mensaje//3. ant. Salida o nacimiento de los astros (1).

Levador://3. m. ant. Llevador, portador o conductor (1).

Levamiento: m. ant. Levantamiento, sedición (1).

Levantadizo, za: adj. ant. Ar. Levadizo (1).

Levantadura: f. ant. Levantamiento (1).

Levar: tr. ant. Levantar//2. ant. Llevar //3. ant. Hacer levas o levantar gente para la guerra//6. intr. ant. Nacer o salir los astros (1-2).

Levidad: f. ant. Levedad (1).

Lexar: tr. ant. Dejar (2).

Lexa: f. ant. Prenda (2).

Lexos: adv. l. ant. Lejos (2).

Leyenda: f. ant. Lectura (2).

Lezda: f. ant. Contribución por venta de géneros o efectos por los lugares (2).

Lezta: f. ant. Lezda (2).

Lía: f. ant. Atadura, convenio (2).

Lianza: f. ant. Alianza (1).

Libamiento://2. m. ant. Libación (1).

Libelar: tr. ant. Escribir refiriendo una cosa (1).

Libeldo: m. ant. Libelo (1-2).

Libelo://2. m. ant. Libro pequeño (1).

Libello: m. d. ant. de Libeldo (2).

Líberamente: adv. m. ant. Libremente (1).

Líbero, ra: adj. ant. Libre (1).

Libertado, da://4. adj. ant. Desocupado, ocioso (1).

Librador, ra://2. adj. ant. Libertador. Usáb. t. c. s. (1).

Libramiento://3. m. ant. Acción de librar//4. ant. Chanza o burla pesada (1).

Libranza://3. f. ant. Libración o libertad (1).

Librar://4. tr. ant. Juzgar, decidir (1).

Libredumbre: f. ant. Libertad (1).

Librero://2. m. ant. Encuadernador (1)

Librillo: m. ant. Barreño (2).

Lición: f. ant. Lección (1-2).

Licionario: m. ant. Leccionario (1).

Licuecer: tr. ant. Licuar. Usáb. t. c. r. (1).

Licuor: m. ant. Licor (1).

Lichiga: f. ant. Lechiga (2).

Lid://3. f. ant. Pleito//5. For. En lo

antiguo, prueba judicial mediante el reto y duelo de las partes//**Lid ferida de palabras:** loc. ant. For. Demanda o pleito contestado (1).

Lidece: ant. Alegría (2).

Lidiar://2. intr. ant. Litigar (1).

Liebdo: adj. ant. Alegre (2).

Lienda: f. ant. Leyenda (2).

Lieva: f. ant. Acción de Llevar una cosa//2. ant. La misma cosa que se lleva (1).

Lievar: tr. ant. Llevar (1).

Lieve: adj. ant. Leve//**De lieve:** m. adv. ant. Ligeramente, con facilidad (1-2).

Liga://10. f. ant. Banda o faja (1).

Ligagamba: f. ant. Ligapierna (1).

Ligamiento://3. m. ant. Ligamento (1).

Ligapierna: f. ant. Liga (1).

Ligar://7. tr. ant. Encuadernar (1)//Hacer impotente para la generación con hechizos (2).

Ligatura: f. ant. Ligadura (1).

Ligeramente://4. adv. m. ant. fig. Fácilmente (1).

Ligerez: f. ant. Ligereza (1).

Ligión: f. ant. Lesión (2).

Ligna: f. ant. Leña (2).

Lignage: m. ant. Linaje (2).

Lignáloe: m. ant. Lináloe (Aloe) (1).

Lijar: tr. ant. Lisiar, lastimar (1-2).

Lijo, ja: adj. ant. Lijoso//2. m. ant. inmundicia (1-2).

Lijoso, sa: adj. ant. Sucio, inmundo (1-2).

Lilio: m. ant. Lirio (1-2).

Limador://2. m. desus. Limatón (Lima redonda, gruesa y áspera) (1).

Limitación://3. f. ant. Límite o término de un territorio (1).

Limonar://2. m. ant. Limonero (1).

Limosín: adj. ant. Lemosín (1).

Limosnadero, ra: adj. ant. Limosnero (1).

Limosnador, ra: m. y f. ant. Persona que da limosnas (1).

Limosnar: tr. ant. Dar limosna (2).

Limpiante: p. a. ant. de Limpiar. Que limpia (1).

Limpiedad: f. ant. Limpieza (1).

Limpiedumbre: f. ant. Limpieza (1).

Lina: f. ant. Línea (2).

Linamen: m. ant. Ramaje (1).

Linatge: m. ant. Linaje (2).

Lindamente: adv. m. ant. Legítimamente (2).

Lindaño: m. ant. Linde (1).

Lindero: adj. ant. Castizo (2).

Lindo: adj. ant. De limpio linaje, legítimo (2).

Línea: f. ant. Linaje (2).

Linero, ra://2. m. y f. ant. Persona que trata en lienzos o tejidos de lino (1).

Liniavera: f. ant. Carcaj (1).

Linterna://2. f. ant. Jaula de hierro donde solían poner las cabezas de los ajusticiados (1).

Linna: f. ant. Línea (2).

Linno: m. ant. Liño (2).

Lino: f. ant. Liño (2).

Liña: f. ant. Linaje//2. ant. Hebra de hilo (1-2).

Liño: m. ant. Surco o línea de vides (2).

Liñuelo: m. ant. Surco (2).

Liria: f. ant. Bagatela (2).

Lisar: tr. ant. Lisiar (1).

Lisión: f. ant. Lesión (1-2).

Lisionar: tr. ant. Lesionar (2).

Lisongia: f. ant. Lisonja (2).

Lisonjar: tr. ant. Lisonjear (1).

Lisonjería: f. ant. Lisonja (1).

Lisor: m. ant. Lisura (1).

Lissiar: tr. ant. Lisiar (2).

Lit: f. ant. Lid (2).

Litargia: f. ant. Letargia (1).

Liudar: intr. ant. Leudar (1).

Liudo, da: adj. ant. Leudo (Masa o pan fermentado con levadura) (1).

Livianez: f. ant. Livianeza (1).

Livianeza: f. ant. Liviandad (1).

Livor://2. m. ant. Cardenal (1).

Lixo: m. ant. Lijo (2).

Lixoso, sa: adj. ant. Lijoso (2).

Liz: f. ant. Lid (2).

Lizar: tr. ant. Alisar (1).

Loadero, ra: adj. ant. Laudable (1).

Loamiento: m. ant. Loa (1).

Loanza: f. ant. Loa (1).

Loar://2. tr. ant. Dar por buena una cosa (1).

Lobera://2. f. ant. Portillo o agujero por donde se puede entrar y salir con trabajo (1).

Lobrecer: intr. ant. Oscurecer (2).

Lobregura://2. f. ant. Tristeza (1).

Lóbrigo, ga: adj. ant. Lúbrico (1).

Lo cual: ant. Lo que (2).

Locudo: adj. ant. Loco (2).

Loçanía: f. ant. Lozanía (2).

Lodar: tr. ant. Loar (2).

Lodiento, ta: adj. ant. Lodoso//2. ant. Sucio, mugriento//3. ant. fig. Impuro, inmundo (1).

Lodor: m. ant. Loor (2).

Logadero: m. ant. El que toma en alquiler o arrendamiento una cosa (1).

Logal: m. ant. Lugar (2).

Logar: m. ant. Lugar (1-2).

Logar: tr. ant. Colocar, alquilar (1-2).

Logical: adj. ant. Lógico (1).

Logrería://2. f. ant. Usura (1).

Loguer: m. ant. Alquiler, jornal, salario, premio (1-2).

Loguero: m. ant. Loguer//2. ant. Jornal que gana un peón (1)//Alquilador (2).

Lolio: m. ant. Joyo (1).

Lomada: f. ant. Loma (1).

Lombo: m. ant. Lomo (1).

Lomo://2. m. ant. Loma (1).

Lomoso, sa: adj. ant. Perteneciente al lomo (1).

Lonbo: m. ant. Lomo (2).

Londrés, sa: adj. ant. Londinense. Apl. a pers., usáb. t. c. s. (1).

Longadura: f. ant. Largura (1).

Longamente: adv. m. ant. Largamente (1).

Longo, ga: adj. ant. Luengo (1).

Longor: m. ant. Longitud (1).

Longueza: f. ant. Largura (1).

Longuezuelo, la: adj. d. ant. de Luengo (1).

Longura: f. ant. Longitud//2. ant. Transcurso considerable de tiempo//3. ant. Dilación (1).

Lonjear: tr. antd. Almacenar (1).

Lor: pron. ant. Ar. Lure (2).

Lordo: adj. ant. Lerdo (2).

Lorigado: adj. ant. Con loriga (2).

Lorigón: m. aum. ant. de Loriga (2).

Loro: adj. ant. Amarillento oscuro (2).

Losengero: adj. ant. Lisonjero (2).

Losenia: f. ant. Lisonja (2).

Loseniar: tr. ant. Lisonjear (2).

Loseniero: adj. ant. Lisonjero (2)

Loxuria: f. ant. Lujuria (2).

Lozanecer: intr. ant. Lozanear (1).

Lozano: adj. ant. Soberbio, altivo, alegre (2).

Lúa://2. f. ant. Guante (1-2).

Luba, [-va]: f. ant. Lúa (2).

Lubrican: m. ant. El atardecer (2).

Lucemburgués, sa: adj. desus. Luxemburgués (1).

Lucencia: f. ant. Claridad, resplandor, luz (1-2).

Lucera: f. ant. Linterna (2).

Lucerna://5. f. ant. Especie de lamparilla o linterna (1).

Lucible: adj. ant. Resplandeciente (1).

Luciérnago: m. ant. Luciérnaga (1).

Luciferal: adj. ant. Soberbio, maligno (1).

Lucina: f. ant. Ruiseñor (1).

Luco: m. ant. Bosque o selva de árboles cerrados y espesos (1).

Lucura: f. ant. Locura (2).

Luen: adv. t. y l. ant. Luene (2).

Luene: adv. t. y l. ant. Lejos (2).

Luenga: f. ant. Dilación, tardanza (1).

Luengamente: adv. m. ant. Largamente (1).

Luengo, ga: adj. ant. Largo//A la luenga: m. adv. ant. A la larga//2. ant. A lo largo (1-2).

Luenn: adv. t. y l. ant Luen (2).

Luenne: adv. t. y l. ant. Luene (2).

Lueñe: adj. ant. Distante, lejano, apartado//2. adv. l. y t. ant. Lejos (1).

Lugaro: m. ant. Pájaro (2).

Lugo: adv. t. ant. Luego (2).

Lumbo: m. ant. Lomo (1).

Lumbraria: f. ant. Lumbrera, luminaria (1).

Lumbre://8. f. ant. fig. Vista//9. ant. fig. Luz de la razón//10. ant. fig. Ilustración, noticia, doctrina (1).

Lumbrera://4. f. ant. Lámpara (1)// Luz (2).

Lumbrería: f. ant. Alumbramiento (1)..

Luminación: f. ant. Iluminación (1).

Luminador, ra: m. f. ant. Iluminador, ra (1).

Luminar: tr. ant. Iluminar (1).

Lumne: f. ant. Lumbre (2).

Lumnera: f. ant. Lumbrera (2).

Lumnoso: adj. ant. Lumbroso (2).

Lunada: f. ant. Pernil (1).

Lunario://3. m. ant. Lunación (1).

Lungo, ga: adj. ant. Largo (1).

Lunne: f. ant. Lumbre (2).

Lure: pron. ant. Ar. De ellos (2).

Lus: f. ant. Luz (2).

Lusco, ca: adj. ant. Tuerto, bizco o que ve muy poco (1).

Lusera: f. ant. Lucera (2).

Lustramiento: m. desus. Acción de Lustrar (1).

Lutado, da: adj. ant. Enlutado, de luto (1).

Luva: f. ant. Lúa (1).

Luvia: f. ant. Lluvia (1-2).

Luz: m. desus. Merluza (1).

Lyción: f. ant. Lección (2).

Lysión: f. ant. Lección (2).

LL

Llagador, ra: adj. ant. Que llaga (1).

Llagamiento: m. ant. Llaga (1).

Llagoso, sa: adj. ant. Que tiene llaga (1).

Llamarada://2. f. ant. Ahumada (1).

Llana: f. ant. Llanura (2).

Llaneza: f. ant. Llanura//5. ant. fig. Sinceridad, buena fe (1).

Llantar: tr. ant. Plantar (1).

Llantear: intr. ant. Llorar, plañir (1-2).

Llaña: f. ant. Llanura (2).

Llaño: m. ant. Llano (2).

Llaverizo: m. ant. El que cuidaba de las llaves, trayéndolas frecuentemente consigo (1).

Lle: pron. ant. Le (1).

Llegado, da://2. adj. ant. Cercano (1).

Llegamiento: m. ant. Allegamiento (1).

Llenera: f. ant. Llenura (1).

Lleneramente: adv. m. ant. Plenamente (1).

Llenero: adj. ant. Generoso (2).

Llenez: f. desus. Lleneza (1).

Lleneza: f. ant. Llenura (1).

Lleño: adj. ant. Lleno (2).

Lloradera://2. f. ant. Llorona (1).

Llorante: p. a. ant. de Llorar. Que llora (1).

Llotrar: tr. ant. Quillotrar (Excitar, estimular, avivar). Usáb. t. c. r. (1).

Llotro: m. ant. Quillotro (Voz rústica con que se daba a entender aquello que no se sabía o no se acertaba a expresar de otro modo) (1).

Lluvial: adj. ant. Pluvial (1).

Lluviano, na: adj. ant. Aplicábase a la tierra o paraje recién mojado con la lluvia (1).

M

Maca: f. ant. Porra, macana (2).

Macandón: m. ant. Camandulero, hipó-
crita, astuto, embustero y bellaco
(1-2).

Macar: tr. ant. Magullar (1).

Macello: m. ant. Tajada (2).

Maculoso, sa: adj. ant. Lleno de manchas (1).

Machín: m. ant. Hombre rústico (1).

Machuno, na: adj. ant. Perteneciente o
relativo al macho (1).

Madagaña: f. ant. Fantasma, espantajo
(1).

Maderar: tr. ant. Enmaderar (1).

¡Madiós!: interj. ant. ¡Pardiez! (1).

Madrina://7. f. ant. fam. Alcahueta
(1).

Madriz: f. desus. Matriz (1-2).

Madrona://2. f. ant. Matrona (1).

Madruguero, ra: adj. ant. Madrugador
(1).

Maduramiento: m. ant. Maduración
(1).

Madurazón: f. ant. Madurez (1).

Madurgada: f. ant. Madrugada (2).

Madurgar: intr. ant. Madrugar (1-2).

Maes: adv. comp. ant. Más//2. conj.
advers. ant. Mas (1-2).

Maesa: f. ant. Maestra (1).

Maese: m. ant. Maestro (1).

Maeso: m. ant. Maestro (1).

Maestradamente: adv. m. ant. Con
maestría (1).

Maestradgo: m. ant. Maestrazgo (1).

Maestrado, da: p. p. ant. de Maestrar
//2. adj. ant. Mañoso, artificioso (1).

Maestraje: m. ant. Oficio de maestre
de una embarcación (1).

Maestrar: tr. ant. Amaestrar (1-2).

Maestrazgo://3. m. ant. Oficio de
maestro, especialmente en un arte
(1).

Maestre://2. m. ant. Doctor o maestro
(1).

Maestregicomar: m. ant. Maese Coral
(1).

Maestrepasquín: m. ant. Pasquín (1).

Maestresa: f. ant. Dueña, señora (1).

Maestría://5. f. ant. Maestraje//6. ant. Engaño, fingimiento o artificio y estratagema//7. ant. Remedio, medicina, medicamento (1-2).

Maestro://17. m. ant. Cirujano//18. ant. Maestre de una orden militar (1).

Magacén: m. ant. Almacén (1).

Magadaña: f. ant. Mala partida; dominguillo que engaña (2).

Magar: conj. ant. Maguer (1-2).

Mager: conj. ant. Maguer (1-2).

Magera: conj. ant. Maguer (1-2).

Maginanza [-ça]: f. ant. Imaginación (2).

Maginar: tr. ant. Imaginar (1-2).

Magistrado://4. m. ant. Cualquier consejo o tribunal (1).

Maglaca: f. ant. Gran. Compuerta (1).

Magnílocuo, cua: adj. ant. Grandílocuo (1).

Magrecer: tr. ant. Enmagrecer. Usáb. t. c. intr. y c. r. (1).

Magreza: f. ant. Magrez (1).

Magrujo, ja: adj. ant. Magro (1).

Maguer: conj. advers. ant. Aunque//2. adv. ant. A pesar (1-2).

Maguera: conj. ant. Maguer (1-2).

Maguladura: f. ant. Magulladura (1).

Magular: tr. ant. Magullar (1).

Magulla: f. ant. Magulladura (1).

Maharón, na: adj. ant. Infeliz o desdichado (1).

Maherimiento: m. ant. Acción y efecto de maherir (1).

Maherir: tr. ant. Señalar con la mano; buscar, prevenir (1).

Mahozmedín: m. ant. Maravedí de oro (1).

Maiestro: m. ant. Maestro (2).

Maioral: m. ant. Mayoral (2).

Maioría: f. ant. Superioridad, autoridad del mayor//Ventaja (2).

Maís: m. ant. Maíz (2).

Mais: conj. ant. Mas (2).

Maison: f. ant. Casa (2).

Majada://3. f. ant. Mesón (1).

Majadura://2. f. ant. fig. Azote, castigo (1).

Majahierro: m. ant. Herrero (2).

Majar: tr. ant. Golpear, azotar (2).

Majiella: f. ant. Mejilla (2).

Majilla: f. ant. Mejilla (1).

Majo: m. ant. Mazo (2).

Majolar://2. m. ant. Pago recién plantado de viñas (1).

Majolar: tr. ant. Ajustar los zapatos con lazos y correas (1).

Majorana: f. ant. Mejorana (1).

Mala: f. ant. Valija//Maleta (2).

Malaestanza: f. ant. Indisposición, malestar (1).

Malaestrugo: adj. ant. Malastrugo (2).

Malagués, sa: adj. ant. Malagueño. Apl. a pers., usáb. t. c. s. (1).

Malandante: adj. ant. Desventurado (2).

Malandanza [-ça]: f. ant. Desdicha (2).

Malantía: f. ant. Malatía (2).

Malapreso: adj. ant. Desdichado (2).

Malastrado: adj. ant. Desdichado (2).

Malastrugado: ant. Malastrugo (2).

Malastrugo: adj. ant. Desdichado (2).

Malatía://2. f. ant. Enfermedad (1-2).

Malato, ta://2. adj. ant. Enfermo. Usáb. t. c. s. (1).

Malavés: adv. m. ant. Malavez (1-2).

Malavez: adv. m. ant. Apenas (1).

Malavisado: adj. ant. Desavisado (2).

Malcalzado [-çado]: adj. ant. Desharrapado (2).

Malcreer: tr. ant. Dar crédito ligeramente a uno (1)..

Malchufar: tr. ant. Burlar (2).

Maldadosamente: adv. m. ant. Con maldad, con malicia (1).

Maldecimiento: m. ant. Acción de Maldecir (1).

Maldecir: m. ant. Maldición (1).

Maldicientemente: adv. m. ant. Con maledicencia (1).

Maldición://2. f. ant. Murmuración (1).

Maldicho, cha: p. p. irreg. ant. de Maldecir (1)//Maldito (2).

Maldoliente: adj. ant. Enfermo (2).

Maledicto: adj. ant. Maldito (2).

Maleficio://3. m. ant. Daño o perjuicio que se causa a otro (1).

Maleito: adj. ant. Maldito (2).

Malencolía: f. ant. Melancolía (1).

Malencólico, ca: adj. ant. Melancólico (1).

Malenconía: f. ant. Melancolía (1-2).

Malencónico, ca: adj. ant. Melancólico (1).

Malenconioso, sa: adj. desus. Melancólico (1).

Malesculcar: tr. ant. Pisotear, despreciar (2).

Malestad: f. ant. Maldad (2).

Malestanza [-ça]: f. ant. Desventura (2).

Maletía: f. ant. Malicia o calidad de una cosa nociva a la salud//2. ant. Enfermedad (Malatía) (1-2).

Maleza://3. f. ant. Maldad (1)//Malicia (2).

Malfacer: tr. ant. Hacer mal, obrar mal (1-2).

Malfaciente: p. a. ant. de Malfacer. Que obra mal. Usáb. t. c. s. (1).

Malfadado, da: adj. ant. Malhadado (1).

Malfado: m. ant. Malhado (2).

Malfecho: m. ant. Malhecho (1-2).

Malfechor: m. ant. Malhechor (1-2).

Malfeita: f. ant. Daño, perjuicio, maldad (1).

Malferir: tr. ant. Malherir (2).

Malfetría: f. ant. Hecho malo, maldad (1)//Maleficio (2).

Malgranada: f. ant. Granada (1-2).

Malhacejo: m. ant. Pena (2).

Malhetría: f. ant. Malfetría (1-2).

Malicia://10. f. ant. Palabra satírica; sentencia picante y ofensiva (1).

Malignar://2. tr. ant. Poner mal o desacreditar a uno con otros (1).

Malina: f. ant. Reflujo diario del mar //2. ant. Temporal del mar//3. ant. Gran marea (1).

Malmajar: tr. ant. Majar malamente (2).

Malmeter: tr. ant. Maltratar (2).

Malparanza: f. ant. Menoscabo de una cosa, o mal estado a que se reduce (1).

Malquerya: f. ant. Malquerencia (2).

Malrotar: tr. ant. Destruir, disipar (2).

Malsabido: adj. ant. Malentendido// Ingenioso en mala parte (2).

Malsinar: tr. ant. Acusar, acriminar a alguno; o hablar mal de alguna cosa con dañina intención (1).

Malsindad: f. ant. Acción y efecto de malsinar (1).

Malsinería: f. ant. Malsindad (1).

Malsonante: p. a. ant. de Malsonar. Que suena mal (1).

Malsonar: intr. ant. Hacer mal sonido, o desagradable (1).

Maltraedor, ra: adj. ant. Perseguidor o represor. Usáb. t. c. **s.** (1).

Maltraer://2. tr. ant. Reprender con severidad (1).

Maltraher: tr. ant. Maltraer (2).

Maltraimiento: m. ant. Maltrato (2).

Malvazo: adj. ant. Malo (2).

Malvestad: f. ant. Maldad (1).

Malvestat: f. ant. Malvestad (2).

Malvezdat: f. ant. Maldad (2).

Malveztat: f. ant. Malvestad (2).

Malviviente: adj. ant. Decíase del hombre de mala vida (1).

Mallada: f. ant. Majada (1).

Malladar: intr. ant. Majadear (1).

Mallar: tr. ant. Armar con cota de malla a una persona (1).

Mallorqués, sa: adj. ant. Mallorquín (1).

Mamantar: tr. ant. Amamantar (2).

Mamantón: adj. ant. Mamón (2).

Mamparar: tr. ant. y vulg. Amparar (1).

Mamparo: m. ant. Amparo, defensa (1).

Mampastor: m. an. Mampostor (1).

Mampelaño: m. ant. Mamperlán (Lis-

tón de madera con que se guarnece el borde de los peldaños en las escaleras de fábrica) (1).

Mampesada: f. ant. Pesadilla (1).

Mampesadilla: f. ant. Pesadilla (1).

Mampostero: m. ant. Protector o patrono (2).

Mampostor: m. ant. Mampostero (El que trabaja en obras de mampostería) (1).

Mampostoría: f. ant. Mampostería (1).

Mampuesta: f. ant. Amparo (2).

Mamullera: f. ant. Las quijadas (2).

Man: f. ant. El amanecer, la mañana (2).

Man: f. ant. apóc. de Mano//**Manamano:** m. adv. ant. Al punto, al instante (1-2).

Mana: f. ant. Maná (1).

Maná://4. m. ant. Incienso desmenuzado y casi reducido a polvo (1).

Manada://3. f. ant. Cuadrilla o pelotón de gente (1).

Mancar://3. intr. ant. Faltar, dejarse de hacer una cosa por falta de alguno (1).

Mancebez: f. ant. Mancebía (1-2).

Mancebía://4. f. ant. Juventud o mocedad (1-2).

Mancebo, ba: adj. desus. Juvenil (1)// Joven//Criado mozo (2).

Mancelladero, ra: adj. ant. Mancilladero (1).

Mancellar: tr. ant. Amancillar (Manchar) (1).

Mancello: adj. ant. Mancillo (2).

Mancelloso, sa: adj. ant. Malicioso o

maligno//2. ant. Manchado, sucio (1).

Manciella: f. ant. Mancilla (2).

Mancilla://2. f. ant. Paño//3. ant. fig. Llaga o herida que mueve a compasión//4. ant. fig. Lástima, compasión (1-2).

Mancilladero, ra: adj. ant. Que mancilla (1).

Mancillamiento: m. ant. Acción y efecto de mancillar (1).

Mancillarse: r. ant. Lastimarse, compadecerse (2).

Mancillero: adj. ant. Que muerde o hiere//Aquel de quien se tiene piedad o mancilla//Que da pena (2).

Mancillo: adj. ant. Herido (2).

Mancilloso, sa: adj. ant. Lleno de mancilla o que mueve a lástima (1).

Mancuadra: f. ant. Juramento mutuo que hacían los litigantes de proceder con verdad y sin engaño en el pleito (1).

Mancha: f. ant. Malla (2).

Manda://3. f. ant. Testamento (1).

Mandación: f. ant. Jurisdicción y facultad (1-2).

Mandadería: f. ant. Embajada o mensaje (1).

Mandadere://3. m. ant. Procurador//4. ant. Embajador o comisionado para un negocio (1).

Mandado://4. m. ant. Aviso o noticia (1).

Mandador, ra: m. y f. ant. Persona que manda//2. ant. Persona que lleva un mandado o embajada (1).

Mandar://6. tr. ant. Querer (1).

Mando://2. m. ant. Mandato (1).

Mandra: f. ant. Majada donde se recogen los pastores (1).

Mandrial: m. ant. Madrigal (1).

Mandriez: f. ant. Flaqueza, debilidad, falta de ánimo (1).

Mandrón://3. m. ant. Primer golpe que da la bola o piedra cuando se arroja de la mano (1).

Mandurria: f. ant. Bandurria (Instrumento músico de cuerda) (1).

Manear: tr. ant. Manejar (2).

Maner: intr. ant. Morar (2).

Manera://6. f. ant. Figura//7. ant. Faltriquera//8. ant. Maña//9. ant. Especie o género//11. pl. ant. Costumbres o calidades morales (1-2).

Manería: f. ant. Mañería (2).

Manero, ra: adj. ant. Decíase del deudor que se substituía para pagar o cumplir la obligación de otro (1)// Apoderado (2).

Manero: adj. ant. Mañero (2).

Manetrar: tr. ant. Maniatar (2).

Manferidor: m. ant. Contraste (1).

Manferir: tr. ant. Maherir//2. ant. Contrastar (1).

Manfestar: intr. ant. Manifestar (2).

Mangado, da: adj. ant. Que tiene mangas largas (1).

Mangamazo: m. ant. Mote injurioso (2).

Mangela: f. ant. Mancilla (2).

Mangla: f. ant. Tizón (1).

Mangonero, ra: adj. ant. Aplicábase al mes en que había muchas fiestas y no se trabajaba (1).

Manguardia: f. ant. Vanguardia (1).

Manguero://2. m. ant. Mont. Cada uno de los monteros que en los ojeos mataba la caza que caía en las redes huyendo de las mangas de gente que la acosaba (1).

Manifestamiento: m. ant. Manifestación (1).

Manificencia: f. ant. Magnificencia (1).

Manija://3. f. ant. Manilla (1).

Manir: intr. ant. Permanecer, quedar (1).

Manirrotura: f. ant. Liberalidad excesiva, o prodigalidad (1).

Manjar://2. m. ant. Cualquiera de los cuatro palos de que se compone la baraja de naipes (1).

Manlevar: tr. ant. Cargarse de deudas o contraerlas (1)//Llevar de salario, tributo (2).

Manlieva://3. f. ant. Gasto o expensas //3. ant. Empréstito con fianza o garantía (1)//Renta, tributo (2).

Manlieve: m. ant. Manlieva (1).

Manna: f. ant. Maña (2).

Mannería: f. ant. Mañería (2).

Mannero: adj. ant. Mañero (2).

Mano://28. f. ant. Garra del ave de rapiña//29. ant. Palmo (1).

Manoderotero: m. ant. Instrumento músico (2).

Manojar: tr. ant. Manosear (1).

Manparar: tr. ant. Amparar (2).

Manpostero: m. ant. Mampostero (2).

Manpuesta: f. ant. Mampuesta (2).

Mansedad: f. ant. Mansedumbre (1-2).

Mansesor: m. ant. Testamentario (1).

Manseza: f. ant. Mansedumbre (1).

Mansilla: f. ant. Mancilla (2).

Mansillar: tr. ant. Mancillar (2).

Mansillero: adj. ant. Mancillero (2).

Mansionario: adj. ant. Aplicábase a los eclesiásticos que vivían dentro del claustro (1).

Mansobre: f. ant. Especie de composición poética (2).

Mansuefacto, ta: adj. ant. Aplicábase a los animales de su naturaleza bravos, cuando estaban amansados (1).

Mansueto, ta: adj. ant. Manso//2. ant. Aplicábase a los animales de su naturaleza mansos (1).

Mansuetud: f. ant. Mansedumbre (1).

Mantecado, da: adj. ant. Mantecoso (1).

Mantenedor, ra: m. y f. ant. Persona que mantenía o sustentaba a otra// 3. ant. Defensor (1).

Manteniente: adv. t. ant. En el momento, al instante (1-2).

Mantiniente: adv. t. ant. Manteniente (1-2).

Mantón://3. m. ant. Mozo recién casado//4. ant. Capa o manteo (1).

Mantuvión (De): m. adv. ant. De antuvión (Golpe o acontecimiento repentino) (1).

Manual://6. adj. ant. Ligero y fácil para alguna cosa//14. ant. Derechos que se daban a los jueces ordinarios por su firma (1).

Manutenencia: f. ant. Manutención (1).

Manzana: f. ant. Pomo de la espada (2).

Manzaneda: f. ant. Manzanar (2).

Manzano: m. ant. Nombre general de los árboles frutales (2).

Manzellar: tr. ant. Mancillar (2).

Manziella: f. ant. Mancilla (2).

Manzillarse: r. ant. Mancillarse (2).

Maña://5. f. ant. Manera (1-2)//Habilidad//Costumbre y hábito//La mañana (2).

Mañana: adv. t. ant. De mañana (2).

Mañear: tr. ant. Retardar con mañas (2).

Mañera: f. ant. Machorra (1).

Mañería: f. ant. Astucia, sagacidad y engaño (1)//Esterilidad//Tributo al morir sin sucesión, hasta en los clérigos (2).

Mañero, ra://4. adj. ant. Fiador o delegado para pagar por otro (1).

Mañero, ra: adj. ant. Estéril//2. ant. Muerto sin sucesión legítima//De maña e ingenio//Falto (1-2).

Mañeroso: adj. ant. Mañoso (2).

Maño, ña: adj. ant. Grande (1-2).

Maor: m. ant. Jefe (2).

Maquilón: m. ant. Maquilero (El encargado de cobrar la porción de grano, harina o aceite que corresponde al molinero por la molienda) (1).

Maravedinada: f. ant. Medida de áridos (2).

Maraveja: f. ant. Maravilla (2).

Maravella: f. ant. Maravilla (2).

Maravetino: m. ant. Maravedí (1).

Maraviella: f. ant. Maravilla (2).

Maravillar://2. intr. ant. Maravillarse (1).

Marcelino, na: adj. ant. Marzal (Perteneciente al mes de marzo) (1).

Marcio, cia: adj. ant. Marcial//2. m. ant. Marzo (1).

Marco: m. ant. Medida, dimensión, clase//Peso de media libra de oro o plata (2).

Marchamador: m. ant. Marchamero (El que tiene el oficio de marcar los géneros o fardos en las aduanas) (1).

Marchitura: f. ant. Marchitez (1).

Mareante://3. m. ant. Comerciante o traficante por mar (1-2).

Marear://5. intr. ant. Navegar. Usáb. t. c. tr. (1-2).

Márfaga: f. ant. Jerga tosca para lutos (2).

Márfega: f. ant. Márfaga (2).

Marfil://2. m. ant. Elefante (1-2).

Marfusa: f. ant. Vulpeja (2).

Marfuz: adj. ant. Falaz (2).

Margomar: tr. ant. Bordar (1).

Maridal: adj. ant. Maridable (1).

Maridar: tr. ant. Casar (2).

Marinante: m. desus. Marinero (1).

Marión: m. ant. Mariol (Maricón) (1)

Marmarote: adj. ant. Bobo (2).

Marmesor: m. ant. Albacea (1).

Mármor: m. ant. Mármol (1).

Marrano, ra://5. m. y f. ant. Persona maldita o descomulgada (1).

Marrido, da: adj. ant. Amarrido (Afligido, melancólico, triste, apenado) (1-2).

Marrija: f. ant. Falla, burleta (2).

Martel: m. ant. Martelo (1).

Martillejo://2. m. ant. Martillo (1).

Martiniega: f. ant. Tributo dado el día de San Martín (2).

Martiriar: tr. ant. Martirizar (1-2).

Marturiar: tr. ant. Martirizar (2).

Marzapán: m. ant. Mazapán (1).

Mascarar: tr. ant. Enmascarar (1).

Másculo, la: adj. ant. Masculino//2. m. ant. Varón o macho en cualquier especie de animal (1).

Masedo: m. ant. Patán que vive en masía o masada (2).

Masellero: adj. ant. Mancillero (2).

Masiella: f. ant. Mancilla (2).

Masillero: adj. ant. Masellero (2).

Maslo://2. m. ant. Macho (1-2).

Masmordo: adj. ant. Amontonado feamente (2).

Masmordón: m. ant. El que se hace el bobo para no trabajar (2).

Masnar: tr. ant. Sobar (2).

Masobre: f. ant. Mansobre (2).

Massiella: f. ant. Mejilla (2).

Maste: m. ant. Mástil (1-2).

Mástel: m. ant. Maslo//2. ant. Mastelero (1-2).

Masteleo: m. ant. Mastelero (1).

Másticis: m. ant. Mastique (Almáciga) (1).

Mastigar: tr. ant. Masticar (1).

Mata://3. f. ant. Matanza, mortandad, destrozo (1).

Matacanes: adj. ant. Liebre que cansa y acaba con los canes//m. pl. ant. Ladronera o voladizo de fortaleza (2).

Matafalúa: f. ant. Matalahuva (Anís) (1-2).

Matahúmos: m. ant. Despabiladeras (1).

Matamiento: m. ant. Acción de Matar o matarse (1).

Matante: p. a. ant. de Matar. Que mata. Usáb. t. c. s. (1).

Matanza [-ça]: f. ant. Campo de batalla sembrado de cadáveres (2).

Matarral: m. ant. Matorral (2).

Matemático://4. m. ant. Astrólogo (1).

Matercaria: f. ant. Matricaria (1).

Matiego, ga: adj. ant. Criado entre matas, rústico, grosero (1).

Matina: f. ant. Matino (1).

Matinada: f. ant. Los maitines (2).

Matines: m. pl. ant. Maitines (1).

Matino: m. ant. Mañana (1)//La madrugada (2).

Matrimoño: m. ant. Matrimonio (1).

Matusaleno, na: adj. desus. Longevo// 2. desus. Muy antiguo (1).

Maula://4. f. ant. Propina o agasajo que se da a los criados ajenos (1).

Mauro, ra: adj. desus. Moro (1).

Maxiella: f. ant. Mejilla (2).

Maxmordo: adj. ant. Masmordo (2).

Maxmordón: m. desus. Hombre de poca estima, tardo, pasmado y sin discurso//2. desus. Hombre taimado y solapado (1)//Masmordón (2).

Mayetad: f. ant. Mitad (1).

Mayor://42. m. ant. Caudillo, capitán, jefe de guerra (1-2).

Mayoradgo: m. ant. Mayorazgo (1).

Mayoral://7. m. ant. Mayor (1)//Principal y cabeza en cualquier línea (2).

Mayorala://2. f. ant. Superiora (1).

Mayorar: tr. ant. Dar en mayor o mejor porción (1).

Mayordomadgo: m. ant. Mayordomía (1).

Mayordomazgo: m. ant. Mayordomía (1).

Mayordombre: m. ant. Ar. Prohombre (1).

Mayordombría: f. ant. Ar. Oficio de prohombre (1).

Mayordomía://3. f. ant. Préstamo (1).

Mayoría: f. ant. Maioría (2).

Mayorino: m. ant. Merino (1).

Mayormientre: adv. m. ant. Mayormente (1).

Mays: conj. ant. Mais (2).

Maza://11. f. ant. Cubo de la rueda// 12. ant. Especería, droga (1).

Mazana: f. ant. Manzana (1).

Mazar [-çar]://2. tr. ant. Machacar (1) //Amasar (2).

Mazonadura: f. ant. Acción de mazonar (1).

Mazonar: tr. ant. Hacer obras de mazonería (1).

Mazonera: f. ant. Arq. Recuadro (1).

Mazonería://3. f. ant. Bordado de oro y plata de realce//4. anto. Conjunto de varias piezas de plata u oro que se hacen para el servicio de las iglesias (1).

Meadura: f. desus. Meada (1).

Meaja: f. ant. Moneda de vellón que corrió antiguamente en Castilla y valía la sexta parte de un dinero, o medio maravedí burgalés (1).

Meaia: f. ant. Meaja (2).

Meatad: f. ant. Mitad (1-2).

Meatade: f. ant. Mitad (2).

Meatat: f. ant. Mitad (2).

Meco: m. ant. Mahoma (2).

Mectad: f. ant. Mitad (2).

Mechal: m. ant. Mencal (2).

Medagia: f. ant. Meaja (2).

Medalia: f. ant. Meaja (2).

Medecina: f. ant. Medicina (2).

Medianedo: m. ant. Línea donde se pone el mojón divisorio de un término (1).

Medianería: f. ant. Medianía//**Por medianería:** m. adv. ant. De por medio (1).

Medianero, ra://4. adj. ant. Aplicábase a la persona que tenía medianas conveniencias//5. ant. Medio (1).

Medianeto: m. ant. Juzgado en las ciudades de jurisdicción muy extensa, que se establecía en un pueblo medio, bastante lejos de la capital (2).

Medianeza: f. ant. Medianía (1).

Mediar://7. tr. ant. Tomar un término medio entre dos extremos (1).

Medicar: tr. ant. Medicinar. Usáb. t. c. r. (1).

Medicinable: adj. desus. Medicinal (1).

Medio caño: m. ant. Instrumento músico (2).

Medranza: f. ant. Medra (1).

Medrosía: f. ant. Miedo permanente (1).

Meetad: f. ant. Mitad (2).

Meetat: f. ant. Mitad (2).

Mega: adj. ant. Afable, suave (2).

Mege: m. ant. Médico (1-2).

Megía: f. ant. Mengía (2).

Meidia: f. ant. Mediodía (2).

Meísmo: adj. ant. Mismo (1).

Meitad: f. ant. Mitad (1-2).

Mejilla://2. f. desus. Carrillo//3. ant. Quijada (1).

Mejorar: tr. ant. Deshacer la injusticia (2).

Mejoría://4. f. ant. Mejora (1)//Preferencia (2).

Melancolía://3. f. ant. Bilis negra o atrabilis (1).

Melanconía: f. ant. Melancolía (1).

Melanconioso, sa: adj. desus. Melancólico (1).

Melarquía: f. desus. Melancolía (1).

Meldar: tr. ant. Aprender, leer//2. ant. Decir, enseñar (1-2).

Melecina [-zina, -sina]: f. ant. Medicina//2. ant. Lavativa (1-2).

Melecinar: tr. ant. Medicinar (1).

Melecinero, ra: m. y f. ant. Curandero, ra (1).

Melota: f. ant. Cierta tela (2).

Membrado, da: p. p. ant. de Membrar //2. adj. ant. Célebre, famoso, digno de memoria//3. ant. Cuerdo, astuto, prudente (1-2).

Membranza [-ça]: f. ant. Memoria, recuerdo (1-2).

Membrar: tr. ant. Acordar. Usáb. m. c. r. (1)//Recordar (2).

Memoroso, sa: adj. ant. Memorioso (1).

Mena: f. ant. Almena (1)//Mina (2).

Menar: tr. ant. Llevar (2).

Menaza [-ça]: f. ant. Amenaza (1-2).

Menazar: tr. ant. Amenazar (1-2).

Mencad: m. ant. Mencal (2).

Mencal: m. ant. Moneda de 18 pepiones en tiempo de Alfonso X (2).

Menchal: m. ant. Mencal (2).

Mendacio: m. ant. Mentira (1).

Mendocino, na: adj. desus. Que cree en agüeros; supersticioso (1).

Meneo://2. m. ant. Trato y comercio (1).

Menestril: m. ant. Ministril (1).

Menga: pron. ant. Cualquiera//Diablo (2).

Menge: m. ant. Médico (1-2).

Mengear: tr. ant. Curar (2).

Mengía: f. ant. Medicamento, remedio (1-2).

Mengo: pron. indeter. Cualquiera (2).

Mengoado: adj. ant. Menguado (2).

Mengoar: tr. ant. Menguar (2).

Mengua: f. ant. Deshonra (2).

Menguado: adj. ant. Pobre//Faltoso (2).

Menguar://4. intr. ant. Faltar (1-2).

Ministrar: intr. ant. Ministrar (2).

Menoración: f. ant. Minoración (1).

Menorar: tr. ant. Minorar (1).

Menoreta: f. ant. Monja franciscana (1).

Menorete: m. ant. Monje franciscano (2).

Menorgar: tr. ant. Menorar//Aminorar (1-2).

Menoridad: f. ant. Menoría (1).

Menorqués, sa: adj. ant. Menorquín. Apl. a pers., usáb. t. c. s (1).

Menospreciamiento: m. ant. Menosprecio (1).

Menospreciante: p. a. ant. de Menospreciar. Que menosprecia (1).

Mensage: m. ant. Mensaje (2).

Mensajería: f. ant. Mensaje (1).

Mensil: adj. ant. Mensual (1).

Menssagero: m. ant. Mensajero (2).

Mensseguero: m. ant. Meseguero (2).

Menssaje: m. ant. Mensaje (2).

Menstruo, trua://2. adj. ant. Mensual (1).

Mensurar://2. tr. ant. fig. Juzgar, contemplar (1).

Mentecapto, ta: adj. ant. Mentecato. Usáb. t. c. s. (1).

Menterero: adj. ant. Mentiroso (2).

Mentirero: adj. ant. Mentiroso (2).

Mentre: adv. t. ant. Mientras (2).

Menucia: f. ant. y vulg. Minucia (1).

Menudo, da://9. adj. ant. Miserable, escaso, apocado//14. adv. m. ant. Menudamente (1).

Menuza: f. ant. Pedazo o trozo pequeño de una cosa que se quiebra o rompe (1).

Menuzar: tr. ant. Desmenuzar (1).

Mercadantesco, ca: adj. ant. Mercantil (1).

Mercadantía: f. ant. Mercancía (1).

Mercadear: tr. ant. Comprar (2).

Mercadero: m. ant. Mercader (1-2).

Mercador: m. ant. Mercader (1).

Mercadoría: f. ant. Mercancía (1).

Mercadura: f. ant. Mercancía (1-2).

Mercancear: intr. ant. Comerciar (1).

Mercantesco, ca: adj. ant. Mercantil (1).

Merced://8. f. ant. Misericordia, perdón (1).

Mercendear: tr. ant. Hacer gracia o merced (1).

Mercendero, ra: adj. ant. El que hacía merced y también el que la recibía //2. m. ant. Mercader (1).

Merculino, na: adj. ant. Perteneciente o relativo al miércoles (1).

Merchán: adj. desus. apóc. de Merchante (1-2).

Merchandía: f. ant. Mercancía (1-2).

Merchaniego, ga: adj. ant. Aplicábase al ganado que se llevaba a vender a las ferias o mercados (1).

Merchantería: f. ant. Empleo u oficio de Merchante//2. ant. Mercancía (1).

Meridión: m. ant. Mediodía (1).

Mérito, ta: adj. ant. Digno, merecedor, benemérito (1).

Merlete: m. ant. Punta (2).

Merlo: m. ant. Fort. Merlón (Cada uno de los trozos de parapeto que hay entre cañonera y cañonera) (1).

Merlus: f. ant. Merluza (2).

Merode: m. ant. Merodeo (1).

Mesar: tr. ant. Cortar, arrancar (2).

Mescabar: tr. ant. Menoscabar (1).

Mescabo: m. ant. Menoscabo (1).

Mesclador, ra: adj. ant. Calumniador. Usáb. t. c. s. (1-2).

Mesclamiento: m. ant. Mezcla (1).

Mesclar: tr. ant. Mezclar. Usáb. t. c. r. //2. ant. Calumniar (1-2).

Mese: f. ant. Mies (1).

Meseguero: m. ant. Guardador de mieses (2).

Mesellador: adj. ant. Desgraciado//Leproso (2).

Mesiella: f. ant. Mejilla (2).

Mesiello: adj. ant. Mesillo (2).

Mesilla: f. ant. Desgracia (2).

Mesillo: adj. ant. Miserable (2).

Mesmamente: adv. m. ant. Mismamente (2)..

Mesmo, ma: adj. ant. Mismo//**Eso mesmo:** loc. ant. También, igualmente, del mismo modo (1-2).

Mesnada: f. ant. Compañía de gente de armas, que en lo antiguo servía debajo del mando del rey o de un rico hombre o caballero principal (1-2).

Mesquino: adj. ant. Mezquino (Pobre, mendigo, desgraciado) (1-2).

Message: m. ant. Mensaje (12).

Messagero: m. ant. Mensajero (2).

Messaiería: f. ant. Mensajería (2).

Messar: tr. ant. Mesar (2).

Messeguero: m. ant. Meseguero (2).

Mestenco, ca: adj. ant. Mostrenco (1).

Mester: m. ant. Menester//2. ant. Arte, oficio (1-2)

Mestrual: adj. ant. Menstrual (1).

Mestruo: m. ant. Menstruo (1).

Mestuerzo: m. ant. Mastuerzo (1).

Mestura: f. ant. Mezcla//Linaje (1-2).

Mesturar: tr. ant. Misturar//2 ant. Revelar, descubrir o publicar uno el secreto que se le ha confiado//3. ant. Denunciar, o delatar (1-2).

Mesturero, ra: adj. ant. Que descubría, revelaba o publicaba el secreto que se le había confiado o debía guardar. Usáb. t. c. s. (1-2).

Mesura://4. f. ant. Virtud de la templanza//5. ant. Medida (1).

Mesurado, da//4. adj. ant. Proporcionado, arreglado de modo que nada le sobra ni le falta//5. ant. Mediano (1).

Mesuramiento: m. ant. Mesura (1).

Mesurante: p. a. ant. de Mesurar. Que Mide o da igualdad a las cosas (1).

Mesurar://2. tr. ant. Medir//3. ant. fig. Considerar (1-2).

Metad: f. ant. Mitad (1).

Metat: f. ant. Metad (2).

Metal: m. ant. Metical (Moneda de vellón, que corrió en España en el siglo XIII) (1).

Metalado, da: adj. ant. Metálico (1).

Metalino, na: adj. ant. De metal (1).

Metamorfóseos: m. desus. Metamorfosis (1).

Meter://13. tr. ant. Emplear, destinar, dedicar//14. ant. Gastar, invertir (1).

Metge: m. ant. Menge (2).

Metgía: f. ant. Mengía (2).

Metrificatura: f. ant. Medida de versos //2. ant. Metrificación (1).

Metro://3. m. desus. Norma, modelo (1).

Metrópolis: f. ant. Metrópoli (1).

Mexilla: f. ant. Mejilla (2).

Mexillo: adj. ant. Mesillo (2).

Meyor: adj. comp. ant. Mejor (1-2).

Meyoramiento: m. ant. Mejoramiento (1).

Mezcla://4. f. ant. fig. Cuento o chismo con que se intentaba hacer daño o incomodar a alguno (1-2).

Mezclado, da://2. adj. ant. Epiceno (1).

Mezclador, ra://2. m. y f. ant. fig. Enredador y cizañero, pertubador público o privado, chismoso, cuentista (1-2).

Mezclanza: f. ant. Mezcla (2).

Mezclar://2. tr. ant. fig. Enredar, poner división y enemistad entre las personas con chismes o cuentos (1-2).

Meznada: f. ant. Mesnada (1).

Miaia: f. ant. Meaja (2).

Miaja: f. ant. Meaja (2).

Mida: f. ant. Medida (1).

Midos: adv. m. ant. De mala gana (2).

Mielga: f. ant. Pescado (2).

Mielgos: m. pl. ant. Mellizos (2).

Miente: f. ant. Pensamiento//2. ant. Gana o voluntad (1).

Mientes: f. ant. Miente (2).

Mientra: adv. m. ant. Mientras//**De mientra:** m. adv. ant. Mientras//**En mientra:** m. adv. ant. Mientras (1-2).

Mientre: adv. m. ant. Mientras (1-2).

Mierçe: f. ant. Merced (2).

Mierla: f. desus. Mirla (1).

Miga://3. f. ant. Papilla para los niños (1).

Migaja: pron. indeter. ant. Nada (2).

Migero: m. ant. Mijero (2).

Miior: adj. comp. ant. Mejor (2).

Mijero: m. ant. Milla//2. ant. Poste o columna que señalaba y fijaba en los caminos la distancia de cada milla (1-2).

Mijoría: f. ant. Mejoría (2).

Milenta: adj. ant. Mil (1).

Milgrano, na: m. y f. ant. Granado, granada (1-2).

Milordo: adj. ant. Majo, galán (2).

Mill: adj. ant. Mil (2).

Minaz: adj. ant. Que amenaza (1).

Mincio: m. ant. Minción (1).

Minción: f. ant. Luctuosa (Antiguo tributo) (1).

Minción: f. ant. Mención (1).

Minera: f. ant. Mina (1-2).

Mineral: m. ant. Minero (2).

Minerista: m. desus. El que busca minas (1).

Minglana: f. ant. Granada (1).

Mingrana: f. ant. Granada (1-2).

Mingua: f. ant. Mengua (1-2).

Minguado, da: p. p. del ant. Minguar//2. adj. ant. Menguado (1-2).

Minguar: intr. ant. Menguar (1-2).

Ministración: f. ant. Acción de Ministrar//2. ant. Ministerio (1).

Ministrar://3. tr. ant. Administrar (1).

Mintir: tr. ant. Mentir (2).

Mintira: f. ant. Mentira (2).

Mintroso, sa: adj. desus. Mentiroso (1-2).

Mirable: adj. ant. Admirable (1-2).

Miración, [-zón]: f. ant. Admiración (2).

Miraclo: m. ant. Milagro (1-2).

Miraculo: m. ant. Milagro (2).

Miraculosamente: adv. m. ant. Milagrosamente (1).

Miraculoso, sa: adj. ant. Milagroso (1).

Miraglo: m. ant. Milagro (1-2).

Mirar: tr. ant. Admirar (2).

Mirlar: tr. ant. Embalsamar (1).

Mirrast: m. ant. Mirrauste (Salsa que generalmente se hacía de leche de almendras, pan rallado, azúcar y canela) (1).

Misión://9. f. ant. Gasto, costa o expensas que se hacen en una cosa (1)//Esfuerzo (2).

Misterial: adj. ant. Misterioso (1).

Misterialmente: adv. m. ant. Misteriosamente (1).

Mitical: m. ant. Mencal (2).

Mitroso: adj. ant. Mintroso (2).

Mixturero://2. adj. ant. Revolvedor, cizañero. Usáb. t. c. s. (1).

Miyor: adj. comp. ant. Mejor ((2).

Moble: adj. ant. Mueble (Que se puede mover) (2).

Mocadero: m. ant. Mocador (Moquero) (1).

Moceña: f. desus. Morceña (1).

Moción://6. f. ant. Mar. Tiempo en que corre el viento favorable para una navegación (1).

Mochacho, cha: m. y f. ant. Muchacho, cha (1).

Mochar://2. tr. desus. Desmochar (1).

Modéjar: adj. desus. Mudéjar (1).

Moderamiento: m. ant. Moderación (1).

Modorra: f. ant. Cabeza (2).

Modorría: intr. ant. Juntar cabezas como el ganado (2).

Modorrío: m. ant. Estado de modorra, de pena (2).

Modurria: f. ant. Bobería (1).

Moflir: tr. ant. Comer, mascar (1).

Mogo: m. ant. Moho (1).

Mohino: adj. ant. Desdichado (2).

Mojo://2. m. ant. Remojo (1).

Mojón://2. m. ant. Mojonero (Aforador) (1).

Mol: adj. ant. Mole (1).

Moldero: m. ant. Impresor o estampador (1).

Moledero://2. m. ant. Molendero (1).

Moledor://4. m. ant. Molendero (1).

Moleja: f. ant. Molleja (1).

Moleo: m. ant. Molicie (2).

Molestoso, sa: adj. ant. Molesto (1).

Molsa: f. ant. Lana o pluma de colchón (1)//Musgo (2).

Molle: m. ant. Muelle (2).

Mollentar: tr. ant. Amollentar (Ablandar o hacer muelle una cosa) Usáb. t. c. r. (1).

Mollescer: tr. ant. Ablandar (1).

Mollesciente; p. a. ant. de Mollescer Que ablanda (1).

Mollez: f. ant. Molleza (1).

Molleza: f. ant. Molicie (1).

Mollidura: f. ant. Molicie (1).

Mollir: tr. ant. Amollentar (1).

Mollura: f. ant. Blandura (2).

Momia: f. ant. Especie de betún que cura heridas (2).

Moneca: f. ant. Muñeca (2).

Monecillo: m. ant. Monacillo (1).

Monedado: adj. ant. Acuñado (2).

Monedera: f. ant. Matraca (2).

Monesterial: adj. ant. Monasterial (1).

Monesterio: m. ant. Monasterio (1-2).

Monica: f. ant. Mona (2).

Monico: adj. ant. Bonito (2).

Monjía://2. f. ant. Monacato (1-2).

Monstro: m. desus. Monstruo (1).

Mont. m. ant. Monte (2).

Montadgar: tr. ant. Montazgar (1).

Montadgo: m. ant. Montazgo (Contribución por aprovechamiento de pastos) (1-2).

Montambanco: m. ant. Saltaembanco (Charlatán) (1).

Montaña://3. f. ant. Monte (1).

Montar: intr. ant. Subir//Importar (2).

Monte://3. m. ant. Montería (1).

Montero, ra: adj. ant. Montés (1-2).

Montesino, na://3. adj. ant. fig. Agreste, huraño (1).

Montiña: f. ant. Montaña (1)

Monviedrés: adj. ant Murviedrés. Apl. a pers., usáb. t. c. s. (1).

Moña: f. ant. Enfado, desazón o tristeza (1).

Morabera: f. ant. Medida de árido (2).

Morabetinada: f. ant. Maravedinada (2).

Morabetino: m. ant. Maravedí (1).

Morar: intr. ant. Tardar (2).

Moravedí, [-vedín, -vidí]: m. ant. Maravedí (1).

Moravidada: f. ant. Maravedinada (2).

Morba: f. ant. Morabera (2).

Morbí: m. ant. Maravedí (1).

Morbideza: f. desus. Morbidez (1).

Morbidil: m. ant. Maravedí (1).

Morbra: f. ant. Morabera (2).

Morceña: f. ant. Morcella (1).

Morena: f. ant. Riña (2).

Morismo: m. ant. Morisma (2).

Mormorio: m. ant. Murmullo (2).

Mormurar: intr. ant. Murmurar (2).

Mortajar: tr. desus. Amortajar (1-2).

Mortaldad: f. ant. Mortandad (1).

Mortaldat: f. ant. Mortaldad (2).

Mortario: m. ant. Mortero (2).

Morterada: f. ant. Lo que cabe en el mortero (2).

Mortero://6. m. ant. Mar. Embolo o pistón de bomba (1).

Mortigual: m. ant. Arma de fuego (2).

Montiguar: tr. ant. Amortiguar, mortificar (1-2).

Morto: adj. ant. Muerto (2).

Morueco: m. ant. Carnero padre (2).

Mórula: f. ant. Demora o detención muy breve (1).

Moscada: f. ant. Acción de mosquear o dar golpes suaves (2).

Moscadero: m. ant. Mosqueador (1)// Abanico (2).

Moscar: tr. ant. Espantar como a las moscas (2).

Mosquillón: m. ant. Moscón (1).

Mostaja: f. ant. Especie de laurel (2).

Mostración: f. ant. Acción de Mostrar (1).

Mostranquero: m. ant. Pregonero que pregona lo perdido (2).

Mostranza: f. ant. Muestra (1).

Mostro: m. desus. Monstruo (1).

Mote: m. ant. Palabra (2).

Motear: tr. ant. Piropear (2).

Motilón://3. m. desus. Alguacil (1).

Motón: m. ant. Cordero (2).

Movente: p. a. ant. de Mover. Moviente (1).

Mover://8. intr. desus. Echar a andar, irse (1-2).

Much: adv. ant. Mucho (2).

Muchiguar: tr. ant. Amuchiguar (1-2).

Mudancia: f. ant. Mudanza (1).

Muebda: f. ant. Males, contienda, movimiento, impulso (1-2).

Mueda: f. ant. Causa (2).

Muedo: m. ant. Modo (2).

Muérgano: m. desus. Órgano (1)//m. desus. Muergo (Molusco) (1).

Muermo: m. com. ant. Papera (2).

Muerso: m. ant. Mueso (2).

Muerte://7. f. fig. desus. Afecto o pasión violenta que inmuta gravemente o parece que pone en peligro de morir (1).

Muertos://17. m. pl. ant. Golpes dados a uno (1).

Mueso: m. ant. Bocado (1-2).

Muestra://8. f. desus. Cualquier reloj, especialmente el de faltriquera (1).

Mugier: f. ant. Mujer (2).

Muit: adv. c. ant. Muy (2).

Muito, ta: adj. ant. Mucho (1-2).

Mulante: m. desus. Mozo de mulas (1).

Mulato, ta://4. m. y f. ant. Muleto (Mulo pequeño, de poca edad o cerril) (1).

Mulier: f. ant. Mujer (1).

Multíplico: m. ant. Efecto de Multiplicar o acrecentarse una cosa (1).

Multo: adj. ant. Mucho (2).

Mulla: f. ant. Acción de Mullir (1).

Muller: f. ant. Mujer (2).

Mullidor: m. ant. Muñidor (Criado de cofradía que convoca) (1).

Mullir: tr. ant. Muñir (Llamar o convocar a las juntas, o a otra cosa) (1).

Mumia: f. ant. Momia (2).

Muncho, cha: adj. ant. Mucho (1-2).

Mundaria: f. ant. Mujer mundana. Usáb. t. c. adj. (1).

Mundario: adj. ant. Mundanal (2).

Mundial://2. adj. ant. Mundano (1).

Muñequera: f. ant. Manilla (1).

Mur: m. ant. Ratón (1-2).

Muradal: m. ant. Muladar (2).

Murador, ra: adj. ant. Decíase del gato diestro en cazar ratones (1).

Murciego: m. ant. Murciélago (2).

Murecillo: m. d. ant. de Mur. Ratoncillo (2).

Murir: intr. ant. Morir (2).

Murmurear: intr. ant. Murmurar (1).

Murueco://2. m. ant. Ariete (1).

Musaico: adj. desus. Mosaico (1).

Musar, [-se]: intr. ant. Entretenerse, aguardar, saludar, visitar, esperar (1-2).

Musco://2. m. ant. Almizcle//3. ant. Almizclera (1).

Musear: intr. ant. Quejarse (2).

Musequí: m. ant. Espaldar (1).

Mustela: f. ant. Comadreja (1).

Mutable: adj. ant. Mudable (1).

Mutanza: f. ant. Mudanza (1).

Muza: f. ant. Muceta (1-2).

N

Na: contracc. ant. En la (1-2).

Nácara: f. ant. N'acar (1).

Nacencia: f. ant. Nacimiento (1-2).

Naciencia: f. ant. Nacencia (1).

Nación://5. m. ant. Extranjero (1)//Nacimiento (2).

Nacre: m. ant. Nácar (1).

Nada: f. ant. Tontería (2).

Nadadura: f. ant. Acción de Nadar (1).

Nadal: m. ant. Navidad//2. ant. Tiempo inmediato a ella (1).

Nadgada: f. ant. Nalgada (1).

Nadi: pron. indeter. ant. Nadie (1-2).

Nado, da: p. p. irreg. ant. de Nacer (1-2).

Nafega: f. ant. Añafaga (2).

Nafregar: tr. ant. Maltratar (2).

Nagüela: f. ant. Casa pajiza o pobre (1).

Namorar: tr. ant. Aféresis de Enamorar (1).

Nana: f. ant. Mujer casada, madre (1).

Nano, na: adj. ant. Enano. Usáb. t. c. s. (1).

Nantar: tr. ant. Ast. Aumentar o acrecentar (1).

Naochero: m. ant. Nauclero (1).

Naranjada://2. f. ant. Conserva de naranja (1).

Naranjedo: m. ant. Lugar plantado de naranjos (2).

Nascencia: f. ant. Nacencia (1).

Nascer: intr. ant. Nacer (1).

Nasciar: intr. ant. Nacer con mala estrella (2).

Nascimiento: m. ant. Nacimiento (1).

Nata: pron. indeter. ant. Nada (1).

Natal://6. ant. Navidad (1).

Natura://3. f. ant. Especie (1).

Natural://19. m. ant. Patria o lugar donde se nace//20. ant. Físico, astrólogo o naturalista (1-2).

Nauclero: m. ant. Patrón o piloto de la nave (1).

Nauchel: m. ant. Nauclero (1).

Naucher: m. ant. Nauclero (1).

Naval://3. m. ant. Morlés (1).

Navarrisco, ca: adj. desus. Navarro (1).

Navigación: f. ant. Navegación (1).

Navigar: intr. ant. Navegar (1).

Nazora: f. ant. Nata (1).

Ne: conj. ant. Ni (1).

Neapolitano, na: adj. ant. Napolitano (1).

Neblí: m. ant. Halcón de Niebla (2).

Necesario, ria://7. adv. m. ant. Necesariamente (1).

Negrado: adj. ant. Negro (2).

Negral: adj. ant. Negro (2).

Negro: adj. ant. Malo (2).

Negún: adj. indeter. ant. Ninguno (2).

Nembrar: tr. ant. Membrar. Usáb. m. c. r. (1).

Nemiga: f. ant. Enemiga (1-2).

Nemigaja: f. ant. Enemistad, ojeriza (2).

Nemigo: m. ant. Enemigo (2).

Nemon: m. ant. Gnomon (1).

Nen: conj. ant. Ni (1-2).

Nenbrar: tr. ant. Nembrar (2).

Nengún: adj. ant. Apócope de Nenguno (1-2).

Nenguno, na: adj. ant. Ninguno (1-2).

Nengunt: adj. ant. Ninguno (2).

Neotérico, ca: adj. desus. Nuevo, reciente, moderno (1).

Nerviar: tr. ant. Trabar con nervios (1).

Nescedad: f. ant. Necedad (1).

Nescio, cia: adj. ant. Necio. Usáb. t. c. s. (1-2).

Néspilo: m. ant. Níspola (1).

Nevería://2. desus. Botillería (1).

Nicar: intr. ant. Fornicar (2).

Nief: f. ant. Nieve (2).

Niego: m. ant. Negación (2).

Niervo: m. desus. Nervio (1).

Nieve://6. ant. Nevada (1).

Nimiga: f. ant. Enemiga (2).

Nin: conj. ant. Ni (1-2).

Ninno: m. ant. Niño (2).

Ninyo: m. ant. Niño (2).

Noblecer: tr. ant. Ennoblecer (1).

Nocimiento: m. ant. Daño o perjuicio (1).

Nocir, [-zir]: tr. ant. Dañar, ofender o perjudicar (1-2).

Nocturnancia: f. ant. Tiempo de la noche muy entrada que es desde las nueve a las doce (1).

Noch: f. ant. Noche (2).

Nocharniego, ga: adj. ant. Nocherniego (Que anda de noche) (1).

Nochi: f. ant. Noche (2).

Nochielo, la: adj. ant. Aplicábase al color oscuro o negro mal teñido (1).

Nodicia: f. ant. Noticia (2).

Nodrir: tr. ant. Educar, instruir (2).

Nodriz: f. ant. Nodriza (2).

Nogera: f. ant. Nogal (2).

Noguera: f. ant. Nogera (2).

Nolit: m. ant. Flete (1).

Nombrar: tr. ant. Numerar, contar (2).

Nome: m. ant. Nombre (1).

Nomnadía: f. ant. Nombradía (2).

Nomnar: tr. ant. Numerar, contar (2).

Nomne: m. ant. Nombre (2).

Non://2. adv. ant. No (1-2).

Nonble: m. ant. Nombre (2).

Nontario: m. ant. Notario (2).

Noramaza: f. ant. Noramala (2).

Notomía: f. ant. Anatomía//2. ant. Esqueleto (1-2).

Novallo, lla: adj. ant. Noval (Aplicábase a la tierra que se cultiva de nuevo) (1).

Novielo: m. ant. Novillo (2).

Noxa: f. ant. Daño (1).

Nubda: f. ant. Abnuda (2).

Nublo: m. ant. Tempestad (2).

Nucir: tr. ant. Dañar (1-2).

Nudillo://4. m. ant. Billete doblado y cerrado en forma de nudo (1).

Nudrimiento: m. ant. Nutrimiento (1).

Nudrir: tr. ant. Nutrir (1).

Nuedo: m. ant. Nudo (2).

Nuef: adj. ant. Nueve (2).

Nueso, sa: pron. ant. Nuestro (1).

Nueu: adj. ant. Nuevo (2).

Nuevas: f. pl. ant. Hechos famosos (2).

Nuf: adj. ant. Nueve (2).

Nul: adj. ant. Ninguno (2).

Nullo: adj. ant. Ninguno (2).

Nunciar: tr. ant. Anunciar (1).

Nuncio: m. ant. Luctuosa o tributo de la parte de bienes que a la muerte de uno iban a parar al rey o señor (2).

Nunqua: adv. ant. Nunca (2).

Nunguas: adv. ant. Nunca (2).

Ñ

Ñefas: f. pl. ant. Las narices (2).
Ñiño: m. ant. Niño (2).
Ñoño, ña://3. adj. fam. ant. Caduco, chocho (1).
Ñoranza: f. ant. Ignorancia (2).

Ñublado: m. ant. Nublado (1).
Ñublar: tr. ant. Nublar (1).
Ñublo: m. ant. Nublo (1).
Ñubloso: adj. ant. Nubloso (2).

O

O: adv. l. ant. Do (1-2).

¡O!: interj. ant. ¡Oh! (1).

Obcegar: tr. ant. Obcecar (1).

Obedeciente: p. a. ant. de Obedecer. Obediente (1).

Objecto: m. ant. Objeción, tacha, reparo (1).

Objeto://r. m. ant. Objeción, tacha, reparo (1).

Obla: f. ant. Obra (2).

Oblidar: tr. ant. Olvidar (2).

Oblido: m. ant. Olvido (2).

Obligamiento: m. ant. Obligación (1).

Obnoxio, xia: adj. ant. Expuesto a contingencia o peligro (1).

Obrero://7. m. ant. Maestro de obras// 8. ant. El que cobra o hace una cosa (1).

Obscurar: tr. e intr. ant. Oscurecer. Usáb. t. c. r. (1).

Obsequias: f. pl. ant. Exequias//2. ant. Canto fúnebre en alabanza o memoria de un difunto (1).

Obsoleto, ta: adj. ant. Anticuado o poco usado (1).

Obstancia: f. ant. Objeción (1).

Obyecto, ta: adj. ant. Interpuesto, intermedio, puesto delante (1).

Ocasión://4. f. ant. Defecto o vicio corporal (1)//Daño grave, muerte (2).

Ocasionado://3. adj. ant. Defectuoso, imperfecto, o que tiene un vicio corporal (1).

Ociar: tr. ant. Divertir a uno del trabajo en que se está empleando, haciéndole que se entretenga en otra cosa que le deleite (1).

Ocida: f. ant. Muerte, caída (2).

Ocurso: m. ant. Concurso, copia (1).

Octor: m. ant. Autor (2).

Ochavario: m. ant. Octavario (Período de ocho días) (1).

Ochavo, va: adj. ant. Octavo (1).

Ochental: adj. ant. Octogenario. Usáb. t. c. s. (1).

Ochentanario, ria: adj. ant. Octogenario. Usáb. t. c. s. (1).

Ochentañal: adj. ant. Octogenario. Usáb. t. c. s. (1).

Ochubre: m. ant. Octubre (2).

Oderado: adj. ant. Endurecido (2).

Odir: tr. ant. Oir (2).

Odor: m. ant. Olor (2).

Odorable: adj. ant. Que despide olor o puede ser olido (1).

Odoratísimo, ma: adj. sup. ant. Muy oloroso (1).

Odorato: m. ant. Olfato (1).

Odrecillo: m. ant. Instrumento músico (2).

Odresillo: m. ant. Odrecillo (2).

Ofendiente: p. a. ant. de Ofender. Que ofende (1).

Ofensado: adj. ant. Ofendido (2).

Ofensador ra: adj. ant. Ofensor (1).

Ofensar: tr. ant. Ofender (1).

Oforción: f. ant. Tributo del pechero (2).

Ofrir: tr. ant. Ofrecer (2).

Oimiento: m. ant. Acción de Oir//2. ant. For. Audiencia que se daba a cualquier actor o reo (1).

Ojar: tr. ant. Ojear (1).

Ojera://2. f. ant. Lavaojos (1).

Olbidar: tr. ant. Olvidar (2).

Oledero: adj. ant. Que huele (2).

Oledor://2. m. ant. Bujeta (Caja de madera) (1).

Olimpiaco, ca: [-píaco, ca]: adj. ant. Olímpico (1).

Olimpiade: f. ant. Olimpiada (1).

Olor://7. m. ant. Olfato (1).

Oltras: adv. l. ant. Más allá (2).

Oltro: adj. indeter. ant. Otro (2).

Olura: f. ant. Verdura, hortaliza (1).

Olvidadero, ra: adj. ant. Olvidadizo (1).

Olvidanza: f. ant. Olvido (1).

Olvidoso, sa: adj. ant. Olvidadizo (1).

Om: m. ant. Hombre (2).

Omagen: f. ant. Imagen (2).

Ombra: f. ant. Sombra (2).

Ombro: m. ant. Hombro (2).

Ome: m. ant. Omne (2).

Omecillo: m. ant. Homicidio//2. ant. Odio (1).

Omecio: m. ant. Homicidio (2).

Omen: m. ant. Omne (2).

Omenaje: m. ant. Homenaje (2).

Omezidio: m. ant. Homicidio (2).

Omiciar: tr. ant. Poner mal con otro (2).

Omildança: f. ant. Acatamiento (2).

Omildoso: adj. ant. Muy humilde (2).

Omilidat: f. ant. Humildad (2).

Omillar: tr. ant. Humillar (2).

Omiziado: adj. ant. Enemigo (2).

Omizio: m. ant. Homicidio (2).

Omme: m. ant. Omne (2).

Omne: m. ant. Hombre (2).

On: adv. l. ant. Donde (2).

On: m. ant. Hombre (2).

Onbra: f. ant. Sombra (2).

Onceja: f. ant. Uña (2).

Oncino: m. ant. Gancho (2).

Ond: adv. l. ant. Donde (2).

Onda: f. ant. Deshonra (2).

Onde: conj. caus. ant. Por lo cual, por cuya razón//2. adv. l. ant. En donde //3. adv. l. ant. De donde (1-2).

Ondeada: f. ant. Vuelta (2).

Ondo: adj. ant. Hondo (2).

Ondra: f. ant. Honra (1-2).

Ondrar: f. ant. Honrar (1-2).

Onor: m. ant. Usufructo de las rentas de villa o castillo realengo, concedido por el rey a un caballero (2).

Onrra: f. ant. Honra (2).

Onrrar: tr. ant. Honrar (2).

Ont: adv. l. ant. Onde (2).

Ontar: tr. ant. Deshonrar (2).

Onusto, ta: adj. ant. Cargado, pesado (1).

Opa: f. ant. Traje de pastor (2).

Opera://4. f. ant. Cualquiera obra enredosa o larga, ya sea de manos o de ingenio (1).

Opilar: tr. ant. Obstruir (1).

Oponer://3. tr. ant. Imputar, achacar, atribuir una cosa a uno (1).

Opósito://2. m. ant. Defensa, oposición, impedimento o embarazo puesto en contra//**Al opósito:** m. adv. ant. Por contraposición u oposición; en contra; contra (1).

Opresar: tr. ant. Oprimir (1).

Oprobriar: tr. ant. Oprobiar (1).

Oprobrio: m. ant. Oprobio (1).

Oprobrioso, sa: adj. ant. Oprobioso (1).

Ora: f. ant. Tiempo (2).

Orado: adj. ant. De oro (2).

Oraje: m. ant. El tiempo, sea bueno o malo (2).

Oras: conj. disyunt. ant. Ora (2).

Oratge: m. ant. Oraje (2).

Orbedad: f. ant. Orfandad (1).

Ordenanza, [-ça]://5. f. ant. Escuadrón (1)//Orden (2).

Ordinación: f. ant. Orden o disposición (1).

Ordinar: tr. ant. Ordenar (1).

Ordio: m. ant. Cebada (2).

Orebce: m. ant. Orífice (Joyero) (1-2).

Orebze: m. ant. Orebce (2).

Orecer: tr. ant. Convertir en oro una cosa (1).

Orellada: f. ant. Orilla (2).

Orellano, na: m. y f. ant. Del extremo u orilla (2).

Orepze: m. ant. Orebze (2).

Orese: m. ant. Orífice (2).

Orespe: m. ant. Orebce (1).

Orez: m. ant. Orese (2).

Oreze: m. ant. Orese (2).

Orfanidad: f. ant. Orfandad (1).

Orfre: m. ant. Orfebrería (1).

Orguello: m. ant. Orgullo (2).

Orgulla: f. ant. Orgullo (2).

Orgullya: f. ant. Orgullo (2).

Orgullecer: intr. ant. Cobrar orgullo, ensorberbecerse (1).

Orgulleza: f. ant. Orgullo (1).

Oricalco: m. ant. Auricalco (1).

Orice: m. ant. Orífice (2).

Orifícia: f. ant. Arte de trabajar en cosas de oro (1).

Oríglneo, a: adj. ant. Original (1).

Orinecer: intr. ant. Enmohecerse, cubrirse de orín. Usáb. t. c. r. (1).

Oriol: m. ant. Cierta clase de pájaro (2).

Orior: m. an. Oriol (2).

Orise: m. ant. Orífice (2).

Orive: m. ant. Orífice (2).

Orivice: m. ant. Orífice (2).

Orna: f. ant. Honra (2).

Ornatísimo, ma: adj. sup. ant. Muy adornado (1).

Ornazo, [so, -ço]: m. ant. Pan (2).

Oroçús: m. ant. Orozuz (2).

Orofrés: m. ant. Orifrés (Galón de oro o plata) (1-2).

Orondado, da: adj. ant. Ensortijado, enroscado, que va variando en ondas (1).

Orondadura: f. ant. Diversidad de color en forma de ondas (1).

Orozuz: m. ant. Clase de planta (2).

Orphano: m. ant. Huérfano (2).

Orresca: f. ant. Horrura (2).

Orrio: m. ant. Granero (2).

Ortolano: m. ant. Hortelano (2).

Osa: f. ant. Bota alta contra el barro (2).

Osadas (A): m. adv. ant. Osadamente (1).

Osado, da://2. adv. ant. Ciertamente, en verdad, a fe (1).

Osanza: f. ant. Osadía (2).

Osario: m. ant. Lugar donde se enterraban en España los moros y judíos (1).

Osería: f. ant. Cacería de osos (1).

Osmar: tr. ant. Asmar (2).

Oso: m. ant. Osadía (2).

Ospedado: m. ant. Hospedado (2).

Ospedar: tr. ant. Hospedar (2).

Osso: m. ant. Hueso (2).

Ostal: m. ant. Hospedaje (2).

Ostalero: m. ant. Posadero (2).

Oste: m. ant. Hueste, ejército (2).

Ostia: f. ant. Ostra (2).

Oracusta: m. ant. Espía o escucha// 2. ant. fig. Persona que vive de traer y llevar cuentos, chismes y enredos (1).

Otar: tr. ant. Otear (1).

Otománico, ca: adj. ant. Turco (1).

Otoñada: f. ant. Espacio del otoño (2).

Otonio: m. ant. Otoño (2).

Otor: m. ant. For. Persona señalada en juicio por poseedora o autora de una cosa para poder ser demandada (1-2).

Otoría: f. ant. For. Designación o nombramiento que hacía en juicio aquel a quien demandaban una cosa o le atribuían haberla hecho, determinando otra persona contra quien, como responsable o autor de ella, se debía dirigir la acción demandada o inquisición (1).

Otramente: adv. m. ant. De otra manera (2).

Otre: adj. ant. Otro (1-2).

Otri: adj. ant. Otro. Usáb. t. c. s. (1-2).

Otrosí: adv. ant. Además (2).

Otubre: m. ant. Octubre (1).

Ovegeriço: m. ant. Ovejerizo (2).

Ovegerizo: m. ant. Ovejerizo (2).

Oveierizo: m. ant. Ovejerizo (2).

Ovejerizo: m. ant. Pastor de ovejas (2).

Oy: adv. t. ant. Hoy (2).

Oyr: tr. ant. Oir (2).

P

Pacado, da: adj. ant. Decíase de lo que estaba apaciguado (1).

Pacción: f. ant. Pacto (1).

Paccionar: tr. ant. Pactar (1).

Paçençia: f. ant. Paciencia (2).

Pacible: adj. ant. Amigo de paz// Agradable (2).

Padeciente: p. a. ant. de Padecer. Que padece (1).

Padir: intr. ant. Padecer (2).

Padronazgo: m. ant. Patronato (1).

Padronero: m. ant. Patrono (1).

Pagamiento: m. ant. Pago, contento (2).

Pagar: tr. ant. Contentar (2).

Pagés: adj. ant. Pajés (2).

Pajés: adj. ant. Rústico (2).

Palabla: f. ant. Palabra (2).

Palabre://9. f. ant. Dicho, razón, sentencia, parábola//10. ant. Metal de la voz (1).

Palacio://6. m. ant. Sitio donde el rey daba audiencia pública (1).

Palaciano: adj. ant. Cortés, excelente (2).

Palacín [-zin]: adj. ant. Palaciego (2).

Paladinas (A): adv. m. ant. Descubiertamente (2).

Paladino: adj. ant. Claro (2).

Palafré: m. ant. Palafrén (2).

Palanciano: adj. ant. Palaciego. Usáb. t. c. s. (1-2).

Palaula: f. ant. Palabra (2).

Palaura: f. ant. Palabra (2).

Paleación: f. ant. Paliación (Acción y efecto de Paliar) (1).

Palear: tr. ant. Paliar (1).

Palente: adj. ant. Pálido (1).

Palmino: m. ant. Palmito (2).

Palomba: f. ant. Paloma (2).

Palombar: m. ant. Palomar (2).

Palude: f. ant. Laguna (1).

Panadgo: m. ant. Panazgo (2).

Panar: m. ant. Panal (2).

Panatgo: m. ant. Panadgo (2).

Panazgo: m. ant. Derecho por alimento (2).

Panes: m. pl. ant. Mieses//Trigos (2).

Panfarrón: adj. ant. Fanfarrón (2).

Panfear: intr. ant. Ser fanfarrón y presuntuoso, hueco y que charla en vano (2).

Paniella: f. ant. Panilla (2).

Panilla: f. ant. Cierta medida (2).

Penniella: f. ant. Paniella (2).

Papadgo: m. ant. Papado (1).

Papar: tr. ant. Tragar (2).

Papear: intr. ant. Hablar (2).

Paperote: m. ant. Cosa insustancial (2).

Papillon: adj. ant. El que come papilla, sopa (2).

Papos: m. ant. Rizos (2).

Parabla: f. ant. Palabra (2).

Parada://11. f. ant. Número, porción o cantidad dispuesta o prevenida para un fin (1).

Parafrastes: m. ant. Parafraste (Autor de paráfrasis) (1).

Paragón: m. desus. Parangón (1).

Paramiento: m. ant. Establecimiento, estatuto (2).

Parangonizar: tr. ant. Parangonar (1).

Paranza [-ça]: f. ant. Artificio de caza (2).

Parar://11. tr. ant. Adornar, componer o ataviar una cosa//12. ant. Ordenar, mandar, disponer (1-2).

Paratge: m. ant. Paraje de la mujer de partido (2).

Paraula: f. ant. Palabra (2).

Parcialidad://5. f. ant. Sociabilidad, afabilidad en el genio, para tratar con otros y ser tratados por ellos (1).

Parcializar: tr. ant. Aplicar una cosa más a uno que a otro, por especial afecto o parcialidad (1).

Parcialmente://3. adv. m. ant. Amigable y familiarmente (1).

Parcionero: m. ant. Participador (2).

Parcir: tr. ant. Perdonar (1-2).

¡Pardiobre!: interj. ant. ¡Pardiez! (1).

Parecencia: f. ant. Parecer (2).

Parede: f. ant. Pared (2).

Parentado: m. ant. Parentela (1).

Parental: adj. ant. Perteneciente a los padres o parientes (1).

Pargamino: m. ant. Pergamino (2).

Parición [-zón]://2. f. ant. Parto (1-2).

Parientes: m. ant. pl. Padre y madre (2).

Parimiento: m. ant. Convenio o ajuste hecho a prevención (1).

Parlador: m. ant. Locutorio (2).

Parlamentear: intr. ant. Parlamentar (1).

Parlatorio: m. ant. Locutorio (2).

Parlilla: f. ant. Refrán (2).

Paro ra: adj. ant. Pario (1).

Part: f. ant. Parte (2).

Parteción: f. ant. Partición (2).

Participio://2. m. ant. Participación (1).

Partida://15. f. ant. Parte litigante (1) //Región//Parte (2).

Partimiento://2. m. ant. Partida o salida (1).

Partir://10. tr. ant. Departir. Usáb. t.

c. r.//11. ant. Finalizar, concluir o acabar una cosa (1).

Partura: f. ant. Concierto o apuesta (1).

Pas: f. ant. Paz (2).

Pasadero, ra://4. adj. ant. fig. Transitorio, perecedero (1-2).

Pasamento: m. ant. Pasamiento (1).

Pasamiento://2. m. ant. Paso, muerte (1-2).

Pasanza [-ça]: f. ant. Exención de derecho de portazgo o peaje (1)//Vivir, mantenerse (2).

Pasar [-ssar]://27. tr. ant. Hablando de leyes, ordenanzas, etc., traspasar, quebrantar (1)//Morir (2).

Pasarero: m. ant. Pajarero (2).

Pasaturo: m. desus. El que pasaba con otro una ciencia o facultad, atendiendo a su explicación (1).

Pasavante://3. m. ant. Mil. Parlamentario (1).

Pasco: m. ant. Pasto (1).

Pasión://10. f. ant. Med. Afecto o dolor sensible de alguna de las partes del cuerpo enfermo (1).

Pasmoso, sa://2. adj. ant. Med. Espasmódico (1).

Paso: adv. m. ant. Despacio (2).

Pasta://9. f. ant. Hoja, lámina o plancha de metal (1).

Pastija: f. ant. Pastrija (2).

Pastinaca://3. f. desus. Zanahoria (1).

Pastorejo: m. ant. Pestorejo (2).

Pastoriego: m. ant. Que atañe al pastor (2).

Pastraña: f. ant. Pastrija (2).

Pastrija: f. ant. Cuento (2).

Pastura: f. ant. Pasto (2).

Pasturar: tr. ant. Apacentar, alimentar el ganado (1).

Pataca: f. ant. Patacón (Moneda de plata) (1).

Patax: m. desus. Patache (1).

Patriarcadgo: m. ant. Patriarcado (1).

Patriarcazgo: m. ant. Patriarcado (1).

Patriciano, na: adj. ant. Patricio (1).

Patricida: com. ant. Parricida (1).

Patricido: m. ant. Parricidio (1).

Patriedad: f. ant. Patrimonialidad (2).

Paul: m. ant. Paular (2).

Paular: m. ant. Lugar pantanoso (2).

Paresada: f. ant. Tropa de pavesados (2).

Pavimiento: m. ant. Pavimento (1).

Paviote: adj. ant. De pico, que chilla mucho y no lo es de veras (2).

Pavura: m. ant. Pavor (2).

Pazible: adj. ant. Pacible (2).

Pebrada: f. ant. Pimiento (2).

Pebrel: m. ant. Pimiento (2).

Pecada: f. ant. Diabla (2).

Pecadesno: m. ant. Hijo del pecado, del demonio (2).

Pecado: m. ant. El demonio (2).

Pecadriz: adj. f. ant. Pecatriz. Usáb. t. c. s. (1).

Pecatriz: adj. f. ant. Pecadora. Usáb. t. c. s. (1-2).

Pece: m. ant. Pez (1).

Pecear: tr. ant. Despedazar (2).

Pecemento: m. ant. Funesto, triste, negro (2).

Peciar: tr. ant. Hacer pedazos (2).

Pecilgar: tr. ant. Pellizcar (1).

Pecinal: m. ant. Charca cenagosa (2).

Pectar: tr. ant. Pechar (1-2).

Pecunial: adj. ant. Pecuniario (1).

Pecha: f. ant. Pecho (Tributo) (1-2).

Pechar://2. tr. ant. Pagar una multa (1-2).

Pechera: f. ant. Pecho o tributo (1-2).

Pecho: m. ant. Tributo que se pagaba al rey o señor territorial por razón de los bienes o haciendas (1-2).

Pechugal: adj. ant. Pectoral (2).

Pedazar: tr. ant. Despedazar (1).

Pediente: p. a. ant. de Pedir. Que pide (1).

Pedimiento: m. ant. Pedimento (Petición) (1).

Pedir://11. tr. desus. Preguntar//12. desus. Consentir, tolerar (1).

Pedrero://4. m. ant. Lapidario (1).

Pedricación: f. ant. Predicación (2).

Pedricar: tr. ant. Predicar (2).

Pedroso, sa: adj. ant. Pedregoso (1).

Peguiar: m. ant. Pegujal (2).

Pegujal: m. ant. Peculio que adquieren los hijos sirviendo en la milicia o en la corte del rey (2).

Pegujar: m. ant. Pegujal (2).

Peicto: m. ant. Pecho (2).

Peinar: tr. ant. Empeñar (1).

Peinde: m. ant. Peine (2).

Peindra: f. ant. Prenda//2. ant. Embargo (1).

Peindrar: tr. ant. Prendar, sacar prenda (1).

Peior: adj. comp. ant. Peor (2).

Peitral: m. ant. Petral (2).

Pel: f. ant. Piel (1).

Pelaza [-ça]: f. ant. Acción de pelear, pelea, riña (2).

Pelcigo: m. ant. Pellizco (2).

Pelegrinar: intr. ant. Peregrinar (1).

Pelegrino: m. ant. Peregrino (1).

Peliglar: intr. ant. Peligrar (2).

Pelosa: f. ant. Zamarra (2).

Pelote://2. m. ant. Pelliza (1).

Peltraça: f. ant. Piltrafa (2).

Peltraza, [-ça]: f. ant. Piltrafa (2).

Pella://7. f. ant. Conjunto o multitud de personas (1).

Pellea: f. ant. Pelea (2).

Pellero: adj. ant. Que trata en pieles (2).

Pellizón [-çón]: m. ant. Piel (2).

Pellota: f. ant. Pelota (2).

Pellotrar: tr. ant. Penetrar, entender (2).

Pena://2. f. ant. Pluma (1).

Pendar: tr. ant. Peinar (2).

Pende: m. ant. Peine (2).

Pendencia://2. f. ant. Calidad de lo que está por decidir (1).

Pendrar: tr. ant. Embargar (1)//Dar prenda, empeñar (2).

Penedo: m. ant. Peñedo (1).

Penitenciería: f. ant. Penitenciaría (1).

Penitenciero: m. ant. Penitenciario (1).

Penno: m. ant. Peño (2).

Pennorar: tr. ant. Peñorar (2).

Pennos: m. pl. ant. Peño (2).

Penorar: tr. ant. Peñorar (2).

Penos: m. pl. ant. Peño (2).

Pensar [ssar]: tr. ant. Asistir, cuidar (2).

Pensier: m. ant. Trinitaria (Planta) (1).

Pensoso, sa: adj. ant. Pensativo (1).

Peña://5. f. ant. Piel, piel de aforro, abrigo (1-2).

Peñado: m. ant. Penedo (1-2).

Peñavera: f. ant. Piel de marmota alpina (2).

Peñedo [-nnedo]: m. ant. Peñasco aislado (1)//Peñascal (2).

Peñíscola: f. ant. Península (1).

Peño://2. m. ant. Prenda, hipoteca (1-2).

Peñol: m. Mar. ant. Penol (1).

Péñora: f. ant. Prenda (1).

Peñorar: tr. ant. Pignorar, empeñar (1-2).

Peños: m. pl. ant. Peño (2).

Peonada://4. f. ant. Peonaje (1).

Peonería://2. f. ant. Peonaje (1).

Peonero: m. ant. Peón (1).

Peorar: tr. ant. Empeorar. Usáb. t. c. r.

Pequeñeza: f. ant. Pequeñez (1).

Per: prep. ant. Por (2).

Peragrar: intr. ant. Ir viajando de una parte a otra (1).

Peraile: m. ant. Pelaire (Cardador de paños) (1).

Percanzar: tr. ant. Alcanzar, tocar, comprender (1).

Percebirse: r. ant. Apercibirse (2).

Percibido: adj. ant. Apercibido (2).

Percibirse: r. ant. Apercibirse (2).

Percudido: adj. ant. Violento (2).

Percundio: m. ant. Ojeriza (2).

Perchufar: intr. ant. Chufar (Hacer escarnio de una cosa) (1).

Perdañoso: adj. ant. Muy dañoso//Pastoril (2).

Perdonamiento: m. ant. Perdón (1).

Perdonanza: f. ant. Perdón//2. ant. Disimulo (1).

Peresa: f. ant. Pereza (2).

Peresoso, sa: adj. ant. Perezoso (2).

Perezar: intr. ant. Tener pereza (2).

Perfeto, ta: adj. desus. Perfecto (1).

Periglo: m. ant. Peligro (2).

Perhundo: adj. ant. Muy hondo (2).

Perir: intr. ant. Perecer (2).

Perjudicible: adj. ant. Perjudicial (1).

Perlado: m. ant. Prelado (2).

Perlazia: f. ant. Prelacía (2).

Permiso, sa: p. p. irreg. ant. de **Permitir** (1).

Pernacho: m. ant. Pierna (2).

Pernicie: f. ant. Perdición, daño ruina (1).

Pernochar: intr. ant. Pernoctar (1).

Perpetual: adj. ant. Perpetuo (1).

Perpetualidad: f. ant. Perpetuidad (1).

Perpetualmente: adv. m. ant. Perpetuamente (1).

Perpunte: m. ant. Pespunte (2).

Perque: conj. ant. Porque (2).

Perreda: f. ant. Perrera (1).

Perrezno: m. ant. Cachorro (2).

Perrochiano: m. ant. Parroquiano (2).

Perseveranza: f. ant. Perseverancia (1).

Personería: f. ant. Procuraduría (2).

Personero: m. ant. Procurador (2).

Pértiga://2. f. ant. Pórtica (1).

Pertinace: adj. ant. Pertinaz (1).

Pertinanza [-ça]: f. ant. Pertenencia (2).

Pertinencia://2. f. ant. Pertenencia (1).

Pesada://2. f. ant. Pesadilla (1).

Pesadura: f. ant. Pesadez (1).

Pesante: adj. ant. Pesado, pesaroso (2).

Pesce: m. ant. Pez (1).

Pescuda: f. desus. Pregunta (1-2).

Pescudar: tr. desus. Preguntar (1).

Pescudir: tr. ant. Preguntar (2).

Pesebrera: f. ant. Pesebre (2).

Pesga: f. desus. Pesa (1).

Pesgar: tr. ant. Pesar (1).

Pespunte: m. ant. Jubón colchado del guerrero (2).

Pesqueridor, ra: adj. ant. Pesquisidor. Usáb. t. c. s. (1).

Pesquerir: tr. ant. Pesquirir (1-2).

Pesquirir: tr. ant. Perquirir (Investigar) (1).

Pesquisa://2. m. ant. Testigo (1).

Pestorejo: m. ant. Parte del cuello tras la oreja (2).

Petafio: m. ant. Epitafio (2).

Petarte: m. ant. Petardo (1).

Petrera://2. f. ant. Riña en que había mucho ruido y voces (1).

Petrina: f. ant. Cintura (2).

Peyor: adj. comp. ant. Peor (2).

Peyorar: tr. ant. Empeorar (1).

Peza: f. ant. Rato//Cantidad (2).

Piadanza [-ça]: f. ant. Piedad (2).

Piadat: f. ant. Piedad (2).

Piara://2. f. ant. Rebaño de ovejas (1).

Picaña: f. ant. Picardía (2).

Picaño, ña: adj. ant. Pícaro, holgazán, desvergonzado (2).

Picapleitos://4. m. ant. Hombre embustero, trapisondista (1).

Picorro: m. ant. Mozo de espuelas, picador (2).

Pied: m. ant. Pie (2).

Piélago://3. m. ant. Balsa, estanque (1).

Pielle: f. ant. Piel (2).

Piértega: f. ant. Pértiga (2).

Pienso: m. ant. Pensamiento (1-2).

Pieza [-ça]://15. f. ant. Rato (1-2).

Pífaro: m. ant. Pífano (1).

Pijota: f. ant. Merluza (2).

Pillarte: m. ant. Ratero//Hombre a pie para el servicio de los caballeros armados (2).

Pina://3. f. ant. Almena (1).

Pindrar: tr. ant. Pendrar (2).

Pingo: adj. ant. Alto (2).

Pinjado, da: p. p. ant. de Pinjar (1).

Pinjar: intr. ant. Colgar (1).

Pino: adj. ant. Tieso (2).

Pinto, ta: adj. ant. Pintado (1).

Piñedo: m. ant. Pinar (2).

Piñorar: tr. ant. Pignorar (1).

Pior: adj. comp. ant. Peor (2).

Piplón: m. ant. Pepión (Moneda menuda usada en Castilla en el siglo XIII) (1-2).

Pisapaja: m. ant. Labrador (2).

Piso://2. m. desus. Nivel o altura uniforme del suelo de las habitaciones de una casa (1).

Pitoflero: adj. ant. Músico de poca habilidad//Soplón, entrometido, chismoso, chocarrero (2).

Pixa: f. ant. Miembro viril (2).

Pixota: f. ant. Pijota (2).

Placación: f. ant. Aplacamiento (1).

Placar: tr. ant. Aplacar (1).

Placemiento: m. ant. Agrado, placer, gusto (1).

Placentería: f. ant. Placer (1-2).

Placeramente: adv. m. ant. Públicamente, sin rebozo (1).

Placiblemente: adv. m. ant. Apaciblemente//2. ant. Con agrado y placer (1).

Placimiento: m. ant. Agrado, gusto, voluntad (1).

Plado: m. ant. Prado (2).

Plagar://2. tr. ant. Llagar (1).

Plagoso, sa: adj. ant. Que hace llagas (1).

Plan (De): m. adv. ant. De lleno, enteramente (2).

Planchete: m. ant. Blanchete (1).

Plangor: m. ant. Llanto (2).

Plantamiento: m. ant. Plantío (1).

Plantear: intr. ant. Llorar, sollozar o gemir. Usáb. t. c. tr. (1).

Plantía: f. ant. Plantío (1).

Planto: m. ant. Llanto con gemidos y sollozos (1).

Planura: f. ant. Llanura (1).

Plasentería: f. ant. Placentería (2).

Plática: f. ant. Práctica (1).

Platicable: adj. ant. Practicable (1).

Plazer [ser]: m. ant. Placer (2).

Plazo [-ço, -so]: m. ant. Cita judicial (2).

Plazón [-çón]: adj. ant. Que anda en plazas y torneos (2).

Plebeo, a: adj. ant. Plebeyo (1).

Plectear: tr. ant. Pleitear (2).

Pleiteamiento: m. ant. Pleito (1).

Pleitear://2. tr. ant. Pactar, concertar, ajustar (1).

Pleiteoso, sa: adj. ant. Pleitista (1).

Pleités: adj. ant. Versado en pleitos y dado a ellos//2. ant. Que media entre dos o más personas para componer sus desavenencias//3. ant. Que en nombre de uno trata, ajusta o li-

tiga un negocio//4. ant. Inteligente en tratar o en ajustar negocios entre personas desavenidas (1).

Pleitesía: f. ant. Pacto, convenio, concierto, avenencia (1-2).

Pleito [-te]: m. ant. Pacto, convenio, ajuste, tratado o negocio (1-2).

Pleneramente: adv. m. ant. Plenariamente (1).

Plenero, ra: adj. ant. Llenero (1)//Pleno (2).

Pletear: tr. ant. Pleitear (2).

Pleitisia: f. ant. Pleitesía (2).

Pletoría: f .ant. Med. Plétora (1).

Pleytesia: f. ant. Pleitesía (2).

Pleyto [-cto]: m. ant. Pleito (2).

Pliego: m. ant. Plegadura o pliegue (1).

Plomada://6. f. ant. Bala (1).

Plorar: intr. ant. Llorar (1).

Plumajear: tr. ant. Mover una cosa de un lado a otro como si fuera un plumaje (1).

Plumario://2. m. ant. Plumista (1).

Pluvia: f. ant. Lluvia (1).

Poblacho://2. m. ant. Populacho (1).

Poblamiento: m .ant. Población (1).

Poblanza: f. ant. Población (1).

Poblazón: f. ant. Población (1).

Poble: adj. ant. Pobre (2).

Pobleza: f. ant. Pobreza (2).

Pobra: adj. fam. de sus. Decíase de la mujer que pedía limosna de puerta en puerta. Usáb. t. c. s. (1).

Pobrar: tr. ant. Poblar (1).

Pobredad: f. ant. Pobreza (1-2).

Pobresa: f. ant. Pobreza (2).

Póculo://2. m. ant. Bebida (1).

Podatario: m. ant. Poderhabiente (1).

Podazón://2. f. ant. Poda (1).
Poderío: m. ant. Posesión (2).
Poderoso, sa://5. adj. ant. Que tiene en su poder una cosa (1).
Podiente: p. a. ant. de Poder. Que puede (1).
Podo: m. desus. Poda (1).
Podrir: intr. ant. Pudrir (2).
Poetar: intr. ant. Poetizar (1).
Poetría: f. ant. Poesía (1-2).
Pola: f. ant. Puebla (1).
Pólex: m. ant. Pólice (Pulgar) (1).
Polgar: m. ant. Pulgar (2).
Polidamente: adv. m. ant. Pulidamente (1).
Polidero: m. ant. Pulidero o pulidor (1).
Polideza: f. ant. Pulidez (1).
Polido, da: adj. ant. Pulido (1).
Polidor: m. ant. Pulidor (1).
Polimento: m. ant. Pulimento (1).
Polir: tr. ant. Pulir (1).
Polono, na: adj. ant. Polaco (1).
Polso: m. ant. Pulso (2).
Pollezno: m. ant. Pollo (1).
Pollino, na://3. m. y f. ant. Hijo o cría de aves o cuadrúpedos (1).
Pollo://5. m. ant. Cría de cualquier animal (1).
Poma, [Pu-]: f. ant. Manzana (2).
Pomífero, ra://2. adj. ant. Frutal (1).
Poncela: f. ant. Poncella (1).
Poncella: f. ant. Niña, doncella (1-2).
Poner: tr. ant. Concertar (2).
Ponimiento://2. m. ant. Impuesto o tributo, contribución//3. ant. Libranza (1-2).
Pontadgo: m. ant. Pontazgo (Derechos que se pagaban en algunas partes para pasar por los puentes) (1).
Pontecilla: f. ant. d. de Puente (1).
Ponzoñar, [-çoñar]: tr. ant. Emponzoñar (1-2).
Popa://2. f. ant. En los coches, testera (Asiento que va de frente) (1).
Popar: tr. ant. Desechar, negar, menospreciar//Dejar, perdonar (2).
Popular: tr. ant. Poblar (1).
Populoso, sa://2. adj. ant. Poblado o lleno (1).
Poquedumbre: f. ant. Poquedad (1).
Poqueza: f. ant. Poquedad (1).
Por: prep. ant. Para (2).
Pora: prep. ant. Para (1-2).
Porcalzo: m. ant. Modo (2).
Porcariza: f. ant. Porqueriza (1).
Porcarizo, [-ço]: m. ant. Porquerizo (1-2).
Porcaszar: intr. ant. Mortificarse (2).
Porco: m. ant. Puerco (1).
Porfazar: intr. ant. Descararse//tr. ant. Afrentar (2).
Porfazo: m. ant. Afrenta (2).
Porficar: intr. ant. Porfiar (2).
Porfidia: f. ant. Porfía (2).
Porfijado: adj. ant. Prohijado (2).
Porfijar: tr. ant. Prohijar (1.)
Porfiosamente: adv. m. ant. Porfiadamente (1).
Porfioso, sa: adj. ant. Porfiado (1-2).
Porhijar: tr. ant. Prohijar (1).
Poridad: f. ant. Puridad (Secreto. reserva, pureza)//**En poridad:** m. adv. ant. En puridad (1-2).
Poridadero: adj. ant. Guardador de secretos (2).

Pórpola: f. ant. Púrpura (2).

Porquezuela://2. f. ant. Tuerca (1).

Porta: f. ant. Puerta (1).

Portacartas://2. m. ant. El que tiene por oficio llevar y traer las cartas de un lugar a otro (1).

Portadgo: m. ant. Portazgo (Derecho que se paga por llevar a vender algo a lugar determinado) (1-2).

Portadguero: m. ant. Portazguero (1).

Portaje://2. m. ant Puerto (1).

Portar: tr. ant. Llevar o traer (1).

Portecica, lla, ta: f. ant. d. de Puerta (1).

Portegado: m. ant. Pórtico, atrio (1-2).

Portrecho: m. ant. Espacio, distancia (1).

Portugalés, sa: adj. ant. Portugués (1).

Posa://3. f. ant. Descanso, quietud, reposo//4. ant. Pausa (1).

Posada://7. f. ant. En palacio y en las casas de los señores, cuarto destinado a la habitación de las mujeres sirvientes (1).

Posadería: f. ant. Posada (1).

Posador, ra: adj. ant. Aposentador. Usáb. m. c. s. (1).

Posar://4. intr. ant. Detenerse a descansar, sentarse//Morar, habitar (1-2).

Posentador, ra: adj. ant. Aposentador. Usáb. m. c. s. (1).

Posfazar: tr. ant. Injuriar, maltratar (2).

Posfazo: m. ant. Afrenta (2).

Posiesta: f. ant. Atardecer (2).

Poso://3. m. ant. Lugar para descansar o detenerse (1-2).

Post: adv. l. ant. Pos (2).

Posta://11. f. ant. Mil. Gente apostada; y en tal sentido se solía dar este nombre al soldado que estaba de centinela.//12. ant. Mil. Apostadero o puesto militar//13. ant. Mil. Puesto o sitio donde está apostado o puede apostarse un centinela (1).

Postar: tr. ant. Apostar (1).

Poste://3. m. ant. Puntal (1).

Postear: intr. ant. Correr la posta (1).

Postemación: f. ant. Apostemación (1).

Pósteramente: adv. m. ant. Posterior, últimamente, al fin (1).

Postremas (A): m. adv. ant. A la postre (1-2).

Postremería: f. ant. Postrimería (2).

Postremero: adj. ant. Postrimero (2).

Postremo, ma://2. adj. ant. Sucesor, descendiente (1).

Postura://10. f. ant. Adorno (1)//Trato, acuerdo, contrato (2).

Potro://6. m. ant. Orinal de barro (1).

Pran (De): m. adv. ant. De plan (2).

Prancha: f. ant. Plancha (2).

Praser: m. ant. Placer (2).

Prata: f. ant. Plata (2)

Prática: f. ant. Práctica (1).

Praxis: f. ant. Práctica (1).

Praza: f. ant. Plaza (1).

Prazo: m. ant. Plazo (2).

Prea: f. ant. Presa (1).

Prear: tr. ant. Saquear, apresar, robar (1-2).

Prebestad: f. ant. Prebostazgo (1).

Prebestadgo: m. ant. Prebostazgo (1).

Precación: f. ant. Deprecación (1).

Precepción: f. ant. Precepto, instrucción o documento (1).

Preciso, sa://4. adj. desus. Separado, apartado, o cortado (1).

Precito: adj. ant. Condenado (2).

Preda: f. ant. Prea (2).

Predictorio: m. ant. Púlpito (1).

Predinencia: f. ant. Predicción (2).

Pregar: tr. ant. Clavar, afianzar (1).

Pregaria: f. ant. Plegaria (2).

Pregón://2. m. ant. Alabanza hecha en público de una persona o cosa (1).

Prejuro: m. ant. Perjuro (2).

Premer: tr. ant. Apretar, pisar, bajar (2).

Premia: f. ant. Apremio, fuerza, coacción//2. ant. Urgencia, necesidad, precisión (1-2).

Premiar: tr. ant. Apremiar (1).

Premiativo: adj. ant. Decíase de lo que premia o sirve para premiar (1).

Premioso: adj. ant. El que no se puede mover, que tiene dificultad en hablar; gravoso, molesto (2).

Premir: tr. ant. Premer (2).

Premitir: tr. ant. Anticipar (1).

Prendar: intr. ant. Dar prenda o empeñar (2).

Prender://6. tr. ant. Tomar, recibir (1).

Prendía: f. ant. Prisión (2).

Preñedat: f. ant. Preñez (2).

Prepasado, da: adj. ant. Antepasado. Usáb. t. c. s. (1).

Presa: f. ant. Acción de apresar//Presilla//Garra, mano (2).

Presar: tr. ant. Apresar (1-2).

Prescripción://2. f. ant. Introducción, proemio o epígrafe con que se empieza una obra o escrito (1).

Presea://2. f. ant. Mueble o utensilio que sirve para el uso y comodidad de las casas (1).

Presear: intr. ant. Darse prisa (2).

Presenes: f. pl. ant. Nav. Tenencia de tierras que se perdían en no cultivándolas diez años (2).

Presentaja: f. ant. Presente o regalo (2).

Presión://2. f. ant. Prisión (1)//Congoja (2).

Presona: f. ant. Persona//Nadie, en fr. neg. (2).

Pressurarse: r. ant. Apresurarse (2).

Prestado://2. m. ant. Empréstito (1).

Prestar: intr. ant. Ser de provecho (2).

Preste://2. m. ant. Sacerdote (1).

Préstido: m. ant. Empréstito (1-2).

Prestigiante: p. a. ant. de Prestigiar. Que prestigia (1).

Prestigiar: tr. ant. Hacer prestigios, embaucar (1).

Presuncioso, sa: adj. ant. Presuntuoso (1).

Presunta: f. ant. Presunción (1).

Presupuesto://5. m. ant. Designio (1).

Presura: f. ant. Prisa, aprieto (2).

Presuranza: f. ant. Presteza, apresuración (1).

Presurarse: r. ant. Apresurarse (2).

Pretal: m. ant. Petral (2).

Prevaricar://5. intr. desus. Hacer prevaricar (1).

Previlejar: tr. ant. Privilegiar (1).

Prez, [-es]://2. amb. ant. Fama, renombre (1-2).

Priado: adv. ant. Presto (2).

Priego: m. ant. Clavo (1)//Ligadura, traba (2).

Priego: m. ant. Pliego (2).

Priesa, [-ssa]: f. ant. Persecución, apuro, apretura, aprieto (2).

Prietamente: adv. m. ant. Apretadamente (1).

Prima://5. f. ant. Primacía (1).

Primadgo: m. ant. Primazgo (1).

Primamente: adv. m. ant. Primorosamente, con esmero y perfección (1).

Primaz: m. ant. Primado (1).

Primería: f. ant. Primacía//2. ant. Principio (1-2).

Primeridad: f. ant. Primacía (1).

Primevo, va: adj. at. Primitivo o primero (1).

Primo: adj. ant. Primero, excelente (2).

Primogenitor: m. ant. Progenitor (1).

Principadgo: m. ant. Principado (1).

Principalía: f. ant. Principalidad (1).

Pricipante: p. a. ant. de Principar. Que manda como príncipe (1).

Principar: intr. ant. Mandar, dominar o regir como príncipe (1).

Principesa: f. ant. Princesa (1).

Prindar: intr. ant. Prendar (2).

Prindrar: intr. ant. Prindar (2).

Prioradgo: m. ant. Priorato (1).

Prioresa: f. desus. Priora (1-2).

Prisa://5. f. ant. Aprieto, conflicto, consternación, ahogo//6. ant. Muchedumbre, tropel (1).

Prisión://5. f. ant. Toma u ocupación de una cosa (1).

Priso, sa: p. p. irreg. ant. de Prender (1).

Privado: adv. m. ant. Presto, luego, al punto (1-2).

Privillejar: tr. ant. Privilegiar (1).

Privillejo: m. ant. Privilegio (1).

Prizes: f. pl. ant. Preces (2).

Probar://5 tr. ant. Aprobar (1).

Probedat: f. ant. Pobredad (2).

Procedido://2. m. ant. Producto (1).

Procediente: p. a. ant. de Proceder. Procedente (1).

Proceso://8. m. ant. For. Procedimiento (1).

Procinto: m. ant. Estado inmediato y próximo de ejecutarse una cosa. Decíase especialmente en las milicias cuando estaba para darse una batalla (1).

Prod: m. ant. Prode (2).

Prode: m. ant. Provecho (2).

Prodero: adj. ant. Provechoso (2).

Prodeza: f. ant. Proeza (2).

Prodigiador: m. ant. El que por los prodigios o cosas extraordinarias que suceden, pronostica o anuncia lo que ha de suceder (1).

Proditor: m. ant. Traidor (1).

Proditorio, ria: adj. ant. Que incluye traición o perteneciente a ella (1).

Producimiento: m. ant. Producción (1).

Proe: m. ant. Provecho (2).

Proeva, [Pro-]: f. ant. Prueba (2).

Proeza: f. ant. Provecho (2).

Profanía: f. ant. Profanidad (1).

Profazador, ra: adj. ant. Chismoso que con cuentos y enredos procura desavenir a los que se profesan amistad. Usáb. t. c. s. (1).

Profazamiento: m. ant. Profazo (1)// Denuesto (2).

Profazar: tr. ant. Abominar, censurar o decir mal de una persona o cosa (1)//Denostar, reprochar (2).

Profazo: m. ant. Abominación, descrédito, mala fama en que cae uno por su mal obrar (1)//Denuesto, reproche (2).

Proferimiento: m. ant. Proferta (1).

Proferir://2. tr. ant. Ofrecer, prometer, proponer. Usáb. t. c. r. (1).

Proferta: f. ant. Oferta (1).

Proferto, ta: p. p. irreg. ant. de Proferir (1).

Profetar: tr. ant. Profetizar (1).

Profierta: f. ant. Lo que se profiere (2).

Profijamiento: m. ant. Prohijamiento (1).

Profijar: tr. ant. Prohijar (1).

Profligar: tr. desus. Vencer, destruir, desbaratar (1).

Progenitura://2. f. desus. Calidad de primogénito//3. desus. Derecho de primogénito (1).

Proíza: f. ant. Mar. Cierto cable que se ponía a proa para anclar o amarrar el navío (1).

Prol: m. ant. Prode (2).

Prolación: f. ant. Acción de proferir o pronunciar (1).

Pronteza: f. ant. Prontitud (1).

Propriedad: f. ant. Propiedad (1).

Proprio, pria: adj. ant. Propio (1).

Prorrogar://3. tr. ant. Desterrar (1).

Prosa: f. ant. Poema, himno (2).

Proscribir://2. tr. ant. Declarar a uno

público malhechor, dando facultad a cualquiera para que le quite la vida, y a veces ofreciendo premio a quien le entregue vivo o muerto (1).

Prostrar: tr. ant. Postrar. Usáb. t. c. r. (1-2).

Prosuponer: tr. ant. Presuponer (1).

Prosupuesto://2. m. ant. Presupuesto (1).

Provagar: intr. ant. Proseguir en el camino comenzado; pasar adelante en él (1).

Provecer: tr. ant. Aprovechar, cundir (1-2).

Provechar: tr. ant. Aprovechar (1).

Proveza: f. ant. Provecho, ventaja (1-2).

Provezo: m. ant. Pobreza (2).

Prueb: f. ant. Cera (2).

Pruína: f. ant. Helada o escarcha (1).

Prunada: f. ant. Pendiente//Peligro (2).

Pucela: f. ant. Doncella (1).

Pucha: f. ant. Puta (2).

Pudendo://3. m. ant. Miembro viril (1).

Pudiente: adj. ant. Hediondo (2).

Púdio: adj. ant. Hediondo (2).

Pudir: intr. ant. Heder (2).

Pudredumbre: f. ant. Podredumbre (1).

Puebla: f. ant. Población, pueblo, lugar (1).

Puerta://5. f. ant. Puerto (1).

Pues://9. adv. t. ant. Después (1).

Puesta: f. ant. Posta, tajada (2).

Puesto://9. m. ant. Silla, cama o paraje donde pare la mujer (1).

Pujar://2. tr. ant. Exceder o aventajar.

Usáb. t. c. intr.//3. intr. ant. Subir, ascender (1-2).

Pujés [-gés]: m. ant. Higa (1)//Puñada (2).

Pulideza: f. ant. Pulidez (1).

Pulmón://4. m. ant. Veter. Tumor carnoso que se forma sobre los huesos y coyunturas de las caballerías (1).

Pulsamiento: m. ant. Pulsación (1).

Puna: f. ant. Pugna (1).

Punar: tr. ant. Pugnar (1-2).

Puncella: f. ant. Poncella (2).

Punción: f. ant. Punzada (1).

Puncto: m. ant. Momento (2).

Punchar: tr. ant. Punzar ((2).

Pungentivo, va: adj. ant. Pungitivo (Que punza o es capaz de punzar) (1).

Punidor, ra: adj. ant. Castigador. Usáb. t. c. s. (1).

Punt: m. ant. Momento (2).

Puntar: tr. ant. Apuntar, tener mira a (2).

Puntero: adj. ant. Certero (2).

Punticón: m. ant. Puntillazo (2).

Punto: m. ant. Momento (2).

Puñal: adj. ant. Que cabe o puede tenerse en el puño (1).

Puñar: tr. ant. Pugnar (2).

Puño://9. m. ant. Puñetazo (1).

Pupila: f. ant. Mecha encendida de cirio (2).

Pusilánimo, ma: adj. ant. Pusilánime (1).

Putaña: f. ant. Ramera (1-2).

Puya://2. f. ant. Púa (1).

Puyada: f. ant. Subida (2).

Puyal: m. ant. Altura (2).

Puyar: intr. ant. Subir (2).

Q

Qua: conj. ant. Porque, pues (2).

Quadra: f. ant. Sala (2).

Quadrelero: m. ant. Quadrellero (2).

Quadrellero: m. ant. Cabeza de cuadrilla que guarda y reparte el botín (2).

Quadriella: f. ant. División de la hueste en cuatro partes para dividir el botín (2).

Quadrillo: m. ant. Saeta (2).

Quadrupea: f. ant. Cuadrúpedo//Ferial de ganado (2).

Quaio: m. ant. Cuajo (2).

Qual: pron. ant. Cual (2).

Qualsequier: pron. ant. Cualquiera (2).

Quamanno: ant. Cuán grande (2).

Quando: adv. t. ant. Cuando (2).

Quant: adv. c. ant. Cuanto (2).

Quantía: f. ant. Cantidad, caudal (2).

Quanto: adv. c. ant. Cuanto (2).

Quarentena: f. ant. Cuaresma (2).

Quartella: f. ant. Medida de capacidad (2).

Quartero: m. ant. Cuartillo (2).

Quatro: adj. ant. Cuatro (2).

Quatropea: f. ant. Quadrupea (2).

Quebradero: m. desus. Quebrador (1).

Quebrar: tr. ant. Reventar (2).

Quebraza: f. ant. Grieta (1).

Quebrazar [-çar]: tr. ant. Producir grietas o quebrazas. Usáb. m. c. r. (1-2).

Queda://4. f. ant. Mil. Retreta (1).

Quedado: adj. ant. Quieto (2).

Quedamiento: m. ant. Aplacamiento (1).

Quadante: p. a. ant. de Quedar. Que queda (1).

Quedar: tr. ant. Sosegar, descansar, dejar, parar, cesar, estar quieto (2).

Queita: f. ant. Cuita (2).

Queja: f. ant. Aprieto, apuro (2).

Quejar: tr. ant. Apurar, apretar (2).

Quejada: f. ant. Quijada (1).

Quejo: m. ant. Queja (1-2).

Quejoso: adj. ant. Enojado (2).

Quejura: f. ant. Prisa o aceleración congojosa (1-2).

Quelque: pron. ant. Cualquiera (2).

Quelquiere: pron. ant. Cualquiera (2).

Quellotrar: intr. ant. Expresarse sin especificar algo (2).

Quellotro: m. ant. No querer o no poder especificar algo (2).

Quemazoso, sa: adj. ant. Quemajoso (Que pica o escuece como quemando) (1).

Quenabe: m. ant. Colchón, almohadón (2).

Queque: pron. ant. Cualquier cosa (2).

Quequier: pron. ant. Cualquiera (1).

Quequiera: pron. ant. Cualquier cosa (2).

Querencia: f. ant. Amor (2).

Querer: tr. ant. Buscar, procurar//Estar a punto de (2).

Querent: adj. ant. Queriente (2).

Quesada: f. ant. Quesadilla (Cierto género de pastel) (1).

Quesar: tr. ant. Apurar, apretar (2).

Quessa: f. ant. Aprieto, apuro (2).

Quessar: tr. ant. Apurar, apretar (2).

Queta: f. ant. Cuita (2).

Quexa: f. ant. Aprieto, apuro (2).

Quexada: f. ant. Quijada (2).

Quexar: tr. ant. Apurar, apretar (2).

Quexo: m. ant. Queja (2).

Quexoso: adj. ant. Enojado (2).

Quexura: f. ant. Quejura (2).

Queza [-ça]: f. ant. Alquicel (2).

Qui: pron. relat. ant. Quien (1-2).

Quiçab: adv. ant. Quizá (2).

Quiçabe: adv. ant. Quizá (2).

Quin: pron. pl. ant. Quienes (2).

Quier: conj. distrib. ant. Ya (1).

Quierque: conj. ant. Aunque (2).

Quijal: m. ant. Quijada (2).

Quijar: m. ant. Quijada (2).

Quijote: m. ant. Armadura de la rodilla (2).

Quilma: f. ant. Saco (2).

Quillotrar: tr. ant. Excitar, estimular, avivar//2. fam. Enamorar (1) // Quellotrar (2).

Quillotre: m. ant. Quillotro (2).

Quillotro: m. ant. Quellotro (2).

Quima: f. ant. Costal//Sant. Rama (2).

Quimia: f. ant. Química (1).

Quina: f. ant. Gálbano (Gomorresina de color gris amarillento) (1).

Quinón: m. ant. Parte del botín de cada uno (2).

Quiñón: m. ant. Quinón (2).

Quñonero: m. ant. El que tiene y es dueño de alguna parte con otros// Repartidor del botín (2).

Quiquier: pron. ant. Quienquiera (2).

Quisquiere: pron. ant. Quienquiera (2).

Quirola: f. ant. Regocijo (2).

Quiscadauno: ant. Cada uno (2).

Quisque: ant. Cada uno (2).

Quisto, ta: p. p. irreg. ant. de Querer (1-2).

Quitación: f. ant. Libertad, abandono (2).

Quitamente: adv. m. ant. Totalmente. enteramente (1).

Quitar: tr. ant. Eximir, dispensar//Libertar//Pagar//Abandonar//r. ant. Separarse (2).

Quito, ta: p. p. irreg. ant. de Quitar //2. adj. ant. Libre, exento//3. m. ant. Quita (1-2).

Quiza: f. ant. Queza (2).

Quizabes: adv. de duda ant. Quizá (1).

Quizal: m. ant. Quicio (2).

Quomo: adv. comp. ant. Como (2).

R

Rabaciles: m. ant. Las nalgas (2).

Rabal: m. ant. Arrabal (2).

Rabalde: m. ant. Arrabal (2.

Rabdo: adj. ant. Rápido, raudo (2).

Rabdón: m. ant. Terreno arrubiado por las aguas (2).

Rabinosamente: adv. m. ant. Arrebatadamente (2).

Rabinoso: adj. ant. Arrebatado (2).

Rabona: f. ant. Entre jugadores, juego de poca entidad (1).

Ración: f. ant. Participación//Porción en un reparto (2).

Racionable: adj. ant. Racional (1).

Rade: f. ant. Barca (2).

Rader: tr. ant. Raer (2).

Radío: adj. ant. Errante, errado, loco, tonto (2).

Radiz: f. ant. Raíz (2).

Raedor://3. m. ant. El que tiene por oficio medir los granos, pasando el rasero por las medidas (1).

Rafala: f. ant. Rahala (2).

Rafez: adj. ant. Rahez//**De rafez**: m. adv. ant. Fácilmente (1)//Vil, bajo, villano, despreciable, barato (2).

Rafezar: inter. ant. Rahezar. Usáb. t. c. r. (1).

Rafezmente: adv. m. ant. Rahezmente (1).

Ragadía: f. desus. Requebrajadura, grieta (1).

Rahala: f. ant. Expedición militar (2).

Rahez, [-es]://2. adj. Barato, que vale poco//3. ant. Fácil (1-2).

Rahezar: intr. ant. Perder estimación o valor las cosas. Usáb. t. c. r.//2. ant. Bajarse, humillarse, abatirse. Usáb. t. c. r. (1).

Rahezmente: adv. m. ant. Fácilmente (1).

Raigar: intr. ant. Arraigar. Usáb. t. c. s. (1).

Raigoso: adj. ant. Fuerte, de mucha raíz (2).

Ralo, la://2. adj. ant. Raro, no común (1).

Rallador, ra: adj. ant. Hablador. Usáb. t. c. s. (1).

Ralladura://3. f. ant. Raedura (1).

Rallón: m. ant. Arma terminada en hierro ancho, sirve para caza mayor, y dispárase con ballesta (2).

Ramear: intr. ant. Ser ramera(2).

Rancada: f. ant. Arrancada, derrota (2).

Rancar: tr. ant. Vencer//r. ant. Huir //tr. ant. Arrancar//intr. ant. Partirse, salir de (1-2).

Rancón: m. ant. Rincón (2).

Rancura: f. ant. Rencor//2. ant. Querella, demanda judicial (1-2).

Rancuroso: adj. ant. Rencoroso//2. ant. Querellante, quejoso, ofendido. Usáb. t. c. s. (1).

Rando: adj. ant. Guarnecido (2).

Rangua: f. ant. Maldad, rencor (2).

Ranso: m. ant. Rosso (2).

Ranzal, [-çal]: m. ant. Tela fina de hilo (1-2).

Rapina: f. ant. Rapiña (1).

Raptor, ra: adj. ant. Que roba. Usáb. t. c. s. (1).

Rascada: f. ant. Arañada (2).

Rascar: tr. ant. Rasgar (2).

Rasco: m. ant. Rascadura (1).

Raso, sa://8. adj. Rasgado o raído (1).

Rasón, [-çón]: f. ant. Razón (2).

Rasonar, [-çonar]: intr. ant. Razonar (2).

Rastar: intr. ant. Quedar (2).

Rastillo: m. ant. Rastrillo (Peine para lana) (2).

Rastrante: p. a. ant. de Rastrar. Que rastra (1).

Rastrar: tr. ant. Arrastrar (2).

Rauda: f. ant. Raudal (1).

Raval: m. ant. Arrabal (2).

Ravalde: m. ant. Arrabal (2).

Raza, [-ça, -sa]: adj. ant. Desigualdad en el tejido, falta (2).

Razar: tr. ant. Raer o borrar (1).

Razonable://2. adj. ant. Racional (1).

Razonadamente://2. adv. m. ant. Razonablemente (1).

Razonador://2. m. ant. El que aboga (1).

Razonal: adj. ant. Racional (1).

Razonar://4. tr. ant. Nombrar, apellidar //5. ant. Tomar la razón//6. ant. Computar o regular//7. ant. Alegar, decir en derecho, abogar (1).

Razonidad: f. ant. Razón (2).

Re: m. ant. Rey (2).

Real: m. ant. Albergue (2).

Raelengo://3. m. ant. Patrimonio real (1).

Realeza: f. ant. Realidad (1).//2. f. ant. Magnificencia, grandiosidad propia de un rey (1).

Realme: m. ant. Reino (1).

Reamar://2. tr. ant. Corresponder al amor (1).

Reame: m. ant. Realme (1).

Rebalaj: m. ant. Rebalaje (Corriente tortuosa de las aguas) (1).

Rebata: f. ant. Asalto repentino, sobresalto (2).

Rebatadadamente: adv. m. ant. Arrebatadamente (1).

Rebatado: adj. ant. Arrebatado (2).

Rebatador, ra: adj. ant. Arrebatador. Usáb. t. c. s. (1).

Rebatar: tr. ant. Arrebatar//Juntar (1-2).

Rebatosamente: adv. m. ant. Arrebatada o inconsideradamente (1).

Rebatoso, sa: adj. ant. Arrebatado, precipitado (1).

Rebellar: intr. ant. Alzarse en armas// Resistir//Alzar a otros//Levantar (2).

Rebellarse: intr. ant. Rebelarse (2).

Rebello: m. ant. Rebelión (2).

Rebera: f. ant. Ribera (2).

Rebestir: tr. ant. Embestir otra vez (2).

Rebevir: intr. ant. Revivir (2).

Rebolta: f. ant. Revuelta (2).

Reborborado: adj. ant. Que charla mucho (2).

Rebosar://4. intr. desus. Vomitar (1).

Rebotar://8. tr. ant. fig. Embotar, entorpecer (1).

Rebotarse: intr. ant. Callarse (2).

Rebtar: tr. ant. Retar (1).

Rebutar: tr. ant. Rechazar un desafío con gente despreciable e indigna (2).

Recabar://2. tr. ant. Recaudar (1)// Lograr (2).

Recabdación: f. ant. Recaudación (1).

Recabdador: m. ant. Recaudador (1).

Recabdamiento: m. ant. Recaudamiento (1).

Recabdar: tr. ant. Recaudar//2. ant. Asegurar, coger, prender (1-2).

Recabdo: m. ant. Recaudo//2. ant. Reserva, cautela//3. ant. Cuidado, razón, cuenta (1)//Recado (2).

Recadar: tr. ant. Recobrar, cobrar, alcanzar, apresar (2).

Recado: m. ant. Recaudo (2).

Recaldar: tr. ant. Lograr (2).

Recaldo: m. ant. Recado (2).

Recambio://2. m. ant. Cambio//3. ant. Usura (1).

Recapdar: tr. ant. Recadar (2).

Recapdo: m. ant. Recado (2).

Recatamiento: m. ant. Recato (1).

Recatero: adj. ant. Que regatea (2).

Recatonear: tr. ant. Regatear (2).

Recatonía: f. ant. Recatonería (Venta al por menor) (1).

Recaudanza: f. ant. Recaudación (1).

Recaudar://3. tr. ant. Recabar (1).

Recaudo://3. m ant. Recado (1).

Recebir: tr. ant. Recibir (2).

Recel: m. ant. Cobertor o cubierta de tela delgada y listada (1).

Recentar: tr. ant. Renovar (2).

Recepta://2. f. ant. Receta (1).

Recisión: f. desus. For. Rescisión (1).

Recobración: f. ant. Recobro (1).

Recobramiento: m. ant. Recobro (1).

Recocta: f. ant. Requesón (1).

Recodida: f. ant. Respuesta (2).

Recodir: intr. ant. Recudir//2. ant. Volver a acudir a un lugar (1-2).

Recogida://2. f. ant. Acogida//3. ant. Retirada (1).

Recombrar: tr. ant. Recobrar (2).

Recón: m. ant. Rincón (2).

Recordamiento: m. ant. Recordación (1).

Recordanza: f. ant. Recordación (1).

Recordar: intr. ant. Volver en sí; despertar (2).

Recordojo: m. ant. Ira (2).

Recreer: intr. ant. Desmayar, desesperarse (2).

Recremento: m. ant. Reliquia (1).

Recuaje://2. m. ant. Recua (1).

Recudida: f. ant. Rebote (1)//Respuesta (2).

Recudidero: m. ant. Sitio adonde se acude o concurre (1).

Recudir://2. tr. ant. Acudir o concurrir a una parte//3. ant. Acudir o recurrir a uno//4. ant. Responder o replicar//6. ant. Concurrir, venir a juntarse en un mismo lugar algunas cosas (1-2).

Recuero: m. ant. Arriero (2).

Recuesta://2. f. ant. Busca y diligencia que se hace para llevar y recoger una cosa//3. ant. Duelo, desafío o cartel para él//**A toda recuesta:** m. adv. ant. A todo trance (1).

Recuestador, ra: adj. ant. Que recuesta o desafía. Usáb. t. c. s. (1).

Recuestar://2. tr. ant. Desafiar//3. ant. fig. Acariciar, atraer con halago o dulzura de amante (1)//Preguntar, pedir (2).

Recuesto: adj. ant. Recostado (2).

Recursar: intr. ant. Entablar recurso (1).

Rechinado: p. p. ant. de Rechinar (Hacer algo con repugnancia) (2).

Redimidor, ra: adj. ant. Redentor. Usáb. t. c. s. (1).

Redoliente: adj. ant. Que duele mucho (1).

Redondura: f. ant. Redondez (2).

Redor: adv. l. ant. En torno (2).

Redrar: tr. ant. For. Sanear (1)//Apartar, hacer volver atrás (2).

Redrecer: tr. ant. Enderezar (2).

Redroparte: m. ant. Retorno//Reconvención ilegal (2).

Redroquinta: f. ant. Quinta parte del botín que debe volver a manos del adalid (2).

Redrosaca: f. ant. Estafa, socaliña (1)

Redruejas: f. pl. ant. Redrojos (Flores que echan por segunda vez las plantas y no sazonan) (2).

Redruña: f. ant. Mano izquierda (2).

Redutable: adj. ant. Formidable (1).

Reeligir: tr. ant. Reelegir (1).

Refacer: tr. ant. Indemnizar, resarcir, subsanar, reintegrar, reedificar (1).

Refacio: adj. ant. Rehacio (2).

Refazer: tr. ant. Rehacer (2).

Refeccionar: tr. ant. Alimentar (1).

Referendario://2. m. ant. El que refiere o relata algunas cosas (1).

Referimiento: m. ant. Referencia (1).

Referir://4. tr. ant. Aferir//5. ant. Atribuir (1)//Rechazar (2).

Refertar: intr. ant. Rebatir, disputar// Reyertar (1-2).

Refertero: adj. ant. Pendeciero (2).

Refertir: tr. ant. Llenar, cobrar fuerzas (2).

Referto: adj. ant. Lleno (2).

Refez, [-es]: adj. ant. Rahez (1-2).

Refezar: intr. ant. Rafezar (1).

Refezmientre: adv. m. ant. Fácilmente (2).

Refierta: f. ant. Reyerta, disputa, alegación, riña, ofensa (1-2).

Refirmar://3. tr. ant. Asegurar, afianzar. Usáb. t. c. r. (1).

Refitor: m. ant. Refectorio (1-2).

Refitorio: m. ant. Refectorio (1-2).

Refoir: tr. ant. Rehuir (2).

Refrendar://3. tr. ant. Marcar las medidas, pesos y pesas (1).

Refriamiento: m. ant. Enfriamiento (1).

Refriar: tr. ant. Enfriar (1).

Refrigeración://3. f. ant. Privación absoluta o falta de calor (1).

Refrigeratorio: m. ant. Quim. Refrigerante (1).

Refuir: tr. ant. Rehuir (2).

Refusar: tr. ant. Rehusar (2).

Refutación://3. f. ant. Renuncia (1).

Refutar://2. tr. ant. Rehusar (1).

Regajal: m. ant. Regato, charco (2).

Regajo: m. ant. Charquillo de agua (2).

Regalar: tr. ant. Ar. Derretir (2).

Regañar: intr. ant. Desgarrarse, enfadarse (2).

Regatero: adj. ant. Que regatea (2).

Regatonear: tr. ant. Regatear (2).

Regatonía: f. ant. Regatonería (2).

Regimiento://6. m. ant. Régimen (1).

Regina: f. ant. Reina (2).

Regnar: intr. ant. Reinar (2).

Regne: m. ant. Regno (2).

Regno: m. ant. Reinado o tiempo que dura el gobierno de un rey (2).

Regolax: m. ant. Jolgorio (2).

Regordido: adj. ant. Muy gordo, espeso (2).

Regorjarse: r. ant. Regordearse (1).

Regradecer: tr. ant. Agradecer (1).

Regradecimiento: m. ant. Agradecimiento (1).

Reguardar: f. ant. Retaguardia//2. ant. Mirada (1-2).

Reguardadamente: adv. m. ant. Con cautela o precaución (1).

Reguardar: tr. ant. Resguardar//Mirar con cuidado o vigilancia (1-2).

Reguardo: m. ant. Mirada//2. ant. Miramiento o respeto (1).

Reguera: f. ant. Acequia (2).

Reguilado: adj. ant. Agudo (2).

Regulaje: m. ant. Regla (2).

Regunar: tr. ant. Embadurnar (2).

Reguncerio: m. ant. Relato//Reprensión (2).

Regunzar: tr. ant. Narrar (2).

Rehalla: f. ant. Rahala (2).

Rehertar: intr. ant. Refertar (2).

Rehertero: adj. ant. Refertero (2).

Rehertir: tr. ant. Refertir (2).

Rehez: adj. ant. Rafez (2).

Rehezmientre: adv. m. ant. Refezmientre (2).

Rehierta: f. ant. Refierta (2).

Rehiertar: intr. ant. Refertar (2).

Rehierto: adj. ant. Referto (2).

Rehinchimiento: m. ant. Rehenchimiento (1).

Rehinchir: tr. ant. Rehenchir (1).

Rei: m. ant. Rey (2).

Reíble: adj. ant. Risible (1).

Reinado://4. m. ant. Soberanía y dignidad real (1-2).

Reinamiento: m. ant. m. ant. Reinado (1).

Reinazgo: m. ant. Reinado (1).

Reisme: m. ant. Reino (2).

Reismo: m. ant. Reino (2).

Relampar: intr. ant. Relucir (2).

Relampigo: adj. ant. Reluciente (2).

Relampo: m. ant. Relámpago (2).

Relanzo: m. ant. Suceso inesperado (2).

Relator://3. m. ant. Refrendario (1).

Relejar: tr. ant. Dejar (2).

Relexar: tr. ant. Relejar (2).

Reliento: adj. ant. Húmedo (2).

Relumbror: m. ant. Resplandor (2).

Rellanada: f. ant. Llanura (2).

Remanecer: intr. ant. Permanecer, quedar//Resultar (2).

Remanir: intr. ant. Retraerse, permanecer retirado (1-2).

Remasajas: f. pl. ant. Restos (2).

Remazar: tr. ant. Remachar (2).

Remedamiento: m. ant. Remedo (1).

Remembración: f. ont. Recordación (1).

Remembrancia: f. ant. Remembranza (2).

Remembrar: tr. ant. Rememorar (1)// Recordar (2).

Remesa://3. f. ant. Cochera (1).

Remeter: tr. ant. Remitir (2).

Remoller: m. ant. Remollero (1).

Remollero: m. ant. Remolar (Maestro carpintero que hace remos) (1).

Remorar: tr. ant. Detener (2).

Remotar: tr. ant. Cortar, quitar (2).

Removilla: f. ant. Reptil (2).

Ren: m. ant. Cosa//amb. ant. Riñón (1-2).

Rencilloso: adj. ant. Reñidor (2).

Rencionar: tr. ant. Causar rencillas, pendencias o riñas (1).

Rencón: m. ant. Rincón (2).

Rencura: f. ant. Rencor (1-2).

Rencurarse: r. ant. Querellarse (1).

Rencuroso, sa: adj. ant. Que se querella de un daño o agravio (1)//Rencoroso//For. El querellante (2).

Renda: f. ant. Renta (2).

Rendar: tr. ant. Arrendar (2).

Render: tr. ant. Rendir, entregar (1)// Devolver (2).

Rendición://4. f. ant. Precio en que se redime o rescata (1).

Rendir: tr. ant. Devolver (2).

Rendón (De): m. adv. ant. De rondón (1).

Renglada: f. ant. Riñonada (1).

Renir: intr. ant. Reñir (2).

Renombrar: tr. ant. Nombrar, llamar, dar nombre. Usáb. t. c. r.//2. ant. Apellidar o dar apellido o sobrenombre. Usáb. t. c. r. (1).

Renovamiento: m. ant. Renovación (1).

Renovar://7. tr. ant. Novar (For. Substituir una obligación a otra otorgada anteriormente, la cual queda anulada en el acto) (1).

Renovo: m. ant. Renuevo (2).

Renselloso: adj. ant. Rencilloso (2).

Rento: m. ant. Repto (2).

Renuevo://3. m. ant. Logro o usura (1).

Repaire: m. ant. Descanso, alivio (2).

Repeluznar: tr. ant. Espeluznar (2).

Rependencia: f. ant. Repentencia (2).

Rependir: intr. ant. Repentirse (2).

Repentencia: f. ant. Arrepentimiento (2).

Repentimiento: m. art. Arrepentimiento (1).

Repentirse: r. ant. Arrepentirse (1-2).

Repeso: p. p. irreg. ant. Repiso (1-2).

Repetir://2. tr. ant. Pedir muchas veces o con instancia (1).

Repindencia: f. ant. Repentencia (2).

Repintajas, [-taias]: f. pl. at. Arrepentimiento (2).

Repintencia: f. ant. Repentencia (2).

Repiso, [-sso]: adj. ant. Arrepentido (2).

Replicación: f. ant. Réplica//2. ant. Repetición, reiteración (1).

Replicar://3. tr. ant. Repetir lo que se ha dicho (1).

Reportar://5. tr. ant. Retribuir, pagar, recompensar (1).

Reportorio: m. ant. Repertorio (1).

Repoyar: tr. ant. Rechazar, repudiar (2).

Repoyo: m. ant. Abandono, repudio (1-2).

Reprendimiento: m. ant. Represión (1).

Reprensorio, ria: adj. ant. Decíase de lo que reprende (1).

Representar://8. tr. ant. Presentar (1).

Repretido: adj. ant. Muy negro (2).

Reprobado://3. m. desus. Nota de haber sido suspendido un examinado con pérdida de curso (1).

Reptar: tr. ant. Retar (1-2).

Repto: m. ant. Reto//Inculpación (2).

Repuir: tr. ant. Desechar, disgustar (2).

Repulso, sa: p. p. irreg. ant. de Repeler (1).

Repullar: intr. ant. Echar pullas (2).

Repullón: m. ant. Pulla (2).

Repuno: m. ant. Repugnancia (2).

Repuntar: tr. ant. Reprobar (2).

Requero: m. ant. Arriero (2).

Requisición://2. f. ant. For. Requerimiento (1).

Resabio://3. m. ant. fig. Disgusto (1).

Resacar: tr. ant. Sacar (1).

Resar: intr. ant. Rezar (2).

Rescaldo: m. ant. Rescoldo (1).

Rescebir: tr. ant. Recibir (2).

Rescontrar://2. tr. ant. Encontrar (1).

Rescrebajo: m. ant. Resquebrajo (2).

Rescribir: tr. ant. Responder por escrito a una carta u otra comunicación, contestar (1).

Rescrito://2. m. ant. Rescripto (1).

Rescrieço: m. ant. Resquicio (2).

Rescuentro://3. m. ant. Encuentro (1).

Reselloso: adj. ant. Rencilloso (2).

Reselloso: adj. ant. Receloso (2).

Resemblar: tr. ant. Asemejarse, parecerse una cosa a otra. Usáb. t. c. r. (1).

Reservar://10. tr. ant. Jubilar (1).

Resfriar://2. tr. ant. Refrescar, templar el calor (1).

Resolgar: intr. ant. Resollar//Con negación: Descansar (2).

Resolutamente: adv. m. ant. Resueltamente (1).

Resolviente: p. a. ant. Resolvente (1).

Respelucio: m. ant. Erizamiento del cabello (2).

Respendar: tr. ant. Desechar (2).

Respendo: m. ant. Rebuzno, relincho (2).

Respeto://4. m. ant. Respecto (1).

Respetosamente: adv. m. desus. Respetuosamente (1).

Respetoso, sa: adj. desus. Respetuoso (1).

Resplandecencia: f. ant. Resplandor//2. ant. fig. Esplendor (1).

Resplandor://2. m. desus. Composición de albayalde y otras cosas con que se afeitaban las mujeres (1).

Resplendente: adj. desus. Esplendente, resplandeciente (1).

Resplendor: m. ant. Resplandor (1).

Respondencia: f. ant. Correspondencia, relación (1).

Respondidamente: adv. m. ant. Con proporción, simetría o correspondencia (1).

Responer: tr. ant. Reponer, responder (2).

Responsión://2. f. ant. Respuesta//3. ant. Responsabilidad//4. ant. Correspondencia o proporción de una cosa con otra (1-2).

Respuesto, ta: p. p. irreg. ant. de Responder (1).

Respusa: f. ant. Respuesta (2).

Resquiezo: m. ant. Resquicio (1).

Resquitar: tr. ant. Desquitar, descontar, rebajar, disminuir (1).

Restar://4. tr. ant. Arrestar (1).

Restauro: m. desus. Restauración (1).

Resunta: f. desus. Resumen (1).

Resustir: intr. ant. Saltar otra vez o a su vez (2).

Retaguarda: f. desus. Retaguardia (1).

Retamar: tr. ant. Acabar (2).

Retamo: m. ant. Retama (1).

Retar: tr. ant. desus. Acusar de alevoso un noble a otro delante del Rey, quedando obligado a mantenerlo en el campo (1-2).

Retazar, [-çar]: tr. ant. Cortar (2).

Retenencia: f. ant. Provisión de bastimentos y otras cosas necesarias para la conservación y defensa de una fortaleza (1).

Reteniente: adj. ant. Retiñente (2).

Reteñir: tr. ant. Mudar el color (2).

Retiñente: adj. ant. Que retiñe (2).

Retir: tr. ant. Derretir (1-2).

Reto: m. desus. Acusación de alevoso que un noble hacía a otro delante del Rey, obligándose a mantenerla en el campo (1).

Rétor: m. ant. El que escribe o enseña retórica (1).

Retor, ra: m. y f. ant. Rector (1).

Retorcijar: tr. ant. Retortijar (1).

Retorcijón: m. ant. Retortijón (1).

Retornado: adj. ant. Corvo (2).

Retraer://5. tr. desus. Reprochar, echar en cara//4. ant. Referir, contar//Reprender//Imitar//Retractar//Retirarse, ir en retirada (1-2).

Retraher: m. ant. Refrán o expresión proverbial (1) //Retraer (2).

Retrecha: f. ant. Cosa que reprochar, pecado (2) .

Retrete: m. desus. Cuarto pequeño en la casa o habitación, destinado para retirarse (1).

Retribuente: p. a. ant. Retribuyente (1).

Retril: m. desus. Atril (1).

Retrocar: tr. desus. Trocar (1).

Retroguardia: f. ant. Retaguardia (1).

Rétulo: m. ant. Rótulo (1).

Reundir: intr. ant. Valer (2).

Revatado: adj. ant. Rebatado (2).

Revecero: m. ant. El que repite, o el que alterna con otro (2).

Revelar, [-llar]: intr. ant. Rebellar (2).

Revena: intr. ant. Ablandarse (2).

Revencer: tr. ant. Vencer (1).

Revendón, na: m. y f. desus. Revendedor (1).

Rever: intr. ant. Remirarse (2).

Reversar: tr. ant. Revesar (1).

Reverter: tr. ant. Rebosar (2).

Revesar [-ssar]: tr. ant. Volver atrás, echarse a perder, vomitar (2).

Revez: adv. m. ant. Alternadamente (2).

Revinar: tr. desus. Añadir vino viejo al nuevo (1).

Revisclar: intr. ant. Revivir (2).

Revocar://2. tr. desus. Volver a llamar (1).

Revolear://2. intr. ant. Revolotear (1).

Reyal: adj. ant. Real (2).

Reyente: p. a. ant. de Reir. Riente (1-2).

Reyertar: intr. ant. Contender, altercar (1).

Reys: m. pl. ant. Reyes (2).

Rezadera: adj. f. ant. Rezadora (1).

Rezandero, ra: adj. ant. Rezador (1).

Riba://2. f. ant. Ribera (1-2).

Ribaldería: f. ant. Bellaquería (2).

Ribaldo [-de]: m. ant. Bellaco (2).

Ribar: intr. ant. Llegar, subir (2).

Ribero: m. ant. Ribazo (2).

Ricafembra: f. ant. Ricahembra (1).

Ricohome: m. ant. Ricohombre (1).

Rictad: f. ant. Riqueza (2).

Ridiculoso, sa: adj. ant. Ridículo (1).

Ridir: intr. ant. Reir (2).

Riebtar: tr. ant. Retar (2).

Riebto: m. ant. Reto (2).

Riedo: m. ant. Risa (2).

Riedro: adv. l. ant. Atrás (2).

Riegla: f. ant. Regla (2).

Riepto: m. ant. Reto (1-2).

Riestra: f. desus. Ristra (1).

Rieto: m. ant. Reto (1).

Rifar: intr. ant. Porfiar, reñir (2).

Rifarrafa: f. ant. Vendedora, vivandera (1).

Riguridad: f. desus. Rigor (1).

Rijar: intr. ant. Clamar apasionadamente (2).

Rimar: tr. ant. Cargar, amontonar (2).

Rimo: m. ant. Rima (1).

Rinconar: tr. ant. Arrinconar (2).

Riñoso, sa: adj. ant. Rencilloso (1).

Rioaducho: m. ant. Arroyuelo (2).

Ripia://3. f. ant. Ripio (1).

Riso: m. ant. Risa (2).

Riste: m. ant. Ristre (1).

Ritad: f. ant. Rictad (2).

Ritamente: adv. m. ant. Justa, legalmente (1).

Rito, ta: adj. ant. Válido, justo, legal (1).

Rixo: m. ant. Riso (2).

Roala: f. ant. Rodela (2).

Roba: f. ant. Robo (2).

Robadoquín: m. ant. Cañón (2).

Robadura: f. ant. Robo (2).

Robamiento: m. ant. Arrobamiento (1).

Robar://9. r. ant. Huirse, escaparse (1).

Robda: f. ant. Ronda, centinela de noche (2).

Robería: f. ant. Robo (1-2).

Robí: m. ant. Rubí (2).

Robín: m. ant. Rubí (2).

Roborar://2. tr. ant. Otorgar, confirmar, rubricar una cosa (1).

Robra://2. f. ant. Escritura o papel autorizado para la seguridad de las compras y ventas o de cualquier otra cosa (1).

Robramiento: m. ant. Acción de robrar (1).

Robrar: tr. ant. Hacer la robra (1)// Rubricar, corroborar, firmar, confirmar (2).

Robre: m. ant. Roble (2).

Robredo: m. ant. Robledo (2).

Robusticidad: f. desus. Robustez (1).

Robustidad: f. ant. Robustez (1).

Rocegado: adj. ant. Que roza, desplegado (2).

Rocegar: tr. ant. Desplegar (2).

Rociada: f. ant. Rocío (2).

Rodano, na: adj. ant. Rodio (1).

Rodear: tr. ant. Voltear (2).

Roder: tr. ant. Roer (2).

Roganza: f. ant. Ruego (2).

Rogaría: f. ant. Ruego//2. ant. Rogativa (1).

Roido: m. ant. Ruido (2).

Roin: adj. ant. Ruin (2).

Roisiñor: m. ant. Ruiseñor (2).

Rojeto, ta: adj. ant. Rojizo (1).

Rojicle: m. ant. Rosicler (1).

Rolda: f. ant. Ronda, centinela (2).

Roldana: f. ant. Vasija para vino (1).

Roldar: intr. ant. Rondar (2).

Rolde: m. ant. Ruedo (2).

Rollo: m. ant. Picota (2).

Román: m. ant. Romanz (1-2).

Romanía (De): m. adv. desus. De golpe (1).

Romanz: m. ant. Romance//Cuento// Enumeración (2).

Romanzar: tr. ant. Poner en romance o vulgar (2).

Romaz: m. ant. Romanz (2).

Romeaje: m. ant. Romería (2).

Romeatge: m. ant. Romeaje (2).

Romeo: m. ant. Romero (2).

Romeraje: m. ant. Romería (2).

Romi: adj. desus. Cristiano entre los mahometanos españoles. Usáb. t. c. s. (1).

Rompenecios: com. fig. desus. Persona que se aprovecha egoísta y desagradecidamente de los demás (1).

Rompepoyos: com. fig. desus. Persona holgazana y vagabunda (1).

Rompido, da: p. p. desus. de Romper (1).

Ronce: m. ant. Halago (2).

Roncero: adj. ant. Halagador (2).

Ronfea: f. ant. Espada larga (1).

Roque://2. m. ant. Carro (1).

Roquete: m. ant. Parte de la armadura (2).

Roscío: m. ant. Rocío (2).

Roseñol: m. ant. Ruiseñor (2).

Roseñor: m. ant. Ruiseñor (2).

Rosso: m. ant. Rapto violento o robo de mujer (2).

Rostir: tr. ant. Ar. Roer//Ast. Tostar y mascar pan duro//Lit. Asar (1-2).

Rostro://4. m. ant. Careta//5. ant. Hocico, boca//6. desus. Frente de una moldura (1-2).

Rota://2. f. ant. Rotura o hundimiento (1)//Instrumento músico (2).

Roto: adj. ant. Andrajoso (2). .

Rotura://3. f. ant. fig. Relajación, corrupción, desarreglo (1).

Rouxo: m. ant. Rosso (2).

Roxo: m. ant. Rosso (2).

Ruán, na: adj. ant. Roano (1).

Ruano, na: adj. ant. Perteneciente o relativo a la calle//2. desus. Que pasea las calles (1).

Rubo: m. ant. Zarza (1).

Rubricante://2. m. desus. Ministro más moderno, a quien tocaba rubricar los autos del Consejo (1).

Rubricar://3. tr. ant. Pintar o poner de color rubio o encarnado una cosa (1).

Ruciada: f. ant. Rocío (2).

Ruciadera: f. desus. Vasija pequeña destinada a contener aceite, vinagre u otro líquido para su empleo en la mesa (1).

Ruciar: tr. ant. Rociar (2).

Rucío: m. ant. Rocío (2).

Rucio, cia://3. adj. desus. Rubio (1).

Rudez: f. ant. Rudeza (1).

Ruir: intr. ant. Hacer ruido, susurrar (2).

Rurrú: m. desus. Runrún (Rumor) (1).

Rusticano, na://2. adj. ant. Rural (1).

Rustir: tr. ant. Rostir (2).

Ruteno, na://4. adj. ant. Ruso. Usáb. t. c. s. (1).

S

Sabçe: m. ant. Sauce (2).

Sabejo: m. ant. Sabueso (1-2).

Sabencia [-za]: f. ant. Sabiduría (1-2).

Sabidón: adj. ant. Sabidor (2).

Sabidor, ra: adj. desus. Sabedor. Usáb. t. c. s.//2. ant. Sabio. Usáb. t. c. s. (1).

Sabidoramente: adv. m. ant. Sabiamente (1).

Sabidoría: f. ant. Noticia (2).

Sabiduría: f. ant. Noticia (2).

Sabiencia [-za]: f. ant. Sabiduría (2).

Sabieza: f. ant. Sabiduría (1).

Sable: m. ant. Arena (1-2).

Saborado: adj. ant. Sabroso (2).

Sabor://5. m. ant. Deseo o voluntaq de una cosa (1)//Gusto, placer (2).

Saborgar: tr. ant. Llenar de sabor, dulzura y deleite (1)//Saborear (2).

Saboroso, sa: adj. ant. Sabroso (1-2).

Sabre: m. ant. Arena (1).

Sabrido, da: adj. ant. Sabroso (1-2).

Sabrimiento: m. ant. Sabor//2. ant. fig. Chiste, gracia (1).

Sabudo: p. p. ant. de Saber. Sabido (2).

Saburrar: tr. ant. Lastrar con piedras o arena las embarcaciones (1).

Sacamiento://2. m. ant. Invención, falsedad, mentira (1).

Sacodir: tr. ant. Conducir//Sacudir (2).

Sacomano://2. m. ant. Bandolero//3. ant. Forrajeador (1).

Sacramento://5. m. desus. Juramento (1). .

Sacramiento: m. ant. Sacramento (2).

Sacristanía://3. f. ant. Sacristía (1).

Sacristano: m. ant. Sacristán (2).

Sacudir: tr. ant. Conducir (2).

Sachar [-ccar]: tr. ant. Sacar (2).

Saetín: m. desus. Raso (1).

Safir: m. ant. Zafiro (1).

Safumar: tr. ant. Sahumar (2).

Safumerio: m. ant. Sahumerio (2).
Sage [-je]: adj. ant. Sabio, cuerdo, entendido (2).
Sago: m. ant. Sayo (1).
Sagramento: m. ant. Sacramento (2).
Sagramiento: m. ant. Sacramento (2).
Sagrar: tr. ant. Consagrar (1).
Sagrativamente: adv. m. ant. Misteriosamente (1).
Sagrativo, va: adj. ant. Misterioso (1).
Sagudir: tr. ant. Conducir//Sacudir (2)
Sahueso: m. ant. Sabueso (2).
Saieta: f. ant. Saeta (2).
Sainetear://2. intr. desus. Dar gusto, agradar con algún sabor delicado (1).
Sala://6. f. ant. Convite, fiesta, sarao y diversión (1).
Salespacio: m. ant. Salispacio (2).
Salgadura: f. ant. Saladura (1).
Salgar://2. tr. ant. Salar (1)//Dar sal al ganado (2).
Salguero: m. ant. Salegar (Sitio en que se da sal a los ganados en el campo) (1).
Salido: adj. ant. Desterrado//Saliente (2).
Salir://34. intr. ant. Dicho de pleitos y causas, iniciar la intervención en ellos como fiscal o como parte (1).
Salispacio: m. ant. Buen recado o buen pago (2).
Salma://2. f. ant. Jalma (Enjalma) (1).
Salmorar: tr. ant. Poner en salmuera o ponerla//r. ant. Agriarse (2).
Salpresar: tr. ant. Aderezar con sal, para que se conserve (2).
Salpreso: p. p. irreg. de Salpresar (2).

Salsamentar: tr. ant. Sazonar o guisar una cosa (1).
Salsamento: m. ant. Condimento, guiso o salsa (1).
Salso, sa: adj. ant. Que está salado (1).
Saltejón: m. ant. Brinco, salto (2).
Salto://9. m. ant. Tacón//10. ant. Pillaje, robo, botín (1)//Acción de Salir (2).
Saludes: m. pl. ant. Salutaciones, recuerdos (2).
Salute://2. m. ant. Escudo (1).
Salva: f. ant. Prueba de inocencia, acción de Salvar o salvarse (2).
Salvación://3. f. ant. Salutación (1).
Salvafé: m. ant. Salvoconducto (2).
Salvar://12. intr. ant. Hacer la salva con artillería (1)//Saludar (2).
Salvático, ca: adj. ant. Selvático (1).
Salvedad [-dat]://3. f. ant. Garantía, seguridad//4. ant. Salvoconducto (1) //Salvación (2).
Salvilla: f. ant. Copa (2).
Samarugo: m. ant. Jaramugo (Pececillo nuevo de cualquiera especie) (1).
Sanctiguar: tr. ant. Santiguar (2).
Sanear: tr. ant. Asegurar (2).
Sangne: f. ant. Sangre (2).
Sangrentar: tr. desus. Ensangrentar (1)
Sanguino, na://2. adj. desus. Sanguinario (1).
Sanío: adj. ant. Sano (2).
Sant: adj. ant. San (1).
Santulón, na: adj. desus. Santurrón (1).
Sanudo: adj. ant. Sañudo (2).
Sanya: f. ant. Saña (2).
Sanna: f. ant. Saña (2).

Saña://**A sañas:** m. adv. ant. Sañudamente (1).

Saño: m. ant. Saña (2). .

Sarcótico, ca: adj. desus. Cir. Aplicábase a los remedios que tienen virtud de cerrar las llagas favoreciendo la formación de nueva carne. Usáb. t. c. s. m. (1).

Sardesco, ca://2. adj. ant. Sardo (1).

Sargente: m. ant. Sargento (1).

Sarro: adj. ant. Espeso, apretado, de respeto (2).

Satín: m. ant. Vaso (2).

Saucegatillo: m. ant. Sauzgatillo (Arbusto de la familia de las verbenáceas) (1).

Savueso: m. ant. Sabueso (2).

Saxoso, sa: adj. ant. Pedregoso (1).

Sayagués, sa://3. adj. fig. desus. Tosco, grosero. Apl. a pers. (1).

Sazón [-çón, -són]: f. ant. Tiempo (2)

Se: conj. ant. Si//Ojalá (2).

Sece: adj. ant. Dieciséis (1).

Seceno, na: adj. ant. Dieciseiseno (1).

Secluso, sa: adj. ant. Apartado y separado (1).

Secor: m. ant. Sequedad (1).

Secrestación: f. ant. Secuestro (1).

Secrestador: m. ant. Secuestrador (1).

Secrestar: tr. ant. Secuestrar//2. ant. Apartar o separar una cosa de otras o de la comunicación de ellas (1).

Secresto: m. ant. Secuestro (1).

Secretar: tr. ant. Tener en secreto (2).

Secreto://9. m. ant. Secreta//3. adv. m. ant. Secretamente (1).

Secuela://2. f. ant. Séquito//3. ant. Secta (1).

Secuestro://2. m. desus. Juez árbitro o mediador (1).

Secund: adv. m. ant. Según, como (2).

Secundo: adv. m. ant. Según, como (2).

Secura: f. ant. Sequía (2).

Secutar: tr. ant. Ejecutar (1).

Secutor, ra: adj. ant. Ejecutor (1).

Secutoria: f. ant. Ejecutoria (1).

Seda: f. ant. Cerda (2).

Sede: f. ant. Silla (2). .

Seder: tr. ant. Ser (2).

Sediente: adj. ant. Sediento. Apl. a pers., usáb. t. c. s. (1).

Seellar: tr. ant. Sellar (2).

Seer: aux. y tr. ant. Ser//2. intr. ant. Estar sentado (1-2).

Segadera://2. f. desus. Segadora (1).

Segle: m. ant. Siglo (2).

Seguda: f. ant. Seguimiento, persecución (2).

Segudador: m. ant. Perseguidor (2).

Segudamiento: m. ant. Acción de segudar (2).

Segudar: tr. ant. Echar, arrojar//2. ant. Perseguir (1)//Segundar (2).

Seguiente: ant. Siguiente (2).

Segund [-nt]: adv. m. ant. Según, como (2).

Segundamente: adv. m. ant. En segundo lugar (1).

Segundar: tr. ant. Segudar (2).

Segundilla: f. desus. Agua que se enfría en los residuos de nieve que quedan después de haber enfriado otra agua (1).

Segundo: adv. m. ant. Según, como (2).

Segura: f. ant. Segur (1).

Seguramiento: m. ant. Seguridad (1).

Seguranza [-ça]: f. ant. Seguridad (1-2).

Segurar: tr. ant. Asegurar (1-2).

Seiello: m. ant. Sello (2).

Seisén: m. ant. Ar. Moneda de plata, cuatro hacían un real de plata (2).

Selmana: f. ant. Semana (2).

Selvaje: adj. ant. Salvaje (1).

Selvajino, na: adj. ant. Selvático (1).

Sembla (En): m. adv. ant. Juntamente (2).

Semblante: adj. ant. Semejante (1).

Semblanza [-ça]: f. ant. Semejanza (1-2).

Semblar: intr. ant. Semejar o ser semejante//Parecer (1-2).

Semble: adv. m. ant. Semejantemente (1).

Semble: adv. m. ant. Juntamente, en uno (1). .

Sembra (En): m. adv. ant. Ensembla (1).

Sembradura://3. f. ant. Sembrado (1).

Semejable://2. adj. ant. Semejante (1).

Semejablemente: adv. m. ant. Semejantemente//2. ant. Así, de la misma manera (1).

Semejante://7. m. ant. Símil (1).

Semencero: m. ant. Nav. Siembra, cosecha (2).

Semiente: f. ant. Simiente (2).

Semienza: f. ant. Simiente, sementera (2).

Semilia: f. ant. Semilla (2).

Seminario, ria: adj. desus. Seminal (1).

Semnar: tr. ant. Sembrar (2).

Semnos: adj. ant. Sendos (2).

Sen: m. ant. Juicio, sentido, discreción (1-2).

Sen [-nes]: prep. ant. Sin (1-2)..

Senado, da: adj. ant. Sensato, juicioso, cuerdo (1-2).

Sencido: adj. ant. Rioj. Florido (2).

Sendera: f. ant. Sendero (1).

Sendio: adj. ant. Sandio (Simple) (2).

Sene: m. ant. Hombre viejo (1).

Senecho: m. ant. Vejez (2).

Senglatón: m. ant. Ciclatón (2).

Senglos: adj. pl. ant. Sendos (2).

Senior: m. ant. Señor//2. ant. Senador (1).

Seniora: f. ant. Señora (1).

Senlos: adj. pl. ant. Sendos (2).

Senllos: adj. pl. ant. Sendos (2).

Sennero: adj. ant. Señero (2).

Sennos: adj. pl. ant. Sendos (2).

Sennyor: m. ant. Señor (2).

Senojil: m. ant. Cenojil (Liga) (1).

Senos: adj. pl. ant. Sendos (2).

Sentible: adj. desus. Sensible (1).

Sentidor, ra: adj. ant. Que siente o tiene facultad de sentir. Usáb. t. c. s. (1).

Senuelo: m. ant. Señuelo (2)..

Senyero: adj. ant. Señero (2).

Seña://4. f. ant. Estandarte o bandera militar (1-2).

Señado: adj. ant. Sensato, juicioso, cuerdo (2).

Señal://16. f. ant. Seña//17. ant. Signo//18. ant. Sello o escudo de armas, y blasones de que se compone (1).

Señalero: m. ant. Alférez del rey (1).

Señaleza: f. ant. Señal (1).

Señar: intr. ant. Ar. Hacer señas (1).

Señera: f. ant. Pendón militar, seña (1-2).

Señeramente: adv. m. ant. Singular o particularmente (1).

Señero: adj. ant. Solo y solitario o singular//Separado//Abandonado (2).

Seños: adj. pl. ant. Sendos (2).

Sepelir: tr. ant. Sepultar (1).

Sequero: m. ant. Secano//De sequero: m. adv. ant. En seco (1-2).

Sequía://2. f. ant. Sed (1).

Sequier [-ra]: conj. ant. Siquiera (2).

Ser: tr. ant. Morar//Estar sentado (2).

Serena: f. ant. Sirena (1-2).

Sergento [-te, -ta]: m. y f. ant. Sirviente (2).

Sermocinal: adj. ant. Perteneciente a la oración o modo de decir en público (1).

Sermón://3. m. ant. Discurso o conversación (1).

Serranil: m. ant. Instrumento cortante como sierra (2).

Serrón://2. m. ant. Serrucho (1).

Serva: f. ant. Selva//Fruta (2).

Servar: tr. ant. Observar, guardar (1).

Servicial://4. m. ant. Criado (1).

Servidumbre://5. f. ant. Letrina (1).

Servienta: f. ant. Sirvienta (2).

Servilla: f. ant. Zapatilla//Copa (2).

Servitud: f. ant. Servidumbre (1).

Sesma: f. ant. Sexta parte (2).

Sesmero: m. ant. Los que mandaban en el sesmo o barrio (2).

Sesmo: m. ant. Distrito o parroquia de la villa (2).

Seso [-sso]://3. m. ant. Sentido (1-2)

//4. ant. Dictamen, opinión (1)// Discreción//Significación (2).

Sessaenta: adj. ant. Sesenta (2).

Sestar: tr. ant. Asentar, poner, atinar (1).

Set: f. ant. Sed (2).

Seta: f. ant. Secta (1).

Sete: m. desus. Oficina o pieza de las casas de moneda donde estaba el cepo para acuñar a martillo (1).

Seteno, na: adj. desus. Séptimo (1).

Setuní: m. ant. Aceituní (2)..

Setze: adj. ant. Seze (2).

Sevecha: f. ant. Basura (2)..

Sex: adj. ant. Seis//m. ant. Autoridad superior a los alcaldes (2).

Sexma: f. ant. Sesma (2).

Sexmero: m. ant. Sesmero (2).

Sexmo: m. ant. Sesmo (2).

Sextil: m. ant. Agosto (1).

Seyello: m. ant. Sello (2).

Seyes: adj. ant. Seis (2).

Seyia: f. ant. Silla (2).

Seynnero: adj. ant. Señero (2).

Seyta: f. ant. Secta (2).

Seytuní: m. ant. Aceituní (2).

Seyx, [-ys]: adj. ant. Seis (2).

Seze: adj. ant. Diez y seis (2).

Si://9. conj. desus. Equivalía a la conj. adversativa Sino (1).

Sian: adj. ant. Siamés (1).

Siblo, [-vlo]: m. ant. Silbo (2).

Sied, [-et]: f. ant. Sede (2).

Sieglo: m. ant. Siglo (2).

Siella: f. ant. Silla (2).

Sierbo: m. ant. Siervo (2).

Siesta: f. ant. La hora de sexta//Calor (2).

Siesto: m. ant. Sitio, reposo//Calor (2).

Sietmo: adj. ant. Séptima parte (2).

Siglo: m. ant. Mundo (2)).

Signa: f. ant. Seña, enseña, bandera (2).

Significamiento: m. ant. Significación (1).

Silabizar: intr. ant. Silabear (1).

Silincio: m. ant. Silencio (2).

Sileto: adj. ant. Débil (2).

Silva://4. f. desus. Selva//6. ant. Serba (Fruto del serbal) (1-2).

Sillera: f. desus. Sitio para guardar las sillas de manos (1).

Silletero://2. m. desus. Sillero (1).

Símbolo://3. m. ant. Santo y seña (1).

Simienza: f. ant. Semienza (2).

Simpleza://2. f. desus. Rusticidad, tosquedad, desaliño//3. ant. Simplicidad (1).

Sina: f. ant. Seña, enseña, bandera (2).

Sinar: intr. ant. Hacer la señal de la cruz (2).

Sincero, ra://2. adj. ant. Puro, sin mezcla de materia extraña (1).

Sine, [-nes]: prep. ant. Sin (2).

Sinistro, tra: adj. ant. Siniestro (1-2).

Sinjusticia: f. ant. Injusticia (1).

Sino://2. m. ant. Signo (1-2).

Sino://5. m. desus. Pero, defecto, lunar (1).

Sinrazón://A sinrazón: m. adv. ant. Injustamente (1).

Siñal: f. ant. Señal (2).

Sirgo: m. ant. Seda (2).

Siriano, na: adj. ant. Siriaco (1).

Sisa: f. ant. Pedazo (2).

Sivelqual [-que]: pron. indeter. ant. Cualquiera (2).

Sivelquando: adv. t. ant. Cuando quiera (2).

Sivuelque: pron. indeter. ant. Cualquiera (2).

Sitial://2. m. desus. Taburete, especialmente el que se solía poner en el estrado de las señoras (1).

Sizra: f. ant. Sidra (2).

So: pron. poses. ant. Su (1-2).

Sobajar: tr. ant. Refregar (2).

Sobarata: f. ant. Pleito (2).

Sobarbar: tr. ant. Refrenar (2).

Sobejanía: f. ant. Sobra, demasía, exceso (1-2).

Sobejano, na: adj. ant. Sobrado, excesivo, extremado (1)//Abundante, demasiado (2).

Sobejar: tr. ant. Aventajar (2).

Sobejo, ja: adj. ant. Sobejano (1).

Soberado: m. desus. Sobrado, desván (1-2).

Soberanía://4. f. ant. Orgullo, soberbia o altivez (1).

Soberanidad: f. ant. Soberanía (1).

Soberano, na://3. adj. ant. Altivo, soberbio o presumido (1).

Soberbia://5. f. ant. Palabra o acción injuriosa (1).

Soberbiar: intr. ant. Ensoberbecerse (1).

Soberceja: f. ant. Sobreceja (2).

Soberivar: tr. ant. Ofender, escarnecer (2).

Sobernal: adj. ant. Extraordinario (2).

Soberviar: intr. ant. Mostrar soberbia (2).

Sobida: f. ant. Subida (2).

Sobir: intr. ant. Subir (2).

Sobollir: tr. ant. Meter debajo (2).

Sobrabien: adv. c. ant. Muy (2).

Sobracero: adj. ant. Excesivo (2).

Sobrado://6. m. ant. Cada uno de los altos o pisos de una casa (1)//Desván (2).

Sobraja: f. ant. Sobra (1).

Sobramiento: m. ant. Sobra (1).

Sobranzaría: f. ant. Soberanía o exceso (2).

Sobrar: tr. desus. Superar, exceder, sobrepujar (1).

Sobrazano, na: adj. ant. Excesivo, grande (1-2).

Sobrazar: tr. ant. Recoger, doblar, poner o llevar bajo el brazo (1-2).

Sobrecabadura: f. ant. Seguridad (2).

Sobrecabar: tr. ant. Asegurar (2).

Sobrecejo://2. m. desus. Dintel//3. desus. Borde o canto de una pieza que sobresale de otra a la que está unida (1).

Sobrecogedor: m. ant. Recaudador (1).

Sobreda: f. ant. Sobra (2).

Sobrehora (A): m. adv. desus. A deshora (1).

Sobrejuez: m. ant. Juez superior o de apelación (1).

Sobrelevador: m. ant. Fiador (2).

Sobrelevadura: f. ant. Fianza (2).

Sobrelevar: tr. ant. Fiar, garantizar (2)

Sobrellevar://5. tr. desus. Dispensar o eximir de una obligación (1).

Sobremesa://2. f. desus. Postre (1).

Sobresanadura: f. ant. Cicatriz (2).

Sobrestante: adj. ant. Que está muy cerca o encima (1).

Sobrevela: f. ant. Mil. Segunda vela o centinela (1).

Sobrevienta: f. ant. Sobresalto, sorpresa (2).

Sobreviento://2. m. ant. Mar. Barlovento (1).

Sobruno: adj. ant. Sobrado (2).

Sobtil: adj. ant. Sutil (2).

Socador: m. ant. Incitador (2).

Socarra://3. f. ant. Socarrón (1).

Socarrar: tr ant. Abrasar (2).

Socarrena: f. ant. Cueva, escondrjo (2).

Socarro: m. ant. Socarrón (1).

Socorrer://3. r. ant. Acogerse, refugiarse (1).

Soeza: f. ant. Suciedad, infamia (1).

Soffrir: intr. ant. Sufrir (2).

Sofraja: f. ant. Sufraja (2).

Sofrer: intr. ant. Sufrir (2).

Sofridero, ra: adj. ant. Sufridero (1).

Sojorno: m. ant. Ultima parte del día (2).

Sol: adv. m. ant. Solamente (1-2).

Solacio: m. desus. Solaz (1).

Solas: m. ant. Solaz (2).

Solasar: tr. ant. Solazar (2).

Soldada: f. ant. Salario militar (2).

Soldadero, ra: adj. ant. Que gana soldada (1-2).

Soldar: m. ant. Soldada, salario (2).

Soldariego: adj. ant. Ganado cuyo dominio pertenece con pleno derecho al señor (2).

Soldo: m. ant. Sueldo (2).

Soledumbre: f. desus. Paraje solitario y estéril, desierto (1).

Solejar: intr. ant. Tomar el sol (1).

Solén: adj. ant. Solemne (1).

Solevanto: m. ant. Alteración, conmoción (1).

Solgar: intr. ant. Respirar, resollar (2).

Solicitar://5 intr. ant. Instar, urgir (1).

Solitud: f. ant. Soledad (1).

Solombra: f. ant. Sombra (1-2).

Solombrero: m. ant. Sombrero (2).

Solombría: f. ant. Umbría (2).

Solta: f. ant. Traba (2).

Soltar://9. tr. ant. Perdonar o remitir a uno el todo o parte de lo que debe //10. ant. Relevar a uno de cumplir una cosa//11. ant. Anular, quitar (1-2).

Soltura://4. f. ant. Perdón, libertad, remisión//3. ant. Solución (1-2).

Solver: tr. desus. Resolver (1).

Sollada: f. ant. Soldada (2).

Sollador: m. ant. El que sopla como fuelle (1).

Sollar: tr. ant. Soplar (1-2).

Sombair: tr. ant. Engañar (2).

Sombrilla: f. ant. Sombra (2).

Sombroso: adj. ant. Asombroso (2).

Somético, ca: adj. ant. Sodomítico. Usáb. t. c. s. (1).

Somir: tr. ant. Sumir (2).

Somo: m. ant. Cima o lo más alto de una cosa//**En somo:** m. adv. ant. Encima, en lo más alto (1-2).

Somover: tr. ant. Mover algo (2).

Sonbrado: m. ant. Sobrado (2).

Sonochada: f. ant. Las primeras horas de la noche (2).

Sonrisar: intr. ant. Sonreir (1-2).

Sonrugirse: r. ant. Susurrarse, traslucirse (1).

Sonsañar: tr. ant. Sosañar (1).

Soño: m. ant. Sueño (2).

Soñolento, ta: adj. ant. Soñoliento (1).

Soo: pron. poses. ant. Suyo (2).

Sopar: tr. ant. Desmenuzar (2).

Sopear: tr. ant. Comer (2).

Sopesar, [-ssar]: tr. ant. Alzar en peso, tantear, llevar en peso, aguantar (2).

Soplavivo: m. fig. desus. Composición en que se iban encadenando los versos, y al final se repetían las palabras que constituían el encadenamiento (1).

Sopórtico: m. desus. Cobertizo, pórtico, soportal (1).

Sora: f. ant. Jora (Clase de comida) (1).

Sorba: f. ant. Serba (1).

Sorce: m. ant. Ratón pequeño (1).

Sordecer: tr. ant. Ensordecer. Usáb. t. c. intr. (1).

Sordedad: f. desus. Sordera (1).

Sormigrar: tr. ant. Sumergir (1).

Sorra: f. ant. Concubina (2).

Sorrabar: tr. ant. Desrabotar (2).

Sorrendar: tr. ant. Refrenar (2).

Sorrendo, [-iendo]: adj. ant. Lo muy intricado, cerrado//Bajo, plebeyo (2).

Sorrisar: intr. ant. Sonrisar (2).

Sorro: adj. ant. Crecido, aumentado (2).

Sorrostrada: f. ant. Afrenta (2).

Sorteja: f. ant. Sortija (2).

Sortería: f. ant. Sortilegio (1).

Sortero, ra: m. y f. ant. Agorero, adivino (1-2).

Sosacador, ra: adj. ant. Sonsacador. Usáb. t. c. s. (1).

Sosacamiento: m. ant. Acción y efecto de Sonsacar. Sonsacamiento (1-2).

Sosacar: tr. ant. Sonsacar (1-2).

Sosañar: tr. ant. Mofar, burlar (1).

Sosaño: m. ant. Mofa o burla (1).

Soseer: intr. ant. Estar debajo (2).

Sosegar:// 3. tr. ant. Pactar o asegurar una cosa (1).

Sospirar: intr. ant. Suspirar (2).

Sospiro: m. ant. Suspiro (2).

Sossanno: m. ant. Sosaño (2).

Sossegar: tr. ant. Sosegar (2).

Sostentar: tr. ant. Sustentar (2).

Sostituir: tr. ant. Sustituir (1).

Sostra: f. ant. Costra//De un golpe (2).

Sostrazo: m. ant. Golpazo o trastazo (2).

Sota:// 6. prep. ant Debajo, bajo de (1).

Sotabasa: f. ant. Arq. Plinto, zócalo, etc. en que estriba la basa (1).

Sotar: intr. ant. Bailar (1)//Saltar (2).

Sotener: tr. ant. Sostener (2).

Soterráneo, a: adj. ant. Subterráneo. Usáb. t. c. s. m. (1).

Soterrano, na: adj. ant. Subterráneo. Usáb. t. c. s. m. (1).

Soterrar: tr. ant. Sepultar (2).

Sotil: adj. ant. Sutil (1-2).

Sotileza, [-sa]: f. ant. Sutileza (1-2).

Sotilidad: f. ant. Sutilidad (1).

Sotilizar: tr. ant. Sutilizar (1).

Soverizar: tr. ant. Ofender (2).

Sozcomendador: m. ant. Subcomendador (1).

Sozprior: m. ant. Suprior (1).

Spirital: adj. ant. Espiritual (2).

Suadir: tr. ant. Persuadir (1).

Suasible: adj. ant. Persuasible (1).

Subidamente: adv. m. ant. Altamente, elevada o sublimemente (1). .

Subjectar: tr. ant. Sujetar (1).

Subjeto: m. ant. Sujeto (1).

Subjugante: p. a. ant. de Subjugar. Que subyuga (1).

Subjugar: tr. ant. Subyugar (1).

Subjuzgar: tr. ant. Sojuzgar. Usáb. t. c. r. (1) .

Subseyente: adj. ant Subsiguiente (1).

Subtilizar: tr. ant. Sutilizar (1).

Subtraer: tr. ant. Substraer. Usáb. t. c. r. (1).

Subvenio: m. ant. Subvención (1).

Subyudgar: tr. ant. Subyugar (2).

Sucedumbre: f. ant. Suciedad (1).

Sucentor: m. ant. Sochantre (1).

Sudario: m. desus. Sudadero (1).

Sudiento: adj. ant. Sudoriento (2).

Sue: poses. ant. Suyo, su (2).

Suelco: m. ant. Surco (2).

Suelda:// 2. f. desus. Soldadura (1).

Suelo:// 10. m. ant. Ano u orificio (1).

Suello: m. ant. Suelo (2).

Suelta:// 5. f. ant. Remisión o perdón de una deuda (1).

Suelto, ta:// 13. adj. ant. Soltero (1).

Sueno: m. ant. Sonido (1-2)//Sino (2).

Suerte:// 16. f. ant. En el comercio, Capital (1).

Suflación: f. ant. Soplo (1).

Suflar: intr. ant. Soplar (1).

Sufragano, na: adj. ant. Sufragáneo (Que depende de la jurisdicción y autoridad de alguno). Usáb. t. c. s. m. (1).

Sufraja: f. ant. Sufragio, socorro, ayuda (2).

Sufrencia: f. ant. Sufrimiento (2).

Sufrir://8. intr. ant. Contenerse, reprimirse (1).

Sugesto: m. ant. Púlpito o cátedra destinada especialmente para predicar (1).

Suízaro, ra: adj. ant. Suizo. Usáb. t. c. s. (1).

Suizo://4. m. ant. Soldado de infantería (1).

Sujecer: tr. ant. Sujetar (2).

Sulcar: tr. ant. Surcar (1).

Sulco: m. ant. Surco (1-2).

Sulfonete: m. ant. Pajuela (1).

Sultura: f. ant. Perdón, libertad (2).

Suo: poses. ant. Suyo (2).

Suor: m. ant. Sudor (2).

Superano: m. ant. Mús. Soprano (1).

Superbamente: adv. m. ant. Con lujo, con exceso (1).

Superbia: f. ant. Soberbia (1).

Superbo, ba: adj. desus. Soberbio (1).

Superchería://2. f. desus. Injuria o violencia hecha con abuso manifiesto o alevoso de fuerza (1).

Supitaño, ña: adj. desus. Subitáneo (1).

Supósito: m. ant. Supuesto (1).

Supremidad: f. ant. Supremacía (1).

Supurar://2. tr. fig. desus. Disipar o consumir. Usáb. t. c. r. (1).

Sura: f. ant. Pantorrilla//2. ant. Peroné (1).

Surgiente: p. a. ant. de Surgir. Que surge (1).

Suripanta: f. desus. Mujer corista de un teatro (1).

Surtir://3. intr. ant. Saltar, rebotar (1).

Surugiana: f. ant. Cirujano (2).

Susano, na: adj. ant. Que está a la parte superior o de arriba (1-2).

Susero, ra: adj. ant. Que está a la parte superior o de arriba (1).

Suso: adv. l. ant. Arriba//**De suso:** m. adv. ant. De arriba (1).

Suspección: f. ant. Sospecha (1).

Suspecto, ta: adj. ant. Sospechoso (1).

Suspendimiento: m. ant. Suspensión (1).

Suspición: f. ant. Sospecha (1).

Sustentamiento://2. m. ant. Sustento (1).

Suversión: f. ant. Subversión (1).

Suversivo, va: adj. ant. Subversivo (1).

Suvertir: tr. ant. Subvertir (1).

Suvir: intr. ant. Subir (2).

Súzio, [-sio]: adj. ant. Sucio (2).

Sy: conj. ant. Si//Ojalá (2).

Syllo: m. ant. Sello (2).

Syn: prep. ant. Sin (2).

Syssa: f. ant. Pedazo (2).

T

Tabahía: f. ant. Tabaque (Cesto) (1).

Tabardillo: m. Med. desus. Tifus (1).

Tabelión: m. ant. Escríbano (1).

Tabernería://2. f. ant. Taberna (1).

Tabernero://2. m. ant. El que frecuenta las tabernas (1).

Tabla://8. f. desus. Mesa//9. desus. Establecimiento público de banca que hubo antiguamente en algunas ciudades de España//21. ant. Mapa (1-2).

Tablaje: m. ant. Barato en el juego que cobra el que pone el tablero, y el mismo juego (2).

Tablajero: adj. ant. Que cobra barato en el juego del tablaje (2).

Tablaxe: m. ant. Tablaje (2).

Tablecilla: f. ant. d. de Tabla (1).

Tablero://14. m. ant. Cadalso (1)//Caja//Juego (2).

Tabloza: f. desus. Paleta (1).

Tabor: m. ant. Tambor (2).

Tacaño, ña: adj. desus. Astuto, pícaro, bellaco, y que engaña con sus ardides y embustes (1).

Tafulla: f. ant. Tahúlla (Medida agraria usada principalmente para las tierras de regadío (1).

Tafur: m. ant. Tahur (1-2).

Tafurería: f. ant. Tahurería (1-2).

Tagarote: m. ant. Especie de halcón (2). .

Tagre: m. ant. Especie de halcón (2).

Tahelí: m. desus. Tahalí (1).

Taibeque: m. ant. Tabique (1). .

Taja://3. f. ant. Talla (1).

Tajadero://2. m. ant. Plato trinchero 1-2).

Tajador: adj. ant. Plato//Lugar donde se taja o trincha (2).

Tajar: tr. ant. Talar//Concertar//Fabricar//Decidir (2).

Tajo://9. m. ant. Corte o hechura de un vestido (1).

Tajón: m. ant. Efecto de cortar (2).

Talaero: m. ant. Talayero (2).

Talaya: m. ant. Atalaya (Lugar alto; centinela) (2).

Talayero: m. ant. Atalayero (2)

Talega://8. f. ant. Provisión de víveres //3. ant. Mil. Ración (1).

Talén: m. ant. Talante (2).

Talente: m. ant. Talante (1-2).

Talento: m. ant. Voluntad, ganas (2).

Taliento: m. ant. Talento (2).

Talión://2. m. ant. Compensación (1).

Talque: pron. indeter. desus. Alguno (1).

Tallar://8. tr. ant. Cortar o tajar (1).

Tamar: tr. ant. Acabar (2).

Tanador: m. ant. Curtidor (1).

Taner: tr. ant. Tañer (2).

Tanger: tr. ant. Tañer (2).

Tangir: tr. ant. Tañer//2. impers. ant. Atañer//3. intr. ant. Ser uno pariente de otro (1).

Tanier: tr. ant. Tañer (2).

Tanner: tr. ant. Tañer (2).

Tanyer: tr. ant. Tañer (2).

Tañer://2. tr. ant. Tocar//3. ant. fig. Tocar//5. impers. ant. Atañer (1).

Tañimiento://2. m. ant. Tacto (1).

Tardamiento: m. ant. Tardanza (2).

Tardano, na: adj. ant. Tardío (1).

Tardar: tr. ant. Retener, retardar (2).

Tardinero: adj. ant. Tardío (2).

Tardioso: adj. ant. Tardo (2).

Tarina: f. desus. Fuente de mediano tamaño en que se servía la vianda a la mesa (1).

Tarja://7. f. desus. Tarjeta (1)//Escudo (2).

Tarjón: m. desus. aum. de Tarja (1).

Tarraza: f. desus. Vasija de barro (1).

Tartarí: adj. ant. Tártaro. Usáb. t. c. s. (1).

Tastar: tr. ant. Tocar//2. ant. Gustar (1-2).

Taurique: m. ant. Labor de yeso como lazo u hoja (2).

Tauth: m. ant. Ataúd (2).

Taxbique: m. ant. Tabique (2).

Tayllar: tr. ant. Tallar (2).

Tazar: tr. desus. Cortar, partir (1).

Teatino://3. adj. desus. Por confusión se aplicó a los padres de la Compañía de Jesús. Usáb. t. c. s. (1).

Tecedor: m. ant. Tejedor (2).

Teitral: m. ant. Testera o adorno de la cabeza del caballo (1).

Tejillo: m. ant. Tejido (2).

Tejimiento: m. ant. Tejido (1).

Tejolada: f. ant. Golpe con el tejo (2).

Tejuelo://4. m. ant. Tejo (1).

Tela://15. f. desus. Examen, disputa o controversia para dilucidar algo (1) //Liza o lugar del torneo (2).

Teletón: m. desus. Tela de seda parecida al tafetán, con cordoncillo menudo, pero de mucho más cuerpo y lustre que él (1).

Temblor://2. m. ant. Terremoto (1).

Tembrar: intr. ant. Temblar (2).

Temorizar: tr. ant. Atemorizar (1).

Temperado, da://2. adj. ant. Templado (1).

Tempestad://4. f. ant. Tiempo determinado o temporada (1).

Tempestar: intr. ant. Descargar la tempestad (1).

Tempestoso, sa: adj. ant. Tempestuoso (1).

Templación: f. ant. Templanza//2. ant. Temple, temperamento (1).

Templamiento: m. desus. Templanza (1).

Templanza://4. f. ant. Temple (1).

Tempradura: f. ant. Templadura (2).

Temprança: f. ant. Templanza (2).

Temprar: tr. ant. Templar (2).

Temudo: adj. ant. Temido (2).

Tendal://5. m. ant. Lugar cubierto en donde se esquilaba el ganado (1).

Tendejón: m. ant. Tienda de campaña (2).

Tenebregoso, sa: adj. ant. Tenebroso (1).

Tenebregura: f. ant. Tenebrosidad (1).

Tenebrura: f. ant. Tenebrosidad (1).

Tenencia://4. f. ant. Hacienda, haberes (1).

Tener://17. tr. ant. Guardar, cuidar, defender una cosa (1)//Creer (2).

Tenplano: adv. t. ant. Temprano (2).

Tenpro: m. ant. Templo (2).

Tenptación: f. ant. Tentación (2).

Tenudo: p. p. ant. de Tener. Tenido (2).

Tenuo, nua: adj. ant. Tenue (1).

Teosofía://2. f. ant. Teología (1).

Terciero: adj. ant. Tercero (2).

Terebintina: f. ant. Trementina (1).

Ternez: f. desus. Terneza (1).

Terrapleno: m. desus. Terraplén (1).

Terrazgo://3. m. desus. Territorio señorial cuyo disfrute ocasionaba prestaciones (1).

Terrazo: m. ant. Jarro (1).

Terrazuela: f. ant. Vasija chica de tierra (2).

Terrazulejo: m. ant. d. de Terrazo (1).

Terreña: f. ant. Vasija de tierra (2).

Terrería: f. ant. Amenaza terrorífica (1).

Terrero: adj. ant. Bajo, vil (2).

Terruzo: m. ant. Terruño (1).

Teruvela: f. ant. Polilla (1).

Tesaurero: m. ant. Tesorero (1).

Tesauro://2. m. ant. Tesoro (1).

Teso: adj. ant. Tieso (2).

Tesonero: adj. ant. Porfiado (2).

Tesonía: f. ant. Tesonería (1).

Tesorizar: tr. desus. Atesorar (1).

Testa: f. ant. Cabeza (2).

Testamento://5. m. ant. For. Embargo o aprehensión judicial de las cosas, a pedimiento del acreedor (1).

Testante: p. a. ant. de Testar. Que atestigua (1). .

Testar://3. tr. ant. Atestiguar//4. ant. Embargar judicialmente, o denunciar una cosa, pidiendo su embargo (1).

Testiguar: tr. ant. Atestiguar (1).

Testimonio://5. m. ant. Testigo (1).

Testimoñero: adj. ant. Que da testimonio (2).

Tetro, tra: adj. ant. Negro, manchado (1).

Texedo: m. ant. Tejedo (Madera de tejo) (2).

Texillo: m. ant. Tejido (2).

Tíbar: adj. desus. De oro puro (1).

Tibiez: f. ant. Tibieza (1).

Tiembla: f. ant. Temblor (2).

Tiemblo://2. m. ant. Temblor (1).

Tiesta://2. f. ant. Testa o cabeza (1-2).

Tiesto://3. m. ant. Casco de la cabeza, cráneo (1)//adj. ant. Tieso (2).

Tigera: f. ant. Tijera (2).

Tillado: m. ant. Tablado o piso de madera (2).

Tínea: f. ant. Polilla//2. ant. Carcoma de la madera (1).

Tiniebra: f. ant. Tiniebla (2).

Tintor: m. ant. Tintorero (1).

Tiracol://2. m. desus. Correa del escudo con la que se colgaba al cuello (1).

Tiradillas: f. pl. ant. Calzoncillos (1).

Tirar://10. tr. ant. Quitar, despojar//11. ant. Sacar, hacer salir a uno de algún sitio, apartarlo, desviarlo. Usáb. t. c. r. (1-2).

Tirataña: f. ant. Tiritaña (2).

Tiritaña: f. ant. Paño de seda de poco cuerpo (2).

Tirso://2. m. ant. Tallo o cogollo (1).

¡Tirte!: interj. ant. Apártate, retírate// **Tirte afuera, o allá:** expr. ant. Quita allá (1).

Tiser: f. ant. Tijera (1).

Tisera: f. ant. Tijera (2).

Tísica: f. ant. Tisis (1).

Títolo: m. ant. Título (1).

Titulizado, da: adj. ant. Distinguido o dotado con algún título (1).

Tizonador: m. ant. Atizador de tizones (2).

To: poses. ant. Tu (2).

Toa: f. ant. Maroma o sirga (1).

Tobaja: f. ant. Toalla (1).

Tobosesco, ca: adj. desus. Toboseño (1).

Tobosino, na: adj. desus. Toboseño (1).

Tocho: adj. ant. Torpe (2).

Tod: adv. ant. Todo (2).

Todavía://2. adv. t. ant. Siempre//También//Todo el tiempo (1-2).

Todía: adv. t. ant. Siempre (1).

Tolano: m. ant. Chichón en la cabeza (2).

Tolda: f. ant. Mar. Alcázar (1).

Toler: tr. ant. Quitar (2).

Toleración: f. ant. Tolerancia (1).

Tollecer: tr. ant. Tullir (1).

Toller: tr. ant. Quitar. Usáb. t. c. r. (1-2))

Tollimiento: m. ant. Acción y efecto de Toller o tollerse (1).

Tollir: tr. ant. Tullir (1).

Tomamiento: m. ant. Toma (1).

Tomante: p. a. ant. de Tomar. Que toma (1).

Tomar://28. tr. ant. Hallar o coger a uno en culpa o delito//29. ant. Cazar//33. ant. Construído con la prep. a y el infinitivo de otro verbo, Ejecutar lo que este verbo significa (1).

Topamiento: m. ant. Encuentro (1).

Topar://8. intr. desus. Parar (1).

Topear: tr. desus. Topetar (1).

Torbón: m. ant. Turbón (2).

Torería://2. f. desus. Travesura, calaverada (1).

Torgado, da: adj. ant. Trabado, torpe (1).

Tormentador, ra: adj. ant. Atormentador. Usáb. t. c. s. (1).

Tormentar: tr. ant. Atormentar (1-2).

Torna: f. ant. Vuelta//Prueba judicial (2).

Tornada: f. ant. Vuelta (2).

Tornés: m. ant. Moneda acuñada en Tours, que corrió por Navarra (2).

Torniño: adj. ant. Torneado (2).

Torno: m. ant. Vuelta (2).

Torondo: m. ant. Tolondro (Aturdido, desatinado y que no tiene tiento en lo que hace) (1).

Torondón: m. ant. Tolondro (1).

Torondoso, sa: adj. ant. Que tiene torondos (1).

Torpecer: tr. ant. Entorpecer (1).

Torpecimiento: m. ant. Entorpecimiento (1).

Torpor: m. desus. Med. Entumecimiento (1).

Torquí: adj. ant. Turco (2).

Torquy: adj. ant. Turco (2).

Torrado: adj. ant. Con torres (2).

Torreja: f. ant. Torrija (1).

Torrejón: m. ant. Torreón (2).

Tortero: adj. ant. Tortuoso, artero (2).

Torticero: m. ant. Agraviador, vejador (2).

Torto: adj. ant. Tuerto (2).

Tórtora: f. ant. Tórtola (2).

Torvar: tr. ant. Turbar (2).

Torvar: tr. ant. Poner torvo (2).

Torzuelo, [-çuelo]: m. ant. Pollo del azor (2).

Tose: f. ant. Tos (1).

Tost: adv. ant. Presto (2.)

Toste: adv. ant. Presto (2).

Tot: adv. ant. Tod (2).

Tovido, da: p. p. irreg. ant. de Tener (1).

Tozo: adj. ant. Tonto (2).

Trabajamiento: m. ant. Trabajo (2).

Trabamiento://2. m. ant. For. Traba (1).

Trabar, [-var]://9. r. desus. Pelear, contender (1)//Aferrar (2).

Trabuco://4. m. desus. Trastorno, revuelta (1)//Ardid (2).

Traca: f. desus. Mar. Hilada de tablas o de planchas de cobre en los forros del buque o sus cubiertas (1).

Tracción: m. ant. Traición (2).

Tración: m. ant. Traición (2).

Tractar: tr. ant. Tratar (1).

Traction: m. ant. Traición (2).

Traer: tr. ant. Entregar con traición (1).

Traeres: m. pl. ant. Modo de vestir (2).

Trafagar: intr. ant. Hablar demasiado (2).

Tragafees: m. ant. Traidor a la fe debida, o que la abandona en sus operaciones (1).

Tragédico, ca: adj. ant. Trágico (1).

Tragedioso, sa: adj. ant. Trágico (1).

Trager: tr. ant. Traer//Llevar//Tratar (2).

Traher: tr. ant. Traer//Llevar//Tratar (2).

Trainel: m. ant. Criado de rufián// Cordón para el calzado (2).

Tramojo: m. ant. Cuerda (2).

Trampar: tr. ant. Engañar (2).

Tranchea: f. ant. Trinchera (1).

Tranochar: intr. ant. Trasnochar (2).

Transbisabuelo, la: m. y f. ant. Tatarabuelo, la (1).

Transbisnieto, ta: m. y f. ant. Tataranieto, ta (1).

Transir: intr. ant. Pasar, morir, acabar. Usáb. m. c. r. (1).

Tranzado://3. m. ant. Trenzado (1).

Tranzar, [-çar]: tr. ant. Tronchar y cortar (2).

Trapería://3. f. ant. Pañería//4. ant. Calle o paraje donde estaban las pañerías (1).

Trapero, ra://3. m. y f. ant. Pañero (1).

Trapío: m. desus. Velamen (1).

Trapisonda://3. f. fig. desus. Agitación del mar, formada por olas pequeñas que se cruzan en diversos sentidos y cuyo ruido se oye a bastante distancia (1).

Trapo://3. m. ant. Paño (1).

Traquearteria: f. desus. Zool. Tráquea (1).

Trasabuelo, la: m. y f. ant. Tatarabuelo, la (1).

Trasbisabuelo, la: m. y f. ant. Transbisabuelo, la (1).

Trasbisnieto, ta: m. y f. ant. Transbisnieto, ta (1).

Trasayunar: intr. ant. Estar en ayunas (2).

Trascambiar: tr. ant. Cambiar (2).

Trascol: m. ant. Falda de cola, que usaban las mujeres (1).

Trasfacar: intr. ant. Trafagar (2).

Trasfagar: intr. ant. Trafagar (2).

Trásfago: r. ant. Tráfago (Trasto). (2).

Trasfinarse: r. ant. Medio morirse (2).

Trasfojar: tr. ant. Trashojar (1).

Trasguear: intr. ant. Mudarse de una parte a otra (2).

Trasloar: tr. ant. Alabar más de lo justo (2).

Trasnieto, ta: y f. ant. Tataranieto, ta (1).

Trasordinariamente: adv. m. ant. Extraordinariamente (1).

Trasordinario, ria: adj. desus. Extraordinario (1).

Trasponer: tr. ant. Pasar (2).

Traspuesta: f. ant. Muerte (2).

Traspuesto: adj. ant. Desmayado (2).

Trasquilimocho://2. m. desus. Menoscabo, pérdida (1).

Trastajar: intr. ant. Tartajear (2).

Trastornar, [-se]: intr. ant. Volver o tornar atrás (2).

Trasunto: m. ant. Copia (2).

Trasvinar: intr. ant. Rezumarse el vino (2).

Tratamiento://5. m. ant. Tratado, ajuste o convenio (1).

Tratanza: f. ant. Trato o tratamiento (1).

Travajo: m. ant. Trabajo (2).

Travesar: intr. ant. Atravesar (2).

Travesero: m. ant. Almohada (2).

Traviesar: intr. ant. Travesar (2).

Travieso://7. m. ant. Travesía (1).

Traydor: adj. ant. Traidor (2.)

Trebejar: intr. ant. Jugar, divertirse (2).

Trebejo://4. m. ant. Diversión, entretenimiento//5. ant. Burla, chanza (1-2).

Trebentina: f. ant. Trementina (1).

Trebie: adj. ant. Triple (2).

Trecha: f. ant. Treta (2).

Trecho: m. ant Trato (2.

Trechón: adj. ant. Que sabe de tretas (2).

Tredentudo: adj. ant. Tridente (1).

Trefe://3. adj. ant. Tísico (1)//Liviano, fofo, baladí (2).

Trefedad: f. ant. Tisis (1).

Trefudo: adj. ant. Liviano, flojo//Esforzado (2).

Treguar: tr. ant. Dar treguas (1-2).

Treintenario: m. ant. Treintanario (1).

Tremante: p. a. ant. de Tremar. Que tiembla (1).

Tremar: intr. ant. Temblar (1).

Tremblar: intr. ant. Temblar (2).

Tremer, [-mir]: tr. ant. Temer (22).

Tremuloso, sa: adj. desus. Trémulo (1).

Trena, [-ña]: f. ant. Trenza (2).

Trence: m. ant. Trance (2).

Trentanario: adj. ant. Que consta de de treinta días (2).

Trenteno, na: adj. ant. Treinteno//2. m. ant. Treintena (1).

Tresabuelo, la: m. y f. ant. Tatarabuelo, la (1).

Tresna: f. ant. Rastro (1).

Tresnal: m. ant. Montón de haces de mieses en forma triangular (2).

Tresnar: intr. ant. Menearse (2).

Tresnar: tr. ant. Arrastrar (1)//Traer cargas (2).

Tresnieto, ta: m. y f. ant. Tataranieto, ta (1).

Tresoro: m. ant. Tesoro (2).

Tresquilar: tr. ant. Trasquilar (1-2).

Tresquilón: m. ant. Trasquilón (1).

Trestiga: f. ant. Cloaca (1).

Tretero, ra: adj. desus. Astuto, taimado (1).

Trever, [-ber]: intr. ant. Atreverse (2).

Trexnar: tr. ant. Traer cargas (2).

Trezar: tr. ant. Trenzar (2).

Treznal: m. ant. Tresnal (2).

Treznar: tr. ant. Ar. Atresnalar (Poner y ordenar los haces en tresnales) (1).

Triaquero, ra: m. y f. desus. Persona que vende triaca y otros ungüentos o drogas (1).

Tribulante: p. a. ant. de Tribular. Que atribula (1).

Tribulanza: f. ant. Tribulación (1).

Tribular: tr. ant. Atribular. Usáb. t. c. r. (1).

Tríbulo: m. ant. Pésame (1).

Tribunato: m. ant. Tribunado (1).

Trillazón: f. ant. Trilla (1).

Trimar: intr. ant. Temblar (2).

Trinchar://2. tr. ant. Cortar, partir o dividir (1).

Trinchea: f. ant. Trinchera (1).

Trinchear: tr. ant. Atrincherar. Usáb. t. c. r. (1).

Trincheo: adj. ant. Trinchero. Usáb. t. c. s. (1).

Trique: m. ant. Peligro (2).

Triquete: m. ant. Mar. Trinquete (1).

Tristencia: f. ant. Tristeza (2).

Tristor: m. ant. Tristeza (1).

Triunvirado: m. ant. Triunvirato (1).

Tro: prep. ant. Ar. Hasta (2).

Troa: prep. ant. Ar. Hasta (2).

Trebar: tr. ant. Ar. Hallar (2).

Troçir: intr. ant. Pasar, aplicado al espacio o al tiempo//2. ant. Morir (1-2).

Trofador: adj. ant. Embustero (2).

Troja, [-xa]: f. ant. Troj//2. ant. Alforja, talega o mochila (1-2).

Trojado, da: adj. ant. Metido o guardado en la troja o talega (1).

Trojar, [-xar]: tr. ant. Guardar (2).

Trojel: m. ant. Fardo (1).

Trompar: tr. ant. Engañar, burlar//3. ant. Tocar la trompa (1-2).

Trompero, ra: adj. desus. Que engaña (1).

Trompezadura: f. ant. Tropezón (2).

Trompezar, [-çar]: intr. ant. Tropezar (1-2).

Trompezón: m. ant. Tropezón (1).

Trompieza, [-ça, -sa]: f. ant. Tropiezo (2).

Trona: ant. Púlpito y como trono desde el cual el rey hablaba el primer día de las Cortes de Aragón (2).

Tronco, ca: adj. ant. Trunco, truncado, tronchado (1).

Tropel://5. m. desus. Trote del caballo//7. ant. Mil. Partida o pequeño cuerpo separado de un ejército (1).

Tropellar: tr. ant. Atropellar (1).

Troque: m. ant. Trueque (1).

Trossar: tr. ant. Guardar (2).

Trotero: m. ant. Correo (1-2).

Trovador, ra://4. m. y f. ant. Persona que se encuentra o halla una cosa (1).

Trovar: tr. ant. Hallar. Usáb. t. c. r. (1).

Trucidar: tr. ant. Despedazar, matar con crueldad e inhumanidad (1).

Truchán: m. ant. Truhán (2).

Trueno://3. m. ant. Pieza de artillería (1).

Trufador: adj. ant. Embustero (2).

Trufaldín, na: m. y f. ant. Farsante (1).

Trufán, na: adj. ant. Truhán. Usáb. t. c. s. (1-2).

Trufería: f. ant. Truhanería (2).

Truhador: adj. ant. Embustero (2).

Truhanía: f. ant. Truhanería (1).

Truhería: f. ant. Truhanería (2).

Trujamán: m. ant. Intérprete (2).

Trujamanear: tr. ant. Interpretar, traducir (2).

Tue: poses. ant. Tu, tuyo (2).

Tuertamente: adv. ant. Torcidamente (1).

Tuerto, ta://3. adj. ant. Bizco (1)//Injusticia, sinrazón.//Daño (2).

Túho: m. ant. Tufo (1).

Tumbal: adj. ant. Hueco (2).

Tumbar: tr. ant. Golpear (2).

Tumultuación: f. ant. Tumulto (1).

Tura: f. ant. Dura (1).

Turable: adj. ant. Durable (1).

Turación: f. ant. Duración (1).

Turar: intr. ant. Durar (1-2).

Turbiante: p. a. ant. de Turbiar. Turbante (1).

Turbiar: tr. ant. Turbar. Usáb. t. c. r. (1).

Turbioso, sa: adj. ant. Turbio (1).

Turbón: m. ant. Turbión (1-2).

Turgimán: m. ant. Embajador, mediador (2).

Turpe: adj. ant. Torpe (1).

Turpitud: f. ant. Torpeza (1).

Turqués, sa: adj. ant. Turco. Usáb. t. c. s. (1).

Turquí: adj. desus. Turco (1-2).

Tusar: tr. ant. Atusar (1).

Tuscánico, ca: adj. ant. Toscano (1).

Tusón://2. m. ant. Toisón (1).

Tútano: m. desus. Tuétano (1).

Tutia: f. ant. Sulfato usado en colirios (2).

U

Ucé: com. ant. Vuestra merced (1).

Uced: com. ant. Ucé (1).

Ucencia: com. ant. Vuecencia (1).

Ucera: f. ant. Cueva, mazmorra (2).

Udir: tr. ant. Oir (2).

Uebos: m. ant. Necesidad//adj. ant. Necesario (2).

Uerco: m. ant. Andas para llevar a los muertos//Infierno, muerte, demonio//adj. ant. Triste, retirado en la oscuridad (2).

Uérfano: adj. ant. Huérfano (2).

Ufana: f. ant. Orgullo (2).

Ufanero, ra: adj. ant. Que acostumbra ufanarse (1).

Ufaneza: f. ant. Ufanía (1).

Ufanidad: f. desus. Ufanía (1).

Ufrir: tr. ant. Ofrecer (2).

Ultimadamente: adv. m. ant. Ultimamente (1).

Ultimado, da//2. adj. ant. Último (1).

Ultimato: m. desus. Ultimátum (1).

Último://12. adv. m. desus. Ultimamente, por último (1).

Ultriz: adj. ant. Vengadora (1).

Umicidio: m. ant. Homicidio (2).

Umiziado: adj. ant. Enemigo (2).

Umiziar: tr. ant. Poner mal con otro (2).

Umbra: f. ant. Sombra (1).

Ungar: tr. ant. Unir (2).

Ungento, [-te]: m. ant. Ungüento (2).

Unión://12. f. desus. Perla (1).

Untesidad: f. ant. Untuosidad (1).

Uñir: tr. ant. Unir, juntar (1).

Uracho: m. ant. Uretra (1).

Urbenía: f. ant. Urbanidad (1).

Urción: m. ant. Pago de la herencia del labrador cuando fallecía (2).

Urgulleso: adj. ant. Orgulloso (2).

Usación: f. ant. Uso (1).

Usador, ra: adj. ant. Que usa (1).

Usaje: m. ant. Uso (1-2).

Usar://5. tr. ant. Tratar y comunicar (1).

Usiría: com. ant. Met. pl. de Useñoría, vuestra señoría (1).

Usitado, da: adj. ant. Que se usa muy frecuentemente (1).

Uslar: intr. ant. Doler (2).

Usofruto: m. ant. Usufructo (1).

Usufrutuar: tr. ant. Usufructuar (1).

Usufrutuario, ria: adj. ant. Usufructuario. Usáb.. t. c. s. (1).

Usuario, ria://2. m. y f. ant. Usurero, ra (1).

Usurero, ra: adj. ant. Usurario (1).

Ut: m. ant. Mús. Do (1).

Uuevos: m. ant. Uebos (2).

Uviar: intr. ant. Acudir, venir, llegar (1)//Llegar al encuentro, acontecer //Socorrer//Tener ocasión o lugar (2).

Uyar: intr. ant. Uviar (2).

Uzo, [-ço]: m. ant. Salida, puerta o postigo (1-2).

V

Vacado, da://2. adj ant. Vaco (Vacante) (1).

Vacanza: f. ant. Vacancia (1).

Vaciedad: f. ant. Vacuidad (1).

Vado://3. m. desus. Tregua, espacio (1).

Vafo: m. ant. Vaho//2. ant. Soplo o aliento fuerte (1).

Vafoso, sa: adj. ant. Vaporoso (1).

Vaga: f. ant. Ola (1).

Vagante://2. p. a. ant. de Vagar. Vacante (1).

Vagar: m. ant. Espacio, reposo (2).

Vagaroso, sa://2. adj. ant. Tardo, perezoso o pausado (1-2).

Vago, ga://2. adj. ant. Vaco (1).

Váguido: m. ant. Vaguido (1).

Vailada: f. ant. Bailada (2).

Vaile: m. ant. El que cogía a los malhechores y recogía las rentas reales (2).

Vaivén://2. m. ant. Ariete (1).

Vaivenear: tr. desus. Causar o producir vaivén (1).

Valadí: ant. Baladí (2).

Valcavera: f. ant. Linaje (2).

Valdío: adj. ant. Vano, ocioso (2).

Valdosa: f. ant. Instrumento músico (2).

Valecer: tr. ant. Valer (2).

Valedero, ra://2. adj. ant. Valedor, protector. Usáb. t. c. s. (1).

Valencia: f. ant. Valor, valía (1).

Valenza: f. ant. Valimiento, favor, protección (1).

Valía: f. ant. Precio, coste//Corte del rey o poderoso//Favor y ayuda (2).

Valiado: adj. ant. Poderoso (2).

Validad: f. ant. Validación (1).

Valiente: p. a. ant. de Valer. Que vale (1-2).

Vallestero: m. ant. Ballestero (2).

Vanarse: r. ant. Envanecerse (2).

Vancal: m. ant. Bancal (2).

Vancuerda: f. ant. Cabo//Nombre de la alcahueta (2).

Vanda: f. ant. Ceñidor (2).

Vandear: tr. ant. Bandear (2).

Vandero: adj. ant. Bandero (2).

Vando: m. ant. Bando (2).

Vandurria: f. ant. Bandurria (2).

Vanecerse: r. ant. Desvanecerse (1).

Vanguarda: f. desus. Vanguardia (1).

Varado, da: adj. ant. Listado (1).

Varaescudo: m. ant. Varascudo (2). .

Varaja: f. ant. Baraja (2).

Varajar: tr. ant. Barajar (2).

Varascudo: m. ant. Pequeña arandela que defendía la sobrenuca del almete (2).

Varga: f. ant. Casilla con cubierta de paja o ramaje (1)//Monte bajo (2).

Variamiento: m. ant. Variación (1).

Varón: m. ant. Barón (2).

Varona: f. ant. Baronesa (2).

Varonía: f. ant. Conjunto de varones (2).

Varquina: m. ant. Jarro (2).

Varragana: f. ant. Barragana (2).

Varruntar: tr. ant. Barruntar (2).

Varva: f. ant. Barba (2).

Vasilla: f. ant. Vajilla (1).

Vaso://9. m. desus. Hueco de algunas otras cosas, como el de las campanas (1).

Vassallo, [-lo]: m. ant. Vasallo (2).

Vastación: f. ant. Destrucción o desolación (1).

Vastar: tr. ant. Talar o destruir (1).

Vazio: adj. ant. Vacío (2).

Vecero: adj. ant. Lo que alterna (2).

Vecindado://2. m. ant. Vecindario (1).

Vecindar: tr. ant. Avecindar. Usáb. t. c. r. (1).

Vedar://3. tr. ant. Privar o suspender de oficio o del ejercicio de él (1).

Vedegambre: m. ant. Eléboro negro o hierba de ballestero (2).

Veder: tr. ant. Ver (2).

Veedor://6. m. ant. Visitador, inspector (1).

Veer: tr. ant. Ver (2).

Vefar: intr. ant. Echar el aliento//Hablar, fanforronear, burlar (2).

Vegada: f. ant. Vez//A las vegadas: m. adv. ant. A las veces (1-2).

Vegedad: f. ant. Vejez (2).

Vegilia: f. ant. Vigilia (2).

Veguedumbre: m. ant. Moho (22).

Veintecuatría: f. ant. Veinticuatría (1).

Veintedoseno, na: adj. ant. Veintidoseno (1).

Veintenero: m. ant. Partícipe de la veintena, o vigésima parte del sexmo (2).

Vejaire: m. ant. Visaje, gesto (2).

Vejecer: intr. ant. Envejecer (1).

Vejecito, ta: adj. d. ant. de Viejo. Usáb. t. c. s. (1).

Vejedad: f. ant. Vejez (1-2).

Vejible: adj. ant. Viejo (1).

Vejón, na: adj. aum. ant. de Viejo. Usáb. t. c. s. (1).

Velador://5. m. ant. Centinela (1).

Velambre: f. ant. Velación (1).

Velmez: m. ant. Belmez (2).

Veloce: adj. ant. Veloz (1).

Veluntad: f. ant. Voluntad (2).

Velut: m. ant. Clase de tela (2).

Vellado: adj. ant Velludo, peludo (2).

Vellido: adj. ant. Bello (2).

Vellotado: m. ant. Rizo (1).

Venación: f. ant. Caza (1).

Venado://2. m. ant. Res de caza mayor, particularmente oso, jabalí o ciervo (1).

Venador: m. ant. Cazador (1).

Venadriz: f. ant. Cazadora (1).

Venda: f. ant. Véndida (1).

Vendegar: tr. ant. Vengar (2).

Vendeja://2. f. desus. Conjunto de mercancías destinadas a la venta (1)

Vendemiar: tr. ant. Vendimiar (2).

Venderache: m. ant. Vendedor o mercader (1).

Vendición: f. ant. Venta (1).

Véndida f. ant. Venta (1).

Venedizo za: adj. ant. Advenedizo (1).

Veneficiar: tr. ant. Maleficiar o hechizar (1).

Veneficio: m. ant. Maleficio o hechicería//2. ant. Afeite (1).

Venéfico, ca: adj. ant. Venenoso//2. m. y f. ant. Hechicero (1).

Venenador: adj. ant. Envenenador. Usáb. t. c. s. (1).

Venenar: tr. ant. Envenenar (1-2).

Venganza://2. f. desus. Castigo, pena (1).

Veniente: p. a. ant de Venir. Que viene (1).

Venino, na: adj. ant. Venenoso//2. m. ant. Veneno//3. ant. Grano maligno o divieso (1-2).

Venir: intr. ant. Ir (2).

Ventador: m. ant. Aventador (1).

Ventaje: m. ant. Ventaja (1-2).

Ventar://3. tr. ant. Aventar (1).

Ventar: tr. ant. Hallar, descubrir, ventear (1-2).

Ventecico, llo, to: m. ant. d. de Viento (1).

Venternero, ra: adj. ant. Glotón, tragón (1-2).

Venternía: f. ant. Glotonería (1-2).

Ventor: ant. Perro de caza//fig. ant. Alguacil, espía (2).

Ventosedad: f. ant. Ventosidad (1).

Ventoso, sa://5. adj. ant. fig. Vano, presuntuoso, desvanecido (1).

Ventrada: f. ant. Ventregada (Conjunto de animalillos que han nacido de un parto) (1).

Ventre: m. ant. Vientre (2).

Ventura://4. f. ant. Aventura (1).

Venturero, ra: adj. ant. Casual o contingente (1).

Venzudo: adj. ant. Vencido (2).

Verano://5. m. ant. Primavera (1).

Verbo, [-a]: m. ant. Palabra (2).

Verdescuro, ra: adj. ant. Verdinegro (1).

Veredario, ria: adj. ant. Aplicábase a las postas o postillones y a los caballos de alquiler (1).

Verga://3. ant. Vara (1).

Vergoña: f. ant. Vergüenza (1-2).

Vergoñar: tr. ant. Avergonzar (2).

Vergoñoso: adj. ant. Vergonzoso (1-2).

Verguedo: m. ant. Donde hay vergas o se verguea o varea (2).

Vergüenza, [-ça]://6. f. ant. Listón o larguero delantero de las puertas (1) //Respeto, reverencia (2).

Vergüeña: f. ant. Vergüenza (1-2).

Vergueta://2. m. desus. fig. Corchete (1)//Varilla, azote (2).

Veril: m. ant. Viril (2).

Vermejo: adj. ant. Bermejo (2).

Vero: m. ant. Forro de pieles de cierto color y clase rica (2).

Vero, ra: adj. desus. Verdadero//**De vero:** m. adv. ant. De veras (1).

Verrar: intr. ant. Berrear (2).

Verrojo: m. ant. Cerrojo (1).

Verrón: m. ant. Verraco (2).

Verrucaria: f. ant. Girasol (1).

Versucia: f. ant. Astucia, sagacidad (1).

Versuto, ta: adj. ant. Astuto, taimado y malicioso (1).

Vertud: m. ant. Virtud (2).

Vertuo: m. ant. Virtud (2).

Vervenzón: m. ant. Gusano (2).

Vesa, [-ssa]: f. ant. Bota alta contra el barro (2).

Vescinoso: adj. ant. Viscoso (2).

Vesino: m. ant. Vecino (2).

Veso: m. ant. Verso (2).

Vestiario: m. ant. Vestuario (1).

Vestimento: m. ant. Vestido//2. desus. Vestimenta. Usáb. m. en pl. (1-2).

Vestro: poses. ant. Vuestro (2).

Vever: tr. ant. Beber (2).

Vevir: intr. ant. Vivir (2).

Veyente: p. a. ant. de Veer. Vidente Usáb. t. c. s. (1).

Veyer: tr. ant. Ver (2).

Vez://5. f. ant. Cantidad que se da o se recibe de un golpe (1).

Vezar: tr. ant. Acostumbrar (2).

Vezindad: f. ant. Vecindad (2).

Vezo: m. ant. Costumbre (1-2).

Viar: intr ant. Caminar (2).

Viaraza, [-ça]://2. f. ant. fig. Acción Inconsiderada y repentina (1)//Flujo de vientre de las caballerías (2).

Vibdo, da: adj. ant. Viudo (2).

Vid://2. f. ant. Zool. Ligamento o tripa con que está asido el feto a las parias, y que se rompe al tiempo del parto (1).

Vida://24. f. For. ant. Espacio de diez años (1).

Vidable: adj. ant Agradable (2)

Vidal: adj. ant. Vital (1).

Vidiente: adj. ant. Vidente (2).

Vidriera://3. f. desus. Escaparate (1).

Vidrio://5. m. ant. Vaso de cristal (1).

Vidro: m. ant. Vidrio (1).

Viejez: f. ant. Vejez (1).

Viejos://15. m. pl. ant. fam. Pelos de los aladares (1).

Vierbo, [-a]: m. ant. Verbo (2).

Vieso: m. ant. Verso (2).

Viésperas: f. ant. Vísperas (1-2).

Vigisuela: adj. d. de Vieja. Viejezuela (2).

Vila: f. ant. Villa (2).

Vilano: m. ant. Milano (1).

Vildo, da: adj. ant. Viudo (2).

Vildad: f. ant. Vileza (1).

Vilecer: tr. ant. Envilecer. Usáb. t. c. r. (1).

Vilesa: f. ant. Vileza (2).

Vilta: f. ant. Vileza, afrenta (2).

Viltadamientre: adv. m. ant. Fácilmente (2).

Viltanza: f. ant. Envilecimiento (1)// Vileza, afrenta (2).

Viltar: tr. ant. Humillar, afrentar (2).

Viltoso, sa: adj. ant. Vil (1).

Villanchón: adj. ant. Villano (2).

Villar: m. ant. Arrabal de la villa (2).

Vinático, ca: adj. desus. Perteneciente al vino (1).

Vincle: m. ant. Vínculo (1).

Vincular://2. tr. ant. Asegurar, atar con prisiones (1).

Viniedo: m. ant. Viñedo (2).

Viniente: p. a. ant. de Venir. Que viene (1).

Vintanero: m. ant. Veintenero (2).

Vintena: adj. ant. Veintena (2).

Vintenero: m. ant. Veintenero (2).

Vinnadero: m. ant. Viñadero (2).

Violar: tr. ant. Tañer la viola (2).

Violero: m. ant. Vihuelista (1).

Vipera: f. ant. Víbora (2).

Vira: f. ant. Flecha (2).

Virgin: com. ant. Virgen (2).

Virginalero, ra: adj. ant. Mujeril (1).

Virgo: com. ant. Virgen (2).

Virón: adv. l. ant. Alrededor (2).

Virote://5. m. ant. Esquela de aviso o súplica (1).

Virotón: adj. ant. Corrilón, callejero (2).

Virto: m. ant. Violencia, fuerza (2).

Visal: m. ant. Visera (1).

Visarma: f. ant. Alabarda llamada así, porque se puede de dos modos herir con ella (2).

Visera: f. ant. La vista (2).

Viso://6. m. ant. Vista//7. ant. Semblante, cara (1-2)//Lugar eminente de donde se divisa mucho (2).

Visorreina: f. ant. Virreina (1).

Visorreinado: m. ant. Virreinato (1).

Visorreino: m. ant. Virreino (1).

Visorrey: m. ant. Virrey (1).

Vista://18. f. ant. Visera (1)//Junta para tratar algo o verse y hablarse (2).

Vistoso://2. m. desus. Ciego fingido, generalmente para mendigar (1).

Vistraer: tr. ant. Ar. Adelantar, prestar (2).

Vitela://2. f. ant. Ternera (1).

Vito: m. ant. Victo (Sustento diario) (1-2).

Vitoria: f. ant. Victoria (1).

Vitorioso, sa: adj. ant. Victorioso (1).

Viuela: f. ant. Vihuela (2).

Vivez: f. ant. Viveza (1).

Vivienda: f. ant. Modo de vivir (2).

Voacé: com. ant. Usted (1).

Voca: f. at. Boca (2).

Vocabulista://3. m. ant. Vocabulario (1).

Vocación://3. f. ant. Convocación, llamamiento (1).

Vocero://2. m. desus. Abogado (1-2)//Pregonero (2).

Vocería: f. ant. Abogacía (2).

Voda: f. ant. Boda (2).

Vodigo: m. ant. Ofrenda; panecillo para la ofrenda (2).

Volada://3. f. ant. Vuelo (1).

Volatilla: f. ant. Animal volátil (1).

Volería: f. ant. Vuelo (2).

Volontad: f. ant. Voluntad (2).

Volopar: tr. ant. Envolver (2).

Voltar: f. ant. Vuelta (2).

Voltejar: tr. ant. Voltear (1).

Voltura: f. ant. Vuelta//2. ant. Mezcla (1).

Volúmine: m. ant. Volumen (1).

Volver://18. tr. ant. Resolver, mezclar (1)//Confundir//Turbar, alborotar (2).

Volvimiento: m. ant. Acción de volver o revolverse (1).

Vosco: pron. pers. ant. Con vos, o con vosotros (1).

Voso, sa: adj. ant. Vuestro (2).

Vozero: m. ant. Vocero (2).

Vuelta://21. f. ant. Riña, alboroto//22. ant. Cada uno de los dos tercetos del soneto (1).

Vuesarced: com. ant. Metapl. de Vuestra merced (1).

Vueseñoría: com. ant. Metapl. de Vuestra señoría (1).

Vueso, sa: pron. poses. ant. Vuestro (1).

Vulgado. da: adj. ant. Vulgar (1).

Vulgar: tr. ant. Divulgar (1).

Vulnerar: tr. ant. Herir (1).

Vulto: m. ant. Rostro o cara (1).

Vusco: pron. pers. ant. Convusco (1).

Vusted: com. ant. Usted (1).

Vyso: m. ant. Viso (2).

Vyyuela: f. ant. Vihuela (2).

X

Xabeba: f. ant. Mús. Especie de flauta (2).

Xafarrón: adj. ant. Bufón, enmascarado (2).

Xamed: m. ant. Tela de seda (2).

Xamet: m. ant. Xamed (2).

Xamete: m. ant. Xamed (2).

Xamit: m. ant. Xamed (2).

Xantar: tr. ant. Yantar (2).

Xaque: m. ant. Prenda de vestir como chaqueta (2).

Xáquima: f. ant. Alcahueta (2).

Xerga: f. ant. Jerga (2).

Xervilla: f. ant. Zapatilla (2).

Xeta: f. ant. Jeta (2).

Ximio: m. ant. Mono (2).

Xira: f. ant. Jirón (2).

Y

Y: adv. l. ant. Allí (1-2).

Yacuanto: indeter. ant. Algo, algún tanto (2).

Yanta: f. ant. Comida del mediodía (1).

Yantar: tr. ant. Comer//2. ant. Comer al mediodía//**Yantar a chirla come:** fr. ant. Decíase de los que se juntaban a comer y hablar con desahogo y libertad (1).

Yaquanto: indeter. ant. Yacuanto (2).

Yaqué: indeter. ant. Algo (2).

Yaser: intr. ant. Yacer (2).

Ydola: f. ant. Ídolo (2).

Yedgo: m. ant. Yezgo (Planta herbácea) (1).

Yeguarizo: m. ant. Yegüerizo (1).

Yent: f. ant. Gente (2).

Yente: f. ant. Gente (2).

Yerboso, sa: adj. ant. Herboso (1).

Yerra: f. ant. Yerro (2).

Yfante: m. ant. Infante (2).

Yffante: m. ant. Infante (2).

Yglesia: f. ant. Iglesia (2).

Ynfinta: f. ant. Amago, fingimiento, disimulo (2).

Yogar: intr. ant. Holgarse, y particularmente tener acto carnal//2. ant. Estar detenido o hacer mansión en un paraje (1)//Burlar (2).

Yoglar: m. ant. Juglar (1).

Yoglaresa: f. ant. Juglaresa (1).

Yoglaría: f. ant. Juglería (1).

Yonglería: f. ant. Juego, diversión (2).

Yubero: m. ant. Yuguero (Mozo que labra la tierra con un par de bueyes, mulas u otros animales) (1-2).

Yubo: m. ant. Yugo (1-2).

Yugar: intr. ant. Yogar (2).

Yugero: m. ant. Yuguero (2).

Yungir: tr. ant. Uncir (1).

Yunta: f. ant. Reunión de los pueblos para tratar sus asuntos comunes//Junta (2).

Yuntar: tr. ant. Juntar (1-2).

Yuntero: m. ant. Comisionado para juntas del pueblo (2).

Yura: f. ant. Juramento, Jura (2).

Yurar: tr. ant. Jurar (2).

Yusano, na: adj. ant. Yusero (1-2).

Yusente: f. ant. Mar. Marea que baja (1).

Yusero, ra: adj. ant. Que está en lugar inferior o más abajo (1-2).

Yusión: f. desus. For. Acción de Mandar (1).

Yuso: adv. l. ant. Ayuso (1-2).

Yusto: adj. ant. Justo (2).

Yuvero: m. ant. Yubero (2).

¡Yuy!: interj. ant. ¡Huy! (1).

Z

Zabra: f. ant. Embarcación de moros (2).

Zafera: f. ant. Hondura (2).

Zaga://3. f. ant. Mil. Retaguardia//5. adv. l. ant. Detrás (1).

Zagadera: f. ant. Cegatera o regatona (2).

Zagadero: m. ant. Cegatero (1).

Zagaya: f. ant. Azagaya (1).

Zaguera: f. ant. Retaguardia (1).

Zaguería: f. ant. Postrimería (2).

Zaharrón: adj. ant. Bufón, enmascarado (2).

Zahena: amb. ant. And. Puches (2).

Zaherío: m. ant. Zaherimiento (1).

Zahorar: intr. ant. desus. Cenar segunda vez, a deshora; sobrecenar (1-2).

Zajinas: f. ant. Zahena (2).

Zalanco: adj. ant. Bobo (2).

Zalluzar: tr. ant. Apetecer, hambrear (2).

Zamozán: m. ant. Gamuza (2).

Zampuñuelo: m. ant. Borbotón (2).

Zancajada: f. ant. Zancadilla (2).

Zanco://2. m. ant. Zanca (1).

Zapata: f. ant. Zapato de mujer (2).

Zapera: f. ant. Fruncimiento de ceja (2).

Zarafa: f. ant. Jirafa (2).

Zarar: tr. ant. Cerrar (2)).

Zaraza: f. ant. Mala mujer (2).

Zarcado: adj. ant. Zarco (2).

Zarrar: tr. ant. Cerrar (2).

Zarzaganillo: m. ant. Viento fuerte (2).

Zarzahán: m. ant. Tela de seda (2).

Zascandil://2. m. fam. desus. Hombre astuto, engañador, por lo común estafador//3. desus. Golpe repentino o acción pronta e impensada que sobreviene (1).

Zatico: m. ant. Pedazo (2).

Zeitín: m. ant. Aceituní (2).

Zeituní: m. ant. Aceituní (2).

Zenia: f. ant. Aceña (1).

Zoco: m. ant. Plazo (1).

Zoótropo: m. desus. Aparato que al girar produce la ilusión de que se mueven unas figuras dibujadas (1).

Zorame: m. ant. Capa berberisca (2).

Zorrar: tr. ant. Echar, arrojar (2).

Zulame: m. ant. Zurame (2).

Zurame: m. ant. Zorame (2).

Zurugía: m. ant. Cirugía (1).

Zurujano: m. ant. Cirujano (1).

Zuzar: tr. ant. Azuzar (1).

Zuzón: m. ant. Acción de Zumbar (2).